LES TAMBOURS SAUVAGES

DU MÊME AUTEUR

Grand prix de la Société des Gens de Lettres
et prix Alexandre Dumas pour l'ensemble de son œuvre

Paradis entre quatre murs (Laffont).
Le Bal des ribauds (Laffont).
Les Lions d'Aquitaine (Laffont, prix Limousin-Périgord).
Divine Cléopâtre (Laffont, collection « Couleurs du temps passé »).
Dieu m'attend à Mélina (Laffont, collection « Couleurs du temps passé »).
L'Aigle des deux royaumes (Laffont, collection « Couleurs du temps passé »).
Les Dieux de plume (Presse de la Cité, prix des Vikings).
Les Cendrillons de Monaco (Laffont, collection « L'Amour et la Couronne »).
La Caverne magique (La Fille des grandes plaine) (Laffont, prix de l'Académie du Périgord). France Loisirs.
Le Retable (Laffont) et Lucien Souny, Limoges.
L'Œil arraché **(Laffont).**
Le Limousin (Solar ; Solarama).
L'Auberge de la mort (Pygmalion).
La Passion cathare : 1. *Les Fils de l'orgueil* (Laffont).
                                    2. *Les Citadelles ardentes* (Laffont).
                                    3. *La Tête du dragon* (Laffont).
La Lumière et la Boue : 1. *Quand surgira l'étoile Absinthe* (Laffont).
                                        2. *L'Empire des fous* (Laffont).
                                        3. *Les Roses de fer* (Laffont, prix de la ville de Bordeaux). Livre de poche.
L'Orange de Noël (Laffont, prix du salon du Livre de Beauchamp). Livre de Poche et France Loisirs.
Le Printemps des pierres (Laffont). Livre de Poche.
Les Montagnes du jour(« Les Monédières »). Préface de Daniel Borzeix.
Sentiers du Limousin (Fayard).
Les Empires de cendre : 1. *Les Portes de Georgovie* (Laffont et France Loisirs).
                                        2. *La Chair et le Bronze* (Laffont).
                                        3. *La Porte noire* (Laffont).
La Division maudite (Laffont).
La Passion Béatrice (Laffont). France Loisirs.
Les Dames de Marsanges : 1. *Les Dames de Marsanges.*
                                          2. *La Montagne terrible.*
                                          3. *Demain après l'orage.*
Napoléon : 1. *L'Étoile Bonaparte* (Laffont).
                    2. *L'Aigle et la Foudre* (Laffont).
Les Flammes du Paradis (Laffont).

POUR LA JEUNESSE
Éd. Robert Laffont (collection « Plein Vent »)

La Vallée des mammouths (Grand Prix des Treize). Folio-Junior.
Les Colosses de Carthage.
Cordillière interdite.
Nous irons décrocher les nuages.
Je suis Napoléon Bonaparte (Belfond Jeunesse).

ÉDITIONS DE LUXE

Amour du Limousin (illustrations de J.-B. Valadié), Plaisir du Livre, Paris Réédition (1986) aux éditions Fanlac, à Périgueux.
Èves du monde(illustrations de J.-B. Valadié), Art Media, Paris.
Brive, commentaires sur des gravures de Pierre Courtois, éd. R. Moreau, Brive.
La Vie en Limousin (texte pour des photos de Pierre Batillot, éd. « Les Monédières »).

MICHEL PEYRAMAURE

LES TAMBOURS SAUVAGES

Roman

Présenté par
Jeannine Balland

PRESSES
DE LA CITÉ

DANS LA MÊME COLLECTION

© Presses de la Cité 1993.
ISBN 2-258-03610-0

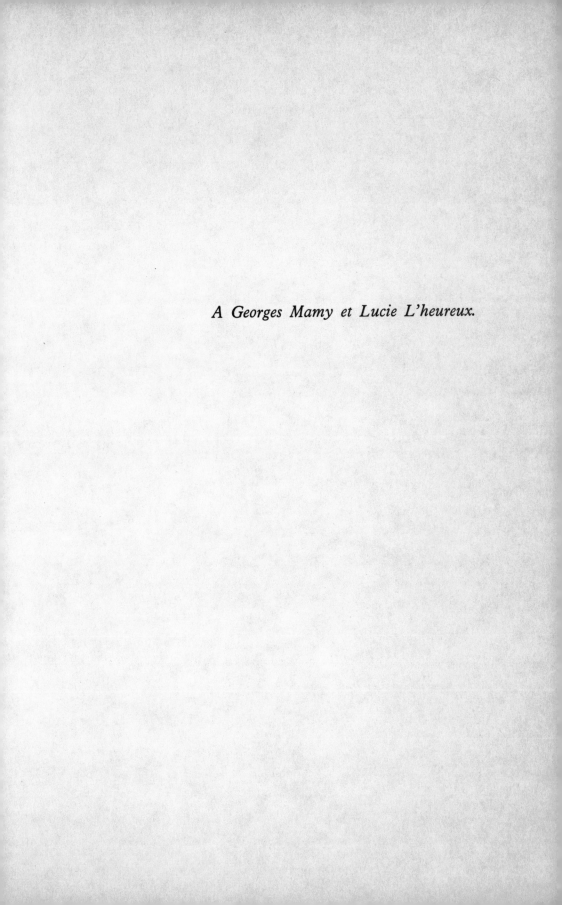

A Georges Mamy et Lucie L'heureux.

PREMIER LIVRE

LA ROUTE D'AMÉRIQUE

1

UNE FOLLE MATINÉE

Catherine s'éveilla dans une odeur de verdure chaude et de foin mûr. Des griffes de pigeons ou de tourterelles crissaient sur la tuilée ; des volées de moineaux tourbillonnaient dans le coudert où le coq s'égosillait, mais la grande bâtisse demeurait silencieuse. Elle songea qu'il devait être très tôt et que le maître dormait encore. Médard, le domestique, n'allait pas tarder à descendre dans la cour et elle l'entendrait s'asperger en chantant dans le baquet où l'on recueillait l'eau de pluie. Quant à Denis, le petit valet, il devait déjà courir derrière les ouailles, ses mollets nus fouettant les herbes humides de rosée. Elle ferma les yeux et, le cœur serré, attendit que la voix puissante de Médard l'appelle pour la faire lever : chaque matin cette voix la touchait comme une pierre au creux de l'estomac. Elle se lèverait sans ardeur, pointerait son museau chiffonné au fenestron du grenier, paupières mi-closes sur la lumière crue du matin, et entendrait Médard crier comme pour appeler un bestiau égaré :

– Lève-toi, fainéante ! Viens faire chauffer la soupe !

Parfois c'était le maître lui-même, le bon M. Larroque, intendant du sire de Louversac, qui l'éveillait. Elle entendait son pas lourd qui pesait sur les marches, et faisait semblant de dormir ; il s'asseyait à son chevet, la contemplait longuement, en silence, respirant fort, les mains sur ses genoux, un bon sourire éclairant son visage un peu gras, rasé de frais qui sentait le savon. Quand il l'avait réveillée en lui touchant l'épaule, il lui disait :

13

— Tarde pas trop, ma drôle. Nous avons de l'ouvrage aujourd'hui.

M. Larroque n'était pas un mauvais homme; il rudoyait rarement ses domestiques et avait pour Catherine des attentions qu'il refusait à Médard et à Denis, comme si elle avait été sa propre fille; il lui épargnait les travaux pénibles et, à table, lui laissait les meilleurs morceaux, mais il exigeait d'elle courage et obéissance.

Lorsque le régisseur était venu, l'année passée, retirer Catherine de l'orphelinat de Périgueux pour la conduire au manoir de Louversac, elle avait compris que c'en était fini de son enfance vouée à la discipline impitoyable des religieuses. Sans un regard en arrière, elle avait suivi son nouveau maître qui lui avait pris la main et portait son baluchon, en longeant les rues sombres et étroites, jusqu'à la carriole attelée d'un gros cheval au poil rêche tenu au mors par un petit drôle aux cheveux roux qui suçait une herbe et s'appelait Denis.

— C'est la première fois que tu montes dans une voiture? lui avait dit M. Larroque.

Elle avait opiné. Il l'avait installée près de lui et lui avait donné à grignoter un massepain qu'il avait acheté pour elle.

En savourant ce gâteau qui avait le goût de la liberté, Catherine découvrait le monde. C'était un continent mystérieux. De part et d'autre de la route défilaient des rangées de chênes et de noyers, s'étiraient des talus piquetés de pervenches et d'autres fleurs qui lui étaient inconnues, s'étendaient à perte de vue des champs où éclataient les premiers coquelicots. Les souffles tièdes qui montaient des prairies déjà drues dissipaient le souvenir des pierres froides et des odeurs de salpêtre. A mi-chemin du domaine elle s'était endormie contre l'épaule du maître et ne s'était réveillée que lorsque le char à bancs, dégagé d'un espace de prairies chaudes, s'était glissé dans l'ombre fraîche des noyers.

La voiture immobilisée devant le manoir délabré où elle allait vivre, M. Larroque avait laissé à Denis le soin de dételer et, portant avec précaution Catherine dans ses bras, l'avait déposée sur le grand lit de la pièce commune, encourtiné d'une vieille serge rouge à fleurs. En ouvrant ses paupières, elle avait failli crier : trois visages rudes de paysans étaient penchés sur elle et souriaient.

14

– N'aie pas peur, dit M. Larroque. On te mangera pas, va!

Bien que le soleil fût à peine dégagé de son lit de brumes, Catherine en sentait la chaleur sur ses jambes, à travers la couverture rapiécée. Un frelon échappé du nid accroché aux tuiles entra dans la mansarde en bourdonnant, et Catherine eut un instant l'impression d'être seule avec lui dans la bâtisse. Seule comme on peut l'être dans la forêt, « à Canada ». A l'orphelinat, lorsqu'elle s'endormait sur son catéchisme, sœur Félicité la réveillait d'une bourrade et la menaçait, si elle ne se montrait pas plus attentive à la leçon, de l'envoyer avec les missionnaires, en Nouvelle-France : « à Canada ». Lorsque Catherine s'enhardissait jusqu'à demander où se trouvait cette terre mystérieuse, sœur Félicité prenait un air inspiré : c'était un pays immense, d'au-delà l'océan; il était plus étendu que la forêt Barade, réputée pour ses profondeurs et ses brigands; ses fleuves étaient plus larges que l'Isle à Périgueux et ses lacs mille fois plus vastes que ceux de la Double; on n'y rencontrait que des « sauvages » et des ours; on pouvait y marcher durant des mois sans en voir la fin, et nul ne connaissait les bornes de ces immensités.

Catherine se leva, écarta le lourd battant de chêne du fenestron et cligna des yeux dans la lumière brumeuse. La cour était déserte. Seul le chien César, un molosse mâtiné de loup, errait d'un air inquiet sur les larges dalles de calcaire souillées de bouse qui précédaient l'entrée. Le cheval hennissait dans l'écurie et les ouailles commençaient à s'agiter dans la bergerie. A cette heure avancée, les bêtes auraient dû être aux champs et les porcs dans le coudert.

Elle appela Denis et Médard. Sa voix se perdit dans un chaud bruissement de vent à travers le pin parasol et les noyers. César répondit par un aboiement inquiet avant de se recoucher dans une flaque de soleil.

Après s'être habillée à la hâte, elle dégringola l'escalier, colla l'oreille au réduit occupé par les valets; le lit de M. Larroque, dans la pièce principale, était vide et n'avait pas été défait. La grosse horloge comtoise donnait au silence une dimension angoissante. Elle cria :

15

– Monsieur Larroque! Denis! Médard!

L'aigu de sa voix fit vibrer la bassinoire de cuivre qui trônait au fronton du bahut, puis le silence se figea de nouveau. L'arquebuse à rouet accrochée au manteau de la cheminée était absente, de même que la poire à poudre à bec de corne, les sacs de plombs et le baudrier de cuir auquel ils étaient suspendus.

Une fois dans la cour, elle respira mieux. Elle parcourut les communs, fit le tour de la bâtisse par le coudert où l'on avait lâché la volaille, puis, la peur au ventre, elle revint à la cuisine où, machinalement, elle entreprit de ranimer le feu avec de la brasse de genévrier. La veille, elle s'en souvint, les hommes avaient soupé sans un mot et, tandis qu'elle recouvrait de cendre les dernières braises, avaient regagné leur paillasse plus tôt que d'habitude, comme à la veille d'une partie de chasse ou d'une battue. Si tel était le cas, pourquoi ne lui avait-on pas demandé de s'occuper des bêtes?

Un roulement de tonnerre fit sursauter Catherine. Il n'y avait pas la moindre menace d'orage dans le ciel où se pavanait un petit nuage effrangé par le vent du sud.

– César, dit-elle, où est Médard? Où est Denis?

Le molosse se dressa, aboya d'une voix éraillée, se dirigea, la truffe au ras du sol, vers l'allée de noyers qui menait au grand chemin. Il passait d'un talus à l'autre en gémissant. Au deuxième coup de tonnerre il vint se blottir contre les jambes de Catherine.

Parvenue à une croisée de chemins, près d'une croix de pierre, Catherine vit surgir devant elle Jaufré-le-Muet; il avait son visage des mauvais jours : celui où il avait reçu des rebuffades. Il écarta les bras comme pour lui barrer la route.

– Sais-tu où sont maître Larroque et ses domestiques? dit-elle.

Le visage boucané de Jaufré exprima l'angoisse. Il épaula son gourdin comme une arquebuse et imita des cavaliers caracolants.

– Que veux-tu dire? Qu'ils se battent?

– Hon... Hon... fit Jaufré.

Il tenta de nouveau de barrer la route à Catherine, mais les crocs menaçants de César le firent reculer. Catherine

16

courut jusqu'au carré de chanvre qui ouvrait sur l'autre versant de la colline et s'arrêta soudain, le cœur serré. Des bouquets de fumée blanche se dissipaient au-dessus d'une petite garissade de chênes, dans un grondement d'orage. Elle eut l'impression, en reprenant sa course, que ses pieds nus martelant la terre sèche faisaient le bruit d'une galopade. A une portée de pierre, un anspessade, officier d'infanterie qui portait les armes du marquis de Duras, lui fit signe de se ranger sur le bord du chemin. L'uniforme garance avait à peine disparu qu'une compagnie de cavaliers se ruait à travers champs dans un cliquetis d'armes et un lourd piétinement de sabots. Sans rien entendre à ce qui se passait plus loin, Catherine eut le sentiment que M. Larroque et les domestiques étaient mêlés à l'événement. Elle se souvint de ce que le maître disait les jours précédents : « Les pires ennemis des paysans que nous sommes, c'est la taille et les soldats ; quand ils font cause commune, la seule précaution est de se cacher ou de les affronter les armes à la main. »

Dédaignant le conseil de l'anspessade, Catherine reprit sa course et, passé un boqueteau de noisetiers, tomba sur un spectacle fascinant.

De prime abord, elle ne distingua qu'un magma de cavaliers grouillant autour d'un carrosse renversé, dont les roues tournaient encore, comme battent les jambes d'un cheval à l'agonie. Plus loin, le chemin était barré par un amoncellement de charrettes, de futailles, de bûches autour duquel fleurissaient les flammes ardentes d'une mousquetade.

Affolée, elle se rua vers la lisière d'une sapinière d'où elle pourrait, en se tenant à l'écart de l'escarmouche, surveiller la scène. A plat ventre dans les fougères, elle reprit son souffle.

Aucun détail du combat ne pouvait lui échapper : elle aurait presque pu compter les boutons des uniformes si les combattants avaient cessé de se démener dans cet enfer, et si la fumée s'était dissipée. Les gens qui tenaient la barricade étaient des paysans du pays, de ceux qu'au siècle précédent on appelait les « croquants » et qui avaient donné de la tablature aux troupes royales ; ils pouvaient être une trentaine, la plupart armés de fourches et de faucilles, les moins misérables portant des socques de bois. Elle n'eut pas trop de peine à reconnaître M. Larroque qui dominait les premiers

17

rangs de sa haute taille. Sans attendre que la fumée de la précédente décharge se fût dissipée, il tendait sa pétoire à Denis qui, assis à ses pieds, la rechargeait, puis en prenait une autre pour faire feu de nouveau. Il portait une blessure à la poitrine, comme une cocarde.

Abrités derrière les haies et le carrosse renversé, les soldats de Duras tiraient sans discontinuer, lançaient leurs chevaux contre la barricade et s'abattaient avec des gestes dramatiques des bras.

Catherine poussa un cri lorsqu'elle vit M. Larroque lâcher son arme et tomber sur les genoux en se tenant la tête à deux mains. Denis se dressa, saisit l'arme que le maître avait laissée tomber à ses pieds, épaula, tira, mais le choc le fit basculer en arrière, sans connaissance, au milieu d'un monceau de cadavres.

— Ferme ton bec, petite, souffla une voix derrière elle. Tu vas nous faire repérer.

— Médard! Je te croyais avec M. Larroque.

Les lèvres violettes de Médard, dévorées par un énorme lupus, se retroussèrent.

— J'y ai pensé, mais je tiens à ma peau. Nos paysans vont tous se faire massacrer. J'ai mis le maître en garde. Il n'en a pas tenu compte. Tant pis pour lui. Et tu ne sais pas tout! C'est pas le gouverneur de Guyenne qui était dans ce carrosse mais un de ses substituts, un maigre gibier qui ne valait pas la peine de risquer sa peau.

— M. Larroque voulait attaquer le gouverneur? Il est devenu fou?

— Il a appris que Son Excellence le duc d'Épernon avait décidé de passer par Thenon qui n'a pas été touché par la peste, pour se rendre à Périgueux. Il disait : « Nous l'enlèverons et nous le garderons comme otage jusqu'à ce qu'on réduise les tailles. » Moi, j'étais d'accord, parce que j'aime bien l'odeur de la poudre, mais quand j'ai vu la tournure que prenait l'affaire j'ai songé qu'à sauver ma carcasse.

— Tu n'es qu'un lâche! s'écria Catherine en se dressant.

Médard la rattrapa par le fond de sa jupe et la força à rester assise.

— Tu es folle! S'ils nous voient ils nous tirent comme des lapins.

— Laisse-moi! M. Larroque est blessé, et peut-être aussi Denis.

— Ils sont foutus, tous! Regarde. La bataille est finie.

La fusillade avait cessé dès que M. Larroque s'était affaissé, et il ne restait au-dessus du champ de bataille que des flocons que le vent dissipait lentement. Les soldats avaient escaladé la barricade, relevé M. Larroque et quelques autres blessés, et commençaient à jeter contre le talus les cadavres, au nombre d'une vingtaine.

— Diable, dit Médard, regarde ce qui nous arrive!

Un second carrosse, dont les dorures étincelaient à travers la poussière, débouchait de la corne d'un bois, escorté d'un détachement des troupes royales.

— Cette fois-ci, dit Médard, c'est Son Excellence. Il a laissé son substitut essuyer l'orage et il arrive quand la fête est finie. C'est le moment de filer, ma belle. Suis-moi. Je sais où aller.

— A la maison?

— Ce serait se jeter dans la gueule du loup. Je sais où nous serons en sécurité.

Ils s'enfoncèrent dans la forêt jusqu'à une distance suffisante pour ne pas risquer de se faire repérer. Ils arrivaient en vue de la Croze du Monge, une grotte à l'ouverture dissimulée derrière des broussailles, lorsque César vint les rejoindre, avec de telles démonstrations de joie que Médard dut le chasser avec son gourdin. Tandis que le valet coupait les fougères qui leur serviraient de couche pour la nuit, Catherine, les yeux perdus dans l'épaisseur de la forêt, songeait, le cœur serré : « Et si Canada commençait ici? »

Une sensation d'étouffement réveilla Denis. Il se crut enterré vivant, voulut hurler, mais il était comme bâillonné. La substance élastique qui le recouvrait, et qui n'était pas de la terre, cédait sous la pression. Il parvint à ramener ses mains sur sa poitrine et à laisser libre jeu à ses poumons. Le magma dans lequel il était enseveli dégageait une odeur de sang et d'excréments. En prenant appui sur ses coudes il parvint à libérer un espace par lequel se dessina une œilleton de lumière jaune. Il bougea avec effort, écarta des racines raides et froides et parvint à pratiquer un pertuis suf-

19

fisant pour lui permettre de respirer et de se mouvoir. Il faillit hurler en voyant une main gantée de sang pendre au bord de l'orifice. Il distinguait au loin la courbe d'une colline feutrée par le soir; il pouvait même percevoir le chant des grillons et le friselis des courtilières.

Il parvint à engager sa tête dans l'ouverture et, en rampant, se retrouva allongé dans l'herbe tiède. En relevant la tête il aperçut deux bottes poussiéreuses, puis, en remontant, des culottes vertes à la rhingrave, une veste militaire déboutonnée et le gonflement d'une chemise dépassant le ceinturon; au-dessus de cette effigie immobile, une terrible paire de moustaches sous un chapeau de feutre.

— Tonnerre de sort! tonna la paire de moustaches, d'où sors-tu, galapiat?

— Je cherchais des grillons pour la pêche, dit sottement le valet.

La paire de moustaches partit d'un rire épais. Denis sentit un froid de métal contre sa tempe.

— Debout, galapiat! fit le militaire. Et pas un geste! sinon tu n'iras plus jamais chasser les grillons. Suis-moi.

— Où allons-nous?

Une gifle lui répondit.

— Pour t'apprendre à ne pas poser de questions!

Denis se le tint pour dit. Lorsqu'il se retourna vers le tas de cadavres, son cœur se serra en songeant que M. Larroque devait être parmi eux, dépouille anonyme promise au charnier. Le soldat sauta sur son cheval après avoir entravé son prisonnier. A la direction qu'il prit, Denis se dit qu'il le conduisait au moulin des Bories. Le second carrosse, celui du gouverneur, était arrêté sous le tilleul, près du bief, au milieu d'un coudert où picoraient de grasses volailles que pourchassaient des soldats.

Libéré de ses liens, Denis pénétra à la suite des grosses moustaches dans la cuisine plongée dans la pénombre traversée par la lumière venant de la cheminée. Quelques officiers aux revers barbouillés de poudre noire entouraient un vieil homme au visage buriné comme une noix et qui parlait d'une voix courte du fond de son fauteuil d'osier: Son Excellence Jean-Louis de Nogaret de La Valette, duc d'Épernon, l'un des favoris du roi Henri III. Il détestait les paysans, ceux du Périgord notamment. Avant son expédition il avait confié au marquis de Duras : « J'en ai assez de ces jacqueries. Écrasez cette vermine ! » A ceux qui objectaient que ces représailles ne feraient qu'accroître le mécontentement il répliquait que la prétendue misère des paysans n'était qu'un leurre, qu'ils cachaient bien leurs vivres et qu'il avait de quoi faire taire les mécontents.

Denis sentit ses jambes mollir lorsque le regard aigu du gouverneur se posa sur lui.

— Te voilà donc, Lazare ! s'exclama le duc.

— Mon nom, répondit le valet, est Denis Chapdeuil. Pas Lazare.

Le gouverneur frappa le bord de la table avec sa canne pour faire taire les rieurs, puis il la pointa sur le prisonnier.

— Tiens... Tiens... Tu ne parles pas le charabia des croquants ? Qui t'a appris ? Je n'en connais qu'un autre dans ce cas, parmi ces manants. Un certain Larroque.

La canne virevolta vers le fond de la cuisine et la bassière où étaient assis une dizaine de captifs.

— Larroque, levez-vous et approchez ! Ce jeune gredin était des vôtres, n'est-ce pas ?

— Non, Excellence, dit le maître. Il gardait ses ouailles dans le champ voisin. La curiositié l'a mené jusqu'à nous. Il est incapable de se servir d'une arme.

Il chancela sous le coup de canne qui lui frappa le visage. Le gouverneur tira Denis vers lui, passa son doigt sur son visage et s'écria :

— Et ça, Larroque, c'est de la poudre de riz, peut-être ! Vous serez pendus tous deux, comme vos acolytes !

— Excellence, protesta M. Larroque, vous risquez de vous attirer la colère de mon maître, M. de Louversac. Il vit à la Cour et notre souverain l'honore de son estime.

— Peu m'importe ! grogna le gouverneur. Je ne fais que rendre la justice.

Il repoussa M. Larroque du bout de sa canne d'un air méprisant puis fit avancer son fauteuil vers la table que la fermière avait garnie de victuailles et de bouteilles. M. Larroque, qui avait rejoint le groupe des paysans, dit à Denis :

— Écoute bien, petit. Moi, je vais mourir. J'ai déjà perdu beaucoup de sang et de toute manière on va me pendre. Toi,

21

en raison de ton âge, on te fera peut-être grâce. Si tu réchappes de ce traquenard, va trouver de ma part un chanoine de Sarlat, Jean Tarde. Demande-lui de te procurer les moyens de te rendre à Paris. Une lettre de sa part devrait te donner accès à la Cour. Tu demanderas à rencontrer M. de Louversac et tu lui expliqueras notre affaire de manière qu'il prenne les résolutions nécessaires pour remettre de l'ordre dans son domaine. Tâche de te conduire avec courage et intelligence. Pardonne-moi si, parfois, je me suis montré exigeant et brutal avec toi. Promets-moi de bien t'acquitter de ta mission.

– Je vous le promets, maître, dit Denis en reniflant ses larmes. Et Catherine, que va-t-elle devenir ?

– Si tu la retrouves, le mieux est que tu partes avec elle. Tu trouveras quelques écus derrière une pierre de la cheminée, qui est marquée d'une croix. Encore un conseil : méfie-toi de Médard, c'est un mauvais bougre qui sent la corde.

On pendit les insurgés à la branche d'un tilleul alors que les dernières clartés du soir couchaient les ombres sur les champs. Après que l'aumônier du gouverneur leur eut fait baiser la croix, ils montèrent l'un après l'autre à l'échelle dressée contre le tronc. Denis ne lâcha la main de M. Larroque que lorsque deux soudards l'eurent poussé à coups de crosse dans les reins vers le lieu du supplice.

– Ne me quitte pas des yeux, dit M. Larroque, et souviens-toi toute ta vie de cette scène. Je t'aimais bien, mon drôle.

Une main lourde se posa sur l'épaule de Denis qui frissonna. C'étaient les grosses moustaches.

– Tu as eu une fameuse frousse, hein, Lazare ? Rassure-toi : tu y coupes de la potence, mais Son Excellence n'a pas dit son dernier mot. En attendant qu'il t'envoie aux galères, toi et moi on est inséparables. Suis-moi. On va manger un morceau et se reposer. Demain il fera jour.

Médard observait Catherine à travers sa main droite amputée de trois doigts par un coup d'arquebuse dans une bataille près de Pignerol, à la frontière d'Italie, où il combattait dans les armées du roi de France. Licencié de la troupe à cause de sa blessure, il était revenu en Périgord où M. Larroque l'avait pris à son service. Habitué à la vie molle et facile des garnisons, Médard avait eu du mal à s'adapter à sa nouvelle condition, d'autant que le maître, connaissant ses mauvaises dispositions, ne l'épargnait guère. Outre une paresse congénitale, il avait gardé de la vie des camps des manières rudes, une absence de scrupules et le goût du chapardage. Denis l'admirait comme une réincarnation du dieu Mars, mais Catherine, qui avait dû à maintes reprises repousser ses avances, le redoutait.

— Je sais ce que tu penses, dit-il, que je suis un lâche. Tu as tort. J'aimais me battre lorsque ma main était encore valide. Aujourd'hui je ferais un mauvais soldat.

Que Médard eût agi lâchement, Catherine s'en moquait. Ce qu'elle redoutait, c'est qu'enhardi par leur solitude il lui vînt à l'idée de la harceler. Son visage était celui d'une enfant, pétri d'une bonne pâte d'innocence, mais son corps commençait à s'épanouir. Ce mélange de femme et d'enfant piquait la curiosité insolente des visiteurs du manoir et le désir n'était pas long à venir.

Médard et Catherine vécurent deux jours sur les maigres provisions que le valet, prévoyant que l'affaire finirait mal, avait emportées dans son bissac. Ils mangèrent le premier jour le pain et le lard et, le lendemain, des raves cuites sous la cendre.

— Les bêtes... dit Catherine. Savoir ce qu'elles sont devenues. Quand je suis partie elles commençaient à s'agiter.

Médard haussa les épaules. Les bêtes... C'était bien ce qui importait! Les soldats avaient dû en faire leur profit. Il savait de quoi il parlait.

— Ma drôle, dit-il, tu te fais plus de souci pour les bêtes que pour M. Larroque ou Denis, on dirait.

Elle haussa les épaules. Le sort de M. Larroque ne la tracassait guère. Il savait, en toutes circonstances, tirer son épingle du jeu. Mais Denis? Le petit valet était pour elle mieux qu'un compagnon de travail : un frère; il leur arrivait de se chamailler, mais cela ne durait guère; pour arriver à Louversac, il avait passé comme elle par l'orphelinat et c'était, pour l'un comme pour l'autre, comme s'ils étaient dépourvus de passé.

Denis s'étonnait de la facilité avec laquelle il avait faussé compagnie au gouverneur et se retrouvait sur le sentier désert menant à Louversac. Chemin faisant il ruminait les circonstances de son évasion et croyait avoir vécu un cauchemar. Ses geôliers avaient tapé la carte, chanté et bu jusqu'à une heure avancée en lutinant la meunière, une grosse femme qui avait la main leste et ne se laissait pas facilement approcher. Ils avaient, aux alentours de la mi-nuit, soufflé le chaleil, s'étaient couchés pêle-mêle sur les sacs vides du meunier et s'étaient mis aussitôt à ronfler. Denis, seul, ne dormait pas. Il avait ouvert la porte donnant sur le coudert par un escalier de bois. L'air de la nuit sentait l'odeur des étables. Il s'était signé en passant sous l'arbre aux pendus, avait eu un dernier regard pour M. Larroque avant de prendre le galop vers la prairie où chantaient les grillons.

Il pensa trouver refuge à la Croze du Monge mais il devait passer par le manoir pour s'approprier le pécule dont M. Larroque lui avait signalé la cachette. Il dormit dans une cabane de berger enfouie sous un boqueteau de châtaigniers et ne s'éveilla que tard dans la matinée, alors que le soleil était déjà haut.

Il s'approcha avec précaution du manoir et constata que les soldats qui y étaient cantonnés achevaient le pillage. Après les meubles qui s'entassaient sur des charrettes venait le tour des bêtes, alignées comme pour un cortège : les vaches, les ouailles, les chèvres, les poules entassées dans des cages et des paniers sur le char à bancs de M. Larroque.

Denis ne se résolut à pénétrer dans le manoir que lorsqu'il fut certain que plus un soldat n'y était présent. Son premier soin fut de chercher le magot. Il enleva facilement la pierre marquée d'une croix et fourra les écus dans sa ceinture. La grande pièce, vidée de ses meubles les plus précieux, lui paraissait immense. Il songea que Catherine avait pu trouver refuge dans son galetas, sous la tuilée, et s'abriter derrière un monceau de fanes de haricots. Il y monta, appela à voix basse, sans résultat. Il ne restait de vivant que deux gros chats et, dans la cour, le chien César. Tenaillé par la faim, il se fit une bouillie avec la farine raclée au fond de la maie qu'il délaya dans de l'eau, laissa César récurer l'écuelle et grignota quelques noix rances.

Certain que les soldats ne reviendraient pas, il remonta dans les combles et, campé devant le fenestron, regarda rougeoyer dans le lointain les fermes incendiées. Il dormit douze heures d'affilée puis se mit à rôder comme une âme en peine. Que faire ? Attendre Catherine ? Et si elle ne revenait pas ? Il se remémorait les recommandations du maître : aller dans un premier temps rendre visite au chanoine de Sarlat. Il attendrait trois jours et partirait, seul ou avec elle.

La journée lui parut interminable. Il arracha quelques légumes pour se faire une soupe et se coucha de bonne heure. Le matin venu, il s'éveilla en sursaut. Catherine était à son chevet.

– Denis... dit-elle. Tu es vivant. Béni soit le Ciel.

On venait de sonner à la porte. Le chanoine Tarde sursauta dans son fauteuil où il somnolait et lança à sa gouvernante :

– Maria, allez ouvrir !

Comme elle ne bougeait pas, occupée à la cuisine, il se leva. Deux enfants se tenaient sur le seuil : une fillette blonde et jolie sous les franges du bonnet et un garçon aux cheveux roux. Le chanoine se félicita de s'être déplacé : Maria, qui détestait les mendigots, les eût rejetés à la rue en les menaçant de son balai.

– C'est M. Larroque qui nous envoie, dit la gamine.

– Alors soyez les bienvenus. M. Larroque... il y a bien longtemps que je n'ai pas eu le plaisir de l'inviter à ma table. Comment se porte-t-il ?

– Il est mort, ajouta le garçon. Pendu par les soldats de M. de Duras. J'étais là et j'ai tout vu.

– Mon Dieu, le pauvre homme... soupira le chanoine. Entrez. Je verrai ce que je peux faire pour vous.

Il guida les enfants vers son cabinet de travail, leur désigna des sièges, se laissa tomber dans son fauteuil, les mains devant son visage, comme s'il priait. La pièce exiguë, toute en étagères et en coffres, baignait dans une odeur de cuir moisi et de vieux papier. Au-dessus d'un meuble de noyer une estampe représentait un personnage barbu nommé Galileo Galilei, dit Galilée. Un instrument bizarre et compliqué, assemblage de cercles métalliques, trônait sur un guéridon encombré de liasses couvertes de signes cabalistiques et de schémas.

– Ce pauvre Larroque, répéta le chanoine. Lorsque sa jeune femme est morte, enlevée par la peste, c'est ici qu'il est venu chercher le réconfort. Elle te ressemblait, petite : fraîche et fragile comme une rose.

Un jappement se fit entendre contre la porte.

– Notre chien César, dit Catherine. Nous n'avons pas eu le cœur de nous en séparer.

– Nous le garderons, mais je vous préviens : ma gouvernante n'aime ni les mendiants ni les bêtes, sauf les chats, à cause des souris. Dites-moi ce qui vous amène.

Il les écouta avec attention. Quand ils eurent achevé leur récit, il leur dit :

– Je puis vous aider à gagner Paris. M. de Louversac est un esprit quelque peu fantasque mais un homme d'honneur. Il prendra soin de vous en attendant de trouver un autre intendant. Les écus de son bon M. Larroque vous aideront. Moi je ne vous serais pas d'un grand secours. Je suis pauvre comme Job.

Il continua de parler de M. de Louversac, sans quitter de l'œil Denis qui semblait s'intéresser à l'instrument bizarre posé sur le guéridon.

– C'est une sphère armillaire, dit-il. On s'en sert pour étudier les lois naturelles qui régissent la ronde des astres. La Terre, c'est cette petite cerise... Une boulette pétrie de sang, de larmes, de boue que Dieu pourrait écraser entre le pouce et l'index, si l'ordre universel ne devait pas en être contrarié. Galilée, mon maître, disait...

Il tira d'un coffre quelques autres instruments tout aussi singuliers : un gnomon, une arbalète, un sextant, un petit cadran azimutal saupoudré de chiffres et de signes... Tandis qu'il parlait et voyageait à travers l'espace sidéral, son index dessinait sur le plafond aux poutres décorées des constellations aux noms magiques : Aldébaran... la Vierge... Cassiopée... l'Oie... le Renard... Denis imaginait un ciel d'été grouillant d'étoiles où gambadaient des animaux fabuleux, aux yeux de diamant. La fatigue aidant, il commençait à somnoler, bercé par la voix du vieil homme, quand la langue rêche de César lui balaya la joue. Il le renvoya d'une bourrade et sursauta en voyant une sorte de montagne humaine se dresser entre lui et Catherine. Une voix aigre et ironique en jaillit :

27

— De quoi allez-vous dîner, monsieur ? Ce méchant animal a dévoré la truite qu'on vous a apportée ce matin! Regardez-le, ce monstre : il s'en lèche encore les babines!

— Eh bien, je m'en passerai... dit posément le chanoine. Nous nous contenterons de ce qui reste du repas de midi et de quelques petits fromages. Qu'en dites-vous, mes enfants?

Suffoquant de surprise, la gouvernante protesta :

— Ainsi, vous comptez garder ces deux vauriens à souper? Et leur chien pouilleux en plus?

— Certes, Maria, et je compte que vous leur ferez bonne figure le temps qu'ils resteront à la maison. Ils sont envoyés par mon vieil ami Larroque, que les soldats de Duras viennent de pendre. Ce sont deux orphelins. Ils me demandent protection et je ne saurais la leur refuser.

A la surprise des enfants qui se préparaient à prendre congé pour éviter que la dispute s'envenimât par leur faute, la gouvernante se signa en gémissant :

— Mon Dieu! Ce pauvre M. Larroque. Quelle misère!

Elle reprit avec vivacité :

— Suivez-moi à la cuisine! Ça vaudra mieux que d'écouter les balivernes de ce vieux fou qui se prend pour le bon Dieu.

Le vieillard sourit avec indulgence : cette « mégère » se croyait tout permis et le menait à la baguette, mais elle avait un cœur d'or.

— Et maintenant, dit-il, nous allons réciter ensemble la prière du soir, et nous la dédierons à mon cher Larroque. Maria, il faudra installer deux matelas dans les combles.

— Je ne vous ai pas attendu pour le faire! grogna la gouvernante. Je leur ai même mis des draps.

La pièce qui occupait un espace des combles, sous la tuilée, servait d'observatoire au chanoine-astronome; il avait installé devant la lucarne ce que Denis prit pour un canon de petit calibre semblable à un mousquet de siège, braqué vers le ciel et monté sur un chariot de bois à quatre roues.

— C'est une lunette télescopique, dit le savant. Grâce à elle et aux lentilles que m'adresse mon ami Galilée, je lis dans les astres comme dans un livre.

— Et que dit ce livre? demanda ingénument Catherine.

— Cela dépend : parfois un avenir de guerres, de pillages,

28

de maladies, de misère; parfois une sorte de paradis, mais c'est mon imagination qui travaille. Ce dont j'ai l'intime conviction c'est qu'il existe, quelque part dans l'immensité de l'univers, un endroit que Dieu réserve aux justes. S'il lui arrive de descendre sur notre pauvre planète terraquée, il doit retrousser le bas de sa tunique pour éviter de la souiller.

– Le bon Dieu, demanda Catherine, vous l'avez déjà vu ?

– Hélas, non! soupira le vieillard. Il ne m'en a pas jugé digne. En revanche sa création éclate à tous les yeux, dans cet univers que je contemple chaque nuit dans ma lunette et qui danse.

– Qui danse? dit Denis, sceptique.

– Approchez-vous et regardez.

– Les étoiles paraissent plus grosses et plus brillantes, dit Denis...

– ... mais elles ne dansent pas, ajouta Catherine. Peut-être que la musique s'est arrêtée ?

– Cette musique, mes enfants, nous ne pouvons l'entendre, mais elle ne s'arrête jamais. Et la danse est si lente qu'on a l'impression qu'elle est immobile.

Il ajouta :

– Maintenant, mes petits, allez vous coucher. Moi je vais surveiller Arcturus. Je lui trouve depuis peu un comportement singulier.

A peine couché, Denis s'endormit. Catherine ne parvenait pas à trouver le sommeil; elle observait le vieillard qui, l'œil collé à la lunette, dans la flamme dansante de la chandelle, marmonnait comme s'il s'entretenait avec les habitants de la planète des Justes, peut-être avec Dieu. Ce royaume, songeait-elle, peut-être s'y retrouverait-elle un jour avec Denis. Il était impossible que Dieu leur en refusât l'entrée, qu'il les rejetât vers cet enfer où M. Larroque venait de disparaître. Il lui semblait apercevoir déjà ses espaces de forêts, de champs et de vignobles dont les pampres se hissaient vers les étoiles dans la brume du sommeil.

C'est la gouvernante qui, au petit matin, vint les réveiller. Elle entra en coup de vent dans la mansarde, secoua l'épaule du chanoine qui s'était endormi dans son fauteuil, près de son télescope. Il se leva lentement, frotta ses yeux rouges et s'éloigna vers l'escalier d'un pas d'aveugle, dans la lumière du petit jour qui sentait la poussière froide.

Sarlat, dans la chaleur du printemps, se repliait sur la spirale de ses vieux quartiers comme dans une coquille. Parfois, au sommet d'une tour de guet, une corne sonnait pour signaler la présence dans les parages de bandes de paysans venus clamer leur détresse aux portes de la ville, ou quelque tribu de bohémiens qui arrêtaient leurs roulottes dans les guérets de La Cluze.

Catherine et Denis oubliaient peu à peu leurs émotions. Ils avaient maintenant un passé, eux qui venaient de rien, et cela leur conférait à leurs propres yeux une certaine importance.

Le chanoine Jean Tarde avait enfin trouvé le meilleur moyen de les faire voyager jusqu'à Paris. Ils attendaient la confirmation de la nouvelle sans impatience, persuadés que cette expédition lointaine et aléatoire marquerait le terme d'une ère de bonheur paisible. Catherine aidait Maria aux soins du ménage et de la cuisine. Denis, quand il ne s'occupait pas du jardin potager, allait braconner quelques truites pour agrémenter l'ordinaire, qui était spartiate, et passait son temps libre à flâner dans Sarlat, autour de la cathédrale Saint-Sacerdos dont on achevait la construction.

Lorsque Jean Tarde demanda à Gautier de Costes de La Calprenède d'emmener les deux enfants avec lui à Paris, le jeune gentilhomme ne fit guère de difficulté, demandant à être simplement défrayé de la nourriture. Il revenait d'un séjour à Toulouse où il s'était perfectionné dans la pratique des armes et celle des beaux esprits, avec une préférence pour la fréquentation des muses sur celle des duellistes. Ses vingt ans lui faisaient obligation de choisir, mais il attendait d'être à Paris pour savoir si la compagnie des poètes valait celle des hommes d'armes.

Le chanoine conduisit les enfants au soir tombé, en rasant les murs, à l'hôtel de La Calprenède, une bâtisse sans grâce à la façade ornée d'un cadran solaire armorié, œuvre du chanoine Tarde qui se livrait à cet art à ses moments perdus.

Ils trouvèrent Gautier occupé à mettre de l'ordre dans un monceau de livres et de paperasses. C'était un garçon élégant et raffiné, au poil brun de Sarrasin, au teint hâlé, barré d'une moustache de mousquetaire. Le bleu tendre du regard démentait l'expression un peu sévère des lèvres. Il considéra les enfants avec une attention soutenue en se grattant le menton avec sa plume.

— Eh bien, dit-il sans conviction, nous sommes d'accord. Vous serez mes compagnons de voyage, et j'espère ne pas me repentir de ma décision. Nous passerons par Louversac afin que je puisse rendre compte de l'état des lieux et en faire un rapport fidèle à mon ami Laurent. Nous partirons demain à la pique du jour. Pardonnez-moi de vous donner congé aussi cavalièrement, mais je n'en ai pas fini avec mon rangement. Tâchez de bien dormir : demain la route sera longue.

Ce soir-là, le chanoine resta une heure seulement à sa lunette pour ne pas troubler le sommeil de ses pensionnaires. Avant de se retirer, il s'agenouilla entre les deux paillasses et se mit à prier en silence, les mains croisées sous le menton. Quand il se releva, Denis, qui ne dormait pas, lui dit :

— Merci, monsieur le chanoine. Merci pour tout.

Il chercha la main du vieillard pour la porter à ses lèvres.

2

LA VALLÉE DE MISÈRE

— Je regrette, dit Gautier de Costes. Pas de chien dans notre escorte. C'est un embarras plus qu'une sécurité.

Il chassa César d'un coup de botte et les enfants le regardèrent tristement s'éloigner vers la maison du chanoine, s'arrêter à distance en gémissant.

Le chariot transportant les bagages était vaste comme une roulotte de bohémiens et encombré au point qu'il semblait difficile d'y loger le moindre impedimenta. Denis et Catherine trouvèrent néanmoins le moyen de s'y aménager une cachette entre un bahut bourré de livres et un coffre qui sentait le cuir d'Espagne. Maria s'essuyait le coin des yeux avec un pan de son devantier et le chanoine piétinait sur place en toussant pour cacher sa peine. Dans le petit jour bleuâtre, les enfants les regardèrent, par un créneau pratiqué entre les bagages, les accompagner jusqu'au grand chemin de Périgueux, César suivant à quelques pas. Il n'y eut bientôt plus que l'espace de la route qui blanchoyait et un horizon de forêts encore baignées dans la pénombre. Il avait été convenu que les enfants ne mettraient pas pied à terre avant d'arriver sur la Dordogne, dans les parages de Tayac, afin de n'être pas reconnus par les gens de Duras, qui patrouillaient parfois dans les environs.

Catherine avait, jusqu'au moment du départ, espéré que le chanoine refuserait de se séparer d'eux et continuerait à les héberger jusqu'à ce que M. de Louversac eût réorganisé son domaine. Contrairement à Denis, qui avait respiré avec délice le goût de l'aventure, elle redoutait cette expédition.

35

Quand elle essayait de s'imaginer sa nouvelle existence, elle voyait Paris comme un magma de demeures habitées par des êtres bizarres ; les religieuses de l'orphelinat en parlaient à voix basse et se taisaient devant les pensionnaires. Gautier semblait bien connaître cette cité, mais il inspirait peu confiance à Catherine depuis qu'il avait chassé brutalement César.

L'escorte atteignit Louversac au plus chaud de la matinée. De loin, le manoir n'avait pas changé d'aspect et même un fil de fumée s'échappait de la cheminée. Accompagné des enfants, Gautier s'apprêtait à visiter les lieux quand il sursauta : au creux de l'âtre se tassait une sorte de vagabond à face de carême qui paraissait aussi surpris que lui.

— Médard ! s'écria Catherine.

Il était hideux, avec sa barbe d'une quinzaine et la crasse qui maculait son visage.

— Qui est ce sauvage ? demanda Gautier.

— C'est un des valets de M. Larroque, dit Denis. Il s'appelle Médard.

— Eh bien, dit Gautier, tu vas veiller sur ce domaine en attendant que ton maître ait pris ses dispositions.

— Pardonnez-moi, dit le domestique, mais je serai mort de faim avant qu'un nouvel intendant n'arrive. Voyez à quoi j'en suis réduit : à manger des couleuvres accommodées avec des raves. Emmenez-moi, monsieur ! J'ai fait la guerre dans les armées du roi, et je pourrai vous être utile contre les brigands. De plus, j'ai de la cavalerie : cet âne qui est à l'écurie, mon vieux compagnon Bellavoine.

— Soit, soupira Gautier. Tu nous suivras, mais tu apprendras à te laver : tu pues comme un galérien !

— Où allez-vous ?

— A Paris.

— Ça me botte. J'aime la ville. On y fait des rencontres.

Ils ne s'attardèrent pas au manoir : M. de La Calprenède voulait arriver très vite à Périgueux.

Habillé de vêtements tirés de la garde-robe de son nouveau maître afin de lui faire honneur, le valet ressemblait, à cheval sur Bellavoine, au marquis de Carabas faisant la tournée de ses sujets.

Alors qu'ils venaient de réintégrer leur cachette, Denis et

Catherine furent assaillis brutalement, par des pattes nerveuses et une langue rêche. César les suivait depuis Sarlat et avait sauté subrepticement dans la voiture. Catherine lui trouva une niche sous une armoire, lui jeta une croûte et lui ordonna le silence, précaution superflue car César s'endormit.

Le voyage s'avéra moins dangereux qu'on l'avait craint, le jeune voyageur ayant pris la précaution de s'entourer de quelques autres voyageurs qui devaient prendre le même chemin : un drapier qui allait passer commande à Orléans, un adolescent de bonne famille qui rêvait de revêtir la casaque des mousquetaires du cardinal ou du roi, deux modestes pèlerins se rendant à Cluny... Tous ces voyageurs étaient armés et chevauchaient sans crainte à travers la chaleur intense de juin.

Les enfants commençaient à se lasser de cette interminable randonnée. Ils marchaient derrière la carriole en compagnie de César que le maître avait fini par tolérer et, lorsque la fatigue se faisait sentir, ils grimpaient près du conducteur. Parfois Gautier soulevait Catherine et la plaçait en amazone sur le devant de la selle.

— Es-tu contente d'aller à Paris, petite ?
— C'est comment, Paris, monsieur ?
— C'est selon : enfer ou paradis. Certains refusent d'y vivre et d'autres ne pourraient habiter ailleurs. Un joli brin de fille comme toi y trouvera vite son coin de paradis. Connais-tu M. de Louversac ?
— Non, monsieur, mais Denis, lui, l'a déjà vu une fois.
— Tu comptes demeurer à son service ?
— Peut-être. S'il m'en prie.
— S'il refusait, te plairait-il d'être de ma maison ?

Catherine, rougissante, tourna la tête vers le chemin d'une blancheur crue sous le soleil incandescent ; une aile de son bonnet palpitait contre la joue du cavalier.

— Tu ne réponds rien, Cathy ? Ça te déplairait ?

Elle avait envie de répondre qu'elle irait au bout de la terre en sa compagnie. Comment s'y prenait-il pour garder, en dépit de la chaleur, de la poussière, de la fatigue, ces traits sereins, sans la moindre rosée de sueur ? Il l'impressionnait un peu; M. Tarde lui avait révélé que Gautier de Costes de La Calprenède serait un jour célèbre grâce à ses comédies et à ses romans. Elle s'enhardit à lui demander :

— Tous ces livres qui sont dans vos bagages, c'est vous qui les avez écrits?

Il éclata de rire, resserra la pression de ses bras autour de sa taille, lui raconta qu'il avait écrit des poèmes et entrepris la rédaction de deux tragédies : *La mort de Mithridate* et *Jeanne d'Angleterre*; il projetait des romans sur Cléopâtre et sur Cassandre. Catherine ne put réprimer un sentiment de fierté en l'écoutant parler, pour elle seule, de ces projets mirifiques qui allaient lui ouvrir toutes les portes de la capitale. Il lui semblait qu'elle devenait une demoiselle de la bonne société, comme Cléopâtre et Cassandre.

— Vous continuerez à écrire, à Paris? demanda-t-elle.

— Autant que mes occupations m'en laisseront le loisir.

Il serait admis à la Cour parmi les gardes de Sa Majesté et porterait le mantelet de pourpre orné d'une croix blanche; on lui donnerait une monture et des armes; en quelques années, il deviendrait officier et peut-être gentilhomme ordinaire de la chambre du roi... Ces propos la berçaient autant que le rythme de la chevauchée, si bien qu'une matinée où pesait sur la plaine une chaleur orageuse, elle s'endormit, la joue contre le baudrier du cavalier.

— Cet homme ne me plaît guère, dit Denis. Je trouve qu'il se montre empressé avec toi.

— Serais-tu jaloux? Il est beau, il écrit des livres et c'est vrai qu'il est gentil avec moi, mais je ne compte guère pour lui. Pourtant je crois que je l'aime...

Elle avait l'esprit si embrumé de sommeil qu'elle ne savait plus très bien ce qu'elle disait.

Le lendemain de l'arrivée à son domicile parisien, un petit hôtel délabré de la Vallée de Misère, sur la rive droite de la Seine, près du pont aux Meuniers, Gautier conduisit les deux enfants accompagnés de Médard à Laurent de Louversac. Il redoutait l'accueil que son ami lui réserverait, mais ce n'était pas de sa propre initiative qu'il faisait cette démarche. Il avait vu juste. Laurent n'avait pas semblé affecté par l'annonce des événements et la mort de M. Larroque; il ne tirait de ce domaine que des revenus dérisoires et songeait même à s'en défaire.

— A la requête du chanoine Jean Tarde, ajouta Gautier, j'ai amené avec moi les trois domestiques rescapés. Ils vous raconteront mieux que je ne saurais le faire les événements qui les ont conduits ici.

Le visage de M. de Louversac se colora d'irritation.

— J'ai renvoyé, pas plus tard qu'hier, un de mes domestiques dont je n'arrivais pas à régler les gages. Ce n'est pas pour m'encombrer de trois autres. Où sont-ils?

— Dans l'antichambre.

Laurent ouvrit un judas, le referma d'un geste brusque.

— Dites-leur que je suis absent pour plusieurs semaines et qu'ils retournent d'où ils viennent!

— Je me permets de vous rappeler, mon cher, que vous leur devez à chacun plusieurs mois de gages.

— C'est un comble! Me prenez-vous pour Crésus? Mes « brelans » sont de moins en moins fréquentés et je dois graisser la patte aux gens de la police royale pour qu'ils ferment les yeux. Le cardinal de Richelieu a juré de faire disparaître tous les tripots de Paris et d'envoyer leurs tenanciers aux galères. La vie devient difficile. Alors, vos trois gueux peuvent aller au diable!

— Pour la petite, je m'en arrangerai et lui paierai son arriéré de gages. Elle s'occupera de la cuisine et du ménage.

— Navré, mon ami, mais si je dois garder l'un de ces trois rescapés, ce sera elle. Elle pourra m'être utile pour le service de la boisson à mes habitués, et pour le reste. Je vous abandonne le rouquin et l'homme au lupus. Comment s'appelle cette enfant?

— Catherine Brunet. Elle s'exprime correctement en français et a même appris quelques rudiments d'écriture à l'orphelinat de Périgueux. De plus elle n'est pas sotte.

Laurent fit la moue, huma une prise de tabac et déclara :

— Qu'elle soit intelligente n'est pas une qualité à mes yeux. Je n'aime guère que mes domestiques comprennent trop vite et trop bien. Enfin... faites-la entrer.

Catherine se tenait droite devant les deux hommes, son baluchon à ses pieds, les yeux baissés, ses mains croisées sur

39

son jupon. M. de Louversac pencha vers elle son visage gras sous la poudre, marqué d'une mouche à la pommette. Il lui releva le menton, examina ses dents, demanda si elle ne souffrait d'aucune maladie et soupira, d'un air faussement apitoyé :

— Ce pauvre Larroque... Nous le regrettons tous, n'est-ce pas, ma mignonne ? Un bon serviteur, un honnête homme...

Il expliqua à Catherine ce qu'il attendait d'elle et jeta un chiffre dérisoire pour ses gages.

— Et Denis ? demanda Catherine. Vous le prenez aussi ?

M. de Louversac se redressa avec un air outré de dindon auquel on couperait les plumes du croupion.

— Voyez la petite impertinente ! Ce rousseau n'est pas ton frère, il me semble ? Il n'y a donc aucun inconvénient à ce que vous viviez séparés. Mon ami Gautier te donnera de ses nouvelles et vous pourrez même vous rencontrer de temps à autre, car vous ne manquerez pas de vous joindre à mes pratiques, n'est-ce pas, monsieur de Costes ?

— Nullement ! Nous ne sommes point du même monde et ne fréquentons pas les mêmes gens, je vous le rappelle.

M. de Louversac étouffa un rire grinçant derrière la dentelle de ses manchettes.

— Détrompez-vous, mon ami. J'ai dans mon cabinet des gens de condition. Regardez vous-même...

Il écarta le rideau ouvrant sur le cabinet de « brelans ».

— Nous avons aujourd'hui le maréchal de Cheaulnes, le duc de Candale, un capitaine des gardes du roi, un lieutenant des archers, une dame de compagnie de la reine mère et un mousquetaire gascon assez insupportable, mais poète à ses heures : M. Savinien de Cyrano de Bergerac, un pays...

— Nous verrons ! grogna Gautier. Ces gens devront se méfier : j'ai beaucoup appris sur la pratique des « brelans », à Toulouse.

Lorsque Gautier se fut retiré, emmenant avec lui Médard et Denis, M. de Louversac poussa Catherine vers la salle de jeu.

— Mes amis, dit-il, je vous présente ma nouvelle servante. Elle se nomme Catherine. Lavée de sa crotte et bien pomponnée, elle sera fine et odorante comme une rose.

Les habitués interrompirent la partie pour examiner avec

40

des sourires ironiques cette fille en sabots qui sentait sa bergère.

— La crotte! lança M. de Bergerac, il y en a moins dans tout le Périgord que dans votre tripot! Prends garde, petite! Ton maître adore les roses mais il les renifle de trop près.

— Je veux m'en aller! dit Catherine en refoulant ses larmes.

— A vos ordres, princesse! lança M. de Louversac.

Il tira un cordon de l'antichambre. Une femme descendit de l'étage; elle était jolie mais fardée à outrance.

— Margot, je te confie ta nouvelle protégée, Catherine. Montre-lui sa chambre, tu sais où.

Catherine suivit Margot jusqu'au troisième étage, par un large escalier de bois aux murs enduits d'une peinture écaillée. La « chambre » n'était qu'une soupente fort sombre qui prenait jour par un fenestron donnant sur les murs lépreux d'une abbaye désaffectée. Avant de se retirer, la servante avait fermé la porte à clé. Catherine dut attendre l'heure du souper pour qu'on donnât signe de vie. Elle percevait des bruits de voix venus du rez-de-chaussée, mais on semblait l'avoir oubliée. Elle songea, en s'allongeant sur son grabat puant, qu'à cette heure, son souper achevé, le chanoine escaladait en peinant les marches accédant à la mansarde et se préparait à interroger les astres, à la recherche de la planète des Justes.

Lorsqu'elle faisait les courses, accompagnée de Margot, Catherine ne se lassait pas du spectacle de Paris.

Elle eût aimé se fondre dans cette marée humaine qui battait les murs de l'hôtel de La Mortellerie, demeure de son maître. Elle reconnaissait la porteuse d'eau harnachée d'un cercle de bois et de deux seilles, les harangères devant leurs tonneaux de poisson salé, le marchand de vinaigre qui faisait claquer son fouet sur l'échine d'une horse efflanquée. Elle eût aimé acheter un de ces « oiseaux chanteurs » qu'on proposait dans des cages d'osier, coller un œil, comme le chanoine à sa lunette, à ces « vues d'optique » où les badauds se bousculaient.

Un matin, une grosse femme passa en criant : « Morue de Canada! », et elle en rêva tout le jour, comme dans sa cellule de l'orphelinat.

41

Margot ne la quittait pas d'une semelle durant les premiers jours de sa présence à l'hôtel de La Mortellerie, puis sa surveillance se relâcha, Catherine semblant s'être laissé apprivoiser, mais elle ne lui passait aucune négligence :

– Ce parquet est mal ciré! Et cette toile d'araignée... Continue ainsi et tu te retrouveras à la rue!

Vaine menace : renvoyée, Catherine aurait pris le chemin de la Vallée de Misère. Elle supportait mal l'absence de son compagnon d'infortune. Quand elle s'allongeait sur sa paillasse, sa journée terminée, ce n'était pas la fatigue ou la faim qui la tenait éveillée, mais la pensée qu'elle ne reverrait peut-être jamais Denis.

Une semaine après le début de son service, elle constata que le maître était absent.

– On peut dire que tu lui as porté la guigne! dit Margot d'un air revêche. M. Laurent est à la Bastille. On est venu l'arrêter ce matin.

M. de Louversac revint quelques jours plus tard, visage défait, cravate de travers, chausses avachies et d'humeur acariâtre.

– On m'a jeté dans une chambre basse! gémit-il. Moi, Laurent, vicomte de Louversac, en compagnie d'un usurier et d'un proxénète! Je suis déshonoré! Personne ne fréquentera plus mes « brelans ».

Il ajouta d'un air pathétique :

– Nous allons être contraints de quitter Paris pour le Périgord. Catherine, tu peux faire tes bagages. Nous partirons dans trois jours.

– Vous partirez sans moi, monsieur!

Suffoquant de colère, il la gifla. Pour lui apprendre le respect.

Le soir, elle faisait son baluchon. Avant l'aube, elle quitta la soupente en fracturant la serrure qui ne tenait que par miracle, sortit par la porte donnant sur les murs de l'abbaye, se retrouva dans une venelle sombre et froide comme un tunnel. La Seine était au bout : son fil d'Ariane. Elle y courut, attendit dans un hangar du Port au Foin que le jour se levât. Le fleuve coulait lentement, verdâtre, charriant ses ordures entre des rangées de lourds chalands dont clignotait le fanal rouge. Un coche d'eau cinglait vers l'Ile aux Vaches.

En entendant sonner six heures à Notre-Dame elle longea la Seine en direction de la Vallée de Misère. Il lui restait en mémoire quelques détails qui l'avaient frappée lorsque Gautier les avait conduits chez son ami : des ponts supportés par d'énormes pieux verts de pourriture, une sorte de château flanqué de tours énormes, des moulins qui battaient l'eau du fleuve avec leurs grandes roues, une immense place sur laquelle se dressait un pilori et une grande croix, puis des ruelles et encore des ruelles...

Elle se retrouva sur un promontoire près duquel se tassait un autre moulin. Elle apercevait de là le vieux pont surchargé de boutiques et de demeures pavoisées de linge. Si elle parvenait à retrouver le pilori, elle saurait qu'elle était presque arrivée.

Elle s'enfonçait dans une étrange humanité. Des groupes d'étudiants vêtus de noir se retournaient sur elle et l'interpellaient avec des airs narquois. Un marinier aux mollets nus siffla pour attirer son attention. Au fur et à mesure que les quais se peuplaient, que la rumeur s'intensifiait, elle sentait la panique se resserrer autour d'elle comme un filet. Bientôt elle se trouva mêlée, perdue, dans une foule qui semblait la porter. Elle côtoyait des mendiants qui étalaient leur misère au soleil, des filles de joie aux yeux battus, des bourgeois suivis de leur valet, des prêtres, des soldats... Un coche qui arrivait en trombe faillit la renverser. En reculant, elle écrasa le pied d'une harengère qui la couvrit d'imprécations. Elle se jeta pour souffler sous un porche.

– Eh, la donzelle! lança une voix gouailleuse. D'où sorstu? Tu veux qu'on te fasse un brin de conduite?

Trois garnements dépenaillés s'avançaient vers elle; ils tentèrent de l'encercler mais elle parvint à leur échapper en s'insérant de nouveau dans la foule où elle se sentit à la fois soulagée et perdue. Soudain elle aperçut la grande croix et le pilori où grimaçait un visage : la place de Grève. Elle demanda sa route à un garde royal qui, d'un geste, lui montra la direction. Elle gouverna au jugé, se retrouva sur une placette ombragée de tilleuls au milieu de laquelle, en dépit de l'heure matinale, des badauds se groupaient autour de montreurs de singes, d'arracheurs de dents et de chanteurs ambulants.

Elle ne pouvait plus se tromper : les escaliers qui descendaient vers le fleuve au bas de la rue des Lavandières, les jardins et les bâtiments sinistres de la Conciergerie, les tours du Louvre autour desquelles tournoyaient de grands oiseaux blancs comme elle n'en avait jamais vu. Elle aurait pu à présent retrouver l'hôtel les yeux fermés.

Lorsqu'elle aperçut l'austère façade où les gouttières démantibulées avaient laissé des traces noirâtres, elle faillit fondre de bonheur. Un aboiement joyeux retentit à ses oreilles lorsqu'elle frappa à l'huis. César ! Quand Médard lui ouvrit, elle resta bouche bée : il était vêtu d'une livrée vert pomme à boutons de métal. Lorsqu'elle demanda si le maître de céans était présent, le valet pointa l'index vers le premier étage avec un sourire narquois.

— Tu peux monter, ma belle. On t'attend.

Elle faillit perdre connaissance lorsqu'elle aperçut M. de Louversac. Il s'avança vers elle, l'air menaçant.

— Te voilà enfin ! Où étais-tu passée ? Allons, approche ! Après toutes les bontés que j'ai eues pour toi, tu me remercies en me faussant compagnie ! Tu parais étonnée de me voir. Sotte ! Tu pouvais bien imaginer que je te retrouverais ici !

Elle fit quelques pas en arrière, se heurta en reculant à Médard qui la poussa en avant. Elle s'écria :

— Je ne retournerai jamais chez vous ! Je ne veux pas revenir en Périgord ! Je veux rester ici avec Denis !

M. de Louversac s'avança, la main levée. Gautier s'interposa. Elle lui sourit à travers ses larmes.

— Dis-moi, mon enfant, es-tu malheureuse chez mon ami ? Est-ce qu'il te maltraite ?

Elle fit « non » de la tête.

— Alors tu dois être raisonnable. Ton maître trouvera un nouvel intendant pour remettre le domaine en valeur. Il faut accepter de partir.

— Avec Denis ?

— Certes non ! éclata M. de Louversac. Je n'irai pas m'encombrer de ce rousseau dont je n'ai que faire.

— Alors je veux rester.

— Laissez-moi faire, Gautier. Je sais comment dompter ces petits fauves ! Je vais ramener cette insolente à la raison.

– Attendez, Laurent! J'ai eu cette semaine une certaine chance aux « trois-dés ». Il n'en a pas été de même pour vous, alors je vous achète cette fille.

Le visage de Laurent se détendit. Il fit quelques va-et-vient à travers la pièce, les mains dans son dos et murmura :

– Donnez-m'en cent livres.

– C'est une somme énorme! protesta Gautier.

– Réfléchissez. Cette gamine est une véritable perle. Mme de Berceville voulait l'acquérir à tout prix.

– N'essayez pas de me berner, Laurent! Je sais que Mme de Berceville a quitté Paris depuis un mois. Cinquante livres...

– Soixante! proposa Laurent avec fermeté. C'est mon dernier mot. Je m'étais pris d'affection pour cette enfant. Vous allez me briser le cœur...

– ... mais je remplirai votre bourse!

M. de Louversac partit sans un regard pour Catherine. Lorsqu'il se fut retiré, Gautier lui dit :

– Sois satisfaite, je te garde. Tu logeras ici en attendant...

Il n'acheva pas sa phrase et fit simplement un geste vague au-dessus de sa tête.

Catherine n'avait eu la révélation de l'existence qu'en quittant l'orphelinat, sa main dans celle de M. Larroque. Auparavant il n'y avait eu qu'une succession de jours gris où seul le souvenir des châtiments corporels faisait figure d'événement. Elle eût été incapable de déceler à travers cette brume un souvenir heureux. La foi que l'on attendait d'elle, dont on exigeait au moins les apparences, avait à la longue perdu sa chaleur, qu'elle ne retrouvait qu'au temps de Noël lorsque l'on confectionnait la crèche et que l'on décorait la chapelle.

Une porte s'étant ouverte, Catherine apprit que le bonheur n'est pas un fruit inaccessible, à la dernière branche de l'arbre de vie. M. Larroque était un homme rude et un maître exigeant, qui mesurait la nourriture au plus juste, mais elle avait appris en sa compagnie que la misère et la solitude de l'âme ne sont pas une fatalité. Dans la demeure de Gautier, l'existence pouvait passer pour une sorte de bonheur qui se suffisait de ses limites étroites, et le compagnonnage de Denis était riche de menus événements.

Gautier passait des heures au manège de M. de Pulvinel; on admirait son assiette rigoureuse et son élégance; on en parlait dans les tripots du Luxembourg, dans les tavernes des mousquetaires et jusque dans l'antichambre de Sa Majesté. Il ne faisait que de brefs séjours à son hôtel, rentrait tard malgré les dangers de la ville, s'enfermait dans sa chambre et noircissait des pages de sa *Cléopâtre* à la lumière d'une chandelle, jusqu'à l'aube. Parfois Catherine collait son oreille à la porte pour écouter le grignotement de la plume dévorant le papier.

Médard accompagnait son maître au cours de ses sorties et se montrait fier de son rôle de factotum. Les valets, ses pareils, l'appelaient Bouche-en-Cœur à cause du lupus qui lui déformait les lèvres. Il se montrait avec son maître d'une serviabilité qui confinait à l'obséquiosité. Il racontait aux enfants leurs équipées : « On » avait croisé le fer avec tel et tel capitaine des gardes... « On » avait même eu l'honneur d'être présenté au roi...

— Est-il vrai qu'il est bègue ? demanda Denis.

— Je ne saurais le dire, mais il paraît morose et maladif. On lui donnerait dix sols pour acheter du séné.

— Et le cardinal, comment est-il ?

— Nous lui avons été présenté il y a trois jours. C'est un « homme de caractère », comme dit monsieur. Nos amis, MM. d'Artagnan et de Bergerac notamment, ne l'aiment guère depuis qu'il est maître du Conseil et a interdit les duels, ce qui ne nous empêche pas de nous battre !

— Vous vous battez en duel ! s'écria Catherine.

— A deux reprises depuis que nous sommes à Paris. Pour des affaires d'honneur, bien entendu. Avec un mousquetaire du roi, derrière l'hôtel de Royaumont, et, la semaine passée, au Pré-aux-Clercs, contre un petit hobereau de Champagne, hargneux comme un coq, que nous avons embroché !

Un soir, attablé dans la cuisine, Médard parut soucieux. Il finit par se confier après une chopine de bourgogne :

— Je ne devrais rien vous dire, mais nous allons nous battre de nouveau, demain, à l'aube, en l'île Maquerelle, contre un bravache qui osa se moquer du chapeau de monsieur, acheté chez le plus célèbre plumassier de Paris. Notre sang n'a fait qu'un tour et nous avons envoyé notre gant à la figure de l'insolent. Peut-être avons-nous agi trop prestement car il s'agit d'un excellent bretteur, une brute qui se fait nommer Porthos, un ami de M. d'Artagnan.

La nuit suivante, Catherine dormit mal, obsédée par le pas lourd de Gautier à travers tout l'étage. A l'aube, des portes s'ouvrirent, se fermèrent, le cheval hennit, puis le silence retomba, troublé par la sonnette des ramasseurs d'ordures qui vidaient les « mannequins » d'osier dans leur charrette à bœufs. Elle avait comme un pressentiment qu'il allait arriver un malheur. Denis la rassurait de son mieux; il n'arriverait rien à Gautier : personne dans tout Paris ne l'égalait à l'épée. Elle devinait que sa destinée et celle de Denis ne tenaient que par un fil que l'épée de ce Porthos pouvait trancher brutalement.

Deux heures après le départ de la voiture, la porte s'ouvrit violemment et la voix de Médard retentit dans le vestibule.

– Denis! Catherine! Descendez, vite!

Médard tenait dans ses bras monsieur qui avait du mal à garder son équilibre. Le manteau glissa, découvrant une chemise souillée de sang à l'épaule.

– Denis, va prévenir M. Renaudot, vite!

– Nous a-t-on suivis? demanda Gautier.

– Je l'ignore, monsieur, mais je n'ai vu personne.

Médard installa son maître sur le lit. En attendant l'arrivée du médecin, Catherine lava la plaie et prépara de la charpie. Gautier s'évanouit sous la douleur. Catherine lui faisait respirer du vinaigre quand M. Renaudot se présenta.

– Mon pauvre ami, dit le médecin, que vous est-il arrivé?

– Une chute de cheval... murmura Gautier.

– Allons donc! Me prenez-vous pour un niais? C'est une blessure de duel. Fichtre, vous avez perdu beaucoup de sang. Si vous échappez à la mort, c'est la Bastille qui vous attend.

– J'avais obligation de venger mon honneur. On m'avait offensé.

– En vous battant, c'est le cardinal que vous avez offensé. S'il l'apprend, il ne vous pardonnera pas.

Gautier n'ignorait pas que le praticien était un protégé du cardinal qui le destinait à la charge de Commissaire général des Pauvres; s'il l'avait fait appeler à son chevet, c'est qu'il connaissait bien ses talents et avait confiance en sa discré-

47

tion, mais aussi parce que, depuis qu'il avait rencontré Renaudot dans son « Cabinet d'adresses » où il rédigeait sa *Gazette*, ils étaient devenus amis.

Le médecin oignit la plaie d'un baume jaunâtre, confectionna un énorme pansement et conseilla le repos et la diète.

— Pour quelques jours, il faudra renoncer à conter fleurette à votre *Cléopâtre*, mon ami.

— Du bouillon ! Encore du bouillon ! Tu veux me faire mourir d'inanition ? Va plutôt quérir une poignée de salicoques, deux douzaines d'huîtres de Courseulles et un poulet. Tu ajouteras une bouteille de vin de Langon.

— C'est trop pour un deuxième jour. M. Renaudot se fâcherait s'il apprenait que vous n'observez pas la diète.

— Nous ne lui dirons rien. Partez tous les deux et revenez vite. Gare aux filous !

Ils se retrouvèrent dans la rue encore fraîche d'une petite averse de nuit. Denis faisait sauter dans sa dextre une pièce d'argent. Catherine portait le cabas de paille. Ils se rendirent au marché aux poissons, au fond de la rue de la Monnaie où les poissonnières arrosaient d'eau de la Seine leurs éventaires qui dégageaient une odeur ammoniacale. César se mêla aux chiens qui rôdaillaient autour dans l'espoir d'un bon morceau.

— Voyez mes maquereaux ! criait une femme. Quatre pour six sols. Fraîcheur de la mer !

L'odeur de pourriture était telle que César lui-même s'en écarta.

— Regarde ! souffla Denis.

Ils s'avancèrent jusqu'à la berge où des lavandières battaient leur linge avec ardeur. Au milieu du fleuve, un petit trois-mâts se pavanait, son beaupré dessinant des signes mystérieux dans le ciel. Ils n'avaient encore jamais vu de navire de haute mer et celui-ci, avec ses grandes voiles que les matelots étaient en train d'amener, sa coque rebondie, son château arrière orné comme un retable, les laissait pantois d'admiration.

— Le « Grand Saint-Louis », dit une voix dans leur dos.

Un grand vieillard engoncé dans une cape verte pointait sa canne vers le navire.

— Dans quelques jours il quittera Honfleur pour l'Amérique. C'est le troisième depuis le début de l'année, et ce n'est pas le dernier. M. de Razilly, cousin du cardinal et amiral de la Flotte d'Occident, est décidé à faire du Canada une nouvelle France.

Catherine songea que le vieillard se moquait d'eux; elle avait appris à l'orphelinat ce qu'était cette contrée d'« à Canada », comme disaient les religieuses : une forêt sans limites peuplée de fauves et d'indigènes anthropophages. Le vieil homme se mit à rire.

— On t'a mal renseignée, mon enfant. J'ai lu les relations des Jésuites et je puis t'affirmer que le Canada, c'est bien autre chose. Des centaines de nos compatriotes s'y sont déjà installés; ils défrichent et exploitent les meilleures terres de la chrétienté. Quant aux sauvages, aux bêtes fauves, il suffit de se promener dans Paris la nuit pour en rencontrer. J'ai connu un apothicaire parisien, Louis Hébert, qui tenait boutique dans le quartier de Saint-Germain. Il est parti lui aussi, et l'un des premiers. Désormais sa vie est là-bas et il ne faut pas lui parler de revenir. Il sait bien que, lorsqu'il sème un grain, la moitié de l'épi qu'il récoltera n'ira pas engraisser les militaires, les curés ou la Cour. Je regrette de ne l'avoir pas accompagné, mais je suis trop vieux.

Denis et Catherine, éberlués, le regardèrent se fondre dans la foule. Le vent arrondissait sa cape comme ces voiles qu'ils imaginaient glissant vers l'inconnu, au fil de la Seine.

Ayant mangé de bon appétit, Gautier somnola en bredouillant des paroles confuses. Catherine, occupée à des travaux de ravaudage, posa son ouvrage pour passer un linge humide sur le front du blessé. Il se calma et s'endormit profondément, les traits figés dans une immobilité de pierre, les narines pincées, la sueur brillant à travers ses moustaches.

— Gautier, dit-elle, il faut que tu guérisses. Pour toi, pour nous, pour *Cléopâtre*...

Depuis son accident, il n'avait pas touché à cette œuvre, comme si elle n'avait plus d'importance pour lui. Parfois, profitant de l'absence du maître, elle lisait quelques feuillets, les relisait pour mieux en saisir le sens. Où puisait-il ces histoires merveilleuses? Comme pour lui ravir son secret, elle

49

examinait les plumes d'oie qui s'épanouissaient en bouquet multicolore dans un grand verre. Elle en avait dérobé une qu'elle avait cachée dans sa chambre.

Il lui vint un désir qui lui fit monter le rouge au front. Une idée pire que son larcin. Elle ne pouvait s'arracher à la contemplation de ce visage émacié, qui semblait n'être qu'une effigie. Elle ferma les yeux sur un vertige et, le cœur battant à éclater, lui baisa les lèvres. Elle se leva pour quitter le blessé quand la voix de ce dernier la cloua sur place.

– Catherine, approche!

Sur le visage de Catherine, la rougeur avait fait place à une pâleur de cire. Gautier lui saisit le poignet, l'attira vers lui en pressant sa nuque. Ses lèvres fiévreuses coururent sur le visage de Catherine, en goûtèrent la saveur fruitée, cherchèrent la bouche. Lorsque le jeu se fit moins équivoque et Gautier plus pressant, elle tenta de lui échapper. Le mouvement brusque qu'elle fit pour se dégager de cette étreinte arracha une plainte au blessé qui gémit en portant la main à son épaule :

– Petite vipère! Tu es pire que toutes les autres sous tes airs de nonne! J'aurais dû te laisser à Laurent de Louversac; il t'aurait dressée, lui. Dire que j'ai payé soixante livres pour te garder! Le prix d'un bon cheval... Et tu ne vaux pas une guigne!

Ils s'affrontèrent du regard. Il renversa sa tête dans l'oreiller, soupira :

– Pardonne-moi, ma Cathy. Oublie ce que je t'ai dit. Je venais de faire un mauvais rêve.

D'une voix précipitée, il prononça encore des propos incohérents. La sueur perlait sur son visage et une écume blanchissait la commissure de ses lèvres qui remuaient encore, bien qu'il se tût. Catherine redouta de le voir s'immobiliser dans un dernier souffle. Elle attendit dans l'angoisse le retour de Denis parti chercher M. Renaudot. Sa propre audace et la monstruosité des propos tenus par Gautier l'écrasaient de remords; pour se rassurer elle se dit qu'il s'était exprimé sous l'empire de la fièvre à la suite d'un repas trop lourd. Un bruit de pas lui fit lever la tête. Des voix rudes montaient de la rue où une voiture venait de s'arrêter. Médard, affolé, s'engouffra dans la chambre.

— Le maître! On vient le chercher! Un sergent du guet avec six hommes...

— Il faut le cacher! dit Catherine. Aide-moi.

— Inutile, dit le sergent. Nous nous chargerons nous-mêmes de lui trouver une cachette où personne ne viendra l'importuner.

— Vous venez l'arrêter? Pourquoi?

— Ordre de monseigneur le cardinal! Ce n'est sûrement pas en jouant au fleuret moucheté dans les salles basses de Royaumont qu'il a écopé de cette blessure. Et ce mouchoir brodé aux initiales de ton maître, que nous avons retrouvé dans l'île Maquerelle? Il allait peut-être y cueillir des marguerites...

Le sergent fit un signe vers les archers qui venaient d'entrer à leur tour.

— Attendez! s'écria Catherine. M. Renaudot va arriver. C'est un ami de monseigneur le cardinal.

— ... et moi son cousin! Rassure-toi, ton maître s'en tirera avec quelques semaines de vacances sous le préau du Châtelet. Naguère il aurait risqué la potence!

Les archers chargèrent le blessé dans le fourgon.

— Tâchez de tenir bon, dit le sergent. Nous n'allons pas loin. Fouette, cocher!

— Et vous avez laissé ces brutes l'emmener! s'écria M. Renaudot.

— Nous ne pouvions faire autrement, dit Catherine. Quand je lui ai parlé de vous et des bonnes relations que vous entretenez avec le cardinal, le sergent m'a ri au nez.

— Pardonne-moi, Cathy. Tu ne pouvais pas t'opposer à ces gens. Qu'allez-vous devenir à présent, toi, Denis, Médard? A propos, où est Bouche-en-Cœur?

— Il était dans la cave, derrière la futaille, dit Denis. Il a craint qu'on l'arrête lui aussi.

— Le lâche!

M. Renaudot s'assit, passa sa main sur son visage osseux et sa barbe de bouquetin.

— Je ne crains rien pour lui, dit-il. Il se débrouillera toujours avec les malandrins qu'il fréquente. Mais vous deux? Quoi qu'il arrive, ne bougez pas d'ici. Je vais tâcher de vous caser chez une vieille amie.

Il ajouta en se tournant vers Catherine :

– Veille bien sur les manuscrits de Gautier : il y tient autant qu'à sa vie.

Depuis que M. de La Calprenède avait quitté le Val de Misère pour le Châtelet, Catherine avait l'impression de vivre un mauvais rêve. Quelque chose en elle qui ressemblait à une lampe sourde venait de s'éteindre et l'existence avait perdu sa saveur.

– Suis-moi, dit Denis. Tu ne peux rester enfermée jusqu'à la délivrance de notre maître.

Catherine secoua la tête.

– Non. Laisse-moi. Pars seul.

Elle regarda Denis s'éloigner de son allure souple et nonchalante en direction des quais où il resterait des heures à regarder passer les gabares de foin, les péniches de blé ou de houille, les coches d'eau des voyageurs, avec le secret espoir de voir surgir les voiles d'un navire de haute mer.

Elle resta seule en compagnie de César qui avait acquis droit de cité dans la demeure depuis que Gautier, qui supportait mal sa présence dans l'appartement, était parti. Il dormait sur le parquet, dans une flaque de soleil; elle prenait place au bureau du maître pour lire quelques feuillets du manuscrit. De temps à autre elle laissait sa tête tomber entre ses bras et s'abandonnait à son chagrin.

– Cathy, tu n'es pas raisonnable, lui dit M. Renaudot. A quoi bon rester cloîtrée à attendre ton maître ? Il ne reviendra que dans un mois.

– Vous l'avez vu ? Vous lui avez parlé ? Que vous a-t-il dit ?

– Il réclame le manuscrit de *Cléopâtre*, ainsi que des feuillets, de l'encre et des plumes.

– Vous a-t-il parlé de moi ?

M. Renaudot parut perplexe et soupçonneux.

– Qu'y a-t-il eu entre vous ? Parle-moi franchement.

Elle raconta la scène qui avait précédé l'arrestation et dont chaque détail restait imprimé en elle. Elle n'en omit aucun, pas même le baiser furtif dont elle avait effleuré les lèvres de Gautier. M. Renaudot fit claquer sa main sur son genou.

52

— Gautier, dit-il, est un garçon honnête et plein de talent, mais c'est un homme avec ses désirs, sa violence, ses calculs. Une fille aussi belle que toi – car tu es belle, Catherine – ne pouvait le laisser indifférent.

— Il avait la fièvre, il délirait, il ne savait pas ce qu'il disait.

— Détrompe-toi, Cathy. Il était sincère. Il te chassera à son retour. Il m'a même prié de le débarrasser de ta présence. Il semble qu'il ne veuille plus te voir.

Devant l'émotion de Catherine, il se leva, lui prit les mains et lui dit :

— Pardonne la brutalité de cette révélation. Elle te fera mieux sentir que tu es encore une enfant, qu'il faut te méfier des hommes et rester sur ta réserve en évitant de les provoquer.

Il se retourna vers Médard qui venait d'entrer, accompagné de Denis.

— Te voilà, brigand! Toi aussi, Denis! Patientez tous les trois. Je pense régler votre situation d'ici peu.

Il repartit en emportant ce que Gautier lui avait demandé. Avant de franchir le seuil, il considéra d'un œil critique Médard qui, depuis l'arrestation de son maître, se négligeait : il gardait une barbe de huit jours, portait un feutre cabossé, une jaquette maculée, des chausses trouées. Une épée pendait à sa ceinture...

— Diantre! Tu portes une arme à présent?

— Paris est si mal fréquenté, monsieur...

— Ouais... Par des gaillards de ton acabit!

Bouche-en-Cœur pénétra en trombe dans l'hôtel, escalada au galop l'escalier, s'engouffra dans la chambre du maître.

— D'où viens-tu? demanda Catherine. Qu'est-ce qui t'arrive?

— Je passais devant le « Bureau d'adresses » quand M. Renaudot m'aperçut et me fit signe. Il a trouvé à vous placer. Un de ses amis vous conduira cet après-midi à la Maison de la Couche, un asile bien fréquenté où vous resterez quelques jours.

— Et toi, demanda Denis, que vas-tu devenir?

— On ne veut pas de moi, hélas! J'en suis réduit à mendier mon pain ou à partir pour l'Amérique. M. Renaudot

53

s'excuse de n'être pas venu lui-même vous prévenir. Il est trop occupé, mais il vous rendra visite à la Couche. C'est un asile pour les enfants abandonnés, au port Saint-Landry. Tenez-vous prêts. On viendra vous chercher en voiture dans une heure ou deux.

Quand il eut tourné les talons, Denis dit à Catherine :

— Je vais pousser jusque chez M. Renaudot. Cette affaire sent l'entourloupe.

Médard avait pris soin de fermer la porte d'entrée de même que celle qui donnait sur la venelle. Ils appliquaient une échelle contre le mur, quand Médard fit une nouvelle apparition.

— Nenni, mes petits anges! C'est très mal de vouloir tromper le grand frère qui se décarcasse pour vous.

Il les prit au collet, les poussa vers la cuisine, exigea d'être servi. Catherine jeta sur la table du pain et du fromage.

— C'est tout? Denis, va chercher une de ces bouteilles de vin de Langon que notre maître aimait tant.

Il mangea voracement, but la bouteille entière et lança d'une voix pâteuse :

— Préparez votre baluchon, les petits! Le carrosse ne va plus tarder.

Quand les enfants eurent terminé leurs préparatifs, ils redescendirent vers la cuisine. La porte étant entrebâillée, ils surprirent un curieux dialogue : il était question d'argent; Bouche-en-Cœur réclamait une somme dont l'énormité irritait son interlocuteur. Ils étaient convenus d'une somme de vingt livres « pour les deux »; Bouche-en-Cœur, ayant réfléchi, réclamait dix livres de plus, précisant qu'à la « revente » on en tirerait aisément cinquante et, il s'en portait garant, ce ne serait pas de l'argent gaspillé.

— J'ai l'impression qu'il est question de nous, dit Denis.

L'odieux marchandage dont ils étaient l'objet ne finirait donc jamais? Il lui vint une nausée, avec un sentiment de colère et de haine contre ces deux malandrins qui les monnayaient comme du bétail. Catherine s'engouffra dans la cuisine, frémissante d'humiliation, et se mit à injurier Bouche-en-Cœur. L'interlocuteur du valet paraissait être un de ces traîne-rapière qui sont la lie des armées.

— Tudieu! dit-il en frisant sa moustache, la donzelle n'a

pas froid aux yeux. Et jolie avec ça, j'en conviens. Quant à cette grande carotte, j'en fais aussi mon affaire. Tope là, compagnon !

Un coche de louage qui avait laissé un peu de sa peinture aux arêtes des murailles attendait les enfants. Toute résistance s'avérant inutile, ils s'y laissèrent conduire.

– César, demanda Catherine, que va-t-il devenir ?

– J'en prendrai soin, dit Médard. Il a les crocs solides et me sera utile dans mes « affaires »...

Après une heure de course, la voiture s'immobilisa devant une bâtisse d'aspect rébarbatif.

– La Maison de la Couche ! annonça le militaire. On se croirait au Louvre, hein, les enfants ? Et c'est presque la campagne. Vous y serez comme des coqs en pâte.

Comme Denis s'apprêtait à descendre, Médard le retint par le bras.

– Là où tu vas tu n'auras pas besoin d'argent. Confie-moi les écus que tu as volés à M. Larroque et que tu caches dans ta ceinture. Je les ferai fructifier en attendant ton retour.

Il se tourna vers Catherine et lui jeta d'un air railleur :

– Après tout ce que j'ai fait pour toi, tu pourrais au moins m'embrasser. Nous ne nous verrons plus de longtemps. Peut-être jamais.

– Je l'espère de tout mon cœur, dit Catherine.

Le soldat ayant fait sonner la cloche, le portier accourut sur ses jambes courtes de nabot. Le militaire lui glissa quelques mots à l'oreille.

– Suivez-moi, mes agneaux, dit le portier. Ces messieurs m'ont recommandé de prendre soin de vous.

Ils longèrent un couloir humide et sombre, aux murs couverts de graffitis obscènes. On entendait au loin des sortes de bêlements, comme ceux des chevreaux que l'on suspend par les pattes au moment de les égorger. Le geôlier les enferma dans une cellule aux murs ornés de tableaux édifiants et d'une grande croix de bois vermoulu. Peu après, une virago fit irruption ; elle attira Catherine jusqu'à la fenêtre, l'examina sous toutes les coutures.

– Ton âge ?

– Bientôt douze ans.

– C'est bon. A toi!

Denis subit le même examen sans broncher. La mégère se retira et les enfants restèrent de nouveau seuls, puis le portier reparut et leur fit signe de le suivre jusqu'à une salle d'étuve qui dégageait une fade odeur de crasse bouillie. La mégère les fit se dévêtir et se plonger dans un baquet d'eau chaude. Elle leur examina la tête, les frotta d'un âpre savon de cendres, puis les laissa se sécher et se rhabiller seuls.

– Regarde! dit Catherine. Ils ne les ont pas eues.

Elle tendit sa main où brillaient deux pièces d'or.

– Ce sont mes économies, dit-elle. Je les avais placées dans ma bouche, entre mes gencives et mes joues. Elles nous permettront peut-être d'être bien traités ou même de nous évader.

Le portier vint les chercher pour les conduire vers une cour inondée de soleil.

– Quels sont ces cris? demanda Catherine.

– Un concert de chérubins que l'on a mis au pain et à l'eau parce qu'ils n'étaient pas sages. C'est un avertissement. Tâchez de bien vous conduire. La Veuve aime les enfants sages mais se montre sévère pour les rebelles. Celle que nous appelons la Veuve est notre directrice.

La cour était entourée de bâtiments sinistres, aux fenêtres pour la plupart dépourvues de vitres. Des préaux s'ouvraient sur deux côtés, fragmentés en cellules ouvertes, tapissées de litières de paille où croupissaient des enfants déguenillés dont certains étaient nus. Dès que surgirent les nouveaux venus, ce fut la ruée : des grappes haillonneuses les entouraient, les palpaient, les fouillaient...

– Foutez le camp! s'écria le nabot. A vos niches!

Il distribua au hasard taloches et coups de pied; le groupe se dispersa et les nouveaux purent pénétrer dans leur tanière. Le portier jeta sur le sol une brassée de paille fraîche, puis il montra un bâton garni de clous.

– Pour les rats! dit-il. Si vous n'y prenez garde, vous risquez de vous réveiller avec un doigt ou un orteil en moins. Hier, cette engeance a dévoré l'oreille d'un lardon de dix ans.

Après le repas – un ignoble brouet puisé dans un baquet au milieu de la cour –, à la nuit tombée, les rats firent leur apparition. Ils sortaient des égouts donnant sur la Seine, se glissaient le long des murs comme des filets d'eau noire. Et la lutte commença, Catherine armée du bâton et Denis d'une planche. Elle dura toute la nuit, à travers l'ombre. Le jour levé, un frisson d'horreur les parcourut : le sol était jonché de rats morts ou agonisants. A bout de force, ils se recouchèrent et dormirent jusqu'à ce que le tambour du portier annonçât la soupe.

Ils comptaient parmi les plus âgés. Les plus jeunes ou les plus faibles, qui ne pouvaient affronter ces nuits d'épouvante, étaient relégués aux étages où beaucoup mouraient faute de soins. Un garçon qu'on appelait Le Grand et qui se trouvait là depuis une quinzaine s'était arrogé le grade de chef et de conseiller ; il expliqua aux deux nouveaux que l'on jetait à la Seine les cadavres de ces malheureux.

— Que va-t-on faire de nous ? demanda Catherine.

Le Grand haussa les épaules.

— La plupart de ces « mions » sont revendus à des Tziganes ou à des mendiants de profession. Ils en font à coups de trique des aveugles, des borgnes ou des estropiés qu'ils envoient mendier devant les églises. Moi, j'ai pas encore trouvé preneur. Paraît que j'ai passé l'âge.

Quelques jours plus tard surgirent les Tziganes. Un vieil homme portant sa misère avec arrogance, armé d'une immense rapière, coiffé de vieilles plumes, qui paraissait être le chef de la tribu, inspecta les préaux en compagnie de la Veuve. Ils s'arrêtèrent devant la « chambre » de Denis et de Catherine et s'éloignèrent après un bref entretien à voix basse.

— Ce n'est pas pour cette fois, dit Le Grand, mais je crains qu'on ne tarde guère à s'intéresser à nous.

Dans la cour centrale, la chaleur de juillet était accablante. Une nuit d'orage où des trombes d'eau s'abattirent sur Paris, la Seine inonda la cour et les prisonniers durent rester debout toute la nuit et faire la chasse aux rats à la lumière des lanternes, jusqu'à l'office. En se retirant, le fleuve laissa un limon noirâtre et putride.

Au cours de la soirée, après une journée passée à nettoyer l'asile, la Veuve fit battre la caisse devant les « pensionnaires » rassemblés pour annoncer qu'on attendait pour le lendemain la visite d'un personnage important venant recruter des colons pour les établissements français du Canada.

— Faites en sorte, ajouta-t-elle, que vos « chambres » soient propres. On va vous apporter de la litière fraîche. Vous passerez tous aux étuves et vous laverez vos hardes.

— Demain, dit Le Grand, je fais la « belle ». D'autres y sont parvenus. Je profiterai de ce que nous laverons nos vêtements dans la Seine pour m'esbigner. Tu sais nager ?

— Oui, dit Denis, mais pas Catherine, et je ne partirai pas sans elle.

— Tu as tort. De toute manière vous pourrez pas rester longtemps ensemble.

Ils s'assirent un moment plus tard devant l'orifice grillagé du caniveau où la crue avait laissé des détritus et des cadavres de rats. Sur la rive droite, un homme pêchait à la ligne à l'avant de sa barque; derrière, au-delà d'un rideau de peupliers, se déroulait un espace de prairie doré de soleil.

— La Veuve est en rogne, dit Le Grand. Elle touchera pas un liard pour les « mions » qui partiront demain, alors que certains lui ont coûté cher.

— Demain, dit Denis, j'aimerais qu'on nous choisisse.

— Je préférerais qu'on nous oublie. L'Amérique, c'est trop loin pour moi.

— J'aime que ce soit loin.

— A ton aise. Demain, à cette heure, je serai libre.

L'officier général de Marine fit à l'asile une apparition digne de Son Éminence le cardinal. Il portait des chausses écarlates, un gilet bleu à bordures dorées serré à la taille, une cravate en lin des Flandres et une canne à rubans; il était coiffé d'une perruque « à la comète » répandue sur ses épaules et d'un feutre bas à plumes vermeilles. Une foule caquetante de dames de charité habillées de noir au milieu desquelles la Veuve faisait des mines l'accompagnait. Il frappa le sol avec sa canne et les murmures cessèrent.

La Veuve expliqua aux enfants que M. Isaac de Razilly, amiral de la Flotte d'Occident, souhaitait peupler d'immigrants la Nouvelle-France; dans cette intention, il avait eu l'idée généreuse de songer aux « pensionnaires » de la Maison de la Couche. L'officier général parla d'une région du Canada : l'Acadie, à laquelle on destinait un contingent de colons qui prendraient la mer sous peu. A l'en croire, c'était un nouvel Éden.

Il commença sa visite en évitant les rangs des petits qui ne l'intéressaient pas, pour s'attarder à ceux des aînés dont il loua la belle tenue. Il tourna autour d'eux en marmonnant, les fit sortir du rang en les désignant de la pointe de sa canne. Il choisit Denis sans hésitation, de même que Le Grand, qui n'avait pu mettre à exécution son projet d'évasion, mais il oublia Catherine. Elle protesta ; Denis et Le Grand firent de même, disant qu'ils étaient de la même famille et « inséparables ».

— Qu'est-ce à dire ? s'exclama l'officier. Une rébellion ?

— Je vous en prie, Excellence, dit Catherine. Cette maison est un bagne. Sur dix enfants que l'on y place il n'en sort pas cinq de vivants. Les autres sont vendus aux Tziganes. Laissez-moi partir.

Les « pensionnaires » d'alentour firent chorus. L'officier remontait nerveusement les crispins de ses gants et martelait le sol avec sa canne pour faire taire ces insolents. Ils hurlèrent de plus belle.

— Cela suffit ! s'écria le visiteur. De tels incidents sont inadmissibles, alors que vous prétendez diriger un asile modèle. Vous m'en rendrez compte, madame !

La Veuve raccompagna l'Excellence et revint, rouge de colère, en s'éventant à gestes nerveux avec son mouchoir. Elle se dirigea tout droit vers les trois rebelles, les confia au caporal qui accompagnait l'officier, en s'écriant :

— Menteurs ! Ingrats ! Que je ne vous retrouve pas sur mon chemin. Filez ! Je préfère vous savoir à mille lieues.

Poursuivis par les imprécations de la mégère, ils rejoignirent le groupe des jeunes colons promis à la Nouvelle-France. Au fond du couloir, dans la lumière de juillet, un fourgon les attendait : il leur semblait qu'il se trouvait au bout du monde et qu'ils ne l'atteindraient jamais.

— Mes petits ! s'écria M. Renaudot. Qu'étiez-vous devenus ? Médard m'a annoncé que vous lui aviez faussé compagnie sans le prévenir.

– Il a menti! dit Catherine.

Tandis qu'ils lui contaient leur aventure, les yeux fripés du praticien parcouraient les murs blancs de la cellule que les enfants et Le Grand occupaient dans la maison hospitalière de La Charité-Notre-Dame, rue de La-Chaussée-des-Minimes, place Royale, près de l'île aux Vaches : une demeure vénérable où les filles de la congrégation instituée quelques années auparavant par Simone Gauguain, en religion Françoise de La Croix, avaient trouvé asile. Vincent de Paul y promenait souvent sa calotte noire, sa barbiche grise et ses yeux fureteurs.

– J'ai eu quelque mal à vous faire admettre, dit M. Renaudot, mais ici vous trouverez la paix.

Ils avaient trouvé en plus l'affection, mais ils avaient du mal à s'y faire : toute manifestation d'intérêt leur paraissait suspecte; il avait fallu la présence de M. Renaudot pour que leur méfiance disparût. Ils resteraient là le temps qu'il faudrait, dans l'attente du navire qui leur ferait franchir l'océan. Il les rassura quant à ce voyage et à leur installation, en Acadie; il avait lu les rapports de M. de Champlain et les relations des pères jésuites : c'était loin d'être un Éden mais, avec du courage et de la patience, on pouvait s'y faire une place honorable. La Nouvelle-France, disait-il, « est la patrie du courage, de la ténacité et de la foi », et les histoires que l'on colportait sur les « sauvages » n'étaient que des légendes, mais il n'en pensait pas moins : les missionnaires ne se privaient pas de raconter dans leurs récits des histoires atroces; les maladresses de M. de Champlain, premier explorateur de ces terres vierges, avaient fait des Iroquois nos ennemis; en revanche la péninsule acadienne où devaient s'installer les colons d'Isaac de Razilly n'était peuplée que d'innocentes tribus d'Indiens micmacs, de la race algonquine, alliés des Français. Sur cette terre, l'ennemi était l'Anglais allié aux Iroquois.

– Monsieur, dit Catherine, j'ai une prière à vous adresser : avant de partir, j'aimerais faire mes adieux à M. de La Calprenède. Il a été si bon pour nous...

– Je crains que ce soit impossible, mais j'essaierai, répondit le praticien.

60

A la suite de requêtes laborieuses, M. Renaudot avait obtenu gain de cause. Catherine se rendit au Châtelet, accompagnée d'une religieuse. La voiture s'arrêta devant une façade flanquée d'une tour puissante et de poivrières encadrant le châtelet où s'encastrait une statue de Vierge à l'Enfant. La religieuse la suivit; on ne l'aurait pas laissée entrer seule.

Le parloir où elles furent introduites était une pièce exiguë tapissée jusqu'à mi-hauteur d'un revêtement de salpêtre et ornée d'un grand christ de bois. En attendant la venue du prisonnier, la religieuse s'agenouilla pour réciter son rosaire d'une voix mouillée, face à l'archer chargé de la surveillance. Gautier parut dans un grincement de vieille serrure forcée.

– Toi! s'écria-t-il. Si je m'attendais à cette visite...

Un instant éclairé d'un sourire, son visage reprit son masque d'indifférence. Il avait maigri et ses yeux battus trahissaient les veilles et le travail de l'écrivain à la lumière de la chandelle. Catherine eût aimé lui demander où il en était de sa *Cléopâtre* mais elle était comme paralysée. Il s'enquit de sa santé et de celle de Denis; elle lui révéla la trahison de Médard et ce qui en était résulté pour eux.

– M. Renaudot m'a informé de sa conduite, dit Gautier. Médard est renvoyé. Il vivait chez moi avec une prostituée et vendait mes plus belles éditions pour mener la belle vie. Je ne regretterai jamais assez d'avoir fait confiance à ce gibier de potence.

Il ajouta :

– Et vous, qu'allez-vous devenir ?

– Nous allons partir pour l'Acadie avec M. de Razilly. Je suis venue vous dire adieu et vous remettre ceci...

Elle lui tendit un pli qu'elle avait dissimulé dans son jupon. Gautier défit l'enveloppe, sourit :

– C'est une de mes plumes d'oie!

– Je vous l'ai volée pour conserver un souvenir de vous et de vos bontés.

– Tu peux la garder, dit-il en souriant. Elle t'aidera peut-être à mieux affronter les épreuves qui t'attendent. Je regrette de ne pouvoir te récompenser selon tes mérites.

Elle eût aimé lui dire que ce cadeau était pour elle plus précieux qu'un joyau. Elle se contenta de le remercier et de lui dire d'une voix étranglée :

61

– Je vous demande pardon, monsieur Gautier, pour... pour ce qui est arrivé alors que vous étiez souffrant. J'en ai des remords, et...

– N'en parlons plus! jeta-t-il d'un air sombre. J'ai moi-même suffisamment de remords pour t'avoir tenu des propos choquants et immérités. Oublie-les, je t'en conjure.

Elle souhaitait qu'il parlât encore, longtemps; elle eût aimé deviner qu'elle était pour lui plus qu'une servante; s'il le lui avait laissé entendre, elle eût renoncé à partir. Il y avait encore en elle bien des choses qu'elle regrettait de ne pouvoir lui dire. Allait-il l'embrasser, lui tendre la main? Lorsque l'archer annonça la fin de la visite, il se leva et dit simplement :

– Adieu, mon enfant. Sois heureuse. Tu le mérites, et Denis de même.

– Adieu, monsieur Gautier, dit-elle. Que Dieu vous garde.

– Catherine, j'aimerais te dire...

En le regardant s'approcher, il lui sembla que toute sa vie allait basculer. Il la regarda intensément, ses mains sur les épaules de Catherine, l'embrassa sur le front et se détourna brusquement comme pour cacher son émotion.

– Pardonne-moi, dit-il. Adieu.

Elle n'opposa aucune résistance à la main qui la tirait en arrière. La religieuse lui tendit la plume de Gautier, le seul objet qui lui rappellerait désormais l'homme qui, dans la fillette qu'elle était, avait éveillé les premiers élans de l'adolescence.

3

LA RÉSURRECTION DE LAZARE

Sur la fin du mois de juillet, le navire de tête d'Isaac de Razilly quitta le petit port breton d'Auray, sur le Loch, à destination des Amériques. L'« Espérance en Dieu » escortait deux transports chargés de colons et de matériel de première nécessité.

De la fenêtre du château arrière l'amiral observait à la lunette les gros navires de charge qui suivaient à quelques encablures. Il distinguait sur le bordage avant la masse confuse des immigrants du Nouveau Monde qui avaient accepté de s'enfoncer avec lui dans l'inconnu. Il les avait passés en revue au départ et avait pu déceler sur leur visage et dans leurs propos des sentiments mitigés – espoir, confiance, inquiétude – qui les avaient incités à aller chercher ailleurs qu'en France une raison de vivre. De loin les visages se mêlaient dans la lunette comme des épis brassés par le vent.

« Des épis... » songea-t-il. C'était bien en effet des épis que ses navires transportaient ; les graines germeraient ou mourraient en terre. Il avait décidé de donner à la France cette petite sœur sauvage, l'Acadie, cette presqu'île accrochée au continent comme une main tendue vers la France.

Il replia sa lunette, la confia à son second, son cousin Charles d'Aulnay, jeune officier tourangeau qu'il appelait parfois son « fils ». Il lui savait gré d'écouter sans trace de lassitude les sempiternels récits de ses campagnes contre les Barbaresques, de ses expéditions en Amazonie et du siège de La Rochelle, dans l'ombre du cardinal.

– Vous sentez-vous mal ? demanda d'Aulnay.

M. de Razilly souffrait de violentes douleurs à l'estomac. Il aimait dire que la croix d'or qu'il portait sur la poitrine était à l'image de celle qui s'était gravée dans sa chair : ces douleurs lancinantes et les crises de paludisme qui lui avaient gâté le teint sans aigrir son caractère.

– Quand mes maux me laissent en paix, dit-il, j'ai l'impression curieuse que mon corps m'abandonne. Lorsque je ne souffrirai plus du tout, c'est que je serai mort ou près de l'être, mais ce n'est pas ce qui m'inquiète. Qu'allons-nous trouver en Acadie ? Sir William Alexander refuse de se retirer. Ses Écossais occupent les ruines de Port-Royal et ne partiront que si nous les en chassons. Certes, nous sommes en paix avec l'Angleterre, mais le roi Charles ne suit que son bon plaisir et se moque des traités. Souvenez-vous, mon fils : la paix était signée depuis trois mois quand les Anglais ont envahi la Nouvelle-France et pris Québec. Aujourd'hui ils s'obstinent à occuper ces territoires. Un jour leurs colons, de Floride aux Appalaches, nous chasseront avec le concours des Iroquois qui sont de magnifiques guerriers.

– Nous n'aurons pas à les chasser d'Acadie par la force, dit d'Aulnay. Ils ne gardent qu'une soixantaine d'Écossais à Port-Royal. Je connais sir Alexander : soldat de Cour, mauvais capitaine, piètre poète. Depuis qu'il a écrit une épopée sur Darius, il ne rêve que d'avoir son empire à lui. Ce courtisan a débaptisé Port-Royal pour le nommer Charles' Fort.

– Ce n'est pas tant lui que je redoute, nous en viendrons à bout sans beaucoup de risques, mais la guerre qui pourrait se généraliser et, en cas de défaite, nous obliger à quitter ces colonies.

– Son Éminence le cardinal ne le permettra jamais !

– Je sais son attachement à ces colonies et à la Compagnie dont il a eu l'idée pour aider les colons à s'établir, mais il ne sacrifierait pas une ville de France pour les sauver. Les associés de la Compagnie sont avant tout des négociants. On leur impose de peupler la colonie, mais ce qui les intéresse, c'est le commerce des fourrures. Le cardinal n'est pas dupe.

Une chaleur épaisse régnait dans le château arrière et, malgré la brise légère qui soufflait du nord, la mer était lourde comme de l'huile et les navires, toutes voiles dehors, avaient du mal à progresser. Des nuées rosâtres barraient l'horizon à l'est.

— Nous aurons de l'orage avant la nuit, mon fils. Donnez-moi le point. Nous ferons ensuite une partie d'échecs. Vous me devez une revanche.

En s'éveillant, tard dans la matinée, Catherine vit se dresser au-dessus d'elle une masse sombre qui se terminait par un visage lisse, candide et souriant.

— Je me nomme frère Bernard, capucin. Pardonnez-moi de troubler votre repos. Vous joindrez-vous à moi pour la prière ? Nous sommes voisins. Je suis installé près de l'écoutille.

Il montra Denis qui continuait à somnoler contre le fût du canon.

— Votre frère, sans doute ?

— Non, dit Catherine. Nous sortons de l'orphelinat et nous avions le même maître, en Périgord.

Le capucin tendit la main à Denis.

— Je me nomme frère Bernard. Je viens de terminer mon noviciat et je vais comme vous en Acadie.

— Salut ! grogna Denis.

— Vous êtes engagés volontaires, je présume ?

— Si l'on veut, dit Denis.

— Je suis heureux de voyager en votre compagnie. Si vous n'y voyez pas d'inconvénient, considérez-moi comme votre grand frère. J'ai droit à un hamac, dans la cale, mais je préfère le grand air. Viendrez-vous prier avec moi ?

— Nous verrons ! bougonna Denis.

La terre était encore visible : une ligne blanche un peu brumeuse, au-dessus des vagues qui tonnaient contre le flanc du navire.

— Vous serez les bienvenus. Je... pardonnez-moi !

Il se pencha pour vomir au-dessus de la rambarde avec des efforts lamentables. Denis ne tarda pas à l'imiter : il sentait depuis un moment son estomac lui remonter aux dents.

— Je me sens mieux, dit le capucin, rayonnant. Et vous ?

— Ça va, dit Denis.

Le capucin lui tendit, ainsi qu'à Catherine, un morceau de papier.

– Vous le roulez en boule, comme ceci, et vous le mâchez pour le ramollir, avant de le fourrer dans vos oreilles. On dit que c'est efficace contre le mal de mer.

Ils ruminèrent tous trois en silence, le dos contre la rambarde, en évitant de regarder le petit nuage rondelet qui surgissait à tribord comme une balle de paume, disparaissait de nouveau quand le navire s'inclinait à bâbord. Ils cimentèrent leur trompe d'Eustache de pâte humide. Bernard sortit de son froc un flacon d'eau-de-vie qu'il tendit à ses nouveaux compagnons. Quelques minutes plus tard ils dormaient tous trois, assommés par l'alcool, la chaleur et le ronflement du vent dans la voilure, la tête de Bernard appuyée contre l'épaule de Catherine.

La vie à bord ne manquait pas d'attrait.

Après la prière commune du matin dans les premiers souffles de l'aube, la messe rassemblait autour de l'aumônier du bord le capucin et, tassés sur le gaillard d'avant, la foule des matelots et des engagés. On dînait d'une tranche de biscuit et de lard, puis on observait une sieste prolongée. Denis lisait le petit in-folio de Montaigne, cadeau de M. Renaudot ; quand il achoppait à un passage trop subtil pour lui, le moine le lui expliquait et le commentait. Sous le château arrière, abrités du vent, engagés et matelots disputaient d'âpres parties de cartes ou de dés en attendant l'heure de la soupe. Le moment le plus agréable était celui qui précédait le coucher : on s'assemblait pour faire de la musique, chanter et danser malgré le roulis. Les nuits étaient courtes, mais, lorsque le temps était calme et la mer d'huile, on goûtait un repos complet ; la cloche de quart éveillait parfois les enfants ; ils écoutaient le ronflement paisible des voisins, le tonnerre assourdi des vagues ; des ombres de matelots s'agitaient sur le pont arrière ; détachées du fanal de beaupré, des fumées blanches traversaient le pont.

Certaines nuits moites, les enfants se cherchaient à travers l'ombre. Adossés à la rambarde en compagnie du capucin, ils avaient de longues conversations. Qu'étaient devenus Le Grand et César ? Leur compagnon d'infortune de la Couche était parvenu à s'enfuir, ils ne savaient où. Mais le chien ? M. Renaudot en aurait-il assuré la garde comme il l'avait promis? Bernard n'aimait guère parler de son passé; ils apprirent seulement qu'il était le fils d'un drapier fortuné de Pont-de-l'Arche et qu'il avait, durant son enfance maladive, regardé les embarcations passer sur la Seine et des navires de haute mer cingler vers les isles du sucre et du rhum.

Le capucin se plaisait surtout à commenter les événements du bord. Les matelots avaient pêché un requin qu'ils avaient achevé sur le pont... Monté sur une chaloupe, M. de Razilly était venu s'informer des nouvelles... Un hunier ayant blasphémé le saint nom de Dieu avait été fouetté au « bout de corde », attaché à un canon... Un jeune quartier-maître du navire amiral, mort de la fièvre jaune, qu'on appelait aussi le « mal de Siam », avait été jeté par-dessus bord et son cadavre avait frôlé le flanc du navire de charge... Le moindre événement était pour les trois voyageurs motif à des palabres interminables.

On était en mer depuis une semaine quand, un matin, pris de violentes douleurs, Denis ne put se lever. Bernard, qui venait de dire la messe, arriva en courant.

— J'essaie de lui parler, dit Catherine, mais il ne m'entend pas. Il n'a eu que le temps de me dire qu'il souffrait de la tête et des reins.

Le teint du malade avait viré au rouge de la brique; il était secoué de frissons et, quand la douleur se faisait lancinante, ses lèvres se retroussaient sur des gencives violettes.

Le capitaine arriva peu après, accompagné du chirurgien, gros homme barbu, au visage tuméfié, qui puait l'eau-de-vie. Ils écartèrent le groupe qui s'était formé, le malade pouvant être contagieux. Le chirurgien ouvrit sa trousse en bougonnant, saisit une lancette, plaça le pied droit du malade sur une cuvette et pratiqua une incision qui libéra un jet de sang.

— C'est pour éviter, expliqua le barbu, que le « venin » monte au cerveau.

— Est-ce grave? demanda Catherine.

Le chirurgien se contenta de hausser les épaules. Il effectua une ligature, tendit à Catherine la cuvette pleine de sang en lui ordonnant de la jeter aux requins, puis il dit au capitaine:

69

– Faites entourer cet espace par des toiles pour que personne ne s'en approche. Sauf ces deux-là qui veilleront sur le malade.

Il attira Bernard à l'écart et lui dit :

– Capucin, tu vas prier le bon Dieu pour que ce rouquin guérisse vite, sinon d'ici deux ou trois jours, mort ou vif, il faudra le jeter par-dessus bord. Si tu crois aux miracles...

– Je prierai sans relâche, dit Bernard.

Denis passa une nuit agitée, ne sortant de son état d'hébétude occasionné par la fièvre que pour gémir, se rouler dans ses couvertures, se cogner la tête contre le tablier des canons. Le matin il paraissait calme mais vide de toute substance. Lorsque le chirurgien se présenta, Bernard lui dit :

– Il semble qu'il y ait du mieux. Il s'est un peu agité cette nuit.

Le chirurgien examina le malade, glissa un émétique à travers ses dents serrées. L'effet fut immédiat : Denis vomit quelques gorgées de sang.

– Nous allons essayer la tisane. Un soporifique...

Malgré l'heure matinale, la chaleur d'août devenait épaisse et moite ; les voiles pendaient le long des mâts. Peu après avoir absorbé sa tisane, le malade se mit à transpirer d'abondance. Il était dégagé de sa torpeur, mais trop faible pour s'exprimer. Vers midi il poussa un grand cri, se mit à se tordre, les mains à ses reins ; Catherine et Bernard le trouvèrent en train de chercher à escalader la rambarde ; ils le forcèrent à se recoucher et lui demandèrent de supporter son mal avec courage quelques jours encore. Il les considérait d'un regard hébété, penchés sur lui comme des apparitions surgies d'un cauchemar. Le soir il était immobile mais glacé, si bien qu'on le crut mort. Les engagés du voisinage commencèrent à s'alarmer ; Bernard et Catherine s'éveillèrent en sursaut alors que deux hommes s'apprêtaient à jeter le malade par-dessus le bastingage.

Une nuit lourde avait succédé à une journée étouffante. On naviguait au jugé, l'œil sur le fanal de poupe de l'« Espérance en Dieu » qui, par instants, s'effaçait dans la brume montant de la mer phosphorescente. Des éclairs illuminaient un horizon de fin de monde. Le capitaine perdit de vue le deuxième navire de charge et crut bien ne jamais retrouver le navire de tête.

Lorsque le matin se leva, fiévreux, plombé de lourdes nuées d'orage, Denis gémit longuement en réclamant à boire puis de nouveau sombra dans le sommeil. Catherine remarqua sur sa poitrine des traces vertes et noires courant sous la peau.

— Pas un mot au chirurgien, dit Bernard, sinon Denis est perdu.

Dès qu'il fut levé, le chirurgien accourut et constata avec satisfaction que le malade dormait profondément et que sa fièvre semblait s'apaiser. Il s'irrita des protestations des engagés qui parlaient de la peste, du choléra, du « mal de Siam » et demandaient que l'on jetât ce garçon aux requins.

— Silence! cria-t-il. Vous n'allez pas m'apprendre mon métier? Ce garçon sera bientôt sur pied. En attendant, que personne ne s'approche de lui!

Denis dormit jusqu'au soir, bougea à peine de toute la nuit suivante, qui fut douce et paisible. Le matin, les traces avaient disparu sur la poitrine.

— Souffres-tu encore? demanda Catherine.

Il ne souffrait pas, mais il était possédé d'une soif dévorante, bien que l'air eût fraîchi.

— Laissez-le boire, dit le praticien. Quelque chose me dit que ce gosse s'en tirera, mais il m'a fait une sacrée frousse.

Pour plus de sûreté il lui infligea une nouvelle saignée. Au cinquième jour, Denis put s'adosser au bastingage. Au sixième, qui était un dimanche, il put entendre la messe et communier; les engagés lui touchaient l'épaule en plaisantant. Un jour le capitaine lui demanda:

— Comment te portes-tu, Lazare?

A quelques mois de distance, deux hommes qui ne s'étaient pas concertés lui donnaient le même surnom: la première fois, c'était alors qu'il venait d'échapper à la fusillade. Bernard lui expliqua que Lazare était le frère de la Vierge Marie et de Marthe; Jésus l'avait ressuscité pour lui permettre d'aller évangéliser les Gaules.

— On n'échappe pas à son destin, dit-il. Dieu t'a choisi pour montrer qu'il ne faut jamais baisser pavillon devant la mort et que les miracles, ça existe!

Alors que l'on touchait à la fin du mois d'août, les navires devaient affronter d'épais bancs de brume et ne parvenaient à rester en vue les uns des autres qu'au prix d'une vigilance constante. Le capitaine passait les nuits à la cape, l'œil sur le fanal arrière du navire amiral.

Un matin, M. de Razilly fit courir l'ordre de se disperser pour veiller à l'Anglais qui croisait fréquemment dans les parages de la côte acadienne; si l'on tombait sur l'une de leurs unités, mieux valait l'affronter seul en laissant les autres s'échapper. Au lieu de contourner la presqu'île pour mouiller dans la Baie Française où l'on risquait de faire de mauvaises rencontres, l'amiral décréta que l'on accosterait au petit port de La Hève, au fond d'un estuaire, sur la côte est.

Un matin, alors que le ciel dégagé s'ouvrait sous la lance du beaupré, une mouette apparut à bâbord, puis une autre, puis tout un vol. La terre était proche : on la devinait à une ligne brumeuse sur l'horizon. En quelques instants le pont fut en proie à une agitation forcenée. Les engagés donnaient libre cours à leur joie, chantaient et dansaient en se distribuant des rasades de gnôle. Bernard et ses fidèles priaient, à genoux sur le pont. Ils se grisaient eux aussi, non d'alcool mais des mots de leurs prières : *Salve Regina!* Bénie sois-tu, terre d'Acadie!

4

CAP SABLE

Acadie : été 1635.

Dès que les trois navires eurent rangé les îles aux plages roses, aux lointains espaces envahis par les forêts, pénétré dans le vaste estuaire de la rivière Merligouèche, l'eau, insensiblement, changea de couleur : il s'y mêlait des brumes de boue en suspension, légères et dorées. On longea une côte basse prolongée par des battures glauques dangereuses pour la navigation. L'estuaire se rétrécit ; des falaises succédèrent aux rives à battures, laissant présager d'excellents mouillages. Environ l'heure de midi, ayant doublé une pointe rocheuse derrière laquelle l'estuaire s'ouvrait de nouveau largement, l'« Espérance » hissa son signal d'accostage.

Dans le port de La Hève, dominé par le fort Domeron, habitation branlante entourée de palissades verdies, un voilier de bonne apparence arborait le pavillon aux fleurs de lys du roi de France. M. de Razilly se porta à la proue en compagnie de son cousin d'Aulnay et d'un gentilhomme tourangeau de sa suite : Nicolas Denys. Le navire accosté venait de détacher une chaloupe. Peu après on entendait au vent un coup de tonnerre : le navire faisait donner la poudre de salut.

– Ce navire ne me dit rien qui vaille, murmura l'amiral. Il arbore les couleurs françaises mais il est d'origine anglaise. Je ne puis lire son nom. Ce doit être le navire du maître des lieux : Charles de Latour. Ce n'est pas fait pour me rassurer, mes amis.

Huit ans auparavant, à la mort mystérieuse du gouverneur français de l'Acadie, M. de Biencourt, son valet de chambre,

75

Latour, s'était déclaré héritier de ses privilèges et de ses biens, sans pouvoir justifier cette prétention. Depuis cet événement, le capitaine huguenot Kirke, vendu à l'Angleterre, avait assiégé Québec, chassé M. de Champlain de la Nouvelle-France, alors que la paix régnait entre les deux nations. Les Anglais avaient fait la sourde oreille devant les protestations de Champlain, qui criait à la piraterie. Peu après, les colons français établis en Acadie avaient vu avec stupeur débarquer en habit de soie et perruque poudrée le secrétaire d'État de Sa Majesté Britannique : sir William Alexander. Charles de Latour dut plier bagage, abandonner les possessions de son maître défunt et se retirer avec armes et bagages dans les confins sud de la presqu'île, à fort Domeron.

— M'est avis, dit M. de Razilly, que nous devrons nous méfier de ce personnage. Il arbore aujourd'hui notre pavillon mais il nous trahira à la première occasion. Un armateur bordelais qui appareillait un navire pour la Nouvelle-France me parla de lui il y a peu : Latour n'a pas installé à fort Domeron un poste de défense mais un comptoir assorti d'un cabaret et d'un bordel; il trafique avec les Indiens, leur vole leurs fourrures et leurs femmes. Une sombre crapule, mais avec laquelle nous devrons composer : c'est grâce à lui si notre pavillon flotte encore sur cette terre.

Nicolas Denys partageait ces craintes; il avait entendu parler à Nantes de ce triste personnage :

— Il se pose peut-être en défenseur de l'Acadie contre Alexander, mais c'est un opportuniste. Qui sait quel marché il a pu conclure avec l'Anglais ? A mon humble avis, monsieur l'amiral, il attend de la France, et donc de vous, une reconnaissance de ses services et une aide militaire qui lui permettrait de devenir le maître de cette province.

— Nous verrons bien, dit Razilly. Évitons de lui faire un procès d'intention.

— Mais c'est le meurtrier de M. de Biencourt! s'écria d'Aulnay.

— Cela reste à prouver, mon fils!

— ... de même que l'existence du testament dont il se prévaut!

— De toutes manières, qu'il existe ou non, je tiens du roi et du cardinal les pouvoirs de lieutenant général du royaume et de gouverneur de l'Acadie! Ce gredin n'y pourra rien!

76

D'Aulnay sursauta :

— Ce « gredin », comme vous dites, a de la branche ! Son père a épousé une dame de compagnie de la reine d'Angleterre, et son fils arbore bel et bien le titre de marquis : sir Charles de Saint-Étienne, lord de Denniscourt. A mon avis il est plus anglais que français, plus huguenot que catholique, mais ce serait plutôt de la graine de mécréant.

La chaloupe venait d'accoster. On jeta un filin. Un homme monta à bord de l'« Espérance » : le lieutenant de Latour, Krainguille. Il venait souhaiter à l'amiral la bienvenue et préciser que « M. Charles » l'attendait.

M. de Razilly fit battre la caisse et déployer les étendards. Les engagés qui venaient de descendre à terre se découvrirent ; ils s'étaient rangés près d'un entrepôt d'où montaient des odeurs de tannerie. Denis et Catherine, noyés dans la masse des immigrants, attendaient autre chose de ce premier contact. A peu de détails près, ces Acadiens étaient vêtus comme à Paris avec cependant, pour certains, une négligence incompatible avec leur rang. Où étaient les sauvages ? Se cachaient-ils derrière ces collines, dans les forêts proches ? Cet homme au teint de brique, coiffé d'un chapeau de castor, accoudé à la fenêtre du comptoir, était peut-être l'un d'eux. Le pays semblait vaste, avec ses horizons de collines et de forêts, mais il manquait un peu de sauvagerie.

Bernard parvint à se rapprocher de ses amis. Son visage rayonnait de bonheur, alors que M. de Razilly passait la revue de sa compagnie et du petit détachement qui occupait le fort Domeron. Il était accompagné d'un colosse curieusement attifé, moitié à l'européenne, moitié à la trappeur, mais qui semblait en imposer à tous : Charles de Latour. Il paraissait jeune malgré la barbe grisonnante, le visage tanné marqué d'une balafre, le bonnet de fourrure posé de travers sur les cheveux longs et bouclés ; les épaules massives, les jambes lourdes, révélaient une puissance physique peu commune ; ses mains brunes s'accrochaient par les pouces à un gros ceinturon dans lequel étaient passés deux pistolets ; à côté de lui, ses hôtes semblaient des avortons.

M. Charles de Latour passa lentement, salua d'un geste désinvolte le capucin et, arrivé devant Denis et Catherine, hocha la tête.

— Vous êtes bien jeunes, dit-il d'une belle voix grave. Bien jeunes pour un pays aussi dur.

Il ajouta, en se tournant vers M. de Razilly :

— Que comptez-vous faire de ces engagés, monsieur l'amiral ?

— Les placer sur des terres laissées libres par les Anglais. Le sol me semble fertile...

— C'est ce que pensaient les Écossais que sir Alexander y a installés, mais la plupart y ont renoncé. Ce pays est plus hostile qu'il n'y paraît au prime abord.

Denis prit le bras de Catherine, lui montra le large de l'estuaire. Le long du ponton en forme de radeaux assemblés, des canots de sauvages venaient d'accoster en silence. La foule se précipita pour les voir de près; les mères de famille avaient du mal à retenir leur progéniture et leurs criailleries ajoutaient au tumulte. Avant que les deux enfants aient pu réaliser ce qui leur arrivait, ils étaient comme soulevés de terre et entraînés vers le ponton. Des cris éclataient de toute part :

— Les « sauvages »! Venez voir les « sauvages »!

Les Micmacs se tenaient prudemment dans leurs canots d'écorce chargés de balles de fourrure. Les engagés débordaient d'une joie bruyante comme pour un spectacle de carnaval. Ces êtres à moitié nus, à la peau cuivrée, au visage peint, aux cheveux ornés de plumes multicolores et de « pourcelines », des bijoux de pacotille vendus par les Français et les Anglais, excitaient une hilarité de mauvais aloi.

Lorsque les Indiens comprirent que cette foule ne leur était pas hostile, ils prirent terre et le troc débuta. Accompagnés de Bernard, Denis et Catherine se mêlèrent à la foire. Les colons échangeaient des pacotilles contre des fourrures et, malgré l'interdiction du roi, montraient des fiasques d'eau-de-vie sous leur vareuse.

Frémissante de curiosité, Catherine passait d'un Indien à un autre; ils lui prenaient la main d'un air grave, lui faisaient caresser les fourrures; elle se laissait faire en riant, gagnée par une ivresse à laquelle les appels, les va-et-vient, les interminables marchandages, la voix lente et grave des « sauvages », le verbe sonore et vif des Poitevins et des Normands n'étaient pas étrangers.

L'envie la tenaillait, irrésistible, d'acquérir une de ces merveilles qui, à Paris, auraient valu une fortune. Elle avisa un vieil Indien assis sur le bord du ponton, qui tenait sur ses genoux une peau de loutre aux reflets moirés. Elle engagea le dialogue avec des gestes, malgré la réprobation de Denis. Elle tira un écu de sa bourse, puis l'autre, mais l'Indien secouait la tête, quand un militaire du fort intervint pour la conseiller :

— C'est une assez belle peau, mais qui n'a rien de rare. Elle vaut tout au plus dix sols.

Le militaire lui fit la monnaie, paya l'Indien en baragouinant quelques mots de dialecte et ajouta une peau de castor pour faire l'appoint.

— On m'appelle Sans-Quartier, dit-il. A ton service, demoiselle. Viens, je t'offre un verre.

Bernard répondit à la place de Catherine : on allait devoir remonter à bord.

Dans la grande salle du comptoir où stagnait un air moite et putride, traversé de vols de maringouins, M. de Latour fit servir à ses invités le cidre du pays. Par la fenêtre, l'estuaire plombé de soleil déroulait son ruban métallique jusqu'à la ligne qui soulignait la rive opposée où se tassaient les montagnes rondes et bleuâtres.

Après s'être désaltéré, M. de Razilly tendit à son hôte un portefeuille de cuir.

— Les lettres patentes signées de Sa Majesté, dit-il. Nous avons mission de réoccuper l'Acadie, tout comme M. de Champlain vient de le faire de Québec.

M. de Latour prit connaissance des documents, les rendit à l'amiral, sans qu'un trait de son visage eût bougé.

— Je salue donc en vous, dit-il d'un ton mielleux, le lieutenant général de Sa Majesté, gouverneur de l'Acadie.

M. de Razilly, peu convaincu par cette apparente bonne grâce, s'inclina en souriant. Il attendait une certaine résistance de la part de cet usurpateur, de surcroît ami des Anglais. Il dit d'une voix raffermie :

— Parlons franc, monsieur de Latour. Je conçois votre déception, mais Sa Majesté refuse d'accréditer votre prétention de succéder à M. de Biencourt sur la foi d'un testament dont l'existence n'a jamais été prouvée.

79

– Ce testament existait, dit sèchement M. de Latour, mais il a brûlé dans un incendie. L'ancien gouverneur l'a rédigé en ma présence et en celle d'un religieux...

– ... qui a sans doute disparu lui aussi! lança d'Aulnay. Peu importent les rapports que vous avez eus avec M. de Biencourt, qui est mort dans des circonstances bien mystérieuses, dit-on. Ce prétendu testament, nous y croirons si nous le voyons, mais de toutes manières cela ne changerait rien.

– Taisez-vous, mon fils! dit sévèrement M. de Razilly. Monsieur de Latour, je vous prie d'oublier ces propos.

– Sa Majesté, dit M. de Latour d'un ton narquois, est trop généreuse! Sans tenir aucun compte des services que j'ai rendus à la France en maintenant l'étendard de notre pays, elle me chasse comme un vulgaire valet. On m'a reproché la conduite de mon père, comme si j'en étais responsable. Il a fait pression sur moi pour que j'abandonne mon coin de terre aux Anglais, mais j'ai tenu bon. C'est ce que M. d'Aulnay appelle trahir.

D'Aulnay eut un mince sourire :

– Auriez-vous le front de nier vos bons rapports de voisinage avec les Anglais?

– Il est exact que j'ai commercé avec leurs négociants. Lorsque les « couacres », les quakers de leur colonie de Boston, sont venus me proposer leur marchandise, j'ai accepté. Pour tout vous avouer, j'ai même dû acheter du blé à sir Alexander pour survivre, moi et mes hommes. Vous ferez de même lorsque vous constaterez que la France vous oublie.

– Et ce navire? demanda aigrement d'Aulnay. N'est-il pas anglais?

– Je l'ai acheté de mes propres deniers. Est-ce un crime?

– Sir Charles de Saint-Étienne, ajouta d'Aulnay, malgré le regard courroucé de M. de Razilly, on vous reproche aussi de vivre comme un païen, avec plusieurs concubines. Qu'avez-vous à répondre à cette accusation?

M. de Latour soupira profondément. Comment faire comprendre à ces marquis poudrés que le seul moyen de se concilier l'amitié des « sauvages » était de vivre à leur manière? Razilly, peut-être, eût compris ce comportement. Pas ce blanc-bec arrogant.

Lorsque M. de Latour l'avait vu mettre pied à terre et s'avancer vers lui, le regard bas, il avait compris que cet homme serait pour lui un adversaire inconciliable.

Accompagnés du capucin, les enfants remontèrent à bord et s'allongèrent sur le gaillard d'avant, à l'ombre d'un petit foc bien tendu sur le beaupré. Le soleil baissait sur le fleuve au-dessus duquel planaient des vapeurs violettes. L'arrière-pays semblait se rapprocher avec son troupeau de lourdes collines menaçantes. Denis, en y portant son regard, voyait des fleuves géants, des forêts et des lacs à l'infini se dérouler dans sa tête; il se demandait s'il serait de taille à se mesurer au pays et aux hommes qui le peuplaient. Bernard, pour sa part, plantait des croix imaginaires sur ces horizons qui lui rappelaient les pays de Seine, vers Honfleur; il se sentait soulevé par la foi et l'ardeur des néophytes face à ces contrées qui lui appartenaient déjà, que Dieu lui avait confiées et que personne ne pourrait lui disputer. Catherine rêvait de longs sommeils dans l'ombre délicate des érables, en compagnie d'animaux paisibles qui venaient, comme naguère le chien César, se coucher tout contre elle, lui léchaient les mains et la réconciliaient avec le monde.

— J'ai la tête lourde, dit Bernard. C'est sans doute cette chaleur...

Par un espace entre l'affût du canon et le bastingage Catherine aperçut devant le comptoir la silhouette de Latour accompagné de ses hôtes avec lesquels il paraissait discuter âprement.

— Sont en train de parler de nous! dit un engagé du Poitou qui arrivait avec une balle de castor sous chaque bras. J' les ai entendus. Y disaient : « J'en garde tant... Je vous en cède tant... On en mettra tant à faire de la terre et tant à trafiquer avec les " sauvages "... » Pis que du bétail qu'on est considéré!

— Ont-y parlé de moi? demanda un gars de Nantes.

— Oui, mon gars! J'ai même entendu l'amiral dire comme ça : « Ce gaillard-là vaut pas grand-chose. Faut le renvoyer d'où qu'y vient! »

— Et toi?

— Moi on me garde pour sauter les « sauvagesses ». Faudra bien le peupler, ce putain de pays!

81

Denis les regarda rire en se tapant sur l'épaule. Et eux, où seraient-ils demain ? Pourraient-ils, lui et Catherine, rester ensemble ? Il songeait au Grand qui les avait quittes et qu'ils ne reverraient sans doute jamais dans cet immense pays.

Le supérieur des capucins avait tracé sur le pont, avec un morceau de charbon, une carte représentant la France, puis une autre qui était l'Acadie et qui couvrait la superficie de plusieurs provinces françaises; enfin les limites de la Nouvelle-France jusqu'aux grands lacs. Les engagés étaient restés bouche bée. Qu'était le vieux pays à côté de ces immensités inhumaines ? Qu'était la Seine auprès du Saint-Laurent ? Mais, songeait Denis, qu'était le Canada auprès des immensités d'océans qu'il fallait traverser pour s'y rendre ? Les dimensions de l'univers, révélées par ces quelques traits au charbon, lui donnaient le vertige, bousculaient en lui les données coutumières du temps et de l'espace. Catherine voulut savoir où se trouvait Paris; le supérieur écrasa ce qui lui restait de charbon sur un point de la France, et Catherine songea que Gautier de Costes, sire de La Calprenède, se trouvait là, dans une froide cellule du Châtelet, en train de donner vie à une Cléopâtre née de son imagination.

Le même vertige avait saisi Bernard. Il dit en prenant la main de ses amis :

— Il faut tout faire pour rester ensemble. Je parlerai à mon supérieur. Nous sommes comme frères et sœur et rien ne pourra nous séparer.

Denis n'aimait guère ce ton pleurnichard. Il se satisfaisait de l'affection qui le liait à Catherine. Aurait-il accepté de se jeter dans cette aventure sans elle ? Elle était tout pour lui et Bernard peu de chose; s'ils devaient se séparer, le capucin serait seul à en souffrir.

Le lendemain, M. de Razilly fit battre la caisse sur le môle et procéder à l'appel des engagés :

— Martin! Trahan! Landry! Gaudet!...

Denis guettait le retour des Indiens; il en avait rêvé toute la nuit. Des engagés avaient raconté à la veillée que des colons s'enfonçaient seuls ou en groupe dans les lointains territoires pour y trafiquer le « pelu », ces fourrures qu'ils revendaient aux négociants rochellais occupant les postes de traite sur le Saint-Laurent et en Acadie. Ces « coureurs des bois », on en parlait comme de personnages mythiques, à demi sauvages; une fois qu'ils avaient goûté à cette existence, remonté les fleuves sur leurs canots, couché avec des Indiennes, ils ne souhaitaient plus retrouver le monde civilisé.

– ... Doucet! Bourgeois! Sire! Poirier!...

Bernard lui aussi guettait le retour des « sauvages » qui, la veille, se pressaient autour de lui, caressant sa bure, comparant ses cheveux à ceux de Denis dont la couleur les surprenait, touchant sa croix pectorale et proposant de l'échanger. Il se voyait déjà pasteur de ces ouailles et leur faisant prendre dans un alléluia le chemin du paradis.

– ... Terriault! Daigre! Petitpas! Blanchard! *Brunet!*

Catherine sursauta à l'appel de son nom, leva la main, puis se mit à observer les navires, attentive moins au retour des Indiens qui commençaient à affluer qu'au manège de M. de Latour qui lui semblait être le monarque de cette nation, le chef redouté et vénéré des « sauvages » qui, lorsqu'il s'approchait d'eux, paraissaient possédés par une crainte superstitieuse. Elle le suivit du regard lorsqu'il descendit l'échelle de corde de son navire, sauta dans le canot qui l'attendait et resta debout, les bras croisés sur sa veste en peau d'orignal.

Quelques heures auparavant, M. de Latour avait annoncé à M. de Razilly :

– J'ai réfléchi cette nuit, monsieur l'amiral. Je garderai avec moi une quarantaine de colons que j'installerai sur diverses concessions du fort Saint-Jean, qui est mon domicile ordinaire.

M. de Razilly ne s'y opposait pas; il s'installerait lui-même à La Hève : le pays lui convenait; le port offrait un abri sûr en cas d'attaque anglaise; on s'y sentait proche de la France et la terre des environs semblait fertile. Il avait même choisi l'emplacement de son habitation future : un promontoire dominant l'immense panorama du fleuve et les concessions; il le baptiserait Sainte-Marie-de-la-Grâce; mieux que de Port-Royal situé de l'autre côté de la presqu'île acadienne, sur la Baie Française, il pourrait surveiller les environs et pallier toute surprise.

83

Il décida que d'Aulnay partagerait avec Latour l'Acadie continentale et que Denys recevrait la Gaspésie, jusqu'au Saint-Laurent, ainsi que les îles de Terre-Neuve, Cap-Breton et Saint-Jean, un territoire immense où son esprit d'entreprise trouverait à s'exercer.

Ce partage qui convenait à tous présentait des garanties contre d'éventuelles surprises de la part des Anglais. Les trois hommes auxquels il confiait ces contrées, M. de Razilly en était sûr comme de lui-même; beaucoup moins de Latour, mais il réservait son jugement sur ce personnage qu'il se refusait à rejeter comme l'avait fait inconsidérément son « fils » : cet homme, c'était l'Acadie incarnée, avec ses qualités, ses défauts, sa fascination... Il le laissa choisir les habitants qu'il souhaitait embarquer avec lui, dans la foule massée devant le comptoir de traite : accompagné de Krainguille, il examinait les sujets qui lui convenaient, les palpait avec rudesse comme il l'eût fait d'animaux de ferme.

– Inscris celui-ci, Krainguille. Le nom, l'âge...

Planté devant Catherine, il lui demanda son nom et son âge.

– Note, Krainguille : Catherine Brunet. Treize ans à peine. Bien jeune, mais assez solide. Elle fera l'affaire.

Il passa sans un regard pour Denis. Le capucin l'interpella :

– Monsieur, s'il vous plaît... Ces deux engagés sont comme frère et sœur. Il serait cruel de les séparer.

– Ils sont ici pour faire de la terre, pas du sentiment. Ce gamin n'a pas bonne mine. Tout juste bon à récolter du sirop d'érable.

– Il a souffert à bord du « mal de Siam », dit Catherine au bord des larmes. Il est robuste et se remettra vite.

Latour se gratta le crâne sous sa calotte de castor.

– Soit! Inscris-le. Quant à toi, le moinillon, je ne vois pas en quoi tu me serais utile.

– Il faudrait que le supérieur me donne son autorisation, dit Bernard. Je vais l'en informer sur-le-champ.

– Ne te presse pas trop, dit ironiquement Latour.

Le recensement terminé, Latour alla rejoindre M. de Razilly et les nouveaux colons. Il était à peine attablé devant une cruche de cidre qu'il vit le capucin se diriger vers lui, rayonnant.

— C'est fait, monsieur! dit Bernard. Mon supérieur m'a autorisé à vous accompagner.

— Toi, dit Latour en éclatant de rire, tu ne manques pas de toupet! Tu peux revenir d'où tu viens. Que veux-tu que je fasse d'un religieux? Fiche le camp!

— Vous regretterez votre décision, monsieur. Dieu vous en tiendra rigueur. Depuis quand n'avez-vous pas communié?

— Laisse-nous! Nous avons à parler de choses sérieuses, mes amis et moi.

— Il s'agit de choses sérieuses. Comme nous tous vous avez besoin du secours de la religion. Vivez-vous comme un païen ou êtes-vous retourné à votre foi huguenote?

Latour se leva brusquement, le feu au visage, s'approcha de l'obstiné, lui souffla à la figure :

— Ça ne regarde que ma conscience. Si j'ai des comptes à rendre au bon Dieu, je suis assez grand pour m'en occuper sans ton aide. Nous les réglerons aux cartes ou aux dés et, si c'est nécessaire au repos de mon âme, je paierai sans rechigner.

— Vous blasphémez, monsieur!

— Un conseil, moinillon! hurla Latour. Ne fais plus allusion à ma foi huguenote et à mes rapports avec les Anglais. Tout ça est oublié. Recommence et je te tords le cou!

— L'orgueil vous fait déparler, monsieur, mais je vous pardonne.

— Ton pardon, je m'en moque!

— Que ça vous plaise ou non, je prierai pour vous.

Bernard alla du même pas retrouver le père supérieur et lui dit d'un air de triomphe :

— Tout est arrangé, mon père. Je vais partir avec M. de Latour pour le fort Saint-Jean!

Le navire de Latour quitta le fort Domeron et le territoire de La Hève à l'aube du lendemain. M. de Razilly était seul à assister au départ; il fit, pour satisfaire à la coutume, parler la poudre de salut à laquelle firent écho les vivats de l'équipage et des engagés. A travers la pluie fine qui noyait l'estuaire, Denis et Catherine regardèrent s'estomper les baraques du comptoir et du fort, le promontoire où l'amiral allait construire son habitation. Le navire mit du temps à se dégager des courants du fleuve Merligouèche pour affronter les premières houles. Le matelot perché à l'avant, un genou sur le beaupré, cessa de lancer sa sonde et de mesurer les brasses : on naviguait en pleine mer; des îlots rocheux déchaussés par la marée montraient des gencives d'algues; au-delà se déroulait une immensité grise liée au crachin par des nuages bas.

Denis cessa d'observer la manœuvre de sondage pour retourner vers le plat-bord où, sous une grande toile, s'entassaient les bagages des engagés. Il vit la tête de Bernard surgir d'un amas de sacs.

— Tu peux te montrer, dit-il. Nous sommes en pleine mer. Je te porterai à manger tout à l'heure.

— Tu es un véritable ami, dit Bernard. Dieu te récompensera.

Denis fit la grimace. Était-il le « véritable ami » que disait Bernard? Il l'avait aidé de mauvaise grâce à s'embarquer, persuadé de ne faire qu'acquitter une dette de reconnaissance envers celui qui l'avait aidé à lutter contre la maladie et se serait jeté à l'eau pour le sauver. Passé le dîner, Catherine lui porta la moitié d'un biscuit et une tranche de lard. Quand elle vit la tête d'un matelot surgir au-dessus d'une écoutille, elle rabattit vivement la toile.

— Crédié! fit le matelot. Tu parles seule, petite?

— Je ne parlais pas : je chantais.

— Et qu'est-ce que tu chantais?

— « Garde-toi bien », dit-elle d'une voix brisée.

Peu convaincu, le matelot inspecta les alentours, souleva la toile, jura de nouveau :

— Crédié! Un passager clandestin... Et un moine, en plus. C'est à lui que tu chantais ta chanson? Allons, petit frère, suis-moi!

— Qu'allez-vous lui faire?

— Le couper en morceau pour pêcher la morue!

— Ne dites rien à M. Latour. Je vous donnerai une bonne récompense.

— ... et j'y couperai pas du « bout de corde » ou de la « bouline sèche »!

— Laisse! dit Bernard en sortant de sa cache. Je vais arranger ça.

86

Latour sauta de son hamac lorsqu'il vit l'envoyé de Dieu, souriant, planté sur le seuil de sa cabine, tenu au collet par le matelot.

— Maudit enfroqué! Encore toi! Qu'as-tu à me coller aux basques comme la peste?

— Le père supérieur m'a affecté à votre contingent. Je n'ai fait que lui obéir.

— Je te répète que je ne veux pas de toi! Tu sais ce que je vais faire?

— Oui, dit Bernard sans se démonter : me couper en morceaux pour pêcher la morue. Je suis prêt au martyre. C'est ce qu'on m'a enseigné avant de partir.

— Je vais te débarquer au Port aux Moutons, à la Pointe aux Ours. Tu pourras à ton aise évangéliser les bêtes sauvages. Tu auras plus de chance qu'avec moi. Si par miracle tu en réchappes, ne t'avise pas de frapper à ma porte. Je suis le seul maître sur mes terres!

— ... après Dieu, ne l'oubliez pas!

Latour leva une main terrible sur Bernard qui ne broncha pas et continua de sourire en le regardant.

— En attendant, dit Latour, je vais te jeter au cachot, avec les fers.

— Je vous en remercie, monsieur. J'y serai plus à l'aise que sous cette maudite toile de bâche.

Latour fit donner à Bernard une musette de biscuits, quelques tranches de lard rance et une méchante couverte de peau, avec une hachette pour se défendre contre les bêtes et se construire un abri. Le frère embrassa Denis et Catherine, fit sur eux le signe de la croix et, en présence des engagés outrés de la sévérité du châtiment mais n'osant émettre la moindre protestation, il esquissa un salut avant de descendre jusqu'à la chaloupe. Il resta longtemps debout à l'arrière, les bras étendus en croix, tourné vers l'« Alouette » et chantant l'*Ave Maris Stella*. Les femmes pleuraient; les hommes serraient les poings. Catherine n'eut pas une larme; elle entendait encore la voix de Bernard lui dire avant de quitter le bord :

— Ne sois pas inquiète pour moi, petite sœur. Je vais faire l'apprentissage du martyre, mais je ne tarderai pas à revenir.

Fort Saint-Jean : hiver 1635-1636.

Jeanne, la fille de Latour et d'une Indienne, pénétrait sur la pointe des pieds dans la soupente qu'elle partageait avec Catherine. Dès que les hommes avaient fini de veiller, fumant la pipe, chiquant, jouant aux cartes et se racontant de sempiternelles histoires de chasse, elle prenait une lampe à huile et montait rejoindre sa compagne qui, recrue de fatigue, se couchait dès la fin du souper.

Catherine tardait à trouver le sommeil; l'attente la tenait éveillée, et Jeanne n'était jamais pressée de quitter la compagnie des hommes. Son père absent, elle battait la carte et fumait comme un trappeur la longue pipe indienne que sa mère lui avait laissée, avec quelques « pourcelines » et des hardes ravaudées, avant de rejoindre sa tribu, chassée par le maître auquel elle avait cessé de plaire.

Lorsque Catherine entendait grincer l'échelle, elle plaçait la bouillotte encore chaude à la place que la jeune métisse occupait près d'elle. Elle regardait Jeanne se dévêtir en chantonnant, son visage aigu, aux pommettes saillantes, crispé par le froid. Elle avait conservé les caractères des Micmacs; son hérédité blanche se signalait par des détails discrets : vivacité, courage, sens de l'épargne et, dans son physique, grâce et légèreté, alliés à des qualités proprement indiennes.

A peine débarquée, Catherine avait compris qu'elle aurait à se défier de cette métisse. Après quelques tours de sa façon, dont Catherine se vengeait, Jeanne avait fini par renoncer à la tourmenter. Pour qu'elles fussent amies il eût fallu que tarît cette fascination réciproque qui les unissait.

Catherine regardait Jeanne dépouiller ses vêtements. Ses seins aigus, encore mal dégagés de leur moule d'adolescence, paraissaient danser dans la lumière du quinquet à huile ; elle rejetait à coups de tête ses longs cheveux bruns autour de ses épaules, se frottait la poitrine avec une eau de senteur que son père avait fait venir de Boston, enfilait avec des contorsions la rude chemise que sa compagne avait réchauffée contre elle.

Lorsque Jeanne avait soufflé la flamme, la lueur laiteuse de la nuit d'hiver baignait seule la pièce étroite. La forêt semblait peser de son poids de neige et de silence autour du fort Saint-Jean ; elle s'étendait à l'infini vers le nord, escaladait les flancs des montagnes où se mariaient les chênes, les érables et les conifères. Dès que la neige avait fait son apparition, à la mi-octobre, elle avait, de toutes ses essences, composé une seule et même forêt fondue dans la blancheur.

— Sais-tu, disait Catherine, comment j'imaginais cet endroit avant mon arrivée ? Comme un désert d'Afrique, avec du sable à l'infini, sans le moindre brin d'herbe...

Jeanne étouffait un rire sous la couverte.

— Et moi, sais-tu comment j'imaginais Paris ? Comme un immense palais pour des messieurs en habits de soie, des élégantes couvertes de bijoux et de « pourcelines », roulant dans des carrosses dorés. Je voyais le roi comme un « sagamo [1] » haut de dix pieds, trônant dans une armure d'or...

— Ton père ne t'en a jamais parlé ?

— Jamais. Il ne s'occupe guère de moi.

Elles s'endormaient, serrées l'une contre l'autre, échangeant leur chaleur, écoutant les hurlements des loups autour des palissades du fort. Parfois Catherine s'éveillait en sursaut en songeant à Denis : il hivernait à une trentaine de milles, parmi les Indiens, afin d'apprendre leurs usages et leur langue. Quant au frère Bernard, elle se disait qu'un petit monticule de neige devait indiquer l'emplacement de ses restes, à la Pointe-aux-Ours. Sa place n'était pas au fort Saint-Jean.

Quand elle avait débarqué avec Denis au cœur du bel

1. Chef indien.

automne acadien qui faisait flamber les futaies, elle avait cru découvrir un nouveau paradis : l'air était suave et doux, la mer semée d'îles aux plages de sable rose, les Indiens amicaux. Très vite elle avait déchanté.

De construction relativement récente, l'habitation était si décrépite, faute d'entretien, qu'elle paraissait devoir s'envoler au moindre ouragan. Les femmes ne manquaient pas : des Indiennes qui justifiaient leur présence par d'autres servitudes que celles du ménage. On les trouvait vautrées dans tous les coins, occupées à épouiller les soldats, à leur préparer de mauvais « sagamite », un mets à base de maïs et de poisson, dans des marmites de terre. Chaque nuit ou presque éclataient des scènes violentes dont elles faisaient les frais sans se plaindre.

Indifférent, M. Latour régnait sur cette misère. Tout ce qu'il demandait à ses soldats, c'était d'être prêts à défendre le fort en cas d'alerte par terre ou par mer. Le reste lui importait peu.

Il avait dit à Catherine :

– Cette habitation est une véritable porcherie. Elle pue. Tâche d'y mettre un peu d'ordre.

Elle suggéra de débarrasser le fort de ces Indiennes inutiles; il s'y refusa : ses hommes n'accepteraient jamais de vivre comme des trappistes.

Complaisant sur le chapitre de la tenue, Latour l'était moins quant au service du fort; Catherine l'avait vu fouetter de ses propres mains un malheureux qui s'était endormi à son poste.

Elle lui avait demandé en quoi consisteraient ses fonctions. Il avait répondu :

– Occupe-toi du ménage et prépare-moi des petits plats comme en France.

Les légumes ne manquaient pas dans le potager. Le poisson était en abondance et les Indiens apportaient presque chaque jour du gibier qu'ils échangeaient contre de l'eau-de-vie qu'ils appelaient le « lait du roi de France ».

Catherine avait parfois l'impression de se battre contre une marée : la boue, la poussière, les crachats de chique qui souillaient le sol de la salle commune. Une nausée lui montait chaque fois aux dents. Latour lui avait dit :

– Si l'un de mes hommes te manque de respect, préviens-moi. Je sévirai.

Il eût dû sévir contre toute la garnison! Lorsque les hommes voyaient passer d'un pied léger sur ce marécage une Catherine toujours proprette, ils ne pouvaient se défendre de l'honorer d'un compliment équivoque.

Elle avait découvert Jeanne, le jour même de son installation, en compagnie de grosses Indiennes en train de ravauder des hardes et de tailler des vêtements pour l'hiver. La jeune métisse était occupée à enfiler de petits coquillages peints pour en faire des ornements nommés « wampums ». Elle en tendit un à la nouvelle venue en lui disant :

– Je t'en fais cadeau, pour que nous soyons amies.

Elle jeta en dialecte micmac quelques mots aux Indiennes qui s'esclaffèrent et ajouta :

– C'est toi la nouvelle « squaw » de mon père ?

Songeant qu'il devait s'agir d'un terme signifiant « servante », Catherine opina.

– Je m'en doutais, dit Jeanne. Il a bon goût.

A quelques jours de là, Catherine la surprit à l'épier alors qu'elle mettait de l'ordre dans la chambre de son père. Jeanne croquait des grains de maïs, le « blé d'Inde »; elle dit d'un air narquois :

– Pourquoi m'as-tu dit que tu es la « squaw » de mon père ?

– C'est vrai! dit Catherine. Je suis même celle de tous les soldats.

Quand Jeanne eut cessé de rire, elle ajouta :

– Pauvre sotte! Sais-tu seulement ce qu'est une « squaw » ?

– Une servante ?

– Non! Le jour où tu coucheras dans le lit de mon père, tu seras sa « squaw ». Pas avant.

Un matin, Jeanne entraîna Catherine sur la côte. Le vent soulevait des vols de mouettes et de cormorans qui planaient dans l'air tiède de l'été indien. Elles se laissèrent glisser dans un nid de rochers à l'abri du vent, face à l'océan et aux îles lumineuses qui se dessinaient sur l'horizon brumeux.

– En face, dit-elle, c'est la France. J'aimerais que mon père m'y emmène un jour.

91

Comme la nuit tombait, elle proposa un jeu :

— Tu restes là. Je vais me cacher. Si tu me trouves tu auras un autre « wampum ».

Catherine « clugna » fort consciencieusement; des secondes passèrent, puis des minutes. La nuit tomba sans qu'elle eût retrouvé sa compagne. L'océan ouvrait à ses pieds un gouffre bleu sombre et la forêt soufflait en direction de l'océan son haleine sauvage. Catherine appela Jeanne, courut le long de la côte en escaladant les rochers; ses cris se perdaient dans la profondeur des futaies. Elle finit par retrouver le sentier par lequel elles étaient arrivées, le suivit, se perdit, retrouva son point de départ alors que la nuit était tombée. La forêt lui faisait peur; perdue pour perdue, elle se dit qu'il valait mieux attendre dans son nid de rochers qu'on vienne la chercher. Quelques heures plus tard elle perçut des voix qui criaient son nom et des lueurs de torches à travers la forêt. Une silhouette familière se dressa devant elle : Denis.

— Voilà trois heures que nous te cherchons, dit-il. Que t'est-il arrivé ?

Catherine lui expliqua le tour pendable que lui avait joué la métisse.

— Je vais tout dire à M. Latour, dit Denis. Cette garce mérite une punition. Le maître est furieux : il croit que tu as cherché à t'évader.

— Non, dit Catherine. Tu ne lui diras rien.

— Approche! dit Latour.

Il était assis sur le bord du lit orné de rideaux taillés dans des étoffes de prix, mais si sales qu'ils semblaient faits de vulgaire tiretaine. Il prononça quelques mots en dialecte micmac à l'intention d'une Indienne dont on devinait la présence à la ligne souple d'une échine sortant des couvertes. Une ruade l'envoya rouler dans la venelle où elle se rhabilla en silence avant de déguerpir.

— Où étais-tu passée ? demanda Latour.

Il se leva lentement, dressant devant Catherine une stature imposante de poils et de muscles. Elle bredouilla :

— Je me suis perdue en me promenant. J'étais sur la côte quand Denis m'a retrouvée.

92

— C'est toujours là, dit-il d'un air sombre, que nous retrouvons les candidats à l'évasion, comme s'ils attendaient le prochain navire. Tu en avais assez de cette vie, assez de moi, peut-être ?

Catherine baissa la tête, riposta :

— Si j'avais voulu m'évader, monsieur, je ne serais pas partie dans cette tenue et sans bagage.

Latour parut perplexe ; il gratta sa poitrine velue, s'assit de nouveau au bord du lit, ajouta :

— Je veux bien te croire. Approche. Ne crains rien. Je te pardonne, bien que cette histoire me paraisse louche. Mais à une condition : que tu te montres docile à ma volonté en toutes circonstances.

— C'est ce que je fais toujours, monsieur.

— Bien. Alors nous allons échanger un baiser de réconciliation. Allons, approche !

Elle se cambra en arrière quand il l'attira vers lui, prit appui avec ses genoux sur le rebord du lit, s'agrippa au rideau, résistant de toutes ses forces aux mains puissantes qui lui broyaient les reins, à ce muffle qui fouillait sa poitrine. Elle ne put retenir un cri :

— Denis !

Il devait être aux aguets derrière la porte, car il bondit aussitôt dans la chambre. Latour fronça les sourcils et partit d'un gros rire en se renversant sur le lit.

— Jaloux, toi ? A ton âge ?

Il repoussa Catherine, les considéra d'un œil froid, debout tous deux, main dans la main, au milieu de la pièce, puis il hurla :

— Sortez, morveux ! Vous apprendrez un jour ce qu'il en coûte de résister à la volonté de Charles de Latour !

Jeanne resta absente plusieurs jours, sans que Catherine s'en émût ; elle avait décidé d'oublier cette affaire. Un jour qu'elle ramassait les derniers pieds de salade sous les premiers flocons, elle vit Jeanne venir vers elle en mâchant des grains de maïs.

— J'ai appris, dit-elle, ce qui s'est passé l'autre jour entre mon père et toi. Tu ne m'as pas trahie. En échange je vais te donner un conseil : tiens-toi le plus possible éloignée de mon père et ne commets jamais de faute, aussi légère soit-elle, envers lui : il te traiterait comme ces Indiennes qui passent par son lit et te ferait fouetter. C'est un homme terrible : courageux comme un lion, rusé comme un Iroquois, capable de générosité comme de cruauté. Un jour ou l'autre, que tu le veuilles ou non, tu deviendras sa « squaw », et ce n'est pas Denis qui pourra te protéger. Ta seule chance sera de trouver le défaut de la cuirasse pour le dominer. Je souhaite pour toi que ce soit le plus tard possible. Tu es trop jeune et trop fragile pour pouvoir lui tenir tête. Je t'aiderai si je le peux.

La neige s'était mise à tomber sans relâche. Adoucie par le vent, la température s'amollit, faisant fondre la neige et rendant toute progression à travers la forêt pénible et dangereuse.

Peu à peu Catherine était parvenue à faire front aux tâches multiples qui la tenaient sur la brèche du matin au soir. Denis passait le plus clair de son temps à faire du bois avec les soldats pour entretenir les énormes poêles qui ronflaient de jour et de nuit dans l'habitation.

Un jour qu'elle revenait du campement des « sauvages » chercher du gibier, Catherine trouva Denis allongé dans la cabane où s'entassaient les rondins, le visage tuméfié, inconscient. Elle le fit porter à la cuisine pour le soigner. Il sourit en revenant à lui.

– Que t'est-il arrivé ? demanda Catherine.

Il était occupé à fendre du bois quand il eut conscience d'être observé. En tournant la tête il croisa le regard de Jeanne qui, assise sur une souche, le contemplait en silence, les mains croisées entre ses cuisses... Il n'aimait pas se sentir observé, ce qui donnait de la maladresse à ses coups de cognée. Un quartier de bûche lui avait sauté au visage; il avait lâché la cognée et s'était accroché à un poteau de la cabane pour ne pas tomber. Jeanne l'avait fait asseoir sur la souche et, mouillant son mouchoir au filet d'eau de neige qui tombait du toit, elle l'avait appliqué sur l'ecchymose. Elle lui avait dit à l'oreille :

– Ce n'est rien. Je vais te soigner comme le faisait ma mère : elle soufflait sur la plaie et la douleur disparaissait. Ferme les yeux...

Le souffle de la métisse lui avait parcouru le visage, d'abord imperceptible puis se précisant en descendant vers le bas. L'envie l'avait pris soudain de se lever et de fuir, mais les mains de Jeanne pesaient sur ses épaules. Ses lèvres descendirent avec de légères pressions de la pommette blessée à celles de Denis. Il avait cherché une nouvelle fois à se lever, mais elle le tenait ferme. Il commençait à trouver le remède agréable quand il s'était senti soulevé de la souche où il était assis par une poigne féroce, dans un torrent d'imprécations. Un poing énorme s'était abattu sur son visage et il avait perdu connaissance.

— Jeanne savait le danger que je courais. J'ai cru qu'elle allait me défendre, et elle a assisté à la correction sans lever le petit doigt! Je la déteste!

— Tu es sottement tombé dans le piège, dit Catherine, et ça semblait te plaire, avoue-le!

Il jura ses grands dieux qu'il n'en était rien. Comment faire comprendre à Catherine, se disait-il, qu'il avait été victime d'une sorte de magie : le souffle de Jeanne semblait chargé d'un pouvoir mystérieux.

— Si j'ai cédé, dit-il, c'est malgré moi.

— On ne cède pas malgré soi! Lorsque M. Latour a tenté de me séduire...

— Si je n'étais pas intervenu, qui sait si tu n'aurais pas fini par céder?

— Je me serais défendue! Tu auras au moins appris à te méfier de cette garce. Elle est jalouse de toi, de moi, de son père, de tout le monde. Elle s'obstinera à nous diviser et à nous faire du mal.

Tout semblait clair à présent : Jeanne n'aurait de cesse de rendre l'atmosphère du fort irrespirable, et Latour ne semblait pas s'en rendre compte. Elle avait réussi sur un point : Catherine et Denis s'étaient querellés pour la première fois. Elle retrouva sa compagne de chambre à l'heure de la couchée, étonnée de la voir déjà au lit, la tête enfouie sous la couverte. A peine Catherine eut-elle soufflé la lampe, Jeanne se tourna vers sa compagne et gémit dans son épaule :

— Je regrette ce que j'ai fait. Il faut me pardonner.

— Tu savais le danger que tu faisait courir à Denis, que ton père vous surprendrait?

– Oui, je le savais.

– Alors, pourquoi ?

– Je l'ignore. C'est comme si j'étais possédée par le mal et que je le sème autour de moi pour m'en débarrasser. Vous n'auriez jamais dû vous trouver sur mon chemin.

– Nous n'avons pas choisi, mais si c'était à refaire...

– Alors partez, sinon je continuerai à vous faire du mal.

– Là non plus ce n'est pas à nous de décider.

Jeanne se détourna brusquement; Catherine l'entendit sangloter. Dans la nuit elle s'éveilla en sursaut : Jeanne s'était blottie contre elle et avait enroulé ses jambes autour des siennes comme une couleuvre autour d'une branche.

Le premier dimanche de l'Avent, Denis avait quitté le fort Saint-Jean pour hiverner chez les « sauvages », apprendre leur langue, leurs coutumes, leurs ruses de chasse, de pêche et de guerre. Jeanne avait expliqué à Catherine que l'on ne peut subsister dans ces contrées sans connaître les Indiens. A condition de ne pas craindre de dormir dans la fumée des huttes, la « boucane », il se tirerait fort bien de cette épreuve.

Durant des jours et des nuits la neige tomba. Les « sauvages » venaient proposer leur blé d'Inde contre des pacotilles. Le maître des lieux les faisait chasser par ses soldats. Il avait attendu vainement le navire de vivres promis par le gouverneur et avait dû se rabattre sur les comptoirs du Sud, tenus par des négociants anglais de Boston. Les colons récemment débarqués du vieux pays avaient eux-mêmes épuisé leur contingent de vivres et se nourrissaient de gibier, de poisson et d'un lichen appelé « tripe de roche »; beaucoup souffraient du scorbut et venaient demander au fort les oignons qui pourraient combattre la maladie, mais repartaient les mains vides; quant à l'épinette blanche, elle aussi efficace, elle poussait dans le Nord, et ce n'était pas la saison.

Pour réduire le nombre des bouches à nourrir, Latour fit chasser les Indiennes, ne gardant que sa « squaw » favorite, Taka, et deux vieilles femmes chargées d'aider Catherine.

Depuis le départ de Denis, Jeanne semblait en paix avec ses démons; elle entourait sa compagne d'une attention sans équivoque, décida de lui apprendre les rudiments de la langue indigène, tandis que Catherine lui apprenait à lire et à écrire : la métisse était une bonne élève; elle pénétra comme en se jouant les mystères de l'alphabet, mais elle se hérissa devant le catéchisme orné d'images pieuses, que le frère Bernard avait laissé à ses compagnons de voyage avant d'être débarqué.

– Tu as tort, dit Catherine. La religion t'aiderait à triompher de tes mauvais penchants.

Jeanne secouait sa crinière brune d'un air obstiné : il n'y avait pour elle qu'un être supérieur, son père; elle le craignait, le vénérait, et cela lui suffisait – il était son « manitou »... Elle se rachetait en partie de ces penchants par la conscience qu'elle en avait et la contrition qui accompagnait ses actes. Un jour des soldats ramenèrent au fort un orignal qu'ils venaient d'abattre et qui saignait encore lorsqu'ils le suspendirent à un arbre pour le dépecer. Jeanne prit Catherine par la main, lui montra les flaques roses qui s'élargissaient sur le sol.

– La neige, dit-elle, c'est toi. Moi je suis le sang.

Lorsque Denis reparut dans les premiers jours de janvier, Catherine eut du mal à le reconnaître avec sa démarche de trappeur, lente et lourde, son visage boucané, aux yeux rouges d'ophtalmie, une pipe aux lèvres. Lorsqu'il se défit de ses hardes au coin du poêle, elle les respira avec une nausée : Denis s'était « ensauvagé ». Elle le conduisit à la salle d'étuve, lui arracha de la peau des lambeaux de chemise collés par la sueur et la crasse, le frotta jusqu'au sang d'un savon de cendre et lui coupa les cheveux pour mieux l'épouiller. Il raconta son hiver chez les Indiens, et elle n'eut pas de mal à comprendre qu'il reviendrait vers eux sans se faire prier. Elle lui demanda :

– Est-il vrai que les Français qui hibernent chez les Indiens peuvent avoir plusieurs « squaws »?

Il opina.

– Alors, toi aussi?

– Moi aussi.

La main de Catherine se fit plus rude. Elle eût aimé se persuader que Denis ne faisait que se vanter, avec le goût de la forfanterie des garçons de son âge, mais elle devait

97

admettre qu'en agissant ainsi il ne faisait que se plier à la coutume, et que personne n'y trouvait rien à redire, pas même les « sauvages ». Elle lui plongea la tête dans l'eau où surnageait une crasse de six semaines, l'y maintint si longtemps qu'il se débattit. Elle marmonnait entre ses dents serrées :

— Tiens! Chien galeux! Mauvais chrétien! Graine de bandit! Bois ta saleté et que tu en crèves!

Elle ne lui adressa pas la parole de tout le reste de la journée. Jeanne paraissait se délecter de cette querelle. Denis dormit le reste de l'après-midi puis battit la carte avec les soldats en fumant un âcre tabac; il mangea gloutonnement sa « sagamite », en reprit, se rendormit à même le plancher.

Le lendemain il remit à Latour le « pelu » qu'il avait transporté sur une petite traîne et reprit la route de la forêt, ses raquettes aux pieds, après un salut ironique à Catherine. A travers les carreaux de la salle commune, elle le regarda se fondre dans la forêt éblouissante de neige.

Latour paraissait avoir oublié Catherine et même ignorer qu'elle existât; il passait près d'elle sans la taquiner comme il le faisait au début de leur installation au fort Saint-Jean, et presque sans la voir. Taka semblait lui suffire.

— Tu aurais tort de croire qu'il t'a oubliée, dit Jeanne. Mon père est comme moi : il n'oublie jamais rien ni personne. Taka est enceinte. Au printemps, quand elle sera sur le point d'accoucher, il la renverra dans son village, et cela fera un petit métis de plus. C'est alors que tu devras te méfier. Si tu n'as pas envie de remplacer cette Indienne, tiens-toi le plus possible éloignée de sa vue.

Un matin, en s'éveillant, Catherine aperçut sa compagne debout dans l'encadrement de la fenêtre. Elle dit en grelottant :

— La pluie est venue cette nuit. Le printemps est proche.

5

L'ARBRE AUX CASTORS

Fort Saint-Jean : printemps 1636.

Ce premier printemps fut marqué pour les nouveaux colons de la rivière Saint-Jean, au nord de la péninsule acadienne, sur la Baie Française, par un voyage à La Hève où demeurait encore le gouverneur, M. de Razilly.

Durant tout l'hiver les envoyés du gouverneur s'étaient succédé au fort Saint-Jean pour convoquer M. Charles de Latour à une réunion destinée à confirmer ses possessions ainsi que celles de Charles d'Aulnay et de Nicolas Denys. M. de Razilly souhaitait que, le printemps venu, les engagés fussent installés sur les concessions qui leur avaient été attribuées. Le domaine de Latour, son fief, s'étendait sur l'immense territoire qui va de la Baie Française au Saint-Laurent, un espace habité par des peuplades d'Indiens micmacs et etchemins de nature accommodante.

Latour avait reçu confirmation de son apanage avec une résignation bougonne. Sur le chemin qui le ramenait au fort Saint-Jean, il dit à son lieutenant, Krainguille :

– Ce vieux renard de Razilly! Il sait ce qu'il fait. Il se sert de moi comme d'un bouclier contre les Anglais et leurs alliés iroquois.

Il devait convenir pourtant que cette situation frontalière présentait au moins un avantage : il pourrait exercer un double chantage entre Razilly et Thomas Willet, gouverneur de Pentagouet, un fort situé au sud-ouest de l'embouchure de la rivière Saint-Jean. Les situations d'équilibre sont souvent celles dont on peut tirer le meilleur parti.

Au retour, en dépit du fort vent de galerne qui obligeait à

101

de continuelles bordées et les soudaines erres de calme où les voiles s'affaissaient comme des peaux mortes, l'« Alouette » avait repris la mer. Jeanne, Denis et Catherine étaient du voyage. Accoudés au bastingage, ils regardaient défiler dans le lointain brumeux les falaises, les caps, les îles de l'océan, dont Jeanne murmurait les noms : Sainte-Anne, Ile Verte, Poboncou, Ile Mouillée... Le bâtiment rangea une interminable presqu'île aux côtes fangeuses et, parvenu à la hauteur de l'anse aux Truites, proche de la baie de Port-Royal, piqua droit au nord.

Le navire traversait à pleines voiles la Baie Française. Les côtes découpées de l'Acadie péninsulaire disparaissaient insensiblement dans les brumes orageuses du printemps. Une houle puissante soulevait la coque et le vent arrachait des gémissements aux vergues et aux voiles tendues à craquer. Denis et Catherine, qui se tenaient épaule contre épaule au bastingage, éprouvaient la même inquiétude que l'été précédent, et les mêmes questions sans réponse revenaient les assaillir. Jeanne ne faisait rien pour dissiper leur inquiétude, au contraire. Sous ses propos équivoques ils devinaient l'oppressant vertige des solitudes et de l'immensité, la promiscuité avec les Indiens, l'inquiétude d'un traquenard monté par les Anglais. L'hiver qu'il avait passé dans les huttes des Indiens, leurs « tipis » de peau ou d'écorce de bouleau, avait initié Denis aux souffrances et aux dangers qu'il devrait attendre de sa future existence, mais il avait vécu ces longs mois comme dans un cocon de neige et n'avait eu à se défendre que des éléments. Une autre sorte d'aventure l'attendait, plus incertaine, plus périlleuse. Un continent mystérieux commençait derrière les massifs de l'arrière-pays, où se perdaient les rêves des hommes. Les Anglais n'étaient pas loin. Et les Iroquois.

C'est Jeanne qui, la première, aperçut l'arbre.

De loin, il avait l'apparence d'un chêne très ordinaire en dépit de ses dimensions puissantes, mais en s'approchant on distinguait dans ses ramures une étrange végétation : des peaux de castors, de loutres, de loups marins y étaient suspendues comme des trophées, les unes fraîches, les autres en lambeaux. Campé à la pointe d'un promontoire de sable, au cœur d'un marécage verdâtre, il dressait sur l'horizon du grand fleuve sa silhouette insolite battue par les marées. Quand les vagues frôlaient ses ramures basses, les sorciers indiens annonçaient la présence des esprits mauvais; quand le reflux dégageait ses racines, il semblait qu'il eût pivoté sur ses bases.

— Un arbre sacré, dit Jeanne. Il ne fait pas bon se promener autour de lui.

Le printemps amena une débâcle générale. La pluie et la fonte des neiges gonflèrent lacs et marécages; la terre rejetait l'eau comme une éponge pressée. Les engagés qui avaient suivi Latour n'en travaillaient pas moins avec ardeur, cinglés par les dernières bordées de pluie et de neige.

En un mois de dur labeur, les soldats de Latour, transformés en bâtisseurs, avaient construit une aile supplémentaire au fort Saint-Jean. Aux premières chaleurs on vit les Indiens reparaître avec du « pelu ». Krainguille, le lieutenant de Latour, avait annoncé que cela « sentait l'Indien »; le lendemain, on avait vu surgir de la forêt un singulier personnage qui resta debout à une portée de fusil, immobile et silencieux sur une petite butte d'herbe fraîche; il était d'une taille au-dessus de la normale pour un Indien, vêtu d'une somptueuse défroque, coiffé de plumes folles, la lance au poing, la rondache au bras. C'était un chef de tribu, un « sagamo » qui régnait sur un petit territoire de la rivière Saint-Jean.

On lui fit signe d'approcher. Latour lui offrit le calumet qu'il avait toujours à portée de la main pour le cas où il deviendrait urgent de se concilier les faveurs des « sauvages ». Il apprit du vieux chef Etchemin que sa tribu était disposée à négocier avec lui. Latour n'en souhaitait pas plus. Le « sagamo », qui se nommait Manthoumermer, décrocha de sa ceinture quelques peaux de castor qu'il offrit à son hôte lequel, selon l'usage, lui fit présent d'une fiasque d'eau de feu.

A quelques jours de là, quelques Indiens se montrèrent et construisirent autour du fort des cabanes de branches et d'écorce. Puis ils débroussaillèrent, firent des brûlis et semèrent du blé d'Inde, des courges et du tabac.

Avec un instinct infaillible, les femmes indiennes trouvèrent d'emblée le chemin qui les menait aux hommes blancs. Beaucoup étaient assez belles, quoique basanées; elles se donnaient en toute innocence pour une poignée de « rassade », un peigne ou un miroir. Catherine obtint de Latour qu'elles se tiennent hors de la salle commune.

Le printemps avait suscité une éclosion prodigieuse. En quelques semaines la terre s'était couverte d'une végétation hâtive et vigoureuse et la forêt regorgeait d'odeurs puissantes. Des nuées d'oiseaux voletaient d'un arbre à l'autre. L'horizon guilloché de profondes vallées n'évoquait plus des idées de solitude et de mort.

Les hommes s'installaient le soir face au fleuve, le dos à la forêt, dans le murmure lointain des chutes d'aval, et pétunaient en compagnie des Indiens, la narine frémissant aux odeurs que leur apportait le vent de l'estuaire. Denis se mêlait à eux et fumait sa pipe à s'en étourdir, rêvant des pistes menant aux lointaines tribus. Les Indiens prétendaient qu'il était possible, presque sans portage, d'atteindre en quelques jours la rive sud du Saint-Laurent, jusque en face de Tadoussac, important centre de traite. Si Latour lui en donnait l'occasion, Denis tenterait l'aventure. Il se sentait peu de goût pour la vie des colons faiseurs de terre et ne se plaisait que dans la compagnie des Indiens qui l'appelaient Cheveux-Rouges.

Catherine n'eut pas à éviter Latour; il paraissait l'ignorer, malgré l'absence de Taka. Le travail, les soucis semblaient lui suffire; il s'accordait simplement, de temps à autre, une nuit avec une Indienne.

Les soucis ne lui manquaient pas. Les « couacres » du Massachusetts, qui occupaient Pentagouet et Massias, installaient de nouveaux postes de traite et raflaient le « pelu ». Les forêts de Gaspésie et d'Acadie continentale étaient un réservoir pratiquement intarissable d'animaux à fourrure, mais il fallait veiller à ce que les Indiens ne subissent pas outre mesure l'attrait du commerce avec les Anglais.

Le « sagamo » Manthoumermer venait fréquemment rendre visite à Latour. Il arrivait de sa démarche lente, avec une majesté de dieu païen; ses cheveux rasés ne subsistaient que par une touffe sommitale surmontant un visage buriné toujours impassible – on ne l'avait vu sourire qu'une fois : le jour où Latour, entre deux bouffées de calumet, lui avait exprimé son désir de voir cesser les échanges avec les gens de Boston. Il avait répondu :

— Mon peuple est d'accord avec toi. Il déteste les « couacres ».

Dès lors, Latour avait vécu dans une fièvre qui s'était communiquée à tout son fief. Comme si la guerre contre l'Anglais allait être déclarée, on voyait les canots d'écorce des Indiens affluer de toutes parts et, chaque soir, ils chantaient et dansaient autour des feux.

Denis pénétra dans la cuisine, posa sur la table un mousquet dont il caressait la crosse d'une main frémissante.

— A qui est cette arme ? demanda Catherine.

— Elle est à moi. Un cadeau de notre maître.

— Pour tuer des Anglais! ajouta Jeanne.

Denis posa sur la table des sachets de poudre, de plomb, de pulverin pour l'amorce.

— Nous partons demain pour Massias, dit-il fièrement. Une dizaine d'Anglais et une poignée d'Indiens tiennent ce poste de traite. Quelques coups de mousquet suffiront pour qu'ils nous livrent la place.

— N'y va pas! protesta Catherine. Tu ignores tout de la guerre et tu sais à peine te servir d'un mousquet.

Denis protesta : il était l'un des meilleurs tireurs du fort ; il avait tué un écureuil à cent pas!

— Tu es trop jeune et tu manques d'expérience.

— Ne l'écoute pas! dit Jeanne. On n'est jamais trop jeune pour se battre contre les Anglais. Toi, reste à tes casseroles et laisse Denis faire son travail de soldat.

Denis lui adressa un regard de reconnaissance.

— Un soldat, lui... murmura Catherine.

Le lendemain, harnaché comme un dragon du roi, Denis chercha Catherine dans toute l'habitation et ne la trouva pas. Sa déception faillit gâter la joie du départ. Jeanne l'embrassa, mais ce n'est pas elle qu'il eût aimé tenir dans ses bras, au seuil de cette expédition qui allait marquer dans son existence. Au moment où la troupe s'ébranlait il aperçut Catherine, appuyée contre le fût d'un canon, sur la plate-forme du fort. Il voulut courir la rejoindre mais un sergent lui cria :

– Avance, gamin! Tu pisseras en cours de route!

Il appela Catherine mais elle fit mine de ne pas l'entendre; elle pouvait en revanche, de cet observatoire, suivre au loin dans la forêt, par une saignée ouverte sur le fleuve par les bûcherons, la petite troupe précédée par les Indiens.

Depuis qu'on lui avait désigné l'homme qu'il devrait abattre, Denis n'osait plus le regarder : c'était un jeune soldat anglais mince et blond, qui lavait son linge, torse nu, dans le ruisseau bordant le fort Massias, avec des gestes délicats.

– Vous avez bien compris, les gars, dit Latour : chacun son homme, et gare à celui qui ratera son coup.

Il ajouta, penché vers Denis :

– Tu ne parais pas dans ton assiette. Qu'as-tu, soldat?

Le « soldat » claquait des dents et sa main tremblait.

– C'est toujours comme ça la première fois. Tiens bon et ça passera. Bois un coup.

Il lui tendit sa gourde en gosier d'orignal et la fit circuler. L'attente, pour Denis, tourna au supplice. Sa vue se brouillait et il avait fait dans sa culotte sans s'en rendre compte. Lorsque Latour ordonna de préparer les mousquets, il se répéta la leçon : « Ouvrez la charge avec les dents... Tirez la baguette hors du mousquet... en trois temps... Bourrez... »

– Attention, les gars! cria Latour. Feu!

Le recul brutal, la fumée, l'odeur de la poudre brûlée... Denis toussa, cracha en rechargeant son arme. Le jeune soldat anglais gisait en travers du ruisseau dont l'eau se teintait de rouge.

Emporté soudain comme par une vague, Denis bondit, sauta par-dessus le cadavre sans le regarder, se mêla aux Indiens qui escaladaient la palissade et fonça vers le fort où les défenseurs n'avaient pas eu le temps de prendre leurs armes. Le poste regorgeant de « pelu » que les navires des « couacres » devaient enlever quelques jours plus tard fut pillé de fond en comble et l'on fit prisonniers huit pauvres bougres qui ne parvenaient pas à réaliser ce qui leur arrivait. Deux d'entre eux, scalpés par les Indiens, marchaient en titubant à l'arrière de la colonne, la tête enturbannée d'un linge sanglant, et se retournaient de temps à autre pour regarder brûler le fort. Latour triomphait sans retenue : la leçon était sévère mais serait profitable pour les « Angliches » qui ne chercheraient plus à gagner du terrain en direction des possessions françaises.

La colonne arriva au fort Saint-Jean à la tombée de la nuit. A travers les fenêtres operculées de papier huilé brillaient les lampes de la grande salle où Jeanne veillait avec quelques hommes. Elle sauta au cou de son père, s'avança vers Denis qui s'était laissé tomber sur une souche, la tête dans ses mains, son mousquet entre les genoux. Il dit simplement :

— J'ai tué un homme. Je ne pensais pas que ce soit si difficile.

La main de Jeanne se contracta sur son épaule.

— Tu n'as rien à te reprocher. La guerre est cruelle. S'il en avait eu le temps, ce soldat t'aurait tué.

— Je l'ai regardé trop longtemps avant de l'abattre. J'avais l'impression de tirer sur un ami d'enfance. La guerre, ce n'est pas ça : on tue pour ne pas être tué. Je ne lui ai laissé aucune chance.

Il jeta son mousquet avec rage. Dans la nuit traversée de lumières de torches, de rires et de chants indiens, l'éclat de ses larmes semblait répondre à l'étincelle qui brillait dans les yeux de Jeanne.

— Pourquoi Catherine n'est-elle pas là ? dit-il.

— Je l'ignore. Nous ne nous sommes pas adressé la parole depuis ton départ.

— Je veux la voir, lui expliquer à elle aussi.

— Elle te condamnera. Moi je te comprends parce que nous nous ressemblons. Suis-moi.

Il prit la main qu'elle lui tendait, se laissa entraîner vers le fleuve. Ils s'arrêtèrent dans une petite crique tapissée de sable qui gardait une odeur d'estuaire et d'océan. Jeanne s'allongea et Denis la rejoignit. Ils s'étreignirent et commencèrent à se dévêtir. Denis s'étonnait de la minceur du corps de la métisse, dissimulé d'ordinaire sous d'épais vêtements d'homme, mais elle était robuste et nerveuse. « Ce qu'elle semble aimer en moi, songeait Denis, c'est le nouveau soldat, l'homme de proie. Ce qu'elle cherche sur ma poitrine où elle promène son museau froid, c'est l'odeur de la mort. Je la déteste mais je suis incapable de la repousser... » Ils restèrent un moment après l'amour allongés côte à côte, face à un ciel de printemps où les étoiles étincelaient comme des gouttes de pluie sur un lac.

— Raconte, dit-elle. Tu l'as tué comment ?

— Laisse, dit-il. Ça n'a pas d'intérêt. Il était là. J'ai tiré. C'est tout.

Il se leva, se dirigea vers le fleuve, y plongea en s'ébrouant, comme pour chasser de sa peau les miasmes de la peur, de la honte et jusqu'au parfum opiacé de la métisse. Il se détestait autant qu'il détestait Jeanne, sans pouvoir se défendre d'une impression de plénitude et de fierté malsaine : la possession de Jeanne se confondait avec la mort qu'il avait infligée au soldat anglais.

La fraîcheur de l'eau lui fit du bien. Quand était-il lui-même ? Lorsqu'il cherchait la compagnie de Jeanne ou celle de Catherine ? Catherine, la raison... Jeanne, l'aventure...

L'opulence régna au fort Saint-Jean durant une quinzaine : outre les balles de fourrures, Latour avait ramené de Massias des vivres et de l'alcool qu'il avait fait distribuer généreusement aux Indiens – on les voyait danser autour de leurs feux jusqu'à l'épuisement de leurs forces.

Les Anglais ne ripostèrent pas à l'acte de piraterie de Latour ; ils abandonnèrent cette place trop exposée, préférant s'accrocher à Pentagouet dont les défenses étaient plus fiables.

Dans les grosses chaleurs de juin, Denis participa à une nouvelle expédition vers le nord avec quelques hommes et une dizaine de « sauvages », pour rechercher l'alliance d'autres tribus. Catherine eût préféré le voir prendre sur le fleuve une concession qu'elle l'eût aidé à mettre en valeur. On leur offrait la terre, les outils et des vivres pour deux ans ; c'était une vie rude mais exaltante ; Denis préférait la course, la compagnie des Indiens, les tractations autour d'un calumet, les nuits à la belle étoile, dans les nuages de fumée ou de maringoins. Elle regardait avec tristesse les familles de colons installer leur habitation sur les berges de la rivière Saint-Jean, les femmes robustes qui promettaient de belles progénitures; elle se disait qu'un jour peut-être elle épouse-rait un de ces paysans célibataires du Poitou ou de Norman-die et l'aiderait à « faire de la terre » et à créer un foyer; elle n'aurait que l'embarras du choix : beaucoup seraient trop heureux de faire leur épouse de cette jeunesse jolie, saine et qui ne rechignait pas à la besogne. Elle avait beau faire, elle ne pouvait se persuader de renoncer à Denis; sans lui elle se sentait chétive et perdue. Elle était la seule femme blanche demeurant au fort; la nuit venue, elle jugeait prudent de se barricader dans sa chambre pour se défendre des soldats ivres qui réclamaient sa présence avec des cris qui étaient presque des plaintes.

M. Brice de Sainte-Croix, intendant de Port-Royal, frappa à la porte du cabinet de M. d'Aulnay et entra sur la pointe des pieds. Son maître somnolait, la tête dans ses bras écartés sur sa table de travail. Des maringoins tournoyaient dans l'air moite. M. Brice toussa derrière sa main.

– Excellence...

– Qu'y a-t-il, mon bon Brice? dit d'Aulnay en levant la tête. La santé de M. de Razilly?

Depuis peu, aux douleurs d'estomac qui le mettaient à la torture, s'ajoutaient pour le vieillard des accès de fièvre.

– Cela suit son cours, Excellence, mais ce n'est point ce qui m'amène. J'ai avec moi un petit capucin assez chétif, un certain frère Bernard, franciscain.

M. d'Aulnay fronça les sourcils.

– Celui qui avait demandé avec insistance à s'embarquer pour le fort Saint-Jean avec Latour? Faites-le entrer.

Il considéra avec stupeur le pauvre garçon qui avait du mal à se tenir debout et flottait dans la bure. La peau de son visage collait à ses os, faisant saillir des prunelles fiévreuses. M. d'Aulnay le pria de s'asseoir.

– Il semble que vous sortiez d'un tombeau, frère Bernard, dit-il.

Le capucin s'efforça de sourire.

– J'ai beaucoup souffert, mais la souffrance et moi faisons bon ménage. C'est une chance. Dieu l'a voulu ainsi.

A la requête du gouverneur, il raconta comment, débar-qué à la Pointe aux Ours par M. Latour, il s'était dirigé vers le nord et le grand lac du port Rossignol dont le supérieur, amateur de cartes, lui avait révélé l'existence après leur départ pour la Nouvelle-France. Marchant le jour, dormant la nuit dans les arbres, il s'était égaré à maintes reprises dans la neige avant de trouver un campement d'Indiens qui prirent soin de lui, lui donnèrent des vêtements chauds, le gavèrent de « soupe de chien ». Bernard, ignorant les idiomes « sauvageois », s'était efforcé de leur faire comprendre qu'il désirait se rendre du lac du port Rossignol à Port-Royal, mais, en désespoir de cause, il avait dû se résoudre à hiverner avec eux en résistant aux avances de leurs femmes. Ils tenaient à le garder avec eux; dès qu'il s'éloignait un Indien le rattrapait et le ramenait au « wigwam ». Le jour où il se révéla impuissant à guérir un garçon atteint d'un mal de poitrine, « jongleurs », « pilotois » et autres sorciers, aussi incapables que lui en l'occurrence, avaient décrété que la « robe grise » n'était bonne qu'à rapetasser les peaux avec les vieilles. On l'avait laissé libre de partir. Il avait tant appris au cours de cet hiver qu'il avait trouvé sans trop de mal son chemin jusqu'à Port-Royal.

– Vous avez besoin, dit M. d'Aulnay, de repos et d'une bonne nourriture. Je vais vous confier à mon confesseur, le père jésuite Ignace, puis je vous ferai rapatrier.

– Si je me suis fait conduire jusqu'à vous, dit Bernard, c'est, Excellence, non pour retourner en France mais pour que vous me permettiez de monter à bord d'un de ces navires que vous envoyez fréquemment au fort Saint-Jean.

M. d'Aulnay sursauta.

– Le fort Saint-Jean! s'écria-t-il. Vous avez payé pour apprendre que Latour est le pire des mécréants et un individu redoutable. Je crains pour votre vie, mais si telle est votre intention... Demandez tout de même l'autorisation au frère supérieur de votre ordre.

– Je vous remercie, Excellence. C'est déjà fait, M. l'intendant peut en témoigner. Il est vrai que j'ai payé très cher pour apprendre qui était cette créature, mais je suis prêt à payer plus cher encore pour le ramener vers Dieu.

– Soit, dit le gouverneur. Vous partirez à la première occasion. En attendant, cette demeure est la vôtre.

A Port-Royal, qui commandait l'une des baies les plus sûres du Nouveau Monde, au nord de la péninsule, la vie était douce et facile. Trop douce et trop facile, si bien que le frère Bernard avait l'impression de perdre son temps. Malgré ce nom pompeux, Port-Royal n'était qu'une bourgade aux demeures dispersées dans l'immensité des champs et des forêts où, seule, tranchait la vaste demeure du gouverneur, bâtie comme une forteresse autour d'une tour centrale et défendue par des tourelles d'angle hérissées de palis; elle dominait une baie qui pouvait rassembler un millier de navires de haut bord, placée sous le feu de quelques batteries; le soleil couchant faisait scintiller les canons de l'île aux Chèvres et de quelques fortins situés sur les hauteurs.

Le gouverneur invitait volontiers le capucin et lui ouvrait à la fois sa table et son cœur. Il avait nourri une passion pour une jeune Parisienne dont il aurait aimé faire son épouse : Jeanne Motin, fille d'un de ses associés de la Compagnie de la Nouvelle-France; il montra à Bernard son portrait dans un médaillon.

– Je me dois de donner l'exemple, dit-il, en fondant un foyer ici même. Nous marier, avoir de nombreux enfants, c'est notre seule chance de nous maintenir et de compenser les immigrations massives d'Anglais dans les « Virgines » et au Massachusetts.

Il se voyait déjà trônant comme un patriarche sur une foule de rejetons, dans cette colonie prospère, sous le soleil de Dieu.

Un navire venu de Bordeaux, commandant Chambreau, jeta l'ancre devant Port-Royal : il devait enlever un chargement de « pelu » au fort Saint-Jean et, au retour, à La Hève, au sud de la péninsule, prendre le courrier de M. de Razilly. Frère Bernard n'eut aucune peine à se faire admettre à bord.

La rive descendait en pente douce sous les aulnes vers le fleuve où Catherine, agenouillée sur sa banche de lavandière, faisait onduler son linge comme pour un adieu à une puissance des eaux. Bernard descendit jusqu'à elle, s'assit sur la racine qui traversait le chemin et toussa pour signaler sa présence. Catherine se retourna, chassa la mèche de cheveux qui lui pendait sur l'œil et resta quelques secondes immobile et muette.

– Toi! dit-elle. Que fais-tu là? Je te croyais...

– ... disparu? Mort? Il s'en est fallu de peu. Si tu savais...

– Suis-moi et aide-moi à porter mon linge.

Il lui raconta par le menu l'odyssée qui l'avait conduit à pied à Port-Royal et par mer au fort Saint-Jean.

– Je dois te prévenir, dit Catherine alors qu'ils arrivaient en vue de l'habitation : Latour n'est pas mieux disposé à ton égard qu'il ne l'était quand il t'a débarqué. Il te croit disparu à tout jamais et il n'aime guère les revenants qui lui font ce genre de surprise.

– Je n'en doute pas! Mes épreuves passées ne sont sans doute rien auprès de celles qui m'attendent. Je ne sais ce qui m'attire vers cet homme, mais je sens qu'il faut que je sois là où il est et que vous y soyez aussi, Denis et toi.

– Ce n'est pas Dieu qui te pousse vers Latour, mais l'orgueil. Tu veux le vaincre mais tu n'y parviendras pas. Autant prêcher une bête fauve.

– Souviens-toi de Daniel! Il a prêché les lions et ils l'ont épargné.

Catherine eut un mouvement de lassitude.

– A ta place, je retournerais à Port-Royal. Le navire de Chambreau n'a pas encore levé l'ancre. Je t'en conjure...

– Non, Catherine : j'aime les causes perdues et j'aime Latour à ma manière. J'ai d'ailleurs apporté un pli de M. d'Aulnay me confiant à sa garde. Il n'osera pas porter la main sur moi.

Catherine riposta d'une voix tranchante :

– Il n'osera pas, dis-tu? Tu ignores ce dont il est capable! Si tu restes, tu l'apprendras vite à tes dépens.

C'est Jeanne qui la première aperçut la « robe grise » serrée à la ceinture par une corde à nœuds à laquelle pendait un énorme crucifix de bois. Elle courut vers la concession voisine où se trouvait son père. Latour fut de retour dans l'heure qui suivait, pestant contre ces « maudits enfroqués », ces « bouches inutiles », ces « empêcheurs de tourner en rond ». En mettant pied à terre, flambant de colère, il se mit à hurler :

– Où est-il? Qu'on me l'amène!

– Me voici, *Excellence*! dit Bernard. Je vous présente mes respects.

Latour ne parut guère apprécier le titre. Il saisit le capucin par les épaules et le souleva en criant :

— Dieu me damne! Serais-tu ce moinillon que j'ai jeté aux bêtes fauves?

— C'est bien moi! dit joyeusement Bernard. Je vous remercie d'avoir eu l'obligeance, au lieu de me jeter pardessus bord, de me faire conduire à terre par une chaloupe.

Il tendit à Latour le billet de M. d'Aulnay. Après l'avoir lu, Latour le froissa et le jeta à terre.

— Aulnay... De quoi se mêle-t-il? Je sais mieux que lui comment je dois me comporter. Nous n'avons nul besoin de toi. Nous n'avons besoin de personne. Sais-tu tenir un mousquet? Pourrais-tu défricher un pan de forêt? Non, bien sûr! Alors retourne d'où tu viens! Dès que le capitaine Chambreau aura rempli ses cales, tu remonteras à bord et bon vent!

— Je crains de devoir refuser, Excellence.

— Cesse de m'appeler Excellence, flagorneur! C'est bon pour d'Aulnay à Port-Royal et Razilly à La Hève.

— Ne vous emportez pas! Je me ferai petit, humble, discret. Je ne mangerai pas votre pain. Je souhaite, avec votre permission, bâtir une chapelle sur la petite butte qui domine l'habitation. Je la bâtirai de mes propres mains. Ce ne sont pas des mains de charpentier, mais elles m'obéiront car elles sont comme moi pleines de bonne volonté. Pour me loger, je me suffirai d'un toit d'écorces. Je me nourrirai de noix, de maïs, de lichen. Permettez-moi de rester, Dieu vous en tiendra compte.

Jeanne toucha le bras de son père.

— Chasse-le, dit-elle. Il nous porterait malheur.

Latour ramassa le billet du gouverneur, le relut et son visage s'éclaira d'un sourire. Il lut à haute voix :

— « ... *Prenez frère Bernard sous votre garde. Donnez-lui le gîte et le couvert et veillez à ce qu'il ne lui soit fait aucun mal...* » Fort bien! Tu resteras donc, mais je te ferai mettre au cachot et tu y resteras si longtemps que tu finiras par être rassasié de mon hospitalité!

Le visage de Bernard parut rayonner.

— Grâces vous soient rendues! dit-il. Vous êtes meilleur qu'on ne le dit...

Il vint aux environs de l'Assomption un autre navire de France porteur de courrier pour les colons. L'une de ces lettres était adressée à Catherine. Elle s'apprêtait à la décacheter quand elle se vit entourée de soldats qui lui tendaient les leurs, pour qu'elle les déchiffrât. Lorsqu'elle eut terminé, elle courut s'enfermer dans sa chambre.

La lettre venait de Paris; elle portait comme adresse : « *Mademoiselle Catherine Brunet, à La Hève, territoire de l'Acadie.* » M. de Razilly avait dû se souvenir de l'endroit exact où elle se trouvait. Elle rompit le cachet, plongea vers la signature : dans le réseau emberlificoté des fioritures elle parvint à lire un nom qui lui fit battre le cœur : « *Gautier de Costes* ». La lettre était libellée d'une écriture fine et serrée, avec des élégances de plume à chaque mot.

Gautier l'informait de sa libération, après plusieurs mois passés au Châtelet. Il était proposé pour le titre d'officier du régiment des gardes et de gentilhomme ordinaire de la chambre du roi. L'une de ses comédies, *La mort de Mithridate*, avait été présentée à la reine Anne d'Autriche qui l'avait fort appréciée. Il travaillait à une autre pièce, *Bradamante*, et à cet immense roman, *Cléopâtre*, qui ne compterait pas moins de vingt-trois volumes. Il lui disait :

« ... *Je garde de toi, ma petite Catherine, le meilleur souvenir. Ton chien, César, que j'ai trouvé devant ma porte après ton départ, m'aide à me rappeler ta présence. Médard a été condamné aux galères. Ce n'est que justice. Ton départ m'a causé tant de peine que j'ai pleuré dans ma cellule...* »

Catherine sentit ses yeux se mouiller. Elle embrassa fiévreusement la lettre, respira l'odeur discrète qui l'imprégnait et s'apprêta à la ranger dans un tiroir avec la plume qui avait servi à écrire *Cléopâtre*, quand une voix murmura dans son dos :

– Une lettre d'amour? demanda Jeanne. J'aimerais la lire.

Catherine la lui tendit; elle était ivre de joie.

– Tu aurais dû rester en France et l'épouser, dit Jeanne. Tu serais une dame aujourd'hui.

Chaque soir, avant de s'endormir, Catherine relisait la lettre de Gautier et y découvrait quelque détail nouveau. Jeanne la pressait de questions :

– Qui est ce Gautier dont tu ne m'as jamais parlé ? Tu étais sa « squaw » ? Comment l'as-tu rencontré ? Que faisais-tu chez lui ? Où habitait-il ?

Elle lui dit un soir :

– Mon père a lu cette lettre devant les soldats, un jour où tu étais absente. Ils ont bien ri. Mon père dit que ce Gautier était sans doute ton amant, malgré ta jeunesse.

Catherine laissa éclater sa colère :

– Non et non ! Tu n'es qu'une sale fille, une pourriture d'Indienne !

– Il écrit joliment bien ! « *Ton départ m'a causé tant de peine que j'ai pleuré...* » Il ment : les hommes ne pleurent jamais.

Une autre lettre parvint à Catherine peu de temps après ; elle venait de Denis et avait été portée si longtemps par les pistes de la forêt sur la poitrine du messager indien, à côté du sachet de tabac, qu'elle était grasse de suint. Denis campait dans un village algonquin, entre la rivière du Loup et l'Ile Verte, sur le Grand Fleuve : le Saint-Laurent. Il « cabanait » en pleine forêt sur la rive sud, face à Tadoussac. Il écrivait :

« *Te dire la vie que nous menons ici, je ne puis te le raconter dans cette lettre. La vie des colons du Québec passe en misère ce que nous connaissons au fort Saint-Jean. Les Iroquois sont à leurs portes...* »

Au bas de la lettre il avait ajouté ce post-scriptum de sa grosse écriture appliquée : « *Dis à Jeanne que je n'oublie pas...* »

Catherine se demanda quel secret pouvait bien les unir. Depuis l'expédition à Massias, il ne s'était guère confié à elle ; il n'osait avouer ses remords pour le meurtre dont il s'accusait – la mort du jeune soldat anglais – et elle se refusait à faire les premiers pas. Il lui plaisait que cette lettre dissipât le nuage. Elle lui répondit, lui annonça le retour du petit frère Bernard et l'accueil que lui avait fait le maître. Elle lui disait :

« *Voilà un mois que Bernard est en prison, mais il ne paraît pas trop en pâtir et garde son humeur joyeuse...* »

115

Bernard ne souffrait guère de son emprisonnement. Le sergent qui en avait la garde était un saunier de Saintonge, catholique convaincu, qui regrettait de voir une colonie d'une telle importance privée d'un ministre de Dieu. Mathieu Gaudet n'avait pas tardé à sympathiser avec son prisonnier ; en cachette il lui apportait quelques douceurs et lui disait :

— Dussé-je risquer ma vie, je vous aiderai à vous évader quand vous le voudrez.

Il n'aurait pas à courir ce danger : Bernard considérait comme une victoire de n'avoir pas réembarqué.

— Vous pouvez m'aider, sergent.

— Dites ! Je suis à vos ordres.

Le gardien accepta de se charger d'une mission difficile et dangereuse : rabattre vers cette bergerie qu'était la cellule de rondins les brebis du Seigneur. Profitant de la moindre absence de Latour, que le sergent lui signalait, il mêlait sa voix grêle au *Salve Regina*. Aussitôt, sortant de l'habitation, de la forêt, montant de la rivière, soldats, engagés, Indiens venaient s'agenouiller devant le frère Bernard pour se confesser. Le répertoire des péchés était monotone : soldats et colons s'accusaient d'ivrognerie, de blasphèmes, de copulations illicites. Bernard obtenait sans peine la promesse de ne pas récidiver, mais il savait à quoi s'en tenir ; il se demandait si ces rudes hommes n'éprouvaient pas un plaisir trouble à confesser leurs péchés et s'ils ne cherchaient pas seulement dans l'absolution la promesse d'une vie éternelle.

La première de ses victoires, dans cette bataille pour la propagation et le maintien de la foi, le frère crut l'avoir remportée avec la conversion d'un jeune Indien nommé Bessabez qu'il baptisa en secret, avant de lui remettre une médaille d'étain de Notre-Dame de Rocamadour dont le supérieur avait ramené un plein coffret. Quelques jours plus tard, d'autres Indiens demandaient à suivre l'exemple de leur congénère, mais Bernard ne tarda pas à comprendre que cet élan de foi n'était motivé que par l'obtention d'un grigri.

Malgré ses précautions, d'ailleurs bien relâchées, le prosélytisme de Bernard ne pouvait échapper longtemps à la vigilance de Latour. Un jour, de retour plus tôt qu'il ne l'avait annoncé, il trouva la cellule du frère transformée en confessionnal. Il dispersa les ouailles à coups de pied et de poing, mit le sergent aux arrêts et le prisonnier aux fers. Il dit à Bernard :

— Tu es toujours libre de partir, mais si tu t'obstines à rester, tu ne sortiras pas de cette cellule et tu n'auras aucun rapport avec l'extérieur. C'est une dure loi, mais c'est la mienne.

Dans les jours qui suivirent, Bernard s'égosilla vainement à chanter le *Salve Regina* : aucun des néophytes n'osa se montrer. Seul un huguenot récemment converti se montrait parfois derrière le judas et priait avec lui. Et puis un matin que le prisonnier dormait encore, une présence proche de lui l'éveilla. Il se dressa d'un bond sur son bat-flanc et s'écria :

— Jeanne ! Toi ici ! Que me veux-tu ?

Elle paraissait embarrassée et tortillait les franges de son corsage de cuir. Il la poussa à se confier. Elle lui dit :

— J'ai vécu jusqu'à ce jour dans l'ignorance des choses de la religion. J'aimerais... j'aimerais que vous me les révéliez.

Se remémorant la mise en garde de Catherine d'avoir à se méfier comme de la peste de cette métisse, il répondit :

— C'est impossible, tu le sais bien. Tout ce que je puis faire, c'est prier pour toi.

— Vous redoutez la colère de mon père. Je vous jure qu'il n'en saura rien.

Il haussa les épaules d'un air excédé :

— Ton père... ce n'est pas lui que je crains, mais Dieu. Lui présenter une dévotion feinte, c'est lui rendre pour ses grâces de la fausse monnaie.

— Je reviendrai, dit-elle. Réfléchissez.

Elle revint. Le cerbère qui remplaçait le sergent lui ouvrait la porte de mauvaise grâce. Elle trouvait chaque fois le frère dans les mêmes dispositions circonspectes. A la longue, le prisonnier finit par céder, plus par défi que par conviction. Avec patience, en s'efforçant de faire litière de ses préventions contre sa nouvelle recrue, il lui révéla les chemins de la foi. Elle se montrait une catéchumène humble et docile, sans que rien dans son comportement trahît la supercherie qu'il avait flairée. Bernard ne fut guère

117

surpris de l'entendre, au terme d'une instruction religieuse d'un mois, lui demander le baptême.

– Cette intention t'honore, dit-il, mais il y faut le consentement de ton père.

– Vous savez bien qu'il refusera! Vous le craignez donc tant?

– Si j'ai peur, c'est pour toi. Tu serais la première à supporter sa colère, s'il apprenait nos entretiens.

Elle se redressa fièrement : elle ne craignait pas la colère de son père; elle était prête à la braver pour l'amour de Dieu. S'il le fallait, elle le quitterait!

– Laisse-moi réfléchir, dit-il. Je te donnerai sous peu ma réponse.

Les premiers flocons commençaient à voltiger sur le fort Saint-Jean lorsque Denis annonça son retour par un éclaireur micmac. Il rapportait du « pelu » que le dernier navire de France, porteur de vivres et d'outillage pour les colons, emporterait au vieux pays, avec quelques Indiens auxquels on avait promis de montrer la source d'où coulait le « lait du roi de France ».

Lorsque Bernard avait annoncé à Catherine la volonté de Jeanne, elle l'avait de nouveau mis en garde : était-il sûr de la sincérité de la néophyte? Avait-il mesuré le danger qu'elle lui faisait courir?

– Elle n'aurait pu tricher aussi longtemps sans se trahir, dit-il. Si je parviens à lui inspirer une foi véritable, je pourrai m'attaquer à son père. Il est moins mauvais qu'il n'y paraît. L'existence qu'il a menée au milieu des trafiquants, des soldats et des Indiens a développé en lui l'orgueil et la violence. Qui pourrait lui reprocher de ne croire ni à Dieu ni au diable? Dans ce pays la foi ne tombe pas du ciel comme la colombe du saint sacrement.

– Comment pourrais-tu le convaincre de renoncer au mal alors qu'il s'y complaît?

– Parce qu'il ne connaît que le mal. Attends que je lui révèle la face lumineuse de Dieu!

– J'ai longtemps cru qu'il incarnait une forme de justice, d'autorité, de sécurité. Auprès de ce héros je me sentais toute petite, et ma faiblesse me pesait comme une tare. Aujourd'hui je sais ce qu'il vaut : guère plus qu'un gredin.

Bernard prépara en secret la cérémonie du baptême : le pain azyme lui fut fourni par Catherine et il prit dans ses mains l'eau lustrale pour la dégeler. Rien ne menaçait le déroulement du rituel : Latour s'était absenté et ne rentrerait que le soir. A l'heure dite, alors que le cheval de Latour venait de disparaître sur la piste, la catéchumène se présenta dans la cellule glaciale où la neige répandait une clarté laiteuse ; elle paraissait nerveuse, inquiète, mais se plia sans réticence à toutes les exigences de la cérémonie.

Bernard en avait presque terminé quand des bruits de pas et de voix retentirent. La porte de la cellule s'ouvrit comme sous un coup de vent et Latour se campa sur le seuil. Bernard s'agenouilla, les mains jointes.

— Traitez-moi comme il vous plaira ! implora-t-il, mais pardonnez à votre enfant. Je suis seul responsable.

— Imbécile ! cracha Latour. Toi, Jeanne, tu viendras me trouver dans ma chambre. Quant à cette graine de papiste qui se prend pour un missionnaire, il va payer !

Il gifla violemment le gardien, lui promit les fers comme à celui qui l'avait précédé, puis, ayant détaché lui-même le prisonnier, il le poussa dehors d'une poigne autoritaire.

— Promettez-moi de ne pas vous en prendre à votre fille ! répéta le frère. Moi seul...

Latour l'écrasa d'un regard lourd de menaces et le poussa d'une bourrade dans la cour enneigée. Il lui attacha les mains à une corde reliée à une branche, de sorte qu'il ne pût ni se coucher ni s'asseoir.

— Je te laisse une chance, dit-il. Si demain tu es encore en vie à la même heure, ce petit coin de colline où tu souhaitais construire une chapelle sera tien.

— Vous êtes bon et généreux, dit Bernard avec un sourire, mais j'ai une faveur à vous demander : rendez-moi mon crucifix.

— Soit ! On va t'apporter ton hochet.

— Demain, si Dieu me prête vie, ma première prière sera pour vous.

— Je n'y compte guère ! Le noroît va souffler sec et il va geler à pierre fendre. Si tu en réchappes, je commencerai à croire aux miracles.

Latour se tourna vers les hommes groupés autour du prisonnier.

119

— Attention, les gars! dit-il d'une voix ferme. Interdiction de porter secours au prisonnier. Je tirerai sans sommation sur quiconque s'y risquera.

Latour retint Catherine au moment où elle s'avançait vers la victime. Elle criait :

— Vous le condamnez à mort! Il n'est pas responsable. Votre fille lui a tendu un piège!

— Tais-toi, dit Bernard. Tu ignores le marché que nous avons conclu, M. Latour et moi.

Il avait de la peine à s'exprimer, tant il grelottait; ses poignets attachés serré commençaient à bleuir. Catherine se débattit, criant qu'on laissait commettre un « crime ». Quelques soldats s'avancèrent en maugréant, Krainguille parmi eux, qui paraissait désemparé. Latour sortit son pistolet et s'écria :

— Je vous ai prévenu que je tirerai sans sommation. Avis aux amateurs!

Ils reculèrent en grognant et rentrèrent dans l'habitation. Il ne resta dans la cour, autour de l'arbre au supplice, que Latour, Catherine, Jeanne et quelques Indiens qui suivaient la scène d'un œil intéressé.

— Il va faire très froid, dit le maître. Rentrons! Jeanne, Catherine, suivez-moi!

Assis au bord de son lit, il fit ôter ses bottes par Catherine. Il paraissait très détendu.

— Jeanne, dit-il, dis-moi la vérité. Pour une fois, tâche de ne pas mentir.

Jeanne demeurait debout, immobile et silencieuse comme une souche.

— La vérité, je la connais, moi, dit Catherine. C'est votre fille qui a tout manigancé. Sale Indienne!

— Paix! cria Latour. C'est à Jeanne de répondre, sinon je considérerai ce silence comme un aveu.

Jeanne se contentait de sourire, les yeux baissés, l'air d'une sainte.

— Regardez-la! dit Catherine. Cette attitude devrait vous suffire. Vous couperiez la gorge du frère sous ses yeux qu'elle ne broncherait pas davantage. Elle est possédée par le diable!

Latour se leva, s'avança vers Jeanne qui recula d'un pas,

sans cesser de sourire. Elle garda son aplomb sous la gifle, sans se plaindre.

– Un jour, dit-il, je te chasserai. Tu es pire que moi. De quoi es-tu faite ? De pierre, d'écume, de venin ? Le mécréant que je suis ne peut supporter l'idée d'avoir engendré un tel monstre. Tu es devenue l'image de mes péchés et de mon châtiment. Mais aussi, pourquoi Dieu m'a-t-il abandonné ? Je l'ai cherché lorsque je vivais avec mon père à La Rochelle, d'où les catholiques nous ont chassés comme des chiens. Je l'ai cherché parmi les missionnaires, mais tout ce qu'ils voulaient, c'est juguler mon énergie pour faire de moi un agneau.

Il mit son poing sous le visage de sa fille, la força à le regarder en face, sembla se contempler en elle comme dans un miroir. Puis il dit doucement :

– Nous sommes maudits, toi et moi, et nous n'y pouvons rien.

Au dîner, Latour mangea du bout des dents ; tout lui paraissait fade ; il repoussa le pot de confiture de bluets et, ouvrant la porte, regarda le prisonnier : il avait disparu à demi dans le poudroiement et paraissait dormir.

– Libérez-le, dit Catherine. Vous voyez bien qu'il n'en réchappera pas. Votre contrat était une duperie.

– Je l'avais prévenu, dit sombrement Latour. La désobéissance est le défaut que je redoute le plus. Qu'il meure si son Dieu ne lui vient pas en aide. Je m'en moque.

Il prit dans le bahut une fiasque d'eau-de-vie anglaise ramenée de Massias et monta dans sa chambre pour s'enivrer.

Sur la fin de l'après-midi, Catherine se tenait dans sa chambre en compagnie de deux petites Indiennes auxquelles elle apprenait la broderie quand Latour la fit appeler. Il était allongé sur son lit tout habillé, la fiasque vide à son chevet. Il grommela :

– Comment se porte ton capucin ?

Elle ouvrit la fenêtre : Bernard ne bougeait plus, la bouche ouverte comme pour crier.

– Il est en train de mourir ! cria-t-elle. Je veux en avoir le cœur net.

121

– Reste là! Il n'est pas mort et il ne souffre pas. Le froid l'aura endormi. Ces religieux ont la vie dure.

Il rota en se levant, gratta furieusement sa tignasse.

– Je te propose un marché à toi aussi, dit-il. Si tu refuses je ne t'en tiendrai pas rigueur.

Il se pencha vers elle, lui glissa quelques mots salaces dans le creux de l'oreille. Catherine le repoussa, le visage rouge d'indignation.

– Comment osez-vous... Vous avez cru que j'accepterais? Votre proposition est ignoble. Vous n'êtes qu'un porc!

Latour éclata de rire puis soupira :

– Soit! Laissons-le crever.

Il s'allongea de nouveau, immobile, certain que Catherine viendrait d'elle-même conclure le marché qu'il lui avait proposé. Elle dit d'une voix blanche :

– J'accepte, mais à une condition : que vous le libériez tout de suite et qu'il soit encore en vie.

– Il n'en est pas question. Nous verrons... après.

Elle discuta âprement et il finit par céder. Ils descendirent dans la cour où le noroît les enveloppa comme d'un linge humide et glacé.

– Il est encore vivant, dit-il. Il bouge.

– Non, dit Catherine, c'est le vent.

Latour s'approcha du prisonnier, le secoua en criant :

– Eh, capucin! Tu m'entends?

Bernard ne donnait plus signe de vie. Son froc était raide comme une écorce et son visage avait pris l'aspect de la cire. Latour glissa une main à la place du cœur.

– Il vit! dit-il. Je te l'avais bien dit qu'il s'en tirerait.

Il avisa quelques Indiens qui se tenaient contre les palissades, emmitouflés dans leurs peaux d'ours, et qui dansaient sur place pour se réchauffer. Il les chassa en les menaçant de son pistolet.

– Regarde-les, ces charognards! hurla-t-il. On dirait que l'odeur de la mort les attire. Foutez le camp!

Il entreprit de détacher le prisonnier, de trancher avec son coutelas la corde raide comme du bois.

– Aide-moi, dit-il. Nous allons tâcher de le ranimer. Il revient de loin, le bougre...

Catherine émergeait d'une nuit épaisse et trouble comme d'un marécage, hantée de cauchemars. Elle étendit la main; la place occupée par Latour était vide mais tiède encore. Elle se souvint de l'avoir entendu se lever en grommelant : « Je vais tenter de te le rendre, ton capucin! » Elle voulut se lever à son tour mais elle était comme paralysée. En dressant l'oreille il lui sembla entendre un bruit de voix ponctué d'appels sonores venant de la grande salle. Elle se leva lourdement, jeta un manteau sur ses épaules et descendit.

Des hommes s'affairaient autour de la table où l'on avait étendu Bernard. Elle entendit gronder Latour :

– Continuez à le frotter, les gars, il commence à reprendre vie!

Denis, qui venait d'arriver et ôtait ses raquettes, dit à Catherine :

– Que se passe-t-il? Que fais-tu à cette heure et dans cette tenue?

– Bernard... dit-elle. Latour l'a puni.

Les hommes frottaient avec de l'eau-de-vie le corps du supplicié; de temps à autre on versait quelques gouttes entre ses lèvres violettes et dures comme la pierre.

– Vas-tu enfin m'expliquer? dit Denis.

Elle lui raconta en quelques mots ce qui avait motivé la vengeance du maître.

– Jeanne... dit-il. Cette garce. Elle me le paiera.

– Et toi, dit-elle, que fais-tu là? Je te croyais chez les Indiens.

– J'en viens. La rivière était gelée. Nous avons dû faire du portage en coupant à travers la forêt.

– Il reprend vie! s'écria Latour. Une bouillotte, vite!

Bernard avait rouvert les yeux et promenait sur l'assistance un regard égaré. Il murmura :

– Ma chapelle...

– Que dit-il? demanda Denis. Quelle est cette histoire?

– Latour lui a promis qu'il le laisserait bâtir une chapelle s'il sortait vivant de cette épreuve. Nous l'aiderons à la construire.

Denis acheva de se dévêtir, sortit un quignon de pain et une bouteille de cidre de la huche et, s'approchant de Latour, lui dit :

— Monsieur Latour, il faut que je vous parle.

— Mon garçon, je suis fatigué, et toi aussi sans doute.
Nous attendrons demain.

Que se dirent Denis et Latour, cela demeura un mystère,
mais, dans les jours qui suivirent, on constata avec surprise
que le maître se montrait plein de prévenance envers ce coureur des bois que les Indiens appelaient « Cheveux Rouges »
et respectaient. Plus personne, en revanche, n'ignorait que
Jeanne fût la « squaw » de Denis et qu'elle lui fût soumise,
en apparence du moins.

— Mon père, disait-elle, déteste ces moines qui lèchent
comme des chiens les mains qu'on leur tend. C'est ce qu'il
dit...

Pourquoi Jeanne avait-elle cherché à nuire à Catherine ?
Jeanne répondait :

— Parce que mon père la désire, qu'elle risque de lui tourner la tête et de l'éloigner de moi.

Et ce piège qu'elle avait tendu à Denis dans l'intention de
le faire punir ?

— Tu admirais trop mon père. Un jour ou l'autre, je le
pressentais, tu aurais toi aussi tenu trop de place dans sa vie.

Son père... Son père... Qu'était-il donc pour elle ? Quel
dieu ou quel démon adorait-elle en lui ? Elle répondait :

— Je l'aime et n'aime que lui. Passionnément. Ou plutôt je
l'aimais. Depuis qu'il a fait de Catherine sa « squaw », je le
déteste. J'ai toujours vécu dans son ombre, aimé ce qu'il
aimait, haï ce qu'il haïssait, sauf si je sentais que ce qu'il
aimait ou haïssait avec une égale passion le séparait de moi.
Il a été pour moi un héros. Ce n'est plus qu'un homme.

Latour était occupé à emballer dans le hangar le « pelu »
dont un navire de La Rochelle allait prendre livraison l'été
suivant. Il y avait là les fourrures les plus rares dont pussent
rêver les dames de la Cour : castor, loutre, hermine, vison,
martre... Il plongeait avec délices les mains dans ces pelages
qui sentaient encore la sauvagine, comme un avare dans sa
cassette. Avec l'argent qu'il retirerait de cette vente il pourrait s'acheter des meubles précieux, des chevaux, des
femmes, des conseillers, des ministres... Tout lui serait pos-

sible, tout lui serait permis. Ce territoire, plus riche que l'Acadie péninsulaire, regorgeait d'animaux à fourrure. A côté de lui, Razilly, Denys, d'Aulnay n'étaient que de modestes fonctionnaires; il était, lui, Charles de Latour, le véritable, le seul gouverneur des terres acadiennes.

Sa puissance l'incitait parfois à la générosité. Catherine, ainsi que Denis, était la première à en bénéficier. Maîtresse du logis, on l'estimait et la respectait. Denis, devenu l'un des plus habiles coureurs des bois à la solde de Latour, partageait son temps entre l'habitation et les « wigwams » où il hivernait pour se familiariser avec la langue, les coutumes, les méthodes de chasse et de pêche des « sauvages ».

La cognée de Bernard résonnait dans la forêt. Les plus grands froids ne le rebutaient pas; il partait au point du jour et revenait au crépuscule, le visage coloré de fatigue et de satisfaction. Lorsque le temps ne pressait pas, Denis et Catherine, accompagnés de quelques soldats volontaires pour cette tâche, lui prêtaient la main.

Non sans d'âpres discussions avec le maître du fort Saint-Jean, il fut autorisé à célébrer la messe de Noël à l'habitation. Aux chants du Poitou et de la Normandie Catherine et Denis mêlèrent les « nadalets » du Périgord qu'ils avaient appris à l'orphelinat.

Cette nuit-là, Latour et sa fille, qui s'étaient couchés comme à leur habitude, s'éveillèrent aux premiers chants. Ils se levèrent, descendirent dans la grande salle qui resplendissait d'une lumière de paradis. Jusqu'à la fin de l'office, assis sur une marche, ils restèrent étrangers à la fête mais incapables de s'arracher au spectacle de l'autel improvisé dont Catherine et ses Indiennes avaient brodé le linge, du visage épanoui des femmes, des soldats et des Indiens, dans la lumière des chandelles.

Quand le dernier chant eut retenti et que tous s'apprêtaient à festoyer autour d'un gigot d'orignal trônant sur la table du réveillon, Latour se leva et, prenant la main de Jeanne, lui dit :

– Viens, Jeanne. Notre place n'est pas parmi eux...

6
LE TEMPS DES MONSTRES

Denis, précédé de Bernard, pénétra dans la chapelle de rondins couverte de bardeaux. Il s'extasia sur ses dimensions simples et harmonieuses, sur le bénitier taillé dans un calcaire de France, dont M. d'Aulnay avait reçu quelques moellons destinés à la construction d'une nouvelle demeure à Port-Royal. L'autel de frêne ciré luisait dans un rayon de soleil, orné de fleurs par les Indiennes. Les nappes brodées par Catherine, le Christ aux formes frustes sculpté dans le chêne par un engagé, composaient un décor simple mais touchant.

— As-tu obtenu quelques conversions? demanda Denis.

— En vérité fort peu et guère solides. Les Indiens accourent le dimanche comme au spectacle. La plupart des Français que je ramène à la foi catholique sont des huguenots de La Rochelle, mais ils n'attendent que la venue d'un pasteur pour déserter mon sanctuaire.

Il ajouta en prenant le bras de Denis :

— Et toi, quand viendras-tu te confesser et communier?

— Mon âme est trop chargée de péchés. Tu n'en viendrais jamais à bout.

— Elle a été ternie par la « boucane » des huttes indiennes mais je sais que, dessous, elle est pure comme une amande. Tu as couché avec des « squaws », volé les Indiens, fait de la « troque » en contrebande, oublié Dieu? Bah... sous ces latitudes Dieu se montre indulgent. Il ne t'a pas oublié, lui.

— Si ce n'était que cela... Je ne puis me défendre envers mon maître d'une singulière fascination. Mon comportement ne vise en tout qu'à l'imiter. C'est un homme redou-

129

table de par sa séduction. On peut le détester mais non lui témoigner de l'indifférence.

— J'ai connu moi-même cette passion désespérée qui nous attache à lui. Je ne puis lui en vouloir du mal qu'il m'a fait. Il soutient les Français quand ils sont les plus forts et pactise avec les Anglais quand il peut en tirer avantage. C'est un monstre, mais, je te l'accorde, un monstre séduisant. Je remporterai une grande victoire le jour où je parviendrai à susciter en lui un sentiment d'humilité. S'il ploie un jour le genou devant Dieu, c'est que tout, dans ce monde, sera possible.

— Ce jour ne viendra pas, et je le regrette.

Sur le parvis semé de fleurs dont M. d'Aulnay avait envoyé les graines, l'air était plein d'une odeur de fraises sauvages. Au-dessus des cimes qui dévalaient vers la rivière Saint-Jean, le pavillon d'Angleterre flottait mollement dans les vergues d'un navire.

— Crois-tu qu'Allerton réussira ? demanda Bernard.

— Non. Latour ne reconnaît jamais ses torts.

Depuis des heures le négociant de New Plymouth, jadis responsable du fort Massias pillé et incendié par Latour, tentait d'arracher à son concurrent la promesse d'une réparation pour le dommage qu'il avait occasionné à sa compagnie : plus de cinq cents louis de marchandises volées, deux hommes tués, des blessés et des prisonniers que Latour avait presque aussitôt relâchés pour ne pas s'en encombrer... A la salve sèche et sévère des arguments avancés par l'Anglais, Latour ripostait par le tonnerre et la foudre. Allerton sortait des papiers de son portefeuille ; Latour crispait la main sur la crosse de son pistolet.

— Allerton baissera pavillon, soupira Denis. Latour l'a menacé, s'il persistait à empiéter sur ses territoires de traite, d'arraisonner les navires bostoniens qui croiseraient à moins d'un mille de sa côte.

L'Anglais repartit le soir, bredouille, blême de colère, accompagné de son secrétaire. De retour à l'habitation, Latour pénétra en coup de vent dans la salle commune, bouscula une Indienne occupée à faire du rangement et s'écria en ouvrant les fenêtres :

— De l'air, vite ! Ça pue le « couacre » !

130

Une lettre de M. de Razilly le complimenta pour l'énergie dont il avait fait preuve envers le Bostonien. Avec un grand rire, il la cloua au couteau sur le tronc d'un arbre, au milieu de la cour.

— Razilly! s'écria-t-il. Il n'a encore rien vu!

Latour fit mieux, en effet : il arraisonna quelques jours plus tard trois navires de Sa Majesté britannique qui pêchaient indûment dans les eaux françaises, à quelques encablures du fort Saint-Jean. Cette fois-ci, c'est la Compagnie de la Nouvelle-France qui complimenta le héros. Il cloua la lettre de félicitations à côté de celle de Razilly avec la même expression de mépris, et fêta ce nouvel exploit par une beuverie de bon whisky anglais.

Un jour de juillet il dit à Catherine :

— Il faut que je parte pour la France. Si je ne pousse pas mon avantage auprès de la Compagnie et des ministres, qui le fera? Mes agents, Domeron et Desjardins, sont des ânes bâtés qu'il faut faire avancer à coups de pied au cul.

Latour sous les lambris des ministères, foulant les tapis de la Cour, s'inclinant devant le cardinal... C'était pour Catherine un spectacle inimaginable. Elle le lui dit; il riposta :

— Tu me connais mal, petite. Attends un peu : je vais te montrer un autre Latour, celui que toute la Cour pourra contempler. Et si quelque hurluberlu ose sourire, il saura de quel bois se chauffe le vice-roi d'Acadie et de ses confins!

Il monta dans la chambre. Catherine l'entendit ouvrir coffres et armoires. Elle ne put retenir un éclat de rire lorsqu'elle le vit redescendre. Elle s'écria :

— Vous comptez vous présenter à la Cour dans cette tenue de carnaval?

Il fronça les sourcils, sembla perdre son assurance.

— Qu'est-ce qui te paraît ridicule? Allons, dis-le!

— Je me souviens, dit Catherine en étouffant un nouvel accès d'hilarité, d'avoir vu à Paris un saltimbanque en train de faire danser un ours. Vous lui ressemblez par la tenue.

— Ce sont les vêtements que M. de Biencourt m'a laissés à sa mort, et personne, que je sache, n'a eu le front de lui reprocher son manque de goût.

— Quand M. de Biencourt est mort, ces vêtements étaient déjà démodés. De plus, à côté de vous, il devait être un avorton. Aucun de ces boutons ne peut trouver sa boutonnière.

131

— Ma foi, bougonna Latour, tu as peut-être raison. Je commanderai à Québec des coupons d'étoffe et de la dentelle. Tu confectionneras un habit à ma taille. Avec des chemises fines, des rubans et des bottes en peau d'Espagne, si nous en trouvons, je ferai impression à la Cour. Jusqu'à ce jour, j'ai laissé aux Indiennes le soin de tailler et de coudre mes vêtements, et elles n'ont pas l'habileté des Parisiennes.

Il réfléchit quelques instants en grattant ses joues râpeuses, avant de déclarer, ses mains sur les épaules de Catherine :

— Et si tu m'accompagnais ? Tu me suivrais à la Cour, je te...

— Grand merci ! dit gravement Catherine. J'ai laissé dans le vieux pays trop de mauvais souvenirs que je veux oublier. Désormais, ma vie est sur ce continent.

— Soit ! Je te comprends. Qu'aimerais-tu que je te rapporte ?

— Il me plairait d'avoir des nouvelles de M. Renaudot, et, si vous trouvez chez un libraire les derniers ouvrages de M. Gautier de Costes...

— Des livres ! s'exclama Latour. Qu'est-ce que tu peux bien trouver dans les livres ?

— Ce que la vie ne peut m'apporter, dit Catherine.

Jeanne n'en croyait pas ses oreilles.

— Il te propose de t'emmener avec lui à Paris, et tu refuses ! Une telle occasion ne se représentera jamais pour toi. La France, Paris, la Cour...

— La misère...

La nuit était chaude et limpide ; un léger souffle de vent apportait jusqu'à l'habitation la rumeur des chutes et, par bouffées, une fraîcheur de pluie. Des renards jappaient près de la chapelle.

— Moi, dit Jeanne, si mon père m'avait proposé de m'emmener, j'aurais accepté, mais il n'en aura pas l'idée.

Elle ajouta d'une voix brisée :

— J'ai le sentiment qu'il ne m'aime plus.

— Il t'aime toujours, mais il a parfois l'impression de voir en toi le côté sombre de sa personne. Il est trop orgueilleux pour reconnaître ses défauts et, comme il les retrouve en toi, c'est en toi qu'il les fustige.

Jeanne haussa les épaules et dit d'un air buté :

— Sottises! Je finirai par trouver quelqu'un qui m'aimera. Je suis plus belle que les Indiennes qui partagent le lit de mon père, plus belle que ces grosses femmes que les engagés ont épousées, plus belle que toi. La semaine passée, un des jeunes officiers venus en inspection m'a fait la cour. Si j'avais voulu...

— Pourquoi mens-tu? Pas un de ces militaires ne t'a adressé la parole.

— A la façon dont l'un d'eux m'a regardée, j'ai compris qu'il était prêt à m'emmener avec lui à La Hève et peut-être en France.

— En France, toi... Si tu y vas un jour, ce sera pour tomber entre les griffes d'une vieille tante huguenote qui t'habillera en noir, te conduira au prêche tous les jours et te mariera à un barbon.

— Non! C'est la jalousie qui te fait parler ainsi. Je sortirai seule, les hommes se retourneront sur mon passage...

— ... et tu finiras dans un bouge, au milieu des filles.

Le visage en feu, Jeanne posa d'un geste nerveux la lampe près du miroir, fit glisser sa chemise de nuit sur ses talons, souleva ses seins aigus, caressa ses flancs lisses, couleur d'ambre et murmura :

— Je suis aimée au moins d'un homme : Denis. Hier encore il me tenait dans ses bras. Sais-tu ce qu'il m'a dit?

— Il ne t'a pas serrée dans ses bras et il ne t'a rien dit! Cesse de te faire des romans et viens te coucher.

Jeanne remonta sa chemise et se tourna d'un geste vif vers Catherine.

— Un jour, dit-elle, je te tuerai...

Charles de Latour partit à l'automne, laissant à Krain-guille la garde du fort et de l'habitation défendus par une vingtaine de canons. On ne craignait plus les gens de Boston; le souvenir de l'affaire de Massias devait leur rester en travers du gosier, et les menaces que le maître avait jetées à ce pleutre d'Allerton avaient produit un effet salutaire.

A la mi-novembre, les premiers glaçons encombrèrent la rivière et les Indiens vinrent mendier de la nourriture aux palissades, personne n'ayant jamais pu les persuader de constituer durant l'été des réserves de subsistance, si bien que, l'hiver venu, ils se trouvaient démunis. Au cours des repas on les voyait gratter aux fenêtres ; on les chassait mais ils revenaient inlassablement.

Les premières campagnes de chasse se révélèrent médiocres. Les eaux étaient trop hautes pour permettre la capture des castors et les caribous se faisaient rares : la neige tomba trop tard et il était difficile de les traquer sur terrain nu ; seule la morue que les Indiens pêchaient au harpon était abondante.

Un navire basque qui s'en allait pêcher sur les bancs de Terre-Neuve fit escale au fort Saint-Jean pour réparer une avarie et resta une semaine. Le capitaine et les quartiers-maîtres, robustes hommes de mer au parler vif et rocailleux, originaires de Saint-Jean-de-Luz, prenaient leur repas à l'habitation, couchaient avec les Indiennes et ne se lassaient pas de conter leurs pérégrinations pleines de baleines monstrueuses, de légions d'ours blancs, de combats contre les gens d'Islande et les Anglais. Ils ponctuaient leurs récits de jurons étranges et parlaient entre eux une langue mystérieuse. Le capitaine Etcheverry et le quartier-maître Bonetbeltz redonnaient vie à l'habitation endormie sous les premières neiges.

Jeanne goûtait beaucoup leur compagnie, celle surtout du capitaine, homme sec et noir, au regard d'un bleu d'aiguemarine, qu'elle suivait parfois à bord où il inspectait les travaux. Elle dit à Catherine, avec un air de fatuité :

– Maître Etcheverry m'a convié à dîner dans sa cambuse. Il nous fera servir un repas à la mode de son pays.

– Tu n'iras pas. Ce serait une folie.

– Qui pourrait m'en empêcher ?

– Moi. Ton père m'a demandé de te surveiller.

En dépit de cette mise en garde, Jeanne se rendit au rendez-vous et revint tard dans la soirée, radieuse, à travers une bordée de neige. Comme elle se déshabillait en chantonnant, Catherine lui dit :

– Demain je parlerai à Etcheverry pour lui dire de partir sans plus attendre.

– Il doit lever l'ancre dans deux jours. Il m'a demandé de le suivre. J'ai accepté. A la fin de la campagne de pêche il m'emmènera dans son pays pour m'épouser.

— Je ne te crois pas. C'est un mensonge de plus. A supposer que tu dises vrai, il t'abandonnera, sa pêche terminée, sur une côte déserte.

— Il m'épousera. Il me l'a juré.

Jeanne, ce soir-là, s'endormit avec un goût de bonheur sur les lèvres. Le lendemain, Catherine s'entretint avec Etcheverry. Il eut un sourire méprisant : épouser une Indienne ? quelle idée! Il avait envisagé de la prendre à bord pour s'en amuser, lui et ses quartiers-maîtres, si elle acceptait de le suivre. Mais, si cela créait des complications...

— Jeanne n'est pas une Indienne ordinaire, dit Catherine. Vous a-t-elle dit qu'elle est la fille de M. Charles de Latour ? Il remuera le monde pour la retrouver et vous risquez de payer cher votre fantaisie.

Etcheverry se gratta la barbe et cracha son jus de chique.

— Merci de l'avertissement, dit-il. J'en tiendrai compte. Je vous laisse votre Indienne!

Le matin du départ Catherine constata en s'éveillant que la place de Jeanne à ses côtés était vide et froide. Elle fouilla l'habitation, alerta Denis.

— La garce! dit-il. Elle est allée rejoindre Etcheverry. Je vais de ce pas au morutier. S'il n'a pas levé l'ancre, je la ramènerai, par la peau des fesses s'il le faut.

Le navire était encore accosté, immobilisé par la tourmente de neige, vaisseau fantôme aux gréements dessinés en gris sur un ciel de marbre.

— Si vous cherchez l'Indienne, dit le capitaine, vous ne la trouverez pas à mon bord. J'ai d'autres soucis. Foutue saloperie de temps.

— Pas de mauvais tour! dit Denis. Si vous la cachez, il vaut mieux pour votre sécurité nous la rendre.

— Si tu ne me crois pas, alors fouille mon bateau!

Denis le parcourut de la proue à la poupe. Il allait renoncer quand un des matelots surgit d'une écoutille en hurlant :

— Capitaine! Venez vite! Il y a une femme à bord. Elle m'a menacé de m'arracher les yeux si je la dénonçais.

Blottie dans la soute, entre des barils d'eau-de-vie et des caisses de biscuits, Jeanne grelottait de colère et de froid. Il fallut la déloger comme un renard de sa tanière; elle hurlait, mordait, griffait.

— Vous m'avez menti, capitaine, dit Denis.

— Au diable si je savais que cette drôlesse se trouvait à mon bord, parole de Basque! Toi, la « squaw », décampe et enterre tes illusions. Aucun homme blanc ne voudra de toi comme épouse. Tu es trop maigre!

Jeanne finit par céder. Au retour vers l'habitation, elle paraissait ne rien voir et ne rien entendre. Pas une seule fois elle ne se retourna vers le navire. Lorsqu'elle aperçut Catherine qui attendait devant la palissade, elle dit entre ses dents serrées :

— Tout cela est ta faute! Je me vengerai.

Denis s'assit près de Catherine, devant le poêle qui ronflait allégrement. Il lui prit les mains et lui dit :

— Tu dois quitter l'habitation dès que possible. Ici tu cours un danger permanent. Jeanne a promis de se venger de toi. Elle le fera au moment où tu t'y attendras le moins. Je t'accompagnerai à La Hève où tu seras en sécurité.

Catherine refusa : elle n'aimait pas l'idée que Jeanne pût se prévaloir d'une victoire consacrée par sa propre dérobade.

— Au moins, dit Denis, renonce à partager son lit.

— Pour laisser croire à cette folle que je la crains ? Jamais! Cela ne ferait que précipiter sa décision.

— Qu'elle touche à toi et je la tuerai!

Catherine prit la main de Denis.

— Je saurai me défendre. Embrasse-moi, cela me donnera du courage.

Ils ne s'étaient jamais sentis si proche l'un de l'autre, unis par la prescience d'un danger imprévisible. Le jour où Denis dut quitter l'habitation pour une campagne de chasse chez les Etchemins où l'on signalait d'importants passages de caribous, elle sentit l'angoisse se resserrer autour d'elle. Elle monta jusqu'à la chapelle de Bernard pour regarder Denis s'éloigner à travers la forêt éblouissante. Le baiser qu'il lui avait donné lui brûlait les lèvres.

L'hiver, cette année-là, fut long et terrible. Coupée du monde extérieur, l'habitation vivait repliée sur elle-même, dans un ennui accablant. Les hommes disputaient d'interminables parties de cartes et de dés, fumaient jusqu'à la nausée et, lorsqu'ils étaient las du jeu ou que leur bourse était vide, ils se groupaient autour d'un garçon à figure de voyou qui jouait sur un violon des airs de Saintonge tristes à pleurer. La neige tombait sans discontinuer; certains jours, pour traverser la cour, il fallait tailler une tranchée. A la moindre accalmie, les hommes prenaient leur fusil et, en compagnie de quelques Indiens, partaient chasser le caribou ou piéger les castors sur la glace, au-dessus des chutes. La rivière Saint-Jean demeura glacée tout l'hiver; les hommes la traversaient sur une traîne attelée de chiens pour aller chasser sur les îles.

Cet hiver-là, le frère Bernard redoubla de zèle malgré le froid. Il partait, emmitouflé d'une pelisse d'ours, raquettes aux pieds, accompagné d'un jeune « sauvage » récemment baptisé, qu'il appelait François, pour aller porter la bonne parole aux tribus indiennes des hautes terres et leur distribuer des médailles saintes qu'il avait fait venir de Québec; il ne se séparait jamais du catéchisme en « sauvageois » rédigé par un père jésuite. Les « sauvages » le connaissaient et le respectaient; ils l'appelaient Pieds-Nus ou Robe-Grise; surpris, émerveillés comme en présence d'un bateleur, ils l'écoutaient avec attention décrire les mystères de la Création, du temps où leur terre était placée sous le règne mystique du Grand Lièvre.

Jeanne vivait dans un isolement complet. A chacun de ses retours de campagne, Denis la fuyait comme une pestiférée. Il avait chassé de lui, non sans peine, le souvenir de certaine nuit passée en sa compagnie sur une grève de la rivière et avait décidé que cette faiblesse ne se renouvellerait pas. Jeanne avait tenté de s'attacher le violoneux mais l'aventure avait tourné court, l'artiste préférant la compagnie des petits Indiens.

De toute l'habitation, Catherine était la seule à lui témoigner quelque attention, sans que sa vigilance se relâchât; elle avait l'impression, lorsqu'elle s'entretenait avec la métisse, de donner du bon argent et de ne recevoir en retour que de la fausse monnaie. Une nuit, elle surprit Jeanne en train de l'observer, appuyée sur son coude, dans la clarté tremblotante de la lampe à huile; les yeux mi-clos, elle avait été frappée par l'expression du visage crispé, semblait-il, sur des idées de trahison ou de meurtre. Elle était à ce point inquiète qu'elle avait toujours à portée de la main un coutelas de chasse dissimulé sous son oreiller.

Dans les premiers jours d'avril, alors que débutait la grande débâcle du printemps, une lettre de Latour parvint au fort Saint-Jean. Catherine eut alors conscience que Jeanne ne tarderait guère à mettre ses projets à exécution.

Un matin, alors qu'elle se trouvait dans la buanderie, Denis fit irruption. Il paraissait sombre et nerveux.

– Je vais faire enfermer Jeanne pour la mettre hors d'état de nuire, dit-il. Je viens d'apprendre qu'elle a proposé la forte somme à l'un de nos hommes pour te faire disparaître. C'est lui qui m'a informé de la manœuvre.

Catherine ne manifesta aucune surprise.

– Je savais qu'elle en viendrait là, dit-elle. Le moment est venu. C'est une affaire entre elle et moi, et je refuse que tu t'en mêles. Si Latour apprenait que tu as maltraité sa fille, il ne te le pardonnerait pas. Je te promets de veiller et de me défendre. Je ne tiens pas à servir de pâture à cette bête fauve.

Lorsqu'il vit Catherine sur le point de quitter l'habitation, Denis s'informa de l'endroit où elle se rendait : elle allait chez les Indiens chercher un couffin de poissons.

– Rassure-toi, dit-elle. Jeanne est occupée à broyer du blé d'Inde. Veille simplement à ce qu'elle ne sorte pas en mon absence.

Il la regarda s'éloigner à travers la cour, enveloppée dans sa pelisse de castor serrée à la ceinture, chaussée de bottes sauvages. A travers la cime des arbres, le soleil faisait étinceler les paquets de neige qui ourlaient les branches et s'en détachaient avec un bruit feutré en touchant le sol. Les gouttes glacées tombant des ramures griffaient l'air de traces lumineuses qui se perdaient dans les buissons. La terre était encore recouverte d'une neige vierge que la pluie nocturne n'avait pas encore transformée en boue. Les talus rocheux fumaient aux endroits ensoleillés.

Catherine marchait d'un pas de somnambule en essayant de calculer le nombre de nuits passées à guetter le comportement de sa compagne. Et là, soudain, loin de cette menace, elle s'enfonçait dans une île heureuse où le sommeil était exempt de danger. Assise sous un chêne, à même un tapis de mousse, elle sentit une grande sérénité descendre en elle, se confondre avec le souffle de la forêt et du fleuve qui charriait ses glaçons. Elle se laissa glisser lentement entre les racines tièdes comme entre des bras puissants et se laissa emporter par le sommeil.

L'Indien écarta les branches et, durant quelques instants, regarda dormir la fille blanche recroquevillée sur son couffin au creux des racines.

C'était un « sauvage » taillé en athlète, au visage long et plat où saillait un nez abrupt. Il était torse nu et portait des bottes en cuir de caribou; le « tomahawk » de pierre pendait à sa ceinture, à côté d'un couteau de chasse et d'un vieux scalp pris à quelque guerrier iroquois dans les guerres d'avant les Français.

La métisse lui avait dit :

– C'est une chienne de « Normandia ». Elle méprise notre race. Les mauvais esprits l'habitent. Il faut la tuer. Choisis le moment favorable, quand elle ira seule au village pour chercher le poisson. Pour ta récompense, tu auras une hache, un fusil et une fiasque d'eau de feu.

Après un regard rapide aux alentours pour s'assurer qu'ils étaient seuls, l'Indien se glissa à travers les buissons, s'approcha du chêne où était allongée la fille blanche. Lentement, il sortit son « tomahawk » de sa ceinture, le fit danser dans sa main comme pour en éprouver la puissance et d'un geste brutal, tirant la fille par les cheveux, il lui assena un grand coup sur la nuque. Elle n'eut pas un cri, pas un gémissement, se détendit comme pour trouver une autre position, puis elle s'immobilisa, ses mains crispées dans la mousse. Il s'apprêtait à la scalper quand un bruit le fit tressaillir. Il tira la fille par les aisselles derrière un rocher où il s'abrita avec sa victime. Un homme blanc s'avançait sur la piste : il n'eut aucune peine à reconnaître Cheveux-Rouges, le « petit chef » du fort Saint-Jean. Quand il eut disparu en direction du village indien, il chargea sa victime sur ses épaules et descendit vers le fleuve.

Le canot d'écorce qu'il avait préparé était dissimulé derrière un bouquet d'épines blanches. Il y coucha la fille mais, avant de pousser l'embarcation dans le courant qui l'emporterait vers la haute mer où on ne la retrouverait jamais, il ouvrit la pelisse et arracha la médaille qu'elle portait au cou. Il faillit de nouveau lui prendre son scalp, mais il redoutait qu'il le fît désigner comme le coupable de ce meurtre. D'une longue poussée il envoya le canot en plein courant. Le premier glaçon que l'embarcation heurta le fit tournoyer lentement. Il le suivit un moment des yeux et fit tourner la médaille dans le soleil avant de reprendre la route du « wigwam ».

Le « sagamo » Manthoumermer obtempéra de bonne grâce lorsque Denis lui demanda de réunir au centre du village tous les habitants, hommes et femmes. Il procéda lui-même à l'inspection des tentes et des huttes, fouilla coins et recoins, soulevant des grabats, des tas de peaux fraîches et de fagots, sans découvrir le moindre indice.

Il pria le « sagamo » de faire le compte de ses hommes : il en manquait un, et personne ne sut dire ce qu'il était devenu.

— Il doit se cacher dans la forêt, dit Denis. Il faut que je le retrouve, lui et la fille blanche.

Le « sagamo » inclina gravement sa tête boucanée pour déclarer :

— S'il a touché un cheveu de la fille blanche, il mourra. Je t'aiderai.

Pas à pas, broussaille après broussaille, tout le village participa aux recherches à travers les quelques arpents de forêt qui séparaient le « wigwam » de l'habitation. On finit par découvrir le criminel enfoui dans les roselières d'un marécage. Il portait à sa ceinture la médaille volée à sa victime. Menacé par le « sagamo », il finit par avouer son forfait, ajoutant qu'il n'avait agi que pour éloigner de sa race les dangers que constituait pour elle la présence de la fille blanche, et cela à l'instigation de Jeanne.

— Ta victime, demanda Denis, où est-elle ?

L'Indien tendit le bras en direction du fleuve et expliqua comment il s'était débarrassé du corps. Denis réclama des

140

canots et, en quelques instants, une flottille se lançait en direction de l'estuaire, louvoyant entre les glaces au risque de se fracasser contre elles. Denis avait pris la tête en compagnie du « sagamo » dont l'œil perçant fouillait la berge et l'étendue liquide. Leur exploration les mena jusqu'à l'arbre aux castors dont la silhouette décharnée se dressait sur les basses terres.

— Nous ne la retrouverons pas, gémit Denis. Le courant a dû l'emporter au large.

— Je crois savoir où nous pourrons la trouver, dit le vieillard. Tirons du côté de la rive. Je connais un remous où viennent s'échouer les épaves.

Ils parvinrent en pagayant ferme à l'endroit indiqué. Le canot était là ; Catherine, allongée au fond, paraissait endormie.

Un cri de mouette l'avait tirée de sa léthargie. Elle flottait déjà depuis un temps indéterminé entre inconscience et réalité, impuissante à faire la différence entre le monde vrai et le cauchemar dont elle avait émergé. Les voix qu'il lui avait semblé entendre lui rappelaient le murmure rocailleux du fleuve éclaté, puis ces voix s'étaient tues et seul un ballet de mouettes avait occupé son théâtre d'ombres. Elle avait tenté de se souvenir des événements de l'heure précédente, mais elle n'arrivait pas à faire une liaison entre eux, chaque détail se dérobant l'un après l'autre. Elle avait ouvert les yeux, mais la lumière lui avait percé le crâne comme une aiguille ; les yeux clos, elle s'était crue allongée dans sa chambre, face à l'estampe clouée au mur, au mousquet de Jeanne, accroché à la cloison de dosses, près de la fenêtre ouverte sur les frondaisons ensoleillées, et elle avait senti la violence du printemps qui brassait un ciel crépitant d'orages.

Et soudain, de nouveau, tout s'était brouillé dans sa tête et elle avait cru mourir pour de bon.

— Elle a ouvert les yeux ! dit une voix près d'elle.

Son cœur se mit à battre précipitamment. Elle chercha d'où venait la voix. Un visage qu'elle ne reconnut pas tout d'abord se penchait sur elle : c'était celui de la mère Gaudet, la femme d'un engagé qui tenait une concession à une lieue du fort Saint-Jean, à laquelle on avait parfois recours lorsque le chirurgien du fort se révélait impuissant à guérir un malade ou un blessé ; elle soignait hommes et bêtes avec la même rudesse joviale et l'on s'inclinait devant ses prouesses ; elle avait été cantinière dans l'armée royale et avait acquis son expérience sur les champs de bataille.

— Toi, ma petite, dit la matrone, tu reviens de loin !

— Qu'est-ce qui m'est arrivé ? Je ne me souviens de rien.

— On en parlera plus tard ! Tu as une jolie bosse à la nuque. Sans tes cheveux qui t'ont protégée tu chanterais aujourd'hui dans le chœur des anges.

— Jeanne ? Où est-elle ?

— Cette pourriture d'Indienne... Qu'est-ce que tu lui veux ?

Catherine referma les yeux et, de nouveau, sombra dans le sommeil comateux dont elle venait d'émerger. Quand elle retrouva ses esprits, quelques heures plus tard, la nuit approchait dans une onde de lumière tendre. Des voix sourdes se mêlaient près d'elle au murmure du vent. Elle gémit, et trois visages inquiets se penchèrent à son chevet : elle reconnut la mère Gaudet, Denis et Bernard. Derrière eux, contre la fenêtre, se dressait une masse sombre : Latour, qui venait de débarquer. Elle tenta de soulever la tête pour être certaine que c'était bien lui, mais une douleur lui cisailla la nuque. Elle se contenta de murmurer :

— Jeanne... Où est Jeanne ?

Écartant Denis et Bernard, Latour se pencha vers elle, un sourire éclairant sa face tannée et sa barbe broussailleuse.

— Tu n'as plus rien à craindre d'elle, dit-il. Dans deux jours elle embarquera pour La Rochelle.

— Amenez-la-moi. Il faut que je lui parle.

— Elle aussi a demandé à te voir, mais j'ai refusé.

La mère Gaudet l'écarta d'un geste autoritaire.

— Finies les parlotes, monsieur Latour. Laissez-la reposer.

Latour et Bernard se laissèrent entraîner par elle dans la salle commune, laissant Denis pour la veiller. Il était assis près de la fenêtre quand elle l'appela :

— Denis, dis-moi... C'est toi qui m'as sauvée ?

— Je n'étais pas seul. Le « sagamo » a mobilisé tout le village pour te retrouver. L'Indien qui t'a assommée et jetée dans un canot a payé son crime.

– Que lui a-t-on fait?

– Il a payé, c'est tout.

L'image du grand diable d'Indien nu, hurlant à la mort, écartelé entre deux arbres, le corps couturé de plaies, lui traversa l'esprit. D'un coup de couteau il avait abrégé ses souffrances.

Catherine tendit le bras, main ouverte. Denis y posa la sienne, qu'elle porta à ses lèvres. Il caressa le front moite en partie caché par le pansement qui lui entourait la tête et lui effleura la bouche d'un baiser, alors que la mère Gaudet venait de rentrer dans la chambre.

– Laisse-la tranquille! rugit la matrone. Sacrés tourtereaux, gardez vos effusions pour demain!

7

A CHACUN SON ENFER

Acadie : novembre 1636.

On avait porté le corps du gouverneur général, M. de Razilly, sur le grand lit à colonnes torsadées. Il paraissait reposer, les traces de souffrance qui avaient marqué son visage quelques heures avant sa mort s'étant estompées. Latour et d'Aulnay se placèrent chacun de part et d'autre du corps : le premier, debout, bras croisés sur la poitrine, le second agenouillé, la tête appuyée au rebord du lit, disant les prières des morts.

On avait revêtu l'amiral de son habit d'apparat, en soie verte soutachée d'or; autour de ses mains longues et pâles on avait enroulé le chapelet à gros grains de buis qui l'avait accompagné durant toutes ses campagnes, du Maroc à l'Amazonie; sur sa poitrine creuse on avait posé la croix de Malte accrochée à une chaîne d'or qui scintillait dans la lumière des cierges.

En dépit de leurs querelles, Latour ne pouvait se défendre d'une certaine estime pour ce dignitaire épris de justice et ouvert à toutes les doléances. A sa requête, quelques jours avant sa mort que l'on sentait prochaine, Latour et d'Aulnay avaient pris le chemin de La Hève dans les premiers froids de novembre. Razilly, depuis quelques mois, avait conscience de sa fin; les rigueurs impitoyables de ce pays qu'il aimait passionnément (cette « petite Touraine », comme il disait) avaient miné sa santé. En quelques années il avait fondé en Acadie une colonie prospère, établi de nouveaux colons, veillant au défrichage et à la mise en valeur des terres concédées; il avait planté jusque dans les territoires les plus déser-

147

tiques la croix du Christ et le drapeau à fleurs de lys en se promettant de faire de cette terre, reprise depuis peu aux Anglais, la plus belle colonie du roi de France.

Sentant venir sa fin, il avait tenu à effectuer un partage plus équitable de la colonie qui lui avait été confiée, mais la mort l'avait terrassé avant qu'il eût réalisé son projet. Si, pour Nicolas Denys, la question était réglée – il gardait les territoires du Nord où son esprit d'entreprise avait trouvé à s'exercer –, il n'en allait pas de même pour d'Aulnay et Latour, ce dernier ayant proposé que leurs possessions réciproques aient leur capitale dans le domaine de l'autre, ce qui constituerait à ses yeux un gage de bonne entente. Pour d'Aulnay, cette idée n'était qu'utopie et constituerait à brève échéance un nœud de discorde.

Les pourparlers en étaient là lorsque le gouverneur général, assis à sa table de travail, dans son cabinet du fort Sainte-Marie-de-la-Grâce, avait laissé tomber sa tête sur le document qu'il était en train de rédiger, en poussant son dernier soupir.

Latour secoua la torpeur qui le gagnait; ses yeux se portèrent de l'autre côté du lit. Le chevalier d'Aulnay venait de relever la tête sans que s'interrompît le mouvement de ses lèvres. Lorsque son regard croisa celui de Latour, il comprit que le duel allait reprendre.

– Il est nécessaire, dit d'Aulnay, que je vous parle avant votre départ. Êtes-vous disposé à m'écouter ?

Il jouait nerveusement avec les pompons noués sous le col empesé couvrant ses épaules et le haut de sa poitrine; son regard vif et mobile allait de Latour à la fenêtre ouvrant sur l'immense estuaire glacé de la rivière Merligouèche que la neige avait transformée en une plaine unie. Latour eut un mince sourire en le voyant s'asseoir dans le fauteuil du défunt et se relever brusquement, comme brûlé par un fer rouge.

– Je n'oublierai jamais cet instant, dit-il.

– De quel instant voulez-vous parler ?

– De celui où nous nous tenions de part et d'autre du lit mortuaire. Ce cadavre entre nous, Latour, sera-t-il un lien ou un obstacle ?

148

— Cela dépend de vous autant que de moi.

— Si cela ne dépendait que de moi...

De son voyage en France, l'hiver précédent, Latour avait ramené la confirmation de ses droits sur les territoires de la rivière Saint-Jean. La puissance qui émanait de sa personne, sa connaissance intuitive des hommes, sa fortune, avaient opéré de rapides conversions chez les gens de Cour tout disposés à se laisser circonvenir. Le cardinal avait assuré de sa reconnaissance et de son soutien celui qui se présentait comme le véritable maître de l'Acadie, le lieutenant général du roi – il n'en avait pas le titre mais on le lui concédait implicitement car il savait mieux que personne parler de cette terre et de ses richesses. Les négociants de la Compagnie de la Nouvelle-France écoutaient cette voix rude et prophétique réclamer de nouveaux comptoirs, des postes de traite, annoncer le débarquement à La Rochelle de centaines de navires de fourrures auprès desquelles celles de Moscovie, à l'entendre, n'étaient que de vulgaires peaux de biques !

— Si cela ne dépendait que de moi, reprit Aulnay, nous cesserions de nous quereller. J'oublierais ces Indiens pillards que vous jetez contre mes engagés, cette affaire de Pentagouet où vous avez fait saisir la chaloupe que j'envoyais pour reprendre le fort, et même cette attaque contre mon fief de Canseau où ma fiancée venait de débarquer sur le « Saint-Jehan »...

— Cette dernière affaire n'est pas de mon fait ! riposta Latour. Vous le savez bien.

— Vraiment ? Le « Saint-Jehan », commandé par le capitaine Thomas, ne trafiquait-il pas pour vous ?

— Thomas est seul maître à bord ! Quel intérêt aurais-je eu à attaquer un fort qui était la propriété de M. de Razilly ?

D'Aulnay joignit ses poings devant son visage, mâchoires crispées, yeux clos, puis il riposta d'une voix âpre :

— Il est vrai que je n'ai rien pu prouver. Thomas ne m'a rien révélé, malgré mon insistance et mes menaces. Il a fait comme s'il vous ignorait.

— Nous nous connaissons à peine. Pourquoi lui aurais-je confié une mission aussi dangereuse pour un profit misérable ?

149

D'Aulnay ne parut pas entendre.

— Qu'espériez-vous par ce coup de main ? Capturer ma fiancée, cette humble servante du Seigneur ? En faire votre esclave, comme les pirates mauresques ?

Latour, au bord de la colère, répéta qu'il n'était pour rien dans cette affaire et qu'il ne saurait supporter plus longtemps cette accusation.

— Soit ! soupira d'Aulnay. J'ai promis d'oublier. N'en parlons plus. Reste à nous préoccuper de l'avenir. Si la moindre équivoque subsistait entre nous, nous ne cesserions de nous quereller, et Dieu sait que je ne suis pas venu sur cette terre pour me battre. Vous avez une connaissance parfaite du pays, j'en conviens, mais je dispose de forces supérieures aux vôtres. Si vous voulez la guerre...

— Qui parle de guerre, sinon vous ?

— Simple mise en garde. Nous avons tous deux une mission à remplir sur ce continent. Le roi, la chrétienté, ont les yeux fixés sur nous et sur la réussite de notre mission. Unissons nos efforts et nous donnerons au roi ses plus belles colonies et à Dieu des millions d'âmes.

Le sourire ironique de Latour persuada le chevalier qu'il prêchait dans le désert.

— Allons ! poursuivit Latour d'un air enjoué, nous pouvons fort bien nous entendre. Laissez-moi les postes de traite et je vous abandonne les missions. J'apporterai de nouvelles richesses au roi et vous des âmes à Dieu, comme vous dites.

— L'ironie... La seule attitude dont vous soyez capable envers moi. J'avais raison de me méfier de vous.

— Pourquoi n'avoir pas accepté le partage que je vous proposais ? Les capitales de nos fiefs dans les territoires du voisin.

— Encore un de vos tours : une duperie.

— Un moyen de nous surveiller mutuellement et de faire que nos engagements soient respectés.

— Un moyen pour vous de miser sur les deux tableaux ! Votre fief étoufferait ma capitale et votre capitale grignoterait peu à peu mon fief.

— Je constate, soupira Latour, que nulle entente n'est possible entre nous tant que vous me considérerez comme votre adversaire.

150

Il ajouta d'un ton faussement jovial :

– Présentez-moi plutôt Mme d'Aulnay. J'ai hâte de faire sa connaissance.

L'« humble petite servante du Seigneur » qui vint s'incliner avec grâce devant Charles de Latour était d'une beauté mièvre mais agréable avec sa coiffure à la « repentir » dont les boucles tombaient à la verticale de part et d'autre d'un visage délicat aux yeux d'un vert laiteux; le justaucorps de velours violet, aux manches amples serrées aux poignets, soulignait la finesse de la taille; une riche dentelle en point d'Angleterre mettait en valeur la matité de la peau. Un air d'aimable naïveté émanait de sa personne.

Le chevalier avait rencontré Jeanne Motin chez un de ses associés de la Compagnie, chez lequel il avait dîné au cours d'un voyage à Paris. Elle l'avait séduit par sa discrète beauté autant que par sa modestie et sa piété. Avec l'impulsivité des timides, il s'était juré de l'épouser, malgré l'opposition de son père, M. René d'Aulnay de Charnissay, ancien conseiller du roi, noble vieillard confit dans le respect des principes, mais les foudres paternelles avaient été impuissantes à lui faire renoncer à sa décision. Sur ces terres lointaines où il comptait emmener son épouse, ces considérations de caste perdaient toute signification et une femme en valait une autre.

Latour ne pouvait se lasser de contempler l'« humble petite servante du Seigneur » et il songeait que Dieu et le chevalier avaient bien de la chance.

Son oraison achevée, frère Bernard glissa quelques rondins dans le gros poêle qui trônait au milieu de sa hutte bâtie de ses propres mains près de la chapelle et qu'il appelait pompeusement son « presbytère ». Il vérifia la fermeture de la fenêtre aux carreaux faits de vessie et frissonna devant l'étendue blanche assaillie par un noroît implacable, la forêt devant laquelle se dressaient des colonnes de neige tourbillonnante. Avant de la refermer il lui sembla distinguer, dans la direction du fort, la lumière dansante d'une lanterne. Qui pouvait bien venir jusqu'à lui à cette heure et par ce froid ? Il ouvrit dès qu'il entendit un choc puissant contre sa porte.

— Il faut que je te parle, dit Latour.

Il ôta sa pelisse scintillante de cristaux de neige en pestant contre ce temps de chien qui le confinait à l'habitation. Puis il s'assit sur un escabeau, les mains tendues vers la chaleur du poêle.

— Que se passe-t-il ? demanda Bernard.

Latour tarda à répondre. Du fond du silence ils entendirent l'aboiement lugubre des chiens de traîne énervés par la proximité d'une bande de loups.

— Je voudrais un conseil, dit Latour.

— Un conseil ? Vous avez dû boire plus que de raison.

Latour lui décocha un mauvais regard.

— C'est vrai, dit-il. J'ai bu, et tu devrais en faire autant : ça te ferait pardonner ce genre d'insolence.

Il ajouta comme pour lui seul :

— Comment supporter ces six mois d'hiver sans boire, sans fumer, sans jouer, sans coucher avec les Indiennes ? A moins d'être un saint... comme toi.

Bernard se cabra.

— Je suis loin d'être un saint et je n'en ai pas l'ambition. Dites-moi plutôt ce que vous voulez.

— Je veux te parler de moi et de Catherine. Savoir aussi ce qu'il y a, en matière de sentiments, entre elle et Denis.

— Pourquoi me demander cela, à moi ?

— Tu le sauras tout à l'heure. Réponds d'abord.

— A ma connaissance il n'y a rien entre eux qu'une affection de frère à sœur. Il y aurait « autre chose », Catherine me l'aurait confié. Elle n'a pas de secret pour moi.

Les traits de Latour se détendirent sous la barbe constellée de neige. Depuis son retour de La Hève il ne pouvait chasser de son esprit l'image de Charles d'Aulnay et de sa jeune compagne. Au retour des funérailles de M. de Razilly, ils se tenaient par la main et ne se quittaient pas des yeux ; ils donnaient l'image d'un bonheur insolent dans sa naïveté. Latour avait d'abord cru à une parade de leur part, destinée à lui faire cruellement sentir sa propre solitude, mais il avait dû se rendre à l'évidence : ils s'aimaient comme s'aiment les héros de roman de Gautier de Costes dont Catherine lisait parfois des pages à voix haute, à la veillée. Par la pensée, Latour se substituait au chevalier : Jeanne était à lui ; il la retrouvait

152

chaque soir dans son lit, si souple, si tendre que rien que d'y songer, il sentait monter en lui une onde de plaisir. Si cet imbécile de capitaine Thomas avait réussi son acte de piraterie, peut-être le destin eût-il brouillé les cartes et peut-être lui, Latour, eût-il trouvé dans son jeu cette reine de cœur.

Au retour de La Hève, alors que le voilier pénétrait dans l'estuaire, l'image de Catherine, dégagée de cette brume de spéculations, s'imposait avec force. Ce n'était plus le seul désir qui la suscitait, mais un sentiment équivoque auquel il hésitait à donner un nom mais qui le baignait d'un trouble délicieux, comme un adolescent à l'âge des premiers émois.

Il laissa tomber ses grosses mains sur ses genoux et dit d'une voix nette :

— Je veux épouser Catherine. Chrétiennement, cela va de soi.

— Que dites-vous ?

— Tu as très bien compris. Que cela te surprenne, je m'en moque.

— C'est pourtant un conseil que vous attendiez de moi.

— Un conseil, oui, pas un jugement.

— Alors je vous le dis tout net : renoncez à ce projet. Catherine a pour vous une certaine estime. Pas de l'amour. Elle n'acceptera pas de vous épouser. D'ailleurs elle est trop jeune.

— Elle appartient à quelqu'un d'autre ? A qui ?

— Elle n'appartient à personne, mais elle aime un homme qu'elle ne reverra sans doute jamais : ce Gautier de Costes, ou de La Calprenède si vous préférez, qui écrit des romans.

— L'auteur de ces fadaises en vingt-trois volumes que j'ai rapportées de France pour Catherine ? Non, capucin, je ne crois pas à ton histoire. C'est encore du roman ! Elle l'oubliera vite.

— Détrompez-vous. Catherine est pétrie de fidélité et d'innocence. Si elle renonce à cet impossible amour, ce n'est pas vers vous qu'elle cherchera une consolation.

— Je comptais sur toi pour m'aider à la convaincre, mais tu n'y sembles guère disposé.

— Ce serait inutile. Catherine ne vous aime pas ; elle ne pourra jamais oublier le mal que vous lui avez fait, à elle et à ceux qui lui sont chers.

153

Bernard constatait avec surprise que Latour ne réagissait pas à ses propos à sa manière habituelle, qui était violente et péremptoire. Il ruminait ses pensées en silence, ses mains frottant ses genoux; il paraissait blessé au plus profond de son cœur, au point que Bernard faillit le prendre en pitié. Il posa une main sur l'épaule massive de Latour qui se déroba comme si ce contact l'eût brûlé.

— Ainsi, capucin, tu refuses de m'aider?

— Je vous apporterais un soutien sans réserve s'il y avait dans votre projet quelque espoir de réussite et si vous consentiez à vous amender, mais vous n'y semblez guère disposé. Je me refuse à jeter dans vos bras une femme dont vous feriez votre esclave.

— Au moins transmets-lui ma proposition et dis-lui que je ferai tout pour la rendre heureuse.

— Faites-le vous-même!

Bernard ajouta plus bas :

— Vous souffrez, n'est-ce pas?

— Est-ce que cela te regarde? Ça te plairait de me voir souffrir!

— C'est une amorce de confession que vous venez de faire. Pourquoi ne pas aller jusqu'au bout? Je suis sûr de pouvoir vous aider au moins à vous défendre de vous-même.

— Je ne te donnerai pas le plaisir de m'agenouiller devant toi et de réclamer ton pardon. Pas même à l'heure de ma mort. Salut!

Il enfila sa pelisse et reprit le chemin de l'habitation, sa lanterne à la main. Bernard le regarda disparaître dans la nuit et se confondre, peu à peu, avec la forêt.

La grande débâcle commença tôt sur la rivière Saint-Jean. Les craquements précurseurs précédèrent de peu le lent mouvement des masses de glace disloquées puis de nouveau, un matin, on entendit la rumeur lointaine des chutes. Les Indiens désertaient leurs tentes et leurs huttes, les yeux rougis par la fumée, et livraient leur corps aux premières averses de printemps.

Les affaires de Latour le réclamaient à Miscou, à Port-Royal, à Massias, mais il ne se décidait pas à partir. Ce n'est

154

qu'après un message de Nicolas Denys, qui l'attendait au poste de traite de Miscou, à l'entrée de la baie des Chaleurs, qu'il se résolut au départ. Il tint, auparavant, à clarifier une situation sentimentale pour le moins inconfortable : le rôle de soupirant timoré le gênait; il tournait autour de Catherine comme un dindon, l'aidait dans les tâches ménagères au point de l'indisposer.

La veille de son départ, il décida de se déclarer.

– Catherine, veux-tu m'épouser?

Elle eut un haut-le-cœur. Il répéta sa question.

– Quelle est cette nouvelle folie? dit-elle. Vous vous moquez de moi? Qu'avez-vous réellement en tête?

– Ce n'est pas une folie. J'ai bien réfléchi avant de te faire cette demande. Depuis que Jeanne est partie je me sens comme abandonné. En novembre dernier j'ai été témoin du bonheur d'Aulnay. Cela m'a bouleversé et je me suis dit que je pouvais, moi aussi, être heureux de cette manière. Comprends-tu cela? Il y a peut-être une part de bonheur qui m'attend sur cette terre, aussi indigne que je puisse te paraître. Crois-moi, Catherine : il ne me manque, pour faire tomber cette écorce de sauvagerie qui m'enveloppe, qu'un peu d'affection, que la vie m'a toujours refusé. Je ne te demande pas de m'aimer. En revanche tu peux m'aider. Je ne suis pas le monstre que l'on dit. Je peux m'amender.

Plus que les aveux de Latour et sa requête, c'est cette humilité soudaine et insolite qui bouleversait Catherine. Depuis le supplice qu'il avait imposé à Bernard et le marché odieux qu'il avait imposé à Catherine pour le sauver, il avait renoncé, comme pris de remords, à la harceler. Ses rapports avec elle étaient moins rugueux que d'ordinaire, mais de là à l'accepter comme époux...

– Renoncez à cette idée, dit-elle. Je ne vous aime pas, vous le savez bien.

– Je ne puis renoncer! dit-il précipitamment. Ne me réponds pas tout de suite. Laisse cette idée mûrir durant mon absence. A mon retour nous en reparlerons.

Il caressa d'une main maladroite la joue de Catherine, le front bombé sous la « calipète » qui lui enserrait la tête, le cou légèrement bronzé sous le mouchoir. Au contact du cal qui cuirassait sa main, Catherine avait l'impression d'être caressée par une branche – la fameuse « écorce » dont il avait parlé...

Mis dans la confidence par Catherine, Denis se dit que le maître devait être ivre et qu'à son retour il aurait oublié. Elle crut deviner dans son comportement des traces d'irritation : il était devenu blême et fuyait son regard. Elle décida d'en savoir davantage.

– Tu ne me demandes pas ce que je lui ai répondu ?

– Je suppose que tu as refusé ?

– Je n'ai ni refusé ni accepté. Latour est moins mauvais qu'il n'y paraît. Il a beaucoup changé depuis quelque temps, et ni toi ni moi n'avons rien à lui reprocher. Il m'a protégée contre sa propre fille et il est plein d'attentions pour moi. Ces livres de Gautier qu'il m'a rapportés de France...

– Gautier... Il semblait te passionner. Aujourd'hui tu sembles le dédaigner.

– Je n'ai rien à attendre de lui. Avec Latour, c'est différent. Il est riche, puissant, redouté. Il n'a contre lui que ses manières de rustre, son manque de scrupules, son impiété. Je pourrais l'en corriger.

– Il va te proposer un mariage à la « gomine », sans le sacrement de l'Église. Accepterais-tu ?

– Cela demande réflexion.

– Ma pauvre Catherine... Épouser un Latour ! Tu crois pouvoir déteindre sur lui, mais c'est lui qui déteindra sur toi.

– ... comme il a déteint sur toi ! Tu es devenu son double. Tu l'imites jusque dans sa façon de fumer la pipe et de donner des ordres. Tu ne veux pas le reconnaître, mais tu l'admires ! Et tu viens me reprocher...

– Je ne te reproche rien ! Tu es libre et je ne suis pas chargé de veiller sur toi.

Il décrocha son mousquet, ouvrit la porte.

– Où vas-tu ?

– On a signalé un passage de caribous près des terres de Gaudet. Nous avons besoin de viande fraîche.

– Attends ! Denis, écoute-moi !

– J'en ai assez entendu pour aujourd'hui.

Denis partait tôt le matin, rentrait tard, à la brunante, derrière sa traîne attelée de chiens, qu'il ramenait chargée d'un ou plusieurs caribous dont les bois pendants laissaient des sillons dans la neige. A peine rentré, sans même saluer Catherine, il se mêlait aux hommes pour une partie de « brelan » ou de « pharaon » qui durait jusqu'à l'heure du souper et au-delà. Catherine ne perdait pas une expression de son visage et ne manquait aucune occasion, par esprit de rouerie, de lui adresser la parole devant les autres, pour le contraindre à abandonner sa réserve. Le matin où l'on reçut un envoi de Miscou, il demeura à l'habitation afin de réceptionner la marchandise avec l'intendant Krainguille.

En fait de marchandise, il n'y avait qu'un colis, adressé à « *Mademoiselle Catherine Brunet, au fort Saint-Jean* ». Denis tint à le porter lui-même à sa destinataire; il le jeta sur la table et sortit sans un mot. En apparence indifférente, Catherine défit le paquet, qui était enveloppé d'une peau cousue. C'était une fourrure d'ours blanc d'une dimension peu commune, dont la tête paraissait vivante avec ses crocs à vif et les pierres de couleur de ses yeux. Une lettre accompagnait le présent, grossièrement cachetée et maculée de taches huileuses. Latour l'assurait de ses « civilitez » et demandait qu'elle lui gardât une place dans ses pensées. La missive était rédigée dans un style incorrect et amphigourique. Elle la jeta dans un tiroir de la commode sur laquelle trônaient les vingt-trois volumes de la *Cléopâtre* de Gautier et tendit la peau de l'ours contre la cloison, face à la porte qu'elle laissa ouverte, afin que Denis pût la voir en regagnant sa chambre.

Cette nuit-là, Denis ne retourna pas à l'habitation. Krainguille expliqua qu'il s'était rendu au village des Indiens assister à une fête donnée en l'honneur de la première dent d'un nouveau-né dont il était le parrain. On entendait d'ailleurs, comme venant du bout du monde, la rumeur des tambours, qui dura toute la nuit. Il ne rentra qu'au petit matin, ivre mort, porté jusqu'aux palissades par deux « sauvages » presque aussi ivres que lui.

Dans la matinée, les soins ménagers terminés, Catherine se rendit chez Bernard pour lui confier ses préoccupations. Il lui prit les mains dans les siennes et lui dit :

– Denis et toi êtes faits l'un pour l'autre. Vous vous dissimulez cette vérité, sans doute par pudeur ou par timidité, mais un jour ou l'autre il faudra bien vous rendre à l'évidence. Mariez-vous dès que possible. Denis redoute que tu cèdes à Latour. Je l'ai rassuré en lui disant que tu refuserais. Et je lui ai dit ce que je viens de te confier. Il faut vous décider avant le retour du maître.

– Denis sera-t-il d'accord ? Je le trouve distant.

– Il n'attend que ta décision, mais ne joue pas trop avec sa patience car il est capable, sur un coup de tête, de quitter le fort Saint-Jean pour Québec où il a retrouvé un certain Legrand.

– Le Grand ! s'écria Catherine. Nous avons partagé avec lui, à Paris, la pire des misères.

– Il a fait fortune en trafiquant avec les Ottawas. Il a proposé à Denis de le prendre comme associé. Décide-toi vite, Catherine. Je prierai pour vous. Dieu entendra ma voix.

Denis écouta patiemment Catherine. Il lui tournait le dos, le visage baigné par la lueur rosâtre du soir accentuant le hâle de son teint et la couleur ardente de sa chevelure qui lui tombait aux épaules et qu'il attachait parfois en catogan.

– Oublie, disait-elle, ce que je t'ai rapporté au sujet de Latour. Je suis bien incapable d'éprouver une véritable affection pour cet homme, à plus forte raison de l'amour. Un monstre qui se pare de beaux sentiments reste un monstre. Il faut nous marier, toi et moi, aller nous établir sur le Saint-Laurent avec notre ami Le Grand. L'argent que nous avons amassé nous aidera à nous établir. Nous pourrions obtenir une concession, défricher, faire de la terre...

Denis regardait le soir tomber sur l'horizon de l'estuaire. « Faire de la terre... » Dès qu'il entendait cette expression il se hérissait, comme si l'on voulait le courber sous le joug, alors que les immenses richesses de la traite s'ouvraient à lui ; il lui suffisait de courir les routes secrètes des territoires indiens pour ramener la pelleterie que réclamait le vieux pays. Il était fait pour la vie libre et aventureuse des coureurs des bois, pas pour l'agriculture.

Catherine continuait de rêver.

– A Québec il y a un hôpital, une école, des magasins. Le

danger des Iroquois écarté, la vie sera douce dans ces parages et il y aura des arpents et des arpents de riche terre à blé pour les bras courageux.

Elle parlait de terre à blé alors que Denis, par la pensée, remontait les fleuves géants, la mystérieuse rivière Saguenay, traversait des lacs immenses au cœur des forêts primitives. Il faillit riposter, enlever à Catherine ses illusions, mais il craignait de compromettre un bonheur précaire. Il frémit en songeant qu'un simple mouvement lui livrerait Catherine, qu'il pourrait la serrer contre lui comme il n'avait jamais encore eu l'audace de le faire. C'est elle qui le força à se retourner, qui prit son visage entre ses mains et lui dit :

— Tu ne parais pas convaincu. Au moins, est-ce que tu veux de moi ? Est-ce que tu m'aimes ?

— Si je t'aime...

Il aimait tout en elle : ses cheveux couleur de blé mûr, son regard franc où il retrouvait la lumière des étangs du Périgord, son air mi-sérieux mi-amusé. Elle parvenait difficilement à se libérer du moule d'une enfance pénible. Il l'aimait comme on aime l'air pur et le bon pain.

— Comment ai-je pu tant tarder à te dire que je t'aime ? Et toi, comment as-tu fait pour te taire si longtemps ?

— Je n'étais pas sûre de mes sentiments. Tu étais un peu comme un frère pour moi.

Elle se hissa sur la pointe des pieds jusqu'à toucher ses lèvres avec les siennes. Ils se mirent soudain à rire comme des enfants qui inventent un jeu. Elle lui prit la main.

— Viens! Il faut annoncer la bonne nouvelle à Bernard. Lui demander de nous marier dans les jours qui viennent.

Denis la retint.

— Ne sois pas si pressée. Latour va rentrer, peut-être demain. Il ne doit pas apprendre brutalement la nouvelle. Il serait capable de me tuer. Le jour où nous aurons décidé de nous marier, nous en informerons seulement Bernard et nous quitterons le fort Saint-Jean sans rien dire à personne.

— Tiens, Catherine! Ceci, et ceci encore...

Latour sortait de son coffre, à pleines mains, des linges fins, des jupes, des robes, des rubans et de la dentelle, et Catherine sentait un frisson de plaisir lui courir dans l'échine devant l'étalage de ces merveilles que Latour avait acquises à Miscou d'un navire forban de La Rochelle.

— C'est trop beau pour moi, monsieur Latour. Je ne puis accepter.

— Rien n'est trop beau pour la future Mme Latour! Tiens, essaie cette robe « à la modeste » avec ce col de dentelle anglaise.

— Qu'en ferais-je, grands dieux? Vous me voyez au milieu de vos soldats et des Indiens habillée comme une princesse? D'ailleurs cette robe est trop grande pour moi et ces gants trop petits.

Le désappointement de Latour la navrait au point qu'elle lui dit :

— Je vous promets d'essayer toutes ces toilettes ce soir, dans ma chambre, et de faire les ajustements nécessaires.

— Et tu me permettras de venir t'admirer.

— Peut-être, si vous promettez de vous tenir tranquille.

— Pourquoi n'as-tu pas refusé ses cadeaux? lui dit sévèrement Denis. Tu lui donnes à penser que tous les espoirs lui sont permis.

— Je ne pouvais pas. Il paraissait si heureux de me faire plaisir.

— Et toi tu l'étais encore plus que lui!

Elle devinait que, de nouveau, Denis était repris par sa jalousie et se détachait d'elle; elle se sentait à la fois impuissante à le retenir et à mépriser les cadeaux de Latour. Elle traversait une redoutable alternative : repousser les avances du maître, c'était s'exposer à de nouveaux sévices, voir le visage du monstre se dessiner de nouveau sous le masque de l'urbanité; poursuivre ce jeu dangereux, c'était risquer de perdre Denis. Elle se sentait peu experte en stratégie amoureuse. Gautier de Costes présent eût démêlé les fils de l'intrigue avec aisance.

La patience de Latour ne cessait de la confondre. Parfois il avançait vers elle sa grosse patte d'ours mais la retirait au moindre froncement de sourcils et il n'insistait pas.

Elle dit un jour à Denis :

— Je n'en puis plus. S'il se montre si patient, c'est qu'il prévoit que je ne tarderai pas à céder. Je dois me faire vio-

160

lence pour ne pas lui dire que j'accepte son offre. Hier encore, il est resté tard dans ma chambre, à me parler de ses projets en me tenant les mains, et j'ai dû le congédier.

Latour avait mis un frein à ses excès : il s'enivrait rarement, n'allait plus chez les Indiennes, se conduisait aimablement avec le capucin qui ne désespérait pas de l'amener à la sainte table.

Au début de l'automne il partit pour un voyage d'un mois sur le Saint-Laurent. M. de Champlain était mort une veille de Noël, dans les bras de son confesseur, le père Lalemant. Il désirait rencontrer le nouveau gouverneur général récemment arrivé de France. Catherine et Denis apprécièrent cette trêve après les journées pesantes qu'ils avaient vécues, et ils la goûtèrent jusqu'à la satiété.

L'automne était doux sur la rivière Saint-Jean. En quelques jours les forêts flambèrent d'or et de rouge jusqu'à l'horizon des montagnes où commençaient les hautes terres de l'épicéa d'où parfois roulaient des rumeurs de tambours, les jours de fête chez les Indiens. Denis et Catherine avaient de longues heures pour eux tous seuls. Profitant des dernières chaleurs, ils se baignaient dans une crique du fleuve, s'attardaient au soleil sur les rochers et regardaient les canots remontant le courant paisible, chargés de poissons dont les écailles luisaient dans la lumière. Ils sentaient mûrir en eux un désir calme qu'aucun contact, aucune parole ne parvenait à exacerber. Fort de sa modeste expérience des femmes, Denis savait que l'attente du plaisir vaut mieux que le plaisir lui-même ; il caressait Catherine, se laissait caresser par elle, et leur fièvre s'apaisait. Bernard s'efforçait de les préparer au mariage, mais ils ne pouvaient se résoudre à franchir le pas. L'ombre de Latour laissait planer sur eux sa menace.

Son retour sonna comme un glas dans un ciel serein.

Dès qu'elle entendit la corne du navire, Catherine se précipita chez les Indiens, comme pour y trouver refuge. Subir une fois de plus les largesses du maître lui paraissait au-dessus de ses forces : il lui fallait du temps pour se faire à l'idée que Latour était revenu et que le petit supplice quotidien de l'équivoque allait reprendre. Elle ne revint qu'au soir tombant, alors que le maître était arrivé depuis des heures. Bernard l'attendait près de la chapelle.

— J'ai voulu te prévenir avant que tu retournes à l'habitation, dit-il. Latour vient d'apprendre que Denis et toi, en son absence...

— Nous n'avons rien fait de mal!

— J'en suis persuadé, mais quelqu'un a dû vous espionner durant vos promenades et vos bains dans le fleuve. Krainguille, peut-être... Toujours est-il que Denis est aux arrêts et que, demain, il part pour Massias. Ordre de Latour! Je te conseille...

Catherine n'attendit pas la suite. Elle courut vers l'habitation, la parcourut de fond en comble, finit par trouver Latour aux écuries, en train d'ajuster sur une jument une selle cloutée de cuivre ramenée de Québec. Il lui accorda à peine un regard et lui dit :

— Cette selle, qui est une véritable œuvre d'art, mon intention était de te l'offrir, avec cette jument.

— Je me moque de vos cadeaux! Où est Denis?

— J'ai décidé de lui faire changer d'air. Il ne se plaît qu'au milieu des Indiens. A Massias, il sera gâté. Il est au fort, en train de préparer son départ.

— Je vais partir moi aussi.

— Pour Massias?

— Cela ne vous regarde pas!

— Si fait, ma belle! Nous sommes liés par un contrat. Si tu tentes de le rompre je te fais emprisonner. Denis est au courant, lui, c'est pourquoi il n'a pas bronché. C'est un garçon courageux et discipliné. Je tiens beaucoup à lui, comme il tient à moi.

— Vous vous trompez si vous croyez, en l'éloignant, me le faire oublier et parvenir à vos fins.

— Je ne me trompe jamais!

Il soulagea un peu le ventre de la jument qui commençait à broncher, lui frotta affectueusement la ganache.

— Vous vous êtes moqués de moi, dit-il. Toi, Denis, Bernard lui-même, ce petit saint! A vrai dire, j'ai toujours pensé qu'entre Denis et toi il y avait autre chose qu'une affection de frère à sœur. L'un de mes hommes était chargé de vous observer durant mon absence. Reconnais que, là encore, je ne m'étais pas trompé.

Il se tourna vers la jument qui retroussait ses babines sur

162

ses dents jaunes, passa la main sous le quartier pour en éprouver l'adhérence.

– Là... Là, ma belle. Tout doux...

Il braqua de nouveau un regard implacable sur Catherine.

– Tu apprendras que, d'une façon ou d'une autre, mes projets réussissent toujours.

– Je ne serai jamais votre femme.

– Qui te dit que je le souhaite vraiment ?

Il resserra la sangle d'un cran. La jument fit un écart puis s'immobilisa.

– Cette selle, dit Latour, lui va comme un gant. Elle était capricieuse quand j'en ai pris livraison, mais je l'ai vite matée...

8

LES ÊTRES PURS N'AIMENT JAMAIS

Acadie : 1637.

Latour fit édifier au-dessus du port une redoute entourée de fossés et de palissades de rondins qu'il hérissa de canons et qu'il appela le fort Jemsek. En amont de l'habitation, sur la rivière Saint-Jean, il construisit une autre défense : fort Nashouat. Il arma deux pinasses et fit surveiller constamment les alentours de l'estuaire. Il sentait venir l'orage. Ce n'étaient encore que de lointains éclairs et des grondements assourdis, mais le ciel était à ce point chargé de menaces qu'il devenait évident que l'issue fatale ne tarderait guère.

Sur la péninsule, avec le soutien des récollets qu'il avait accueillis à Port-Royal, le chevalier d'Aulnay s'attachait à convertir les « sauvages » : il bâtissait des chapelles et des séminaires, installait de nouveaux colons sous le signe de la croix, leur avançait les subsides nécessaires et se ruinait. L'ordre de Malte avait refusé de patronner sa mission ; en France, la Compagnie d'Acadie, qui avait le cardinal comme principal actionnaire, ne lui fournissait pas l'aide escomptée. Il devait emprunter aux marchands rochellais, mais ils devenaient réticents et lui réclamaient davantage de fourrure, alors que la « troque » était le moindre de ses soucis.

De l'autre côté de la Baie Française, à quarante-trois milles de mer, il n'en allait pas de même.

Au cœur de l'été, par toutes les rivières, par pleins canots, les fourrures de l'Acadie continentale arrivaient au fort Saint-Jean et s'y entassaient dans l'attente des navires rochel-

167

lais. Passant sur l'obligation imposée par la Compagnie, Latour se souciait peu d'installer des colons : cela coûtait trop cher pour un rapport aléatoire.

D'aucuns se fussent satisfaits de cette situation et de la fortune qu'il avait amassée; lui non : il s'était promis d'écarter Aulnay par tous les moyens possibles. Il se disait que, si l'Acadie était la belle colonie qu'elle devenait, c'était grâce à lui; des années durant, dans les forêts de la péninsule, il avait fait front à l'occupant anglais, se dérobant aux avances de sir William Alexander qui lui offrait, avec un titre de baronnet, des particules aguichantes; il s'était même battu contre des soldats anglais commandés par son propre père : Claude de Latour. L'Acadie restituée à la France, on le reléguait dans les territoires inhospitaliers de la rivière Saint-Jean!

Certain de prendre un jour sa revanche, Latour avait accepté sans trop rechigner le partage effectué par M. de Razilly, cousin du cardinal, qu'il n'osait affronter. Le gouverneur général disparu, Nicolas Denys bien installé dans ses possessions septentrionales, il restait face à un adversaire déjà chancelant comme la statuette d'un saint posée en porte à faux sur un coffre vide. Il suffisait d'une consigne de Latour pour que, mystérieusement, des incidents se produisent dans l'apanage d'Aulnay.

Par les intelligences qu'il avait su se ménager dans l'entourage même du gouverneur, Latour était au courant de tous les projets de son rival. C'est ainsi qu'il apprit que ce dernier semblait se réveiller et se proposait d'aller reprendre la base de Pentagouet aux Anglais de Boston, pour Dieu et le roi.

Le père de Latour s'était installé là quelques années auparavant, tandis que son fils quittait Cap Sable pour la rivière Saint-Jean. Il avait été remplacé à sa mort par le gouverneur Winthrop qui, renforçant cette position, en avait fait une porte prête à s'ouvrir sur les possessions françaises du nord du Massachusetts. Afin de s'assurer des intentions pacifiques de Winthrop, d'Aulnay lui avait délégué des parlementaires que Latour fit arrêter et enfermer au fort Saint-Jean. Ne les voyant pas revenir, d'Aulnay avait conclu à un acte de piraterie de la part des Anglais et décidé d'aller lui-même les mettre à la raison. Latour s'était frotté les mains : d'Aulnay était trop mal équipé pour affronter le fort de Pentagouet; il n'en reviendrait pas.

Bernard s'assit sur le banc de la cuisine qui sentait la cire fraîche et les premières framboises. Catherine lui servit un gobelet de cidre.

— J'ai à te parler, dit-il.

— Si c'est une nouvelle fois pour me reprocher d'être devenue la concubine de Latour et me menacer des flammes de l'enfer, tu perds ton temps.

— Tu n'y es pas, dit-il en souriant. Je viens t'annoncer ta délivrance. Un navire de La Rochelle doit arriver d'ici quelques jours, le « Saint-Jehan », avec à son bord un des agents de Latour, Desjardins, et la fille d'un barbier du Mans, Marie-Françoise Jacquelin, que Latour va épouser.

L'expression de Catherine ne révéla pas au capucin ce qu'il y eût aimé y lire : un rayon de joie. Son visage, au contraire, parut se fermer. Il bougonna :

— Ne me dis pas que cette nouvelle te contrarie! Te complais-tu dans le péché au point de n'en pas vouloir sortir ?

— On s'habitue à tout, petit frère, même à l'enfer.

— Tu déraisonnes! As-tu bien compris? Cette demoiselle va épouser ton maître. Il cessera de te harceler. Tu seras libre! Libre d'aller retrouver Denis, de l'épouser, comme vous n'avez pas eu le courage de le faire naguère.

Elle leva les yeux au ciel, l'air interrogateur.

— Denis... Denis Chapdeuil... Depuis tout ce temps qu'il est resté absent je l'ai un peu oublié, et lui aussi sans doute. Peut-être a-t-il fondé une famille.

— Vous vous écrivez!

— Oh, les lettres... « *Je vais bien... Il fait beau...* » En fait nous ne disons rien de l'essentiel. Combien peut-il y avoir, à Massias et dans les environs, de petits métis roux? Il y a autre chose entre nous : cet enfant que j'ai eu de mon maître, l'hiver dernier, et qui n'a pas vécu. Il n'est pas question de tout cela dans notre correspondance. Toutes ces banalités, tous ces silences ont fini par former des cloisons derrière lesquelles chacun organise sa propre vie. Le jour

169

n'est pas loin où nous cesserons de nous faire mutuellement illusion.

— Pour vous retrouver il suffirait d'abattre ces cloisons, de le vouloir vraiment.

— C'est ce que je croyais, mais je suis revenue de cette chimère. Tu m'affligerais en croyant que j'aime Latour. On ne peut éprouver d'affection et d'amour pour un être tel que lui si l'on n'est pas de sa race et si l'on n'épouse pas sa façon de vivre. Je lui suis soumise. Il me traite en esclave, mais cela me laisse indifférente. Parfois même je prends du plaisir avec lui.

— Vas-tu te taire?

Il s'essuya le front, avala quelques gorgées de cidre.

— Tu viendras ce soir à la chapelle. Je te confesserai et nous dirons ensemble quelques prières.

— Pauvre petit frère... Tes prières, je les ai oubliées.

Derrière l'amoncellement des bagages, Catherine distingua une chevelure brune sous un feutre à large bord, un col pèlerine à points coupés, le tourniquet d'un fond de jupe noire. Latour, singulièrement, ne lui avait pas touché mot de son projet de mariage, comme si cela ne la concernait en aucune manière. Et voilà que la demoiselle débarquait, en compagnie de quelques barils de lard et de biscuits, des outils et des armes.

A peine installée dans la grande salle, Mlle Jacquelin, que les hommes d'équipage appelaient entre eux « la Jacqueline », se mit à s'éventer nerveusement avec ses gants. Lorsque Catherine se présenta, elle demanda à haute voix :

— Qui est cette fille?

— Ma servante, dit Latour, gêné. Elle s'appelle Catherine.

— Ma chambre est-elle enfin prête? J'aimerais prendre un bain. Cette chaleur est insupportable.

— Il vous attend, madame, dit Catherine.

— Compliments! Voilà une servante zélée.

Ce premier contact avait suffi à Catherine pour qu'elle jugeât la nouvelle venue : visage sans grâce, traits austères, voix nette mais un peu rauque, gestes vifs et précis, air dominateur... Sa sévère robe huguenote boutonnée haut et serré malgré la chaleur accentuait l'allure de dureté impérieuse qui émanait de sa personne.

— Eh bien, Catherine, dit-elle, tu rêves ? J'ai hâte de me rafraîchir. J'espère que l'eau n'est pas tiède. J'aime les bains glacés.

Catherine la précéda dans l'escalier qui menait à la chambre qu'elle avait abandonnée à la future Mme Latour. Elle vida dans le cuveau de bois les quelques seaux d'eau froide qu'elle était allée puiser.

— Reste, dit la demoiselle. Tu m'aideras.

Elle n'en finissait pas de s'extraire de sa lingerie qui cachait un corps vigoureux : taille mince et croupe garçonnière. Elle se plongea dans son bain sans sourciller, y disparut jusqu'au cou avec un gémissement de plaisir.

— Du savon !

Elle fit la grimace en reniflant la savonnette au benjoin que Latour avait ramenée de Paris, réclama le savon de cendres dont on se servait à l'habitation, et se dressa, ruisselante.

— Et maintenant, petite, frotte de toutes tes forces !

Catherine se mit à l'œuvre, d'abord timidement, puis en force jusqu'à une sorte de rage. La peau devint rose, puis rouge, sans que la demoiselle bronchât.

— Cela te plaît, hein ? Si tu pouvais m'arracher la peau tu le ferais avec plaisir ! Eh bien, parle ! N'est-ce pas que ça te plaît ?

— Oui, avoua Catherine.

— Parfait ! J'aime la franchise. Tu sais, j'ai appris beaucoup sur toi et sur Latour. Tu es sa maîtresse ; il t'a fait un enfant mort-né.

— C'est exact.

— Je ne me suis pas embarquée à la légère. A chacun de ses voyages Desjardins me tenait au courant des moindres détails de votre existence. J'ai même appris que tu avais un compagnon et que Charles vous a séparés. Ainsi, tout est clair entre nous désormais. Je ne laisserai pas Charles te toucher, je te préviens. Je n'aime pas partager.

— Je vous l'abandonne bien volontiers.

— Es-tu sincère ?

— Pensiez-vous que j'étais amoureuse de lui ?

— Je l'ignore, mais sait-on jamais ?

Elle ajouta en s'enveloppant dans la couverte que lui tendait Catherine :

— J'ai l'impression que nous ferons bon ménage, toi et moi, et qu'il pourrait même s'établir entre nous sinon une amitié, du moins une complicité. Deux femmes civilisées au milieu de ces « sauvages »... Si j'en juge par les matrones débordantes de marmaille qui assistaient à mon arrivée, je me dis que tu es bien la seule à qui je puisse me confier, sans que cela m'empêche d'être exigeante sur le chapitre du service. Il n'est pas question que tu nous quittes pour aller rejoindre ce Denis Chapdeuil, qui t'attend peut-être. Je n'ai pas envie d'être servie par des « sauvagesses »!

— Rassurez-vous, dit Catherine. Je n'ai pas l'intention de partir. Pas pour le moment du moins.

Latour ôta de ses lèvres la longue pipe indienne et cracha entre ses pieds une salive épaisse.

— Catherine, dit-il, j'ai à te parler.

Elle le toisa d'un air narquois.

— Pour me parler de votre mariage? Il est bien temps!

— Tu m'en veux?

— Nullement. Je m'en moque.

— Depuis quelques jours tu sembles éviter ma présence.

— Tenez-vous à risquer une scène de jalousie?

— Si tu en es d'accord, il n'y aura rien de changé dans nos rapports. Marie-Françoise ne soupçonne rien. Ce qui l'intéresse, c'est le négoce du « pelu ». A peine débarquée elle s'est informée du nombre des postes de traite, du prix que l'on paye les peaux aux « sauvages » et des quantités d'eau-de-vie qu'on leur donne pour la « troque ». Rien d'autre ne l'intéresse.

— Détrompez-vous! Elle n'ignore rien de nos rapports. Cette fine mouche a été informée par votre agent. Désormais c'est elle qui accueillera vos assiduités.

— C'est un glaçon! Il suffit qu'elle me regarde pour me sentir gelé jusqu'aux os!

— Peut-être changera-t-elle lorsque vous serez mariés.

— Ce sera fait le mois prochain, à Port-Royal, pas dans notre chapelle qui n'est bonne que pour la conversion des Indiens. Je veux un mariage princier.

— Il vous faudra l'autorisation de M. d'Aulnay.

— J'ai fait en sorte qu'il soit alors en train de batailler

172

contre les Anglais, à Pentagouet. Il ne reviendra jamais de cette aventure imprudente et il n'y aura plus qu'un seul gouverneur pour toute l'Acadie : moi! J'installerai mes pénates à Port-Royal. Un vieux rêve qui me ronge comme un ver. Quand je serai le maître de cette colonie, je n'aurai plus rien à te refuser et mon épouse n'aura qu'à se taire!

« Il est ivre », songea Catherine. Latour était à jeun.

Le chevalier d'Aulnay, sur la route de Pentagouet, fit escale au fort Saint-Jean et resta quelques heures à parlementer avec Latour. Il était persuadé qu'en allant de conserve faire une parade militaire sous le nez des « couacres » de Boston et de New Plymouth ces derniers baisseraient pavillon et évacueraient ce territoire.

— Pour l'amour de Dieu, dit-il, cessons une fois pour toutes de nous déchirer. Aidez-moi et les Anglais cesseront de nous importuner.

Latour refusa courtoisement. Il allait se marier et n'avait pas la moindre envie d'aller se battre. Quand il jugerait le moment favorable, peut-être. On n'en était pas là. D'Aulnay irait seul affronter les batteries anglaises.

La perspective d'aller s'établir dans la péninsule, à Port-Royal, ne plaisait guère à Catherine. Elle n'était d'ailleurs pas certaine, contrairement à ce que Latour lui avait dit, que le chevalier serait vaincu.

— Je commence à bien connaître Charles, dit Mlle Jacquelin. Son projet est diabolique, mais il réussira. Port-Royal sera sous peu notre capitale. Nous ne laisserons au fort Saint-Jean qu'un comptoir de traite, un navire et quelques hommes avec l'artillerie.

— C'est une usurpation. Que va-t-on en penser à la Cour?

— Elle sera mise au pied du mur et ne fera aucune objection. D'Aulnay perdu, Charles s'installera à Port-Royal sous le prétexte de protéger nos territoires contre les Anglais. Non seulement on n'y trouvera rien à redire, mais on le félicitera de son initiative et de son courage. D'Aulnay ne reviendra pas. Sur chacun de ses trois navires il a embarqué des hommes à la solde de Charles. C'est un secret. Garde-le pour toi.

Elle ajouta :

— Tu nous suivras, bien entendu. Les dames de Port-Royal me jugeraient comme la dernière des roturières si elles me voyaient débarquer sans la moindre suite.

Le départ pour Port-Royal eut lieu quelques jours après l'escale du chevalier. Deux pinasses armées escortaient le « Saint-Jehan ». Le soir, la flottille rangeait les terres basses de la péninsule, légèrement à l'est de Port-Royal. Latour fit mouiller à quelques encablures pour éviter toute surprise.

Un matin radieux se leva sur la baie. Catherine, qui avait mal dormi, roulée dans une couverte, près de sa maîtresse et de Latour, somnolait à l'avant, les yeux mi-clos sur le ballet aérien des mouettes et la luminosité intense de l'océan. Elle grelottait de froid mais ne pouvait détacher son regard de la côte marquée par la ligne sombre des sapinières, dans l'espoir d'y découvrir une de ces habitations où les engagés vivaient heureux au milieu des Indiens.

La flottille s'engagea dans le goulet, entre le cap des Noyers et le fort Notre-Dame-des-Bonnes-Eaux qu'enveloppaient des levées puissantes de terre.

— Nous allons devoir brûler un peu de poudre, dit la demoiselle, mais rassure-toi : ce ne sera pas une véritable bataille.

Les deux pinasses réduisirent sans peine au silence les batteries côtières composées de mauvais canons qui se contentaient de faire gicler de belles gerbes d'eau.

— Voilà qui s'annonce bien! s'exclama Latour. Nous n'avons pas un seul boulet dans la coque.

La baie était parsemée de petites îles dont les plus importantes servaient de poste avancé. Aux coups de semonce les pinasses ripostaient par des coups au but qui défonçaient les palissades et crevaient les toitures. Une des pinasses rangea de si près l'Ile aux Chèvres qu'elle ne put éviter une bordée de mitraille qui trancha le mâtereau d'artimon.

Au plein de midi, la flottille mouillait au fond de la baie. Latour et Desjardins prirent place dans un canot pour gagner le rivage, le drapeau à fleurs de lys planté à l'avant. A peine débarqués, ils étaient entourés de soldats et de miliciens qui les conduisirent le mousquet dans les reins au manoir. Deux notables les attendaient : l'intendant, M. Brice de Sainte-Croix, et le chef de la milice, commandant de la place en l'absence du chevalier, Pierre Melansson, Écossais athlétique et rougeaud, converti au catholicisme depuis le retour des Français.

– Que signifie, messieurs ? demanda le visiteur. Est-ce ainsi que l'on doit recevoir le gouverneur Charles de Latour ?

– Est-ce ainsi que l'on s'annonce, messieurs, répliqua Melansson. Avec du canon ?

– Vos batteries ont tiré sur nous sans tenir compte du drapeau que nous arborons. Allions-nous nous laisser couler sans riposter ?

– Que voulez-vous ? demanda M. Brice. Pourquoi vous présentez-vous en armes ?

– Pensiez-vous que j'allais arriver en chemise et la corde au cou ? Les faits prouvent que j'avais raison de rester sur la défensive.

– Allez-vous me dire enfin ce que vous venez faire ici en l'absence du gouverneur ?

– Calmez-vous ! Je désire simplement me marier. Ma fiancée m'attend sur le « Saint-Jehan ».

– Pourquoi ne pas avoir choisi le fort Saint-Jean pour cette cérémonie ? N'avez-vous pas une chapelle et un officiant ?

– J'ai préféré Port-Royal. Sans rechercher le faste, je souhaite donner un certain apparat à cette cérémonie, faire qu'elle soit digne de ma future épouse.

– Pourquoi ne nous avoir pas prévenus, monsieur Latour ?

– Je ne pensais pas que cela fût nécessaire pour une aussi mince affaire. En revanche, je vous demande la permission de demeurer au manoir le temps de notre séjour.

– Impossible ! répliqua M. Brice. Nous n'avons reçu aucun ordre du gouverneur de vous héberger. Vous demeurerez donc sur votre navire en attendant que nous ayons statué sur votre sort.

– Ne vous donnez pas cette peine, dit Latour.

Il pointa son pistolet sur la poitrine de M. Brice qui se laissa choir dans son fauteuil, puis il retourna son arme vers Melansson.

— Toi, l'Écossais, pas un geste! Combien avez-vous d'hommes au fort et au manoir?

— Environ une trentaine, mais je vous mets en garde : au seul énoncé de votre nom les canons pourraient partir tout seuls.

— Vos hommes s'habitueront vite à ma présence.

— Je doute fort, dit M. Brice en s'épongeant le front, que M. d'Aulnay apprécie cette intrusion.

Latour haussa les épaules.

— Sors avec moi, dit-il à Melansson, et demande à tes hommes de se réunir dans la cour. N'oublie pas que mon pistolet a lui aussi la fâcheuse habitude de partir tout seul en certaines circonstances.

Avant la fin du jour il ne restait plus, dans le secteur de Port-Royal, un seul homme armé : Latour avait fait parquer tous les soldats dans les cales de son voilier. Après le souper il rendit visite à Mme d'Aulnay dans la chambre haute où elle s'était retirée avec ses enfants et leur préceptrice, l'épouse de Brice. L' « humble petite servante du Seigneur » avait refusé de se présenter au repas. Elle gardait les yeux baissés et Latour ne put lui arracher le moindre mot; il supportait mal cette réserve et plus mal encore le regard de reproche des enfants.

— Il faudra vous faire une raison, dit-il : je crains que votre époux ne revienne jamais de cette expédition entreprise à la légère. Il est probable qu'à l'heure qu'il est ses trois navires gisent par le fond devant Pentagouet. L'ai-je assez dissuadé de partir! Il a refusé de m'entendre. Fort heureusement je suis là pour défendre la colonie.

Le visage chiffonné de Mme d'Aulnay se releva lentement.

— Sortez, monsieur! dit-elle. Vous n'avez rien à faire ici.

Des plus lointaines concessions les colons commencèrent à affluer avec femmes et enfants par les chemins de la terre et de l'eau. Latour s'en réjouissait bruyamment : il avait souhaité qu'il y eût foule à son mariage et qu'on en parlât jusqu'à Québec.

Les colons s'installèrent dans la cour et dans les dépen-

176

dances du manoir, surveillant les allées et venues des habitants, saluant au passage le nouveau maître des lieux, venu pour les protéger des Anglais en l'absence du gouverneur.

Desjardins, envoyé auprès des récollets pour obtenir des officiants, revint dépité : aucun n'acceptait de célébrer le mariage de l'usurpateur. Il fallut que Latour menaçât de les dénoncer à l'Éminence grise, d'incendier leur chapelle et leur habitation, de les expulser, avant d'obtenir gain de cause.

L'odeur du foin mûr et des fougères surchauffées se mêlait à celle de l'encens dans la modeste chapelle bâtie de pierres blanches dont certaines avaient été rapportées de France par le chevalier. Des violoneux marchaient en tête du cortège, empanachés de rubans qui flottaient dans le vent marin. Quelques enfants de colons, les plus blonds, les plus roses, portaient la traîne de l'épousée.

Mme Latour chercha des yeux Catherine; elle la découvrit parmi les invités qui sortaient de la chapelle entre deux haies de soldats ornés de casaques empruntées au magasin du fort; elle était pâle et paraissait flotter sur un nuage. Elle se sentait étrangère à cette fête, à cet homme ridicule et fier comme un paon, à cette orgueilleuse petite femme boitillant dans ses escarpins neufs, à cette musique d'épinette qui montait du sanctuaire, à ces cris de joie qui partaient de la foule. Elle se sentait pareille à ces Indiens surgis de leur forêt, qui contemplaient la scène, le regard fixe dans leur visage de bois. Mme de Latour lui fit un signe qu'elle parut ignorer. Elle s'écarta du groupe, prit un sentier qui conduisait, à travers des marécages séchés par la chaleur, vers la colline coiffée de forêts d'épicéas dominant le manoir et les humbles logis constituant l'agglomération. Elle s'arrêta à mi-course, essoufflée, se retourna pour contempler l'harmonieux paysage de la baie semée d'îles jusqu'à l'horizon où le goulet resserrait ses terres basses. Elle aimait ce pays; Mme Latour se plaisait à dire qu'il lui rappelait les côtes de Saintonge, n'étaient les Indiens, les étés brûlants et les hivers que l'on disait interminables et rigoureux.

Assise à l'ombre d'un noisetier, Catherine dénoua son mouchoir de cou pour laisser la fraîcheur végétale pénétrer son corsage. Dans l'air torride montait le concert des criquets, la musique grêle des violons menant le cortège qui s'étirait en direction du manoir pavoisé, sinuait entre les boqueteaux d'érables. Son regard se porta vers la tourelle du haut de laquelle Mme d'Aulnay, Mme Brice et les enfants écoutaient monter jusqu'à eux les bruits de la fête. Elle tressaillit au concert de fusillades et de pétards qui venait d'éclater contre les palissades. Rien de tout cela ne la concernait. Elle partageait avec l'épouse du chevalier une solitude amère. Mme d'Aulnay devait songer à son époux, noyé sans doute avec les débris de sa flotte, au large de Pentagouet; Catherine songeait à Denis perdu aux fins fonds des forêts et se disait que lui non plus ne reviendrait pas. « Il finira par se lasser de cette existence de sauvage, lui disait Bernard. Il te reviendra. » Elle savait bien qu'il ne disait cela que pour la consoler.

Des pétards explosèrent encore, arrachant des sursauts à Catherine. Le cortège des invités s'était brusquement disloqué comme une procession de fourmis soudain interrompue. Elle aperçut, tournant le cap d'un îlot rocheux, trois navires qui couraient à toutes voiles vers ceux de Latour en crachant le feu. Relevant le bas de ses jupes, elle dévala la pente, croisa des groupes d'engagés et d'Indiens qui se repliaient précipitamment vers l'intérieur en lui faisant signe de les imiter. Elle renonça à suivre leur conseil : elle voulait être présente lorsque les rescapés de Pentagouet débarqueraient et prendraient Latour comme dans une nasse.

Quelques mousquetades partirent des fenêtres et des palissades du manoir et les canons crachèrent leur foudre, mais les balles et les boulets se perdirent dans la mer.

Tout en haut de la tour des mains d'enfants agitaient des mouchoirs.

Latour se demanda si le chevalier allait enfin se décider à parler. Il arpentait son bureau en silence, caressant sa barbiche noire, l'air absorbé, prenant plaisir, semblait-il, à faire craquer le cuir de ses bottes à col évasé. Il s'assit à sa table de travail, balaya d'un revers de manche les paperasses que Latour y avait déjà empilées et, mordillant ses moustaches, fit face à son prisonnier.

– Savez-vous que je pourrais vous faire pendre? dit-il.

– Vous auriez à en répondre devant la justice du roi.

– ... et je n'aurais nulle peine à démontrer le mal-fondé de votre agression. Les témoins abondent.

– D'autres témoins pourraient affirmer que je suis venu à Port-Royal dans la seule intention de me marier et que l'on m'y a reçu comme un pirate, par des bordées de canons.

Latour se démena sur sa chaise comme pour se libérer de ses liens. Son jabot de dentelle pendait sur sa poitrine; quelques brins de fougère, souvenir de la litière du cachot où il avait passé la nuit, s'accrochaient encore à son habit de noces. Il dit d'une voix sourde :

– Cette arrestation est arbitraire, vous le savez bien. Libérez-moi et je jure de ne pas informer la Cour de votre comportement.

Le chevalier faillit s'étrangler d'indignation. Il s'écria d'une voix de fausset :

– Vous renversez les rôles, Latour! Vous osez vous poser en victime!

– N'oubliez pas que je suis votre pair! rugit le prisonnier. Je relève au même titre que vous de la Cour de France.

D'Aulnay pencha vers son rival un visage crispé où perlait la sueur :

– Pendant que je réduisais les navires de vos amis de Boston en charpie, dit-il, je pensais à vos mines arrogantes, à cet air de trahison qui flotte sur votre famille, et je me battais avec plus de conviction et d'acharnement, conscient que j'avais été votre dupe.

Il tremblait de tous ses membres en s'épongeant le front. Cet homme n'était pas fait pour les grandes colères.

– Si je n'étais pas revenu de cette campagne, dit-il, vous auriez couché dans mon lit, mangé mon pain et jeté au cachot mon épouse, cette sainte femme, et mes enfants. Damné mécréant!

Chancelant, il s'appuya à son bureau.

– Latour, c'est peut-être une décision imprudente de ma part, mais je vais vous faire libérer, puisqu'il n'est pas établi formellement que vous êtes venu sur mes terres avec des intentions belliqueuses, mais je ferai mon rapport à la Cour

179

sur ces événements. Ils m'ont appris au moins que j'ai deux ennemis à redouter : vous et vos amis anglais.

Quatre mois après la libération de Latour, un navire de Port-Royal avait débarqué au fort Saint-Jean trois gentilshommes escortés de soldats, afin de signifier au maître des lieux son arrestation : l'ordre du chancelier Séguier, faisant suite au rapport du chevalier d'Aulnay, venait d'arriver de Paris. Latour avait mis le document en pièces et fait jeter les messagers au cachot. Peu de temps plus tard des pataches de Port-Royal, fortement armées, bloquaient l'estuaire.

— Cela ne durera pas! s'écria Mme Latour. Catherine, ma chemise!

Au ton de sa voix, elle paraissait persuadée du contraire : on était en décembre et le blocus de l'estuaire durait depuis le début de novembre. Les trois pataches envoyées par le gouverneur de Port-Royal surveillaient en permanence l'estuaire de la rivière Saint-Jean et les abords.

Catherine tendit à sa maîtresse la chemise qu'elle avait réchauffée près du poêle. Mme Latour émergea du cuveau, ruisselante. Quelque temps qu'il fît elle tenait à son bain froid quotidien.

— Desjardins et Domeron sont alertés, dit-elle, et les gens de Boston sont prêts à nous prêter main-forte. Il faut tenir encore quelques semaines, et peut-être Charles d'Aulnay relâchera-t-il sa surveillance. Il ne peut rester là éternellement.

Quelques semaines... Catherine connaissait la chanson. Le navire de La Rochelle qui aurait pu faire lever le blocus n'arrivait toujours pas; Latour était impuissant, avec les seules forces dont il disposait, à affronter le rideau de feu que le gouverneur tendait devant lui à chaque tentative de percée; quant à rompre le blocus en passant par la forêt, c'était, en cette saison, une manœuvre hasardeuse.

— Comment se comportent nos prisonniers? demanda Mme Latour.

— Ils prennent leur mal en patience mais trouvent que la chère est maigre et ils réclament de l'eau-de-vie.

— Charles a encore des scrupules, dit Mme Latour. Il

hésite à demander l'aide des gens de Boston. Quand je le somme de se décider il me répond que c'est assez d'un traître – son père – dans la famille! Je ne désespère pas de le convaincre. Si c'est nécessaire j'irai moi-même trouver Winthrop. Il ne refusera pas de fréter quelques pinasses pour nous débarrasser de ces importuns et permettre au navire de La Rochelle d'arriver jusqu'à nous. La promesse d'un traité de commerce suffira à décider ces puritains.

Elle ajouta d'un ton âpre :

– Sans moi Charles aurait renoncé à se battre. Dès que le sort lui est contraire son énergie l'abandonne. Que fait-il en ce moment ? Il dort !

Puis, sans transition :

– Cette robe est mal repassée. Ton service laisse à désirer.

Catherine n'osa protester que les restrictions sur la nourriture imposées par dame « Jacqueline » la minaient. La grosse soupe au lard constituant l'essentiel des repas était devenue un brouet sans consistance; le poisson, le pain, les galettes de blé d'Inde étaient sévèrement rationnés. Quant à l'eau-de-vie, elle était sous clé.

– Que se passe-t-il ? dit la virago. Quels sont ces cris ?

Elle ouvrit la fenêtre sur une bouffée d'air glacial et un déluge de lumière blanche.

– Un navire est en vue, à ce que je crois comprendre. Sûrement les secours que nous attendions de La Rochelle.

« Ou un vaisseau de Port-Royal... », songea Catherine. Elle ne s'émut guère de la nouvelle : ce n'était pas la première désillusion de ce genre qu'on éprouvait au fort Saint-Jean; à chacune d'elles on voyait Latour retourner à l'habitation tête basse, les lèvres crispées, s'enfermer dans sa chambre en compagnie de Krainguille pour se plonger dans ses registres ou s'endormir dans son fauteuil.

Ce jour-là il partit à cheval en compagnie de son épouse qui chevauchait la jument destinée à Catherine, en direction de l'estuaire. Le blizzard soufflait à ras de terre, sciant les canons des montures et faisant flotter sur les guérets des rideaux de neige. Un heure plus tard ils étaient de retour. La « Vierge », un vaisseau de cent vingt tonneaux, puissamment armé, venait bien de La Rochelle, mais il était commandé

181

par le capitaine Emmanuel Le Borgne, correspondant du gouverneur de Port-Royal. Après avoir ravitaillé ce dernier comptoir il était venu se joindre aux pataches qui surveillaient l'estuaire.

Mme Latour était persuadée qu'on pouvait forcer le blocus; Latour préférait attendre les événements. Il bougonnait :

– Cesse de me harceler! Nos forces sont insuffisantes. D'ailleurs je n'ai pas de conseils à recevoir d'un « jupon »!

– Il y a plus de jugeote, ripostait-elle, dans les plis de ma jupe que dans ta pauvre cervelle!

Latour ne cessait de maudire Desjardins qui lui avait envoyé cette harpie. Avec sa manie de tout régenter, elle risquait d'aggraver une situation déjà difficile. Comme si les restrictions alimentaires ne suffisaient pas, elle faisait garder l'eau-de-vie par une sentinelle et Latour lui-même en était privé; il allait la mendier, ainsi qu'un peu de bouillie de maïs, chez les Indiens en leur promettant de le leur rendre au centuple.

Malgré ses réserves, Catherine ne pouvait se défendre d'un sentiment d'admiration pour cette petite bonne femme qui refusait de s'avouer vaincue. Elle surgissait partout où la discipline flanchait; elle interdit aux hommes démoralisés par l'oisiveté de reprendre le chemin des Indiennes et chassa les dernières, grosses et vieilles, qui restaient à l'habitation; elle tua avec son pistolet l'un d'eux, qui avait osé la défier et la menacer, et les autres se tinrent cois. Elle surveillait les retours de chasse et de pêche et répartissait équitablement les rations. Sans elle, songeait Catherine, Latour se fût effondré comme un pantin.

Sans nier ses mérites, Catherine était incapable d'éprouver une véritable affection pour cette femme. A la moindre tentative pour l'approcher elle se heurtait à un mur : Mme Latour repoussait l'affection comme une faiblesse, au contraire de Jeanne qui attirait les sentiments, s'ouvrait comme une fleur vénéneuse puis se refermait sur sa proie.

Un soir qu'elle revenait de tirer sur les mouettes – son passe-temps favori –, elle se laissa aller à la confidence et dit à Catherine :

– Tu as pu te rendre compte que je n'éprouve aucun sentiment d'affection ou d'amour pour mon époux. C'est un être incomplet, qui ne « chausse » pas entièrement sa nature. Quand on s'est assigné une ambition, on fait en sorte de s'en montrer digne et de l'assumer. Latour part comme un boulet de canon mais se laisse arrêter par des scrupules. Il déteste son rival mais craint, en l'attaquant, de trahir sa patrie et son roi. L'imbécile!

Elle frotta avec une peau de daim les pistolets encore chauds qu'elle rangea dans leur coffret capitonné de velours vert.

— Vu de France, d'après ce que Desjardins m'avait dit de lui, je le prenais pour une sorte d'Hercule, et il me fascinait. Il gagne à être vu de loin, incapable qu'il est d'avoir des vices et des défauts parfaits.

Elle caressa de l'index l'arête du coffret.

— Moi, j'aime ce qui est net, sans faux pli, sans tache. Je lui aurais volontiers pardonné ses violences et ses turpitudes si j'avais senti qu'il y était vraiment attaché. Je sais qu'il était ainsi avec toi : tantôt brutal, tantôt caressant, incapable d'être tout à fait lui-même. Je dois te faire un autre aveu : j'aurai consenti à ce que ses rapports avec toi continuent si j'avais deviné en lui un désir impérieux, mais a-t-il tenté de revenir vers toi ?

— Pas une seule fois.

— Et ce moine, frère Bernard, pourquoi ne l'a-t-il pas chassé ? Parce qu'au fond il craint Dieu plus qu'il n'ose le dire. Toutes ces violences pour en venir à ce résultat : l'autoriser à construire une chapelle et à évangéliser les Indiens!

Elle rangea le coffret aux pistolets dans un tiroir de la commode.

— Notre époque, poursuivit-elle, exige des êtres qu'ils soient tout bien ou tout mal, blancs ou noirs. Latour se situe dans la grisaille. C'est un monstre inachevé.

Quelques jours plus tard, au retour d'une nouvelle hécatombe de mouettes, elle dit à Catherine :

— Tu me détestes, n'est-ce pas ? Cela m'est égal. Mon propre jugement me suffit. Au fond je préfère que tu me détestes plutôt que de me vouer une affection biseautée. Je n'aime pas qu'on m'aime. L'amour est presque toujours dénaturé par la raison ou l'intérêt.

183

– L'amour dont vous parlez, l'avez-vous rencontré?

– Les êtres purs n'aiment jamais. Ils doivent apprendre à se suffire à eux-mêmes pour ne pas s'attirer de désillusions. Cela te surprend?

– Pourquoi avez-vous épousé M. Latour?

– L'ambition... Je me voyais vice-reine d'Acadie et de Nouvelle-France aux côtés d'un être d'exception, et je ne suis reine que de ces quelques vergées de terre. Mais je lutterai, jusqu'à la mort s'il le faut, pour réaliser mon ambition.

– Il n'y a que cela qui vous fasse agir!

– Le jour où je cesserai de désirer l'impossible, il ne me restera qu'à disparaître.

Un autre jour elle parla à sa servante de Denis et de Gautier.

– Tu te dérobes chaque fois que je souhaite te parler de Denis. C'est le signe que tu l'aimes encore. Tu conserves ses lettres, même les plus banales, celles qui ne disent rien et ne laissent rien supposer. Quant à Gautier de La Calprenède, tu ne l'as pas oublié non plus. Quand tu lis son roman, plus rien ne compte pour toi et je vois tes lèvres s'agiter comme si tu lui faisais la conversation. Peut-être tiens-tu davantage à lui qu'à Denis. Tu le suivrais au bout du monde, n'est-ce pas? C'est vrai qu'il a du talent, mais je me méfie des écrivains: leur vie n'est pas toujours à la mesure de leur génie.

Elle s'approcha, posa ses mains sur les épaules de sa confidente.

– Je t'estimerais bien davantage si tu étais prête à tout sacrifier à ton écrivain. Y serais-tu disposée?

– Je crois, dit Catherine, mais je ne le verrai plus jamais.

– Ma pauvre petite...

Mme Latour l'attira contre elle, l'embrassa fiévreusement sur la tempe, la repoussa comme une lépreuse et disparut dans un tourbillon de jupes noires.

La nouvelle éclata comme un coup de tonnerre.

Tout d'abord Latour n'y crut pas et se contenta d'envoyer Krainguille en reconnaissance avec un petit détachement; ils revinrent au triple galop; c'était bien le navire envoyé par Desjardins qui avait été signalé: le « Saint-Clément », puissant vaisseau de cent quarante tonneaux, armé en guerre, avait engagé le combat avant de se retirer à quelques milles au sud, talonné par les pataches de Port-Royal, malgré les interdictions de la chancellerie de ravitailler ce forban de Latour. Il avait quitté La Rochelle avec la bénédiction de l'Amirauté, ses cales pleines d'armes et de marchandises diverses.

Fou de joie, Latour donna ordre d'armer les pinasses de tous les canons disponibles. Sa femme l'arrêta à temps.

– Le mieux que tu puisses faire est d'embarquer sur le « Saint-Clément » pour gagner Boston. Les « couacres » consentiront bien à te prêter quelques navires, maintenant que la situation semble tourner à notre avantage.

Il fit la grimace : il n'aimait pas traiter avec les puritains ; il sentait leur mépris à fleur de peau pour le mécréant qu'ils reniflaient en lui.

– Il le faut ! insista Mme Latour. Notre sauvegarde est à ce prix.

Latour partit de nuit sur une chaloupe. Le lendemain il était à bord du « Saint-Clément », et le capitaine Mourron levait l'ancre pour Boston.

La chaleur coulait comme une lave sur la pente de la colline dominée par le moulin à vent. Lorsque Denis arrêtait sa marche il entendait le bruit de tambour de son sang à l'intérieur de son crâne. Quelques toises plus bas, parallèlement au sentier qu'il suivait avec le modeste détachement ramené de Massias à la demande de Latour, un groupe de soldats anglais en uniformes rouges avançait en silence.

Il leva la main et les gars qui l'accompagnaient s'arrêtèrent. Il s'assit sur une roche, son mousquet entre les cuisses. La sueur piquait ses yeux et se perdait dans sa barbe ; il s'arrosa la tête avec ce qui restait d'eau dans sa gourde et s'ébroua. Les soldats rouges du capitaine Hawkins s'étaient arrêtés eux aussi pour se rafraîchir le gosier.

Une mer d'étain liquide grignotait les îles et les îlots plats qui parsèment la baie. En clignant des yeux Denis aperçut dans le brasier de la mer le « Saint-Clément » avec ses canons braqués sur la côte et sa coque imposante qui abritait cent cinquante soldats en plus de l'équipage. Autour de cette unité, se détachaient les navires bostoniens : le « Seabridge », le « Philip and Mary », l' « Increase », le « Greyhound »... Sur une côte sablonneuse, à l'est du manoir, les vaisseaux d'Aulnay étaient échoués piteusement.

Tout paraissait calme. Les navires qui participaient à l'attaque n'avaient pu ranger d'assez près la côte pour ajuster correctement leur tir de batterie et les chaloupes qui avaient tenté un débarquement avaient dû rebrousser chemin sous une pluie de feu.

Le gouverneur de Port-Royal avait repoussé avec dédain les « accommodements » que les envoyés de Latour lui proposaient. Il avait déclaré :

– Je refuse de traiter avec un contumace. Dites à mon rival que sa dernière chance est de se constituer prisonnier. S'il s'obstine, c'est la potence qui l'attend !

Quand on lui avait rapporté ces impertinences, Latour avait éclaté de rire. Il imaginait le visage crispé du chevalier, les légers bégaiements qui l'affectaient parfois, sa barbiche frémissante. D'Aulnay refusait de même de traiter avec l'Anglais. Il ne concevait pas, lorsqu'il avait vu surgir les navires de Boston derrière le « Saint-Clément », qu'ils oseraient attaquer Port-Royal et qu'ils se contenteraient d'avoir débloqué, une semaine avant, l'estuaire de la rivière Saint-Jean.

– Capitaine Hawkins, dit Latour, lisez donc ce document.

Il lui tendit une copie de l'arrêt royal proclamant rebelle le gouverneur des territoires de la rivière Saint-Jean, et ajouta :

– A mon avis, il s'agit d'un faux concocté par mon rival.

Hawkins en était moins sûr. Depuis ce jour de décembre où il l'avait rencontré à Boston, dans le cabinet du gouverneur Winthrop, en train de solliciter une aide, il se méfiait de Latour. Winthrop avait répondu à sa requête : « Je ne puis vous apporter secours *officiellement*. Nous sommes en paix avec votre pays et nous ne souhaitons pas la remettre en question. » Latour avait répliqué : « Ce n'est pas une aide *officielle* que je sollicite, mais la liberté pour certains de vos sujets de me louer des navires. » Latour avait obtenu gain de cause. Edward Gibbons et Thomas Hawkins s'étaient engagés à armer trois vaisseaux et une frégate, moyennant quatre cent soixante-dix livres, pour deux mois, payables en pelleterie.

— On ne m'enlèvera pas de l'esprit que ce document est un faux, répéta Latour. Cet homme tente de nous impressionner. C'est le signe qu'il n'est pas sûr de lui. Il faut tenter un débarquement.

— J'aimerais en référer auprès du gouverneur Winthrop, dit Hawkins.

— Si j'ai loué, et fort cher, vos navires, ce n'était pas pour une promenade en mer!

— Cette affaire n'est plus de mon ressort, mais si quelques-uns de mes hommes veulent descendre à terre se dégourdir les jambes, je n'y vois pas d'inconvénient et je me montrerai indulgent s'ils commettaient quelques dégâts...

— Je n'en attendais pas moins de vous, capitaine! Nous sommes faits pour nous entendre.

— En route! cria Denis.

Un roulement de mousquetade sembla lui répondre au loin. Des chaloupes débarquant des soldats anglais étaient reçues par des salves nourries. Ce n'étaient pas seulement des soldats de la garnison de Port-Royal qui tiraient sur eux; il s'y mêlait de nombreux colons. A travers les flocons de fumée Denis discerna quelques « calipètes » blanches portées par les femmes d'engagés. Denis se demandait si le moulin à vent était défendu, et par qui. Il n'éprouvait aucun scrupule à tirer sur un soldat ennemi, mais il se refusait à le faire contre un colon et, à plus forte raison, contre une femme ou un enfant.

Les hommes de Massias, appuyés par les Anglais, reprirent leur progression. Denis tressaillit au roulement d'une pierre sous les pattes d'un lézard vert. Dans la colonne des uniformes rouges un soldat venait de s'écrouler, victime de la chaleur. Pour tromper l'inquiétude qui commençait à monter en lui au fur et à mesure qu'il approchait du moulin, il s'efforça de songer à Catherine.

Il avait beau se dire qu'elle avait changé, que c'était une femme à présent, il ne pouvait se la représenter que sous les traits imprimés dans sa mémoire : un visage d'adolescente aux lignes potelées, aux tendres fossettes. Les premiers temps de leur séparation forcée, il n'évoquait jamais son visage sans un pincement au cœur; aujourd'hui il sentait une ineffable sérénité le gagner.

Le moulin dressait sa tour de bois sur le ciel profond. Rien ne bougeait aux alentours. « Peut-être, songea Denis, n'est-il pas occupé. »

Catherine... Il était à peu près certain de la retrouver. Quand? En quelles circonstances? Il l'ignorait. Bernard avait raison : s'il se décidait à prendre femme, il faudrait que ce fût elle. Les Indiennes le faisaient souvenir de Jeanne, mais, après quelques jours de continence, il revenait vers elles. Sa vie était dans la forêt et, à Massias, elle enveloppait le fort et le poste de traite de toutes parts. Souvent, le soir, lorsqu'il entendait dans les profondeurs végétales battre les tambours des Abénakis et leurs mélopées funèbres monter autour des feux, rien n'aurait pu le retenir. Il partait, vêtu d'un simple pantalon en peau d'orignal, s'asseyait auprès du « sagamo » qui partageait avec lui le calumet, la bouillie de maïs, les noix sèches et les femmes en lui racontant la geste des ancêtres, la création du monde au temps où le Grand Lièvre envoyait le Rat Musqué chercher au fond de la mer le grain de sable qui deviendrait la terre. Il devinait pourtant qu'il se lasserait de cette existence et reviendrait vers Catherine.

Denis se sentit tiré en arrière et plaqué au sol par une main ferme. Une balle venait de siffler à ses oreilles.

— Mon gars, dit une voix familière, tu l'as échappé belle. C'est-y maintenant qu'il faut donner l'assaut?

— Pas encore. Avance vers ce taillis de ronces et cherche qui tire sur nous.

— Des colons pour sûr, gars!

L'homme qui avait tiré sur Denis était un vieillard à barbe blanche qui rechargeait son arme. L'éclaireur lui régla son compte d'une balle en plein front. Les gens de la colonne s'étaient couchés dans l'herbe sèche en entendant le coup de feu. On eût dit qu'un champ de coquelicots avait fleuri sur la pente.

— Ce sont bien des colons, dit l'éclaireur en rechargeant son mousquet. Des hommes et des femmes. Une vingtaine peut-être hors du moulin. A l'intérieur y en a sûrement quelques autres.

188

— Ils doivent faire dans leurs culottes, dit Denis. Je vais aller vers eux, leur dire que nous voulons juste occuper leur sacré tonnerre de Dieu de moulin.

— T'es fou, gars! Vont te descendre avant que t'aies fait dix pas.

Denis posa son mousquet, défit son baudrier et sa ceinture, laissa entre les mains de son compagnon la corne à pulvérin, les sachets de charge et le coutelas. Il agita la main en se levant et cria à ceux qui l'accompagnaient :

— Je tiens à éviter un massacre! Ne donnez l'assaut que s'ils tirent sur moi, mais tâchez d'épargner ces pauvres bougres de paysans, les femmes surtout. Transmettez à nos hommes et aux Anglais.

Denis s'éloigna à pas lents dans le soleil en direction d'un taillis de noisetiers derrière lequel il pouvait voir briller le métal des armes : mousquets, faucilles, faucards... Il n'avait pas avancé de vingt pas que le premier coup de feu zébra l'air. La balle le toucha au front sans pénétrer le crâne. Étourdi, la main toujours levée, il poursuivit sa marche en criant :

— Cessez de tirer! Nous ne vous voulons pas de mal!

Un deuxième coup, parti cette fois du moulin, l'atteignit à l'épaule. Il s'arrêta, chancelant, jambes écartées, tomba sur les genoux et resta immobile comme à la prière, tandis qu'autour de lui, dans un concert de hurlements, les assaillants déferlaient vers le moulin. Il tenta d'arrêter le flot pour prévenir le massacre qu'il redoutait, mais aucun son ne sortit de ses lèvres. Il sentait une nuit traversée d'éclairs fulgurants l'envelopper et se laissa glisser à terre en essayant, une dernière fois, de penser à Catherine. Avant son départ pour Massias, il lui avait dit : « Si je dois mourir, ma dernière pensée sera pour toi. » La terre lui chauffait la joue à travers l'herbe rêche. Sa main se crispa sur une pierre. Il murmura le nom de Catherine puis ses yeux se fermèrent.

— Fort bien! s'écria Latour en se frottant les mains. Maintenant que nous avons pris ce foutu moulin nous allons porter notre attaque sur l'arrière du manoir. Avons-nous des pertes?

— Les Bostoniens, dit l'homme de Massias, n'ont pas

189

perdu un seul homme. Nous avons trois blessés et les colons trois morts : un homme et deux femmes. Denis Chapdeuil est parmi nos blessés. Le chirurgien du bord ne peut se prononcer. Le gars Denis a perdu beaucoup de sang. Faut attendre.

— Attendre ! hurla Latour. Attendre qu'il soit mort ? Les hommes d'Hawkins vous ont laissés prendre toute la bordée ?

— Non, monsieur. Nous avons attaqué ensemble.

— ... et au lieu de ramener les blessés vous avez fait un feu de joie du moulin et des sacs de blé qu'il contenait ! S'il arrive malheur à Denis, vous le paierez cher. Où est-il ?

— Sur le pont.

— Amène-le dans ma cabine. Le chirurgien répondra sur sa tête de sa vie.

Hawkins entra peu après, le visage rayonnant.

— Nos hommes ont opéré de main de maître, monsieur Latour. Pas un mort !

— Réjouissez-vous tant qu'il en est temps, dit Latour, les dents serrées, l'air menaçant. Il n'en sera peut-être pas de même demain, quand nous attaquerons le manoir.

— *Dear friend*, vous l'attaquerez sans nous. Je vous rappelle que vous êtes considéré comme un hors-la-loi par la justice de votre pays. Aider un rebelle contre le pouvoir nous mènerait trop loin. Nous en avons fait suffisamment. *Sorry !*

Latour pouffa. Le pouvoir... Le roi Louis XIII venait de suivre dans la tombe son cher cardinal et la régence incombait à une femme incapable, Anne d'Autriche, en attendant que le dauphin [1] soit en âge de régner. L'anarchie s'était emparée du royaume, et cet imbécile de Thomas Hawkins parlait du « pouvoir ».

— Prenez-le comme il vous plaira, insista Hawkins, mais demain à l'aube, *goodbye, sir !* nos navires reprendront le large en direction de Boston.

— Eh bien, allez au diable, vous et vos scrupules ! Nous livrerons bataille seuls et tout le butin sera pour nous.

C'était une bravade : Latour n'ignorait pas que le manoir de Port-Royal était trop bien défendu pour qu'il pût espérer l'enlever avec ses seules forces. L'amertume au cœur,

1. Le futur Louis XIV.

190

vomissant ces « maudits couacres » qui n'avaient pas de parole, il décida de se retirer après cinq jours de siège.

Bernard et Catherine ne quittaient plus le chevet de Denis.

— Crois-tu qu'il vivra ? demandait-elle.

— Lazare était tenu pour mort, répondait-il. Et puis, un beau matin... Il faut prier.

Des chants montaient de la grande salle du fort Saint-Jean que l'on avait réintégré, la campagne de Port-Royal achevée. Mme Latour, faisant litière de sa ladrerie, distribuait aux hommes ce qui lui restait d'eau-de-vie et de vivres, comme si l'on fêtait une victoire. La voix de Latour tonnait parfois au milieu des chants; il avait ce soir-là l'ivresse joyeuse.

— Tout ce gaspillage... dit Catherine. De quoi allons-nous vivre dans les jours qui viennent ? Nous comptions sur les magasins de Port-Royal, mais il aurait fallu prendre le manoir. Si aucun navire ne vient nous approvisionner nous mourrons tous de faim.

Une voix puissante retentit au fond de la chambre.

— Qui parle de mourir de faim ? demanda Latour.

Il s'avança en titubant, un gobelet d'eau-de-vie à la main, ouvrit la fenêtre en criant que cette pièce « puait la tisane », et jeta dehors le petit frère :

— Ce ne sont pas tes prières qui le guériront, capucin ! L'alcool est plus efficace.

— Laissez-le reposer, dit Bernard. Avez-vous envie de l'achever ?

— Dehors ! rugit Latour. Va dire tes prières pour les loups si ça t'amuse !

Il se pencha sur le blessé, murmurant d'une voix pâteuse :

— Mon petit Denis... Mon fils... Il faut vivre, hein ? Tu ne vas pas m'abandonner ? Bois... Ça te remettra.

Il avança le gobelet vers les lèvres blanches; Catherine interrompit son geste.

— Laissez-le ! S'il avale une gorgée d'alcool il en mourra !

Latour se retourna, furieux.

— C'est meilleur pour lui que vos saloperies de tisanes et de prières. Denis est un fils pour moi, tu comprends ? Il m'aime et me respecte comme un père. Quand il a débarqué il était tout juste bon à garder les vaches et il faisait peur aux Indiens avec ses cheveux roux. Aujourd'hui il n'y a pas un trappeur qui lui monte à la cheville, du Cap Sable à la Mer Douce, et les Indiens l'ont adopté. C'est moi, tu entends, qui l'ai fait ce qu'il est, qui lui ai donné l'amour de la forêt.

Il ajouta avec un sourire :

— Et toi, Catherine, tu l'aimes toujours, hein ?

Elle baissa les yeux sans répondre.

— Je l'aurais juré! s'exclama-t-il. Après des années de séparation tu tiens encore à lui! Et moi, tu me détestes malgré toutes les bontés que j'ai eues pour toi. Si tu as refusé de m'épouser, c'est que tu l'aimes. Sacré petit bonhomme, il en a, de la chance! Pourtant il n'est pas beau avec son poil rouge. Qu'est-ce que tu lui trouves ?

— Vous déraisonnez! dit Catherine. Allez rejoindre les autres ivrognes. Votre épouse s'inquiétera si elle ne vous voit pas revenir.

Il hurla d'une voix entrecoupée d'accès de rire :

— Mme de Latour! Marie-Françoise Jacquelin! Qu'est-ce qu'elle est venue foutre dans ce putain de pays, tonnerre ? Si c'est le bon Dieu qui me l'a envoyée comme une huitième plaie d'Égypte pour me punir de mes péchés, il a réussi. Bravo, Père Éternel!

Il ajouta à voix basse en secouant le bras de Catherine :

— Sais-tu ce qu'elle mijote, cette mégère ? De faire de moi un citoyen de Sa Majesté Britannique, de me convertir à la religion réformée et de remplacer Bernard par un ministre!

Il éclata de rire et se mit à déclamer avec un accent épouvantable :

— Charles de Latour, lord of Saint-Denniscourt, marquis of Saint-Stephen, baronnet de la Nouvelle-Écosse, fidèle et pieux sujet de Sa Majesté Charles le Menteur!

Il reprit avec une expression amère sur sa lèvre humide et pendante :

— La « Jacqueline »... Sais-tu que je n'ai pu la baiser que trois fois, la garce ? Quand je lui fais la cour elle sort ses griffes et me jette : « Va plutôt te laver! Tu pues... »

Il avala une nouvelle gorgée d'eau-de-vie et, sans transition, entonna d'une voix éraillée une chanson anglaise puis, s'interrompant net, pointa l'index vers Catherine.

192

— C'est toi! dit-il. Oui, c'est toi que j'aurais dû épouser mais Dieu et Desjardins en ont décidé autrement.

Il reprit la vieille chanson anglaise là où il l'avait interrompue puis se pencha de nouveau vers Denis.

— Bois, mon fils. Un petit coup...

Catherine, de nouveau, arrêta sa main. Une giclée se répandit sur le visage exsangue du blessé.

— Soit! dit-il. Puisque tu l'exiges, je n'insiste pas. A une condition : que tu boives à sa place. J'aimerais te voir ivre, au moins une fois.

— Vous savez bien que je déteste l'alcool et ne le supporte pas.

— C'est que tu n'as jamais essayé. Alors, c'est toi ou lui ?

— Vous êtes fou! Donnez...

— Surtout ne triche pas! Je t'ai à l'œil...

Catherine faillit recracher la première gorgée; l'autre passa mieux. Elle parvint à achever ce qui restait et aussitôt une mauvaise sueur perla à son front, tandis que son estomac semblait être la proie d'un brasier.

— Tu vois comme c'est facile! s'écria Latour.

— Je suis malade, bredouilla-t-elle. Vous voilà bien avancé!

Appuyée au montant du lit, la tête devant ses avant-bras repliés, elle sentit la main de Latour tâtonner dans son dos, pétrir ses hanches et remonter ses jupes. Elle rassembla ce qui lui restait d'énergie pour tenter de l'écarter, mais elle avait l'impression de s'arc-bouter contre un tronc d'arbre. Soudain elle aperçut dans la porte ouverte une silhouette noire. Immobile, les traits crispés, Mme Latour dit d'une voix glacée :

— Désolée de troubler vos ébats. Vous pouvez continuer.

Elle disparut en faisant claquer la porte derrière elle. Peu après elle jetait son monde dehors. Des voix montant de la cour se mêlèrent aux aboiements des chiens de traîne : les ivrognes saluaient leur dieu, Latour.

Une faible plainte monta du lit. Les lèvres de Denis bougèrent comme s'il voulait parler.

— Parle, je t'en prie, dit Catherine. Dis quelque chose!

— Dieu soit loué! dit Latour. Je commence à croire aux miracles. Laissons-le reposer. Toi aussi. Tu en as bien besoin.

193

Sa main puissante rencontra sur la couverte celle de Catherine. Il la serra de toutes ses forces.

Les rapports entre Latour et d'Aulnay se détériorèrent plus encore durant le fiévreux été qui suivit l'attaque de Port-Royal.

Le chevalier n'avait pas pardonné cette agression et le mot de « trahison » revenait dans les rapports qu'il envoyait à la chancellerie, suppliant que l'on rappelât le trublion pour le juger et le pendre, mais on ne daignait pas lui répondre. Il décida de se rendre à Paris pour plaider sa cause. Ses premières démarches furent couronnées de succès : il obtint la saisie des navires, des entrepôts et des marchandises de son rival; Latour reçut un courrier le sommant de venir s'expliquer devant la justice royale.

— Ce serait me jeter dans la gueule du loup! dit-il. Je ne donnerai pas ce plaisir à Charles d'Aulnay!

— Si cela te convient, dit son épouse, je partirai à ta place. Je suis plus diplomate que toi et l'on ne peut rien me reprocher.

Il la laissa partir sans regret : elle le soulageait à la fois de sa présence et de ses ennuis. Une ineffable impression de vacance s'empara de lui; il s'enivra à mort le premier jour, dormit quinze heures d'affilée le second et, le troisième, reprit le chemin des Indiennes.

Peu de jours après sa guérison, Denis manifesta le désir de retourner à Massias : sans lui, prétexta-t-il, le poste de traite était plongé dans le désordre.

— Ne pars pas encore, lui dit Catherine. Je crains de n'être pas assez forte pour résister à Latour, maintenant qu'il est seul.

Il secoua la tête.

— Il faut que je parte. On me réclame. Latour te laissera tranquille. Il a ses Indiennes. Et puis, tous ces « couacres », tous ces huguenots qui s'installent ici comme chez eux me répugnent.

— Avoue donc que tu cherches plutôt à me fuir. Tu ne m'aimes pas. Qu'est-ce que je t'ai fait?

— Franchement, je n'en sais rien. C'est vrai que j'aime la forêt par-dessus tout, mais, à certains moment, elle me donne le vertige quand je pense que je n'en toucherai jamais les limites.

— Moi, c'est le vide de mon existence qui me donne le vertige. Je ne sais pas si nous parviendrons à nous retrouver un jour, toi et moi. Le temps finira peut-être par nous séparer tout à fait, mais cela t'est bien égal.

— Détrompe-toi, dit-il, et garde l'espoir. Bientôt peut-être...

Bien qu'il souffrît encore de son épaule, Denis quitta l'habitation quelques jours plus tard sur une pinasse.

Le soir même, tiré à quatre épingles, la barbe peignée et parfumée, les ongles récurés, Latour vint prier Catherine de le suivre dans sa chambre. Son premier réflexe fut pour refuser, puis elle finit par céder. Elle ne se sentait pas suffisamment forte pour supporter les odieuses pressions dont il la harcelait, avant d'en venir aux menaces et aux violences.

L'hiver passa sans que Mme Latour donnât de ses nouvelles. Un morutier basque apporta un courrier dans les premiers jours de printemps. Elle s'était entendu signifier l'interdiction, sous peine de mort, de reprendre la mer tant que le procès entre les deux rivaux ne serait pas clos. Latour reçut peu de temps après une autre lettre apportée par un navire forban de La Rochelle. Les affaires tournaient mal; si Latour voulait sauver ce qui pouvait l'être de son fief, il devait prendre le taureau par les cornes et demander une nouvelle aide militaire à Boston; d'Aulnay allait reprendre les armes, avec des moyens importants.

A la seule idée de revenir chez les « couacres », le cœur de Latour se souleva : il aurait préféré se cacher dans les forêts, au milieu des « sauvages », plutôt que de supplier ces vieilles crapules méprisantes : Winthrop, Endicott, Hawkins, Gibbons... Il se coucha ce soir-là malade d'inquiétude; le lendemain il avait décidé de dominer ses préventions.

Accompagné d'un de ses officiers huguenots, Lestang, Latour errait sans fin dans les rues de Boston détrempées par des pluies venues de l'océan. Cette ville respirait le commerce et l'ennui. Face à sa « mare aux grenouilles », elle rappelait à Latour ces boutiques délabrées et sinistres où l'on voyait l'or briller dans les tiroirs entrouverts.

195

– Nous devrions tenter une nouvelle démarche auprès du capitaine Edward Gibbons, suggéra Lestang. Il n'a pas refusé catégoriquement votre proposition. En insistant un peu...

– Ce serait inutile. Ni Endicott ni Hawkins ni Gibbons n'accepteront de nous aider. Mieux vaut reprendre la mer.

Dans la fin du jour balayée de bourrasques glacées, ils croisaient des quakers coiffés de vastes chapeaux noirs enfoncés jusqu'aux oreilles, qui passaient sans un regard.

– Drôle d'engeance! dit Latour. Ils refusent d'ôter leur satané chapeau en notre présence. Ma parole, ils doivent dormir et faire l'amour avec ce couvre-chef.

Ils continuèrent à errer le long des pontons aux pilotis verts de pourriture. Des attelages silencieux les croisaient, montés par des couples vêtus de noir, sans le moindre « affûtiau », comme s'ils portaient le deuil d'un paradis perdu. Une trace de feu liquide persistait au bas de l'horizon, en direction de Salem, au-dessus du réseau des séchoirs à poissons.

– Nous allons partir, mais nous reviendrons, dit Latour. Je relancerai Endicott avec, à l'appui, les documents qui attestent de mes titres de citoyen de la Couronne. S'il le faut je me déguiserai en « couacre » et j'irai au temple si c'est nécessaire pour obtenir des navires et des armes. Mon épouse a raison : avec ces gens il faut tricher, ne jamais oublier que ce sont avant tout des négociants.

Latour n'eut pas à coiffer le chapeau noir des « couacres ». Ses titres anglais jaunis par le temps, paraphés par sir William Alexander, un soupçon d'éloquence et surtout la promesse d'indemnités substantielles firent merveille : les Bostoniens décidèrent d'intervenir une nouvelle fois en sa faveur.

Un matin de juillet, à Boston, Latour monta à bord du « Seabridge » dans un tonnerre de fanfare. Endicott lui-même tint à l'accompagner jusqu'au ponton pour assister au départ; sa haute silhouette sombre, soutenue par une canne, arpentait les planches vermoulues, au-dessus d'une eau verdâtre où nageaient des ordures et des rats crevés.

– Moab va trembler! murmura le huguenot Lestang d'un

ton ironique. Avec l'aide de Josaphat, Joram-Latour va porter la guerre dans sa tribu. L'infidèle est condamné à disparaître dans un fleuve de feu.

– Amen! dit Latour. Décidément, ces « couacres » n'ont pas fini de me surprendre. Ennemis de la violence, ils s'y entendent pour armer les autres et les envoyer se battre à leur place. Et quelle manière élégante pour nous suggérer d'écraser notre rival! « Sir Charles of Latour, *my dear friend*, Dieu, avec votre soutien, accroîtra notre prospérité en balayant de sa colère les établissements de l'impie. *Good luck!* » Nous ne pouvons leur refuser ce petit service, n'est-ce pas, Lestang? Ne sommes-nous pas les instruments de la volonté divine?

Les éclats de la fanfare se dispersèrent dans le vent du large qui gonflait généreusement les voiles du « Seabridge » et des navires d'escorte.

– Allez! cria Endicott. Et que Dieu vous protège.

Il fallut quelques heures seulement pour détruire Pentagouet. Surpris à l'heure du dîner, les habitants fidèles à d'Aulnay s'étaient dispersés comme des rats dans les gerbes de terre soulevées par les boulets de la flotte. La voix rauque d'un vieux canon riposta des hauteurs sans occasionner de dommages. Il ne resta bientôt du fort et de l'habitation que des monceaux de ruines fumantes que des Indiens vinrent gratter de la pointe de leur lance.

Lestang psalmodiait d'une voix plaisante :

– Tremble, tribu de Moab. Rabbath-Moab s'écroule sous le feu du ciel. C'est le début du châtiment suprême!

Il ignorait, tout comme Latour, que Moab-d'Aulnay revenait du vieux pays avec des forces considérables. Armé en guerre à Dunkerque, le navire « Le Cardinal », jaugeant deux cents tonneaux et précédant une flottille de pinasses et de pataches dotées de canons, ramenaient en Acadie M. Charles d'Aulnay, lieutenant général du roi pour toute la province.

Mme Latour n'avait plus donné de nouvelles depuis des semaines. Latour songeait qu'elle ne reviendrait pas et n'en éprouvait ni joie ni peine. Avait-elle été impressionnée par la

197

menace de mort qu'on avait proférée à son encontre ? Il en doutait, connaissant son caractère obstiné. Elle allait toujours au bout de ses décisions; elle devait attendre le moment favorable. Peut-être, alors que Latour était allongé près de Catherine dans la chaleur de l'été, voguait-elle vers le fort Saint-Jean. Sur quel navire ? L'Amirauté de Guyenne avait la réputation de passer au peigne fin tous les bâtiments en partance. Il n'ignorait plus, en revanche, le retour en force de son adversaire, mais il savait que ce dernier n'était pas homme à attaquer par surprise : en bon gentilhomme qu'il était, il enverrait des parlementaires que Latour, suivant sa bonne habitude, jetterait au cachot afin de bien montrer une nouvelle fois qu'il se moquait de ce genre de civilités.

Il se tourna vers Catherine et lui dit :

– J'ai bien réfléchi : si Marie-Françoise ne revient pas, je fais annuler mon mariage et je t'épouse.

– A quoi bon ? dit-elle. Cela ne changerait rien. Ne suis-je pas pour vous comme une épouse docile ?

Il en convenait volontiers. Elle faisait preuve envers lui d'une obéissance qu'elle n'aurait peut-être pas observée étant son épouse devant Dieu et les hommes. Son raisonnement était juste, mais il tenait à son idée : le bonheur conjugal de son adversaire l'obsédait et il se disait qu'un jour ce bonheur serait le sien et ferait de lui un autre homme. Marie-Françoise l'avait déçu; les Indiennes le lassaient par leur manque de conviction et d'initiative. Ce n'est qu'auprès de Catherine qu'il pouvait savourer les prémices des joies paisibles dont il rêvait.

Bernard revenait chaque soir de la forêt le corps accablé de courbatures, les mains saignantes, mais radieux. Son corps s'était épanoui; l'adolescent fluet et malingre avait fait place à un adulte robuste; il avait gardé la fraîcheur de son visage d'enfant et, lorsqu'il souriait, on devinait que les épreuves n'avaient pas entamé sa joie de vivre et l'amour de son prochain.

Catherine lavait les plaies de ses mains martyrisées par la cognée, les oignait de pommade, les entourait d'un pansement. Il protestait doucement, comme si ces plaies étaient ses stigmates.

– Tu n'es pas raisonnable, lui disait Catherine. A quoi bon t'imposer ces souffrances ? Que veux-tu te prouver ?

– Je ne souffre pas.

Il regardait en souriant ses mains bandées : le lendemain il reprendrait sa tâche ; elle était nécessaire, parce qu'agréable à Dieu et aux hommes ; chaque arbre abattu était une petite victoire qu'il dédiait au Seigneur.

– Sais-tu combien j'ai opéré de conversions depuis notre installation ? Quatre : trois Indiens qui voulaient avoir leur médaille d'étain pour s'en faire un fétiche et cet officier huguenot qui vient de mourir du « mal de Siam ». J'ai l'impression de vivre en parasite sur une terre généreuse. Le Seigneur a renoncé à s'exprimer par ma voix et plus personne ne m'écoute. Je m'étais fixé comme but suprême la conversion sincère de ton maître. Autant vouloir remuer une montagne ! Il se moque de moi à chacune de mes tentatives. Et pourtant je l'aime, cette brebis égarée ! Alors je me rends utile à ma manière. La paix revenue, le peu de terre que j'aurai défriché fera le bonheur des colons.

Il ajoutait :

– Ma tâche n'est pas terminée. Je t'accompagne à l'habitation pour y recevoir ma ration quotidienne de soufflets. Les « couacres » d'Endicott s'ennuient. Je vais les distraire, trop heureux s'ils tolèrent ma présence.

– Reste encore un peu. J'aimerais te parler de moi.

– Pour me raconter, soupira-t-il, que tu as de nouveau péché avec ton maître et que tu y as pris du plaisir ?

– Tu ne crois pas à la sincérité de ma contrition ?

– J'ai appris à douter de promesses que je tenais jadis pour sincères. Si tu refuses de m'aider, je ne puis rien pour toi. J'ai fait ce que j'ai pu pour sauver ton âme et te rapprocher de Denis, et tu viens me rappeler mon échec. Demain tu viendras te confesser, et je ne veux pas de mensonges !

Ce n'est guère qu'auprès de Bernard et dans les bras de Latour que Catherine pouvait trouver un sentiment d'affection et de sécurité. C'était, de la part du maître, une tendresse un peu rugueuse, mais elle s'en contentait. Les soirs d'été où la forêt soufflait son haleine fauve, on ne pouvait s'éloigner de l'habitation sans entendre les petits appels de

199

gorge des Indiennes invitant les hommes blancs à les rejoindre derrière un buisson; elles glissaient à demi nues dans l'ombre des taillis, le corps étincelant de « wampums » et de « pourcelines ». Ce souffle du désir, Catherine ne pouvait y rester insensible. La forêt, en se refermant autour de l'habitation, faisait couler les langues tièdes du vent sur sa peau et irritait ses narines de l'odeur des fruits sauvages. Elle se penchait parfois à la fenêtre, ses cheveux dénoués sur ses épaules pour tout vêtement, et regardait la petite lumière qui scintillait à la fenêtre du « presbytère », près de la chapelle. Des mains se posaient sur ses épaules et elle sentait contre son échine et ses reins une rugosité d'écorce.

– Viens... murmurait Latour.

Elle le suivait.

Le premier soin du chevalier d'Aulnay fut de négocier avec Boston.

Par l'intermédiaire d'un capucin, le frère Marie, vêtu en officier et escorté de dix hommes, il envoya aux autorités une copie du procès-verbal condamnant Latour pour rébellion envers le roi, afin de s'assurer de la non-ingérence de la colonie anglaise dans le conflit qui l'opposait à son ennemi. Dans le même temps il bloquait la rivière Saint-Jean et arraisonnait les navires bostoniens venus ravitailler le fort. Le capucin revenu de sa mission chez les « couacres » annonça au gouverneur une nouvelle singulière : une mystérieuse « lady Frances » venait de débarquer à Boston.

Mme Latour, retour de France, venait de tomber sur la colonie comme un cyclone. Sa première visite fut pour le gouverneur Winthrop. Qu'il pactisât avec le gouverneur de Port-Royal contre Latour, « sujet britannique », était inadmissible ! Elle entra de même en coup de vent chez Endicott, dans son manoir de Salem, réveilla en pleine nuit le capitaine Hawkins, surprit Gibbons dans son bain. En quelques jours elle avait semé la panique dans toute la colonie au point que les « couacres », terrorisés par cette furie, la comparaient aux pires créatures de l'Ancien Testament et se signaient en parlant d'elle.

Elle obtint d'eux ce qu'elle désirait : l'équipement de trois forts vaisseaux destinés à débloquer la rivière Saint-Jean.

Peu avant Noël, les trois vaisseaux chargés de six mille livres de fret, de quoi tenir jusqu'au printemps en mesurant juste, étaient à quai et le capitaine John Parris donnait l'ordre d'appareiller.

Latour n'en croyait pas ses yeux. Son regard allait des hommes qui débarquaient les bagages de la « lady Frances » à la créature qui se tenait avec un air de triomphe devant lui, les poings sur les hanches.

— Qu'as-tu à me regarder ainsi ? dit-elle. Tu me trouves changée ?

C'était bien le même visage mat et sec, sans une trace de poudre et de fard, le même air dominateur. Il bredouilla :

— Comment as-tu fait pour arriver jusqu'ici ?

— Pfuittt ! J'ai survolé les navires d'Aulnay. Tu me connais mal si tu crois qu'on peut me prendre en défaut.

Elle eut un mouvement de menton méprisant vers le groupe rassemblé sur le débarcadère et demanda qui étaient ces gens : c'étaient les hommes du « Seabridge » que Latour avait loués à Endicott. Elle maugréa :

— Quelle tenue ! Quelle saleté ! Comment peux-tu supporter un tel relâchement ?

Catherine remontait de la rivière avec quelques Indiennes portant des couffins de linge humide.

— Ta maîtresse se porte bien, à ce que je vois, dit-elle. Tu as dû m'oublier sans peine. Elle est plus jolie et plus jeune que moi. Il faut que j'en prenne mon parti.

Latour jugea prudent de faire la sourde oreille.

— Je ne m'explique pas, dit-il, par quel miracle tu es parvenue à franchir le barrage.

— C'est simple : il a suffi que nous nous présentions. L'adversaire n'était pas de taille à nous résister. Il a préféré nous livrer passage.

Elle pointa son index sur la poitrine de Latour.

— Tu devras te présenter dès que possible aux autorités de Boston. Il ne m'a pas suffi d'un sourire pour obtenir cette aide. Tu devras leur montrer que tu es vraiment un sujet de Sa Majesté Britannique, te convertir à leur religion, leur promettre...

— C'est impossible !

– Rien n'est impossible! C'est un problème avec ta conscience, et elle est aussi souple que la mienne. Tu quitteras le fort Saint-Jean dans une semaine avec le capitaine Parris qui est un fort galant homme, ma foi...

– Je refuse. Tu n'aurais pas dû t'engager pour moi.

– Soit! Alors le traité entre Port-Royal et Boston entrera en vigueur et nous ne serons ni ravitaillés ni défendus. En ce qui me concerne, puisque je ne puis plus rien pour toi, je retourne à Boston.

– Patiente quelques jours. Tout cela demande réflexion.

– Réponse dans trois jours! Si elle est négative, autant signer ton arrêt de mort. Un dernier point : ton capucin, ce frère Bernard, cette bouche inutile, est devenu indésirable. Les puritains ont promis de nous envoyer un de leurs ministres. Je me charge de lui donner l'ordre de vider les lieux. Quant à cette fille, Catherine...

La mine consternée de Latour fit sourire la « lady ».

– ... je la garde pour mon service, et uniquement pour lui. Tu as assez profité d'elle en mon absence.

– Ce sont là tous vos bagages? dit Mme Latour étonnée.

Elle regardait le sac de cuir que Bernard portait à l'épaule. Il sourit.

– Je ne suis pas venu ici pour m'enrichir, dit-il. J'ai là quelques hardes, une nappe d'autel, les objets du culte, quelques poignées de blé d'Inde et du poisson séché.

– Au fond, vous êtes un personnage plaisant, dit-elle. Cela m'amusait de vous voir continuer à préparer la terre autour de votre chapelle, sachant que vous alliez nous quitter.

– Je suis ravi d'avoir pu vous distraire, madame.

– Comprenez-moi : vous ne pouviez plus rester ici et risquer un affrontement avec le ministre que les gens de Boston vont nous envoyer. De même je dois faire abattre votre chapelle.

– C'est inutile, madame : un sanctuaire vide ne peut choquer personne, et surtout pas le Seigneur.

– Je n'avais jamais eu l'occasion de m'entretenir aussi longuement avec vous. Vous êtes bien tel que ma servante vous a dépeint : un homme à la foi inébranlable. J'avoue que j'aime assez cela. Regrettez-vous de nous quitter?

– Dieu m'appelle où et quand il lui plaît. Le moindre regret serait un désaveu de ma part.

Il ajouta :

– Permettez-moi de saluer Catherine. Elle a été mon amie et, dans ma mission, un soutien précieux.

Catherine s'avançait sur un tapis de neige vierge, emmitouflée dans une pelisse qui laissait seulement apparente la moitié supérieure du visage. Elle s'approcha comme Mme Latour s'en retournait.

– Renonce à partir aujourd'hui, dit-elle. La rivière est en partie gelée et ton canot prend l'eau. Jamais tu ne parviendras à Port-Royal.

– Quand M. Latour m'a débarqué à la Pointe aux Ours, c'était bien pire, et j'ai survécu. Je pars avec une certitude : Port-Royal doit être un paradis comparé au fort Saint-Jean. Avec un regret aussi : te quitter.

– Attends une semaine ou deux. Les pluies seront précoces cette année et la débâcle a commencé.

– Impossible, petite sœur ! Si j'étais seul à décider...

– J'ai beaucoup de peine de te voir partir.

– Je vais te faire un aveu : j'en ai aussi. Je t'aimais tant. Ce matin j'ai pleuré en pensant à toi.

Il tendit sa main couverte de croûtes vers le visage de Catherine qu'il dégagea de sa gangue de fourrure : il était rond, lisse, rose de froid.

– Laisse-moi te regarder une dernière fois. On ne peut t'oublier quand on t'a connue. C'est vrai : tu as péché et tu as aimé ton péché, mais tu n'es pas perdue pour Dieu car ton repentir est sincère.

Elle saisit la main glacée et la porta à ses lèvres.

– Moi non plus, petit frère, je ne t'oublierai pas.

Il dit en riant :

– J'aurais aimé te laisser un souvenir mais je suis aussi dépourvu que lorsque nous sommes arrivés ici. Je n'ai même plus une de ces médailles d'étain qui plaisent tant aux Indiens.

– Je n'ai pas besoin d'une médaille pour me rappeler ton souvenir. Moi non plus je n'ai rien à t'offrir.

– Tu peux me donner beaucoup, au contraire : promets-moi de tout faire pour retrouver Denis. J'ai promis à Dieu de vous unir.

203

— Je ferai mon possible, je te le jure, mais nous sommes de plus en plus étrangers l'un à l'autre. Seul un miracle...

— Pardonne-moi, dit-il précipitamment. Je dois partir. Il y a des spectacles que je ne puis supporter.

Des soldats avaient noué une corde à la croix ornée d'un christ grossièrement sculpté par un colon, plantée sur le sentier entre l'habitation et la chapelle et se mettaient en devoir de la faire basculer.

— Adieu, Catherine, dit-il.

Il l'embrassa furtivement sur le front, fit sur elle un signe de croix puis s'en fut vers le débarcadère où Latour, qui l'attendait, tendit au proscrit un sac de vivres et une pelisse de fourrure.

— Prends, dit-il. Tu en auras besoin.

— Je suis contraint de refuser vos générosités, dit Bernard. Si Dieu veut que je sorte vivant de cette aventure, je ne souhaite pas vous devoir mon salut. Le seul cadeau que j'accepterais de grand cœur, c'est la promesse que vous renoncerez à Catherine. Vous ne lui avez fait que trop de mal.

— C'est promis. D'ailleurs elle n'est plus à mon service. Allons, adieu, capucin ! J'ai fait calfater ton canot. Tu y trouveras des pagaies de rechange et une écope au cas où tu embarquerais de l'eau. Salut !

Bernard louvoya à travers le chenal pratiqué dans la croûte de glace par les navires. Catherine s'avança jusqu'à l'extrême pointe de l'estacade pour le regarder gagner le large. De temps à autre il cessait de pagayer, levait la main et elle répondait à son salut. Il disparut dans un vol de macareux qui patrouillaient sur les glaces autour des îles.

9

LES REBELLES DU FORT SAINT-JEAN

Le départ du frère Bernard avait jeté le trouble parmi les engagés et les soldats catholiques de la petite garnison. Ils vinrent en délégation protester auprès de Latour. C'est son épouse qui les reçut.

— Rappelez le petit frère ou laissez-nous libres de partir, lui dirent-ils. Nous sommes de bons catholiques et nous ne pouvons combattre nos coreligionnaires aux côtés des huguenots.

— Comme il vous plaira, dit-elle aux soldats, mais l'échéance de votre solde est à la fin du mois.

— Nous vous l'abandonnons contre notre liberté et une chaloupe.

Elle se retourna vers son époux, en train de couper une tranche de lard, assis à la table, pour lui demander ce qu'il pensait de cette proposition. Il fit un geste évasif avec son couteau.

— C'est bien, dit-elle. Demain vous aurez votre chaloupe. Quant à vous, les engagés, vous aurez bientôt un officiant, mais ce sera un ministre de l'Église réformée. Dieu n'y regarde pas de si près.

Ils firent grise mine en repartant. Un sergent de la garnison alla trouver Catherine à la buanderie, lui annonça son départ et celui de quelques hommes; il lui demanda si elle souhaitait les suivre; elle refusa : quitter le fort Saint-Jean, c'était s'éloigner encore davantage de Massias, renoncer à Denis et trahir la promesse qu'elle avait faite à Bernard.

Le lendemain, les soldats avaient à peine poussé leur

chaloupe dans le fleuve qu'une lueur d'incendie éclatait au-dessus de la forêt : la chapelle était livrée au feu; au bout d'une heure il n'en restait qu'une fumée blanche au-dessus d'un amoncellement de poutres et de bardeaux.

Au début de mars, un des hommes postés dans les parages de l'estuaire arriva en canot, accompagné d'un « sauvage », et se rua dans l'habitation en s'écriant :

— Nous sommes perdus! Une flotte fait voile sur nous. Quatre gros navires et des pinasses chargées à couler bas de militaires. Vont mettre le siège devant le fort, pour sûr. Faut prévenir M. Latour!

— Il est à Boston, dit Mme Latour. Rejoins ton poste et tiens-moi informée.

Elle convoqua Krainguille et quelques gradés, parmi lesquels les Anglais arrivés quelques mois auparavant sur le « Seabridge », et leur exposa la situation : elle était grave sans être désespérée. Cette flotte qui se dirigeait vers le fort Saint-Jean, on avait pour l'accueillir de bonnes batteries, et des défenses solides. Si l'on devait abandonner l'habitation, trop exposée aux bordées venues du large, on se rabattrait sur le fort Jemsek, en aval de la rivière. On allait renforcer les défenses, creuser des tranchées et des redoutes. Fini de lézarder au soleil!

A l'aide d'un tison charbonneux elle dessina sur le parquet les plans des forts Saint-Jean et Jemsek, avec les aménagements qu'elle exigeait, devant les soldats français et anglais éberlués.

— *All right, milady!*

Elle les renvoya d'un geste.

— Chacun à son poste, messieurs! Toi, Krainguille, tu t'occuperas des munitions et des vivres... Toi, Lejoyeux, tu veilleras au bon fonctionnement des batteries... Toi, Lafleur, tu travailleras aux tranchées et aux redoutes... Toi, capitaine Smith, tu répartiras nos hommes par petits groupes et tu t'occuperas des tours de garde. Interdiction de boire la moindre goutte d'alcool. *Understood*?

— *Yes, milady!*

En quelques minutes la fièvre s'était communiquée à toute l'habitation. Appelés à la rescousse, des colons arrivèrent, le mousquet en bandoulière. Quand ils apprirent qu'ils devaient se battre avec les Anglais contre des Français, ils menacèrent de s'en retourner.

— Trop tard! s'écria Mme Latour. Vous êtes là, vous y resterez.

— Non point! protesta une forte tête. Je m'battrons point contre les gars à m'sieur d'Aulnay, des païs à moué!

— Tu feras comme les autres!

Elle pointa sur la poitrine de l'engagé le canon d'un des pistolets passés dans sa ceinture. Surpris de la vivacité de la réplique, le bonhomme recula en répétant :

— Ben ça... Ben ça, alors...

Mme Latour répartit habilement les colons parmi les hommes de troupe, ordonna aux femmes et aux enfants qui les avaient accompagnés de s'en retourner.

Catherine était occupée à repasser du linge lorsque des cris la firent sursauter. Passant la tête par le fenestron donnant sur la cour, elle vit un soldat courir aux palissades, le mousquet au poing. Il faisait un temps exécrable; la pluie durait depuis trois jours sans discontinuer, avec des caprices de température qui ramenaient parfois des bordées de neige molle. Le regard de Catherine se porta sur le lointain du fleuve. Elle aperçut, trouant le mur de brume, la pointe d'un mât gigantesque portant au-dessus de la hune le pavillon à fleur de lys; le beaupré à son tour perça la brume, puis la proue, avec sa gorgère lustrée par la pluie comme un mufle d'animal marin. C'était le « Saint-François », un navire de Port-Royal. Derrière lui une forêt de mâts s'avançait vers le fort.

Dans la cour soufflait un vent de panique. Plantée au milieu de la cour comme dans l'œil du cyclone, Mme Latour criait des ordres et se démenait sous la pluie battante qui la laissait indifférente.

Ce jour-là, le commandant de la flotte se contenta d'envoyer à terre quelques parlementaires. Catherine vit l'embarcation s'approcher, munie d'un drapeau blanc en poupe, longer la jetée et s'immobiliser le long du débarcadère. Il en descendit un religieux en robe grise qui leva la main en signe de bonnes intentions et s'avança vers les soldats rebelles. Elle poussa un cri :

— Bernard!

Elle descendit dans la cour, rejoignit Mme Latour qui venait de franchir la palissade, son mousquet au poing.

— C'est le frère Bernard! s'écria-t-elle. Ne tirez pas!

— Je l'avais reconnu. Il nous a laissés croire qu'il se rendait à Port-Royal. En fait il avait l'intention de nous trahir. La bonne âme...

Elle se planta devant les hommes du gouverneur, leur demanda ce qui les amenait. Un quartier-maître lui répondit :

— Nous venons vous apporter des paroles de paix, dit-il. M. d'Aulnay répugne aux effusions de sang. Mieux vaut nous entendre avant de prendre les armes.

Elle riposta avec hauteur :

— Je ne connais qu'un seul moyen d'éviter le combat : c'est que vous retourniez d'où vous venez. Votre seule présence dans ces eaux constitue un acte d'agression. Ne mettez pas ma patience à bout. Mon mari vous aurait fait emprisonner, comme il l'a fait par le passé. Moi je n'hésiterais pas à vous abattre, le capucin comme les autres!

Elle essuya d'un revers de manche son visage ruisselant et fit signe à ses hommes de faire réembarquer les parlementaires.

— Madame, dit Catherine, acceptez au moins d'entendre leurs propositions.

— Je les connais par cœur, petite sotte! Tu peux te joindre à eux si ça te chante. Je n'ai plus besoin de toi.

— Non, dit Catherine. Je reste, mais je persiste à penser que vous agissez mal.

— Ce sont mes affaires!

Quand les parlementaires furent réinstallés dans la chaloupe, elle leur lança :

— Dites bien à votre maître que si, d'ici une heure, votre flotte n'a pas levé l'ancre nous lui enverrons cinq cents boulets dans la coque!

Le refus de la « lady Frances » de négocier avait jeté la consternation dans le fort et l'habitation. Le soir, à la lumière des torches, les engagés protestèrent sous sa fenêtre. Elle ne daigna pas se montrer. Cette nuit-là, malgré une garde vigilante, une dizaine d'engagés prirent le large avec armes et munitions. Mme Latour s'apprêtait à prendre son bain quand elle apprit ces désertions. Elle chancela mais se ressaisit promptement. Elle lança à Krainguille, qui se tenait derrière le paravent :

— Fais doubler la garde! Je ne veux plus que de tels faits se reproduisent.

— Nous ne sommes pas assez nombreux et les hommes sont épuisés.

— Ramène tous les Indiens que tu pourras trouver.

— Ils ont abandonné leur village. D'ailleurs ils refuseraient d'obéir aux ordres d'une femme.

— Je suppose que beaucoup d'entre les pleutres qui nous défendent partagent leur avis, mais je m'en moque. S'il le faut, je me battrai seule.

Elle se laissa glisser dans le cuveau jusqu'au menton.

— C'est ton avis à toi aussi, Catherine ?

— Vous faites ce que bon vous semble et ce n'est pas à moi de vous juger. Vous agissez selon ce que votre nature vous commande. Le résultat de vos décisions et de vos actes vous importe peu, mais seulement la beauté du geste, une logique absolue. Peu vous chaut que nous perdions la partie, que des hommes paient de leur vie vos décisions, que votre époux n'ait plus une pierre où poser sa tête. C'est votre propre victoire que vous cherchez, sans mesurer les conséquences de votre obstination.

Marie-Françoise se souleva hors de l'eau.

— C'est bien raisonné, dit-elle. Tu es moins sotte que je l'imaginais. Tu as raison : je me moque de ce pays et de ces gens qui m'ont déçue. En revanche cette petite guerre m'intéresse. J'y trouve l'occasion de prendre la mesure de mon caractère, de me révéler ce qui me semble encore informulé en moi.

Catherine ne pouvait détacher son regard du visage de sa maîtresse qui surnageait sur l'eau grise comme une tête coupée.

— Une chose m'intrigue, dit Marie-Françoise. Tu me détestes et pourtant tu me restes fidèle. Aujourd'hui encore tu as refusé de m'abandonner, malgré le danger que tu cours. Pourquoi ?

Catherine se détourna, comme si le regard de sa maîtresse la brûlait.

211

— En vous abandonnant, dit-elle, j'aurais l'impression de trahir. Je veux vous voir enchaînée aux pieds de M. d'Aulnay. Car vous avez perdu la partie.

— Je partage cette certitude, dit Marie-Françoise en se levant. Mais rassure-toi, nous n'avons plus longtemps à attendre le dénouement...

On avait eu beau renforcer la surveillance, les désertions se faisaient de plus en plus nombreuses chez les engagés, et la petite garnison fondait à vue d'œil. Le magasin de vivres fut pillé et ce que les fuyards n'avaient pu emporter, ils l'avaient foulé aux pieds, si bien qu'il ne restait de vivres que pour une semaine. Les chiens de traîne eux-mêmes disparurent.

On attendait dans l'angoisse l'attaque imminente des forces loyalistes. M. d'Aulnay envoyait inlassablement des parlementaires accompagnés du frère Bernard, mais on les refoulait à coups de mousquets.

Il y eut encore des journées paisibles que les hommes employaient à préparer les munitions et à améliorer les défenses des deux forts. Le choc sourd des maillets sur les palissades que l'on renforçait, le grincement des scies, les appels des conducteurs d'attelages ramenant sur des traînes de lourds rondins, entretenaient une atmosphère de fièvre. Pâques approchait; les collines suintaient d'eaux vives et de fleurs nouvelles; des volées de migrateurs remontaient vers le Saint-Laurent; le soir, une grande sérénité montait de l'horizon de la forêt et du fleuve où passaient les canots des Indiens.

A quelques jours de Pâques une nouvelle stupéfiante parvint au fort : la flotte ennemie venait de recevoir en renfort deux puissants voiliers des Antilles commandés par le gouverneur, M. Longvilliers de Poincy, en personne.

Au cours de la dernière tentative de conciliation, le frère Bernard, à l'avant de la chaloupe, les mains en porte-voix, confirma la nouvelle.

— J'en ai assez de voir cet enfroqué répéter sa litanie! s'écria Mme Latour. S'il revient, je fais tirer sur sa chaloupe.

Bernard ne revint pas. Au fort, l'atmosphère se fit plus

pesante encore. Les travaux achevés, les hommes contemplaient d'un regard morne l'horizon de l'estuaire où patrouillaient inlassablement les chaloupes du gouverneur. Les jours qui suivirent les Rameaux, une dizaine d'entre eux disparurent, laissant des inscriptions à la craie sur les murs : « *C'est la mort qui vous attend!* » « *Ne vous battez pas contre le roi et la patrie!* »

Mme Latour paraissait de plus en plus indifférente aux événements qui se préparaient. Catherine eût aimé observer en elle des traces de faiblesse qui la lui eussent rendue plus accessible. Un soir seulement, sa maîtresse eut une défaillance en revenant d'inspecter les travaux; elle repoussa brutalement Catherine qui s'avançait pour la soutenir.

— Laisse-moi. Ce n'est rien qu'un peu de fatigue.

— Il faut vous nourrir mieux. Vous allez tomber d'inanition.

— Je partage avec nos hommes et je ne prends pas plus que ma part. Tant pis pour moi si je supporte mal les privations!

Elle ajouta :

— Garde le secret sur cette défaillance. L'attaque sera sans doute pour demain. Un de nos Anglais a surpris des mouvements inquiétants. Si seulement Charles pouvait arriver! A-t-il reçu mon message? Va-t-il daigner venir à notre secours? Je n'ai confiance en personne.

— Pas même en moi?

— Tu es trop honnête ou trop sotte pour me trahir, mais si tu le faisais je ne t'en voudrais pas. J'ai parfois l'impression lorsque tu m'observes que tu t'inclines sur mon cadavre, mais tu ne feras rien contre moi, j'en ai la certitude.

Elle passa la main sur son visage fatigué, marqué aux paupières de flétrissures mauves, et poursuivit :

— Je vais laisser nos Indiennes et nos hommes libres de quitter le fort. Je ne veux pas autour de moi de lâches, de traîtres et d'inutiles.

— Je resterai, dit Catherine.

Catherine ne put trouver le sommeil. Comme jadis avec Jeanne, elle partageait son lit avec sa maîtresse qui s'agitait sous sa couverte en prononçant des paroles incohérentes. Ce n'est qu'au lever du jour qu'elle sentit le lent engourdissement du sommeil, mais la voix de Marie-Françoise lui interdit de s'y abandonner. Un fil de jour soulignait les interstices des lourds volets de bois; des ramages d'oiseaux montaient de la forêt. Marie-Françoise s'offrit un dernier bain qu'elle prolongea avec délices, revêtit des vêtements neufs : pantalon de trappeur et robe noire serrée à la taille par une large ceinture de cuir dans laquelle elle glissa deux pistolets.

– Veux-tu te battre avec moi, Catherine?

– J'en serais bien incapable. Mieux vaut m'occuper des blessés avec la mère Gaudet.

La main sur le loquet, Mme Latour dit d'une voix douce :

– Pardonne-moi le mal que je t'ai fait.

Elle lui jeta un baiser rapide sur les lèvres, décrocha son mousquet et descendit sans se retourner. Elle n'avait pas atteint les palissades qu'un premier coup de canon parti d'un navire ébranlait l'habitation.

Dès que les batteries observaient un répit, Catherine et la mère Gaudet se relevaient, le visage gris de poussière et de poudre, et couraient à travers les décombres, dressant l'oreille au moindre gémissement, se précipitant vers l'amas de terre et de bois d'où il venait, s'arc-boutaient sur les poutres et les bardeaux d'où, avec d'infinies précautions, elles dégageaient les blessés.

– Nom d'une! s'exclamait la mère Gaudet, ils nous ont encore abîmé un de nos gars, les gueux! Aide-moué, ma fille!

Elles transportaient le malheureux jusqu'au petit hôpital installé dans un hangar situé à l'arrière de l'habitation, du côté de la forêt.

– Sacrédié! se lamentait la matrone, encore un qu'ils nous ont tué! J'le connaissais ben, çui-là. Un bon gars, bien qu'il soye de la « vache à Colas » : un huguenot!

Les litanies de la mère Gaudet aidaient Catherine à supporter la fatigue et l'horreur. Elles étaient les deux seules femmes du côté des rebelles, Mme Latour ayant pris en main la défense du fort. Seules dans le tonnerre des mousquetades et des canonnades, dans la chaleur étouffante des incendies, dans la fumée âcre montant des décombres, mais

214

leurs souffrances leur paraissaient dérisoires auprès de celles des blessés qui gémissaient sur leur litière. Parfois Catherine sentait ses genoux fléchir, ses paupières s'alourdir, mais un appel strident montait des palissades, la proue d'un navire se dessinait à travers les fumées que le vent ne parvenait pas à dissiper, et c'était de nouveau la tornade de feu et les hurlements des blessés.

Au premier jour de l'attaque des Français on avait évacué l'habitation, trop vaste pour être efficacement défendue, et l'on en avait retiré les armes, les munitions, les vivres avant de la livrer au feu pour que l'ennemi ne puisse s'y installer. Il n'en restait qu'un amas de décombres d'où montaient des fumerolles. Les pinasses sabordées montraient sur la berge des ventres de poissons morts.

Le système de défense préconisé par Mme Latour s'était révélé efficace. Au premier engagement le « Saint-François » avait dû se replier, une vingtaine de boulets dans la coque, le taille-mer arraché montrant l'os de l'étrave ; un des navires d'escorte antillais avait eu son grand mât coupé net à la hauteur des vergues et le château arrière écrasé ; les autres n'approchaient qu'avec précaution.

Devant ces résultats prometteurs, Mme Latour redoubla de fougue. Parti d'une chaloupe ennemie, un porte-voix lui apporta des propositions de paix auxquelles elle répondit par des insultes et des défis. Sa robe l'embarrassant, elle la remplaça par une veste de peau, si bien que rien, à part sa chevelure, ne la distinguait des colons. De temps à autre, elle sortait un de ses pistolets pour en menacer ceux que la peur incitait à la désertion et pour forcer à se rembarquer un groupe de Français qui, rampant le long de la pente, s'approchaient des défenses. Victoire éphémère : le lendemain, les soldats du gouverneur, soutenus par les batteries antillaises, débarquaient de l'artillerie et, dans la soirée, cabanaient à quelques dizaines de toises autour du fort. Dans la nuit épaisse et lourde, leur bivouac formait comme une chaîne de lumière. Postée aux palissades, le canon de son mousquet posé sur le bois, Mme Latour tirait sur les ombres qu'elle voyait bouger entre les feux.

— Demain, dit-elle, ils passeront à l'attaque, et notre réserve de boulets est épuisée. Essayons de dormir. Nous aurons une rude journée.

Catherine dormait déjà à demi, allongée contre la palissade, près de la mère Gaudet.

— Demain, dit-elle, demain.... Je ne sais plus quel jour nous sommes.

— Le dimanche de Pâques. N'as-tu pas entendu ce matin les chants qui montaient du « Saint-François » et de la « Vierge » ? Ça m'a fait froid dans le dos.

— Des chants... C'est bien la dernière des choses que j'aurais pu entendre. Nous avons dû secourir une vingtaine de blessés et fermer les yeux de trois morts. Nous n'avons entendu que leurs plaintes.

Si Mme Latour avait consenti à cesser de tirailler comme sur les mouettes, si les gémissements des blessés s'étaient tus, c'eût été une nuit comme toutes les autres nuits de cette saison : tiède, limpide, avec des odeurs de résine et des appels de bêtes en amour. Pâques... L'année passée, le frère Bernard avait réuni les enfants, Français et Indiens mêlés, et leur avait fait chanter dans sa chapelle des chants d'espérance. Les mots latins dans la bouche des petits Etchemins... Ils les mâchaient comme une mauvaise bouillie de « sagamite », avec des grimaces qui amusaient Catherine.

— Pourquoi ris-tu ? demanda Mme Latour.

— Pour rien. Je pensais à des choses amusantes.

Un éclair rouge troua la nuit.

— Je crois que je l'ai eu, dit Mme Latour. Le troisième depuis une demi-heure. Tu ne veux pas essayer ?

— Non, dit Catherine. Il faut que je prenne soin des blessés avant de m'endormir tout à fait. Nous allons manquer de charpie, d'alcool, et même d'eau.

— Aucune importance, dit Mme Latour. Demain nous n'en aurons plus besoin.

Elle versa une dernière charge de pulvérin dans le canon de son pistolet, tassa la charge avec la tringle, ajusta, tira.

— Demain soir, ajouta-t-elle, tout sera fini pour nous. Allons dormir.

Il ne restait qu'un espoir, mais combien faible : le renfort de la garnison de Massias.

Une estafette avait quitté le fort Saint-Jean, une semaine avant l'attaque, avec un message de Mme Latour pour Denis

Chapdeuil : elle lui ordonnait de recruter des Indiens et de les diriger vers le fort. Depuis, pas de nouvelles. Peut-être l'homme s'était-il « écarté » ? Peut-être avait-il déserté ? Peut-être Denis était-il dans l'impossibilité d'intervenir ? Quant à Latour, mieux valait ne plus compter sur lui, et d'ailleurs la flotte qu'il aurait pu ramener de Boston n'aurait pas réussi à débloquer l'estuaire.

La plupart des canons du fort étaient hors d'usage et manquaient de munitions. Le succès du début n'avait été qu'un feu de paille. A l'aube de ce lundi de Pâques la totalité du fort et de l'habitation était sous le feu de l'ennemi. Avant que le soleil parût, les accents du *Salve Regina* montèrent des navires ancrés à quelques toises de la rive.

Cette heure du petit jour fut pour Catherine un supplice : la fatigue coulait du plomb dans ses membres et elle sentait la faim la tenailler. Elle délaya un reste de blé d'Inde dans une écuelle qu'elle tendit à la mère Gaudet; elles mangèrent avec leurs doigts cette « soupe de chien ».

– M'est avis, dit la matrone, que c'est la fin des haricots. Qu'est-ce que le gouverneur va faire de nous, ma fille ? C'est-y la corde ou le mousquet qui nous attendent ?

– Ni l'un ni l'autre. M. d'Aulnay aura pitié des survivants et nous fera grâce.

La mère Gaudet secoua sa tignasse mal serrée par la « calipète » grise de poussière et de poudre et bâilla.

– Sacrédié, quand c'est-y qu'ils auront fini de chanter leur messe. Je m' sens toute moite.

Elle tendit le reste de sa gamelle à un soldat anglais qui les regardait avec envie. Il se mit à gratter avec frénésie le fond du récipient qu'il laissa tomber à ses pieds. Les chants venaient de cesser. Catherine, en se dirigeant vers les palissades, vit une chaloupe se détacher de la « Vierge », un homme debout à la poupe, les mains en porte-voix.

– Va sûrement nous demander de nous rendre, le bougre ! dit la matrone. Et la « Jacqueline » va encore y dire des sottises. Sacrée bonne femme ! Plus têtue que ma mule et mon époux réunis !

Le messager du gouverneur promettait la vie sauve pour tous les défenseurs qui rendraient les armes. Il parla de Dieu, du roi, de saint Eutrope pour toucher au cœur les

217

engagés de Saintonge. Une mousquetade partie d'une défense avancée le fit basculer dans le fleuve. Dans la minute qui suivit l'ennemi fit feu de toutes parts, avec une telle intensité qu'il semblait que ce fût la terre qui crachât le feu; des éclats métalliques déchiraient l'air de leur stridence; ils allaient se loger dans les rondins des palissades, dans la chair des hommes ou se perdaient dans le vide de la cour. Des défenseurs jetèrent leurs armes, tentèrent d'escalader les palissades, la main levée en signe de reddition; Mme Latour s'égosilla pour qu'on les rattrapât par le fond de leurs braies et, son pistolet sur leur tempe, leur donna l'ordre de regagner leur poste de combat.

– Foutus traîtres! grondait la mère Gaudet. Y s'esbignent comme des lapins! Faudrait...

Une gerbe de terre la recouvrit à moitié, mêlée à des corps disloqués. Catherine se dit que l'on touchait le fond de l'enfer. Après cette pluie intense de fer et de feu, l'ennemi allait passer à l'attaque. Ils attendirent midi, alors que plus rien ne semblait vivant dans le fort où l'on économisait les munitions. L'œil collé à un interstice de la palissade, Mme Latour observait la progression des soldats à travers les taillis, jusqu'à la limite où l'on avait prudemment dégagé le terrain. Elle avait fait courir la consigne : ne pas tirer avant que les assaillants ne fussent à découvert. Pour le moment ils faisaient mine d'occuper le terrain conquis – des espaces de buissons et de fougères – et fumaient tranquillement leur pipe. Ils pouvaient être une centaine et il en débarquait encore.

Catherine et la mère Gaudet avaient dû renoncer à soigner les blessés, un boulet ayant détruit l' « hôpital »; elles se tenaient adossées au tronc d'un bouleau qu'un projectile avait décapité, écrasées d'un double sentiment d'angoisse et d'impuissance. En ouvrant ses paupières brûlées par la fatigue et la lumière, Catherine aperçut Mme Latour qui lui faisait des signes; elle rampa vers elle à travers les cadavres et les blessés qui se lamentaient et la retrouva derrière les palissades.

– Je voulais te dire que toi et la mère Gaudet vous êtes libres. Partez dès que possible.

Libres... Sur ses lèvres et dans de telles circonstances, le mot se chargeait d'ironie. Libre, Catherine ne l'avait jamais été moins qu'en ce moment. Mme Latour ajouta :

– Sortez par une des brèches, un mouchoir à la main. Vous ne risquez rien. Si vous restez vous êtes perdues et vous n'aurez même pas la consolation de sauver votre âme. Ce sacrifice n'aurait aucun sens. Les raisons que j'ai de tenir ce fort vous sont étrangères. Je vous interdis même de rester. Vous n'êtes pas préparées à ce genre d'héroïsme. Moi, si. C'est contre moi-même que je me bats : contre ma peur, ma fatigue, ma faim. Oui, Catherine, la peur. Je me battrai tant que je sentirai en moi ce sentiment.

– Vous ne pouvez m'obliger à partir.

– Songe à Denis, à la vie qui vous attend.

– Il est perdu pour moi. Je le sais depuis longtemps.

– Alors c'est que tu tiens toujours à me voir morte ? Je viens de t'avouer que j'ai une peur atroce. Cela ne te suffit pas ? Pour toi c'est mieux que si j'étais morte.

– Vous vous trompez. J'aurais pu vous quitter lorsque le siège a débuté. Aujourd'hui c'est une trahison que je ne me pardonnerais jamais.

– Eh bien, reste et crève ! Ce genre de fidélité m'est insupportable !

Elle ajouta d'un ton radouci :

– Pardonne-moi. Je souhaite que tu vives et que tu sois heureuse, avec Denis ou quelqu'un d'autre. C'est peut-être le dernier entretien que nous avons. Quelle image vas-tu emporter de ta maîtresse ?

– Une image à la fois inoubliable et détestable. Vous êtes le mal dans ce qu'il a de plus sombre. Jeanne, elle, aurait pu sauver son âme, car elle ne savait pas faire la différence entre le bien et le mal. Personne ne le lui a jamais appris. C'était une sorte d'innocente. En revanche rien ne pourra vous sauver, vous qui faites le mal en connaissance de cause, par orgueil, par défi. Votre lucidité vous condamne.

– C'est vrai ! dit en riant Mme Latour. Ma seule fierté est d'avoir atteint une région où peu d'êtres humains peuvent accéder. J'aimerais m'y retrouver seule.

– Vous n'y serez jamais seule. Le diable vous y tiendra compagnie. Pourquoi n'avoir pas choisi la voie opposée. Vous auriez pu...

219

– Devenir une sainte ou une martyre ? Merci ! Notre monde en est encombré. Ma nature m'a poussée là où je suis et je m'y maintiens envers et contre tout.

– L'orgueil ! Votre monstrueux orgueil !

Un bruit dans les taillis fit sursauter Mme Latour. Elle glissa un regard à travers les palissades, soupira :

– Ça ne va plus tarder, dit-elle. L'ennemi commence à bouger.

Elle montra à Catherine l'uniforme rouge d'un des soldats anglais du fort qui prenait le large en direction des assaillants par une brèche.

– L'imbécile ! dit-elle. Le lâche ! Dans une seconde il sera mort.

Elle ajusta son pistolet, visa.

– Laissez-lui la vie sauve, je vous en prie, dit Catherine. Peut-être Dieu vous en tiendra-t-il compte. C'est la dernière grâce que je vous demande.

– Tu as gagné ! Mais c'est bien une grâce que je te fais, pas une concession à ton bon Dieu !

Elle ajouta à voix basse, comme à regret :

– J'ai failli t'aimer, Catherine. Souvent. A d'autres moments j'ai failli te tuer.

– J'ai failli vous aimer, moi aussi. J'ai cherché la fêlure qui m'aurait permis de trouver un peu de lumière en vous, mais j'ai dû y renoncer.

Elle se détourna pour rejoindre la mère Gaudet. Mme Latour la retint.

– Dis à cette femme que son petit numéro d'héroïsme est terminé et qu'elle peut décamper.

– Allez le lui dire vous-même. Je n'ai pas envie de me faire arracher les yeux !

Ni Catherine ni la mère Gaudet n'eurent le temps de réaliser ce qui se passait. Sur l'aigre signal d'un sifflet les assaillants prenaient leur élan et parcouraient en hurlant les quelques enjambées de terre nue qui les séparaient des dernières défenses ; ils s'engouffrèrent dans le fort par toutes les brèches. Au milieu du tumulte, Catherine aperçut Mme Latour qui, adossée aux palissades, tenait en respect avec ses deux pistolets un groupe de soldats qui tentaient de se saisir d'elle. Elle fit feu sur un homme qui s'écroula puis retourna le second contre elle ; il s'enraya ; elle le jeta, saisit son coutelas mais les assaillants se jetèrent sur elle et durent lutter pour maîtriser cette furie.

Catherine secoua l'épaule de la mère Gaudet qui paraissait endormie.

— Tout est fini, dit-elle. Nous pourrons nous regarder sans honte dans un miroir.

La mère Gaudet ne répondit pas. Catherine se souvint brusquement l'avoir vue se dresser quand les soldats avaient attaqué, puis s'abattre avec un cri de bête blessée. En la retournant elle vit qu'elle baignait dans une flaque de sang ; la balle s'était logée sous la pommette, à cet endroit qui se plissait aimablement quand elle souriait ; elle lui avait fait éclater le visage.

— Allons, ma jolie, dit une voix derrière elle. La fête est finie.

Elle sentit contre sa nuque le canon d'un pistolet.

— Si je te comprends bien, dit Bernard, perplexe, Mme Latour t'a laissée libre de quitter le fort, et tu es restée ?

— Mieux, dit Catherine : elle me l'a ordonné.

Cela faisait une heure environ qu'il tentait en vain de lui arracher les raisons de sa conduite ; celles qu'elle lui donnait ne faisaient qu'attiser sa curiosité et son embarras. Il dit brusquement :

— Mieux vaut que tu ne regardes pas.

Un capitaine venait de conduire au pied d'un chêne d'où pendaient des cordes quelques Anglais de Boston mêlés aux rebelles trouvés les armes à la main. Bernard prit la tête de Catherine entre ses mains, la força à se cacher dans sa poitrine.

— Mme Latour, demanda-t-elle. Qu'en a-t-on fait ?

— Elle est avec ses hommes, au pied de l'arbre.

— On va la pendre ?

— Non. Les hommes seulement. Nous avons tout fait, les pères Pascal, Ignace et moi, pour empêcher ce supplice, mais en vain. M. d'Aulnay se serait laissé fléchir, mais son entourage demandait vengeance.

Un des rebelles cria qu'il ne voulait pas mourir ; un autre

appelait sa mère; un troisième accusait « cette femme possédée du diable » qui les avait envoûtés. Les mains de Bernard pressaient la nuque de Catherine pour qu'elle ne se retournât pas.

— Que va-t-on faire de ma maîtresse?

— On va la garder prisonnière, mais au moindre écart, ce sera la mort. J'ai tenté de lui parler; elle m'a craché au visage. Ce monstre est damné.

Il y eut un autre cri, une sorte d'appel enfantin qui n'en finissait plus de s'éteindre. Catherine ne put réprimer un tremblement. De toutes les agonies dont elle avait été témoin depuis l'attaque du fort, aucune ne l'avait remuée à ce point. Elle demanda à Bernard de la conduire à l'extérieur du fort. C'était impossible, M. d'Aulnay ayant exigé qu'elle assistât au supplice. Si c'était son châtiment, il n'était pas des plus sévères. Elle entendit un murmure près de son oreille : la voix de Bernard disait la prière des morts.

M. d'Aulnay se pencha sur la nomenclature que son intendant, M. Brice de Sainte-Croix, venait de rédiger; son regard se porta sur le total; il s'écria joyeusement :

— Ai-je bien lu, Brice? On aurait retrouvé chez les rebelles pour dix mille louis de meubles et de bijoux?

— C'est une évaluation assez précise, monseigneur. Nous avons retrouvé ce trésor dans une cave préservée du sinistre. Votre rival était riche sous ses allures de rustre. Avec une telle somme il aurait pu s'offrir toutes les consciences de ses alliés du Massachusetts!

— Aujourd'hui il est ruiné, et avec lui quelques-uns de ces puritains qui avaient fait confiance à ce hors-la-loi!

Le gouverneur se laissa glisser dans son fauteuil en caressant sa barbiche, les yeux mi-clos.

— Quelle revanche, Brice! dit-il. Me voici le maître absolu, de Pentagouet à la baie des Chaleurs. La faillite me guettait, mes associés me menaçaient et les marchands de La Rochelle me refusaient leur crédit. Brusquement la fortune change de cap. Je vais enfin pouvoir réaliser ce à quoi Dieu me destinait : le peuplement de cette terre et la conversion des « sauvages ».

— Un risque demeure, monseigneur. Les gens de Boston

222

pourraient bien jouer leur va-tout, donner satisfaction à Latour pour reconquérir le territoire du fort Saint-Jean afin de rentrer dans leurs créances...

Le visage du gouverneur, qu'une onde de bonheur avait envahi, reprit sa teinte cireuse et ses yeux se plissèrent. Sa main se crispa sur le bord de la table. Il répliqua d'une voix âpre :

— Allons, Brice, on n'aide pas un mort et Latour est bien mort, pour nous comme pour tous ses amis de Boston !

— Qu'allez-vous faire à présent ?

— Si je n'écoutais que mes sentiments je retournerais illico à Port-Royal où mon épouse et mes enfants m'attendent. Mon cinquième doit être né à l'heure qu'il est. J'ai hâte de recevoir le prochain courrier. Quelle sainte femme Dieu m'a donnée là, mon cher Brice ! Sans elle, aurais-je pu supporter sans faiblir toutes ces épreuves ?

Il soupira, laissa ses mains retomber sur les accoudoirs.

— Je dois avant tout écouter ma raison : elle me conseille de rester pour reconstruire cette habitation et ce fort. Les Indiens ne vont pas tarder à revenir nous porter leur pelleterie. Nous créerons un nouveau comptoir et toutes les richesses de la forêt seront à nous.

L'intendant s'inclina pour se retirer. M. d'Aulnay le rappela :

— Comment se comporte la femme de Latour ? dit-il.

— Elle a assisté sans broncher à la pendaison des rebelles, comme si cela lui était indifférent. Cette femme est un monstre, monseigneur. Peut-être auriez-vous dû...

— Non, Brice : pas une femme. Il faudra simplement l'avoir à l'œil. Si elle nous échappait, j'ai le sentiment que tout serait à recommencer. Latour, auprès d'elle, est un agneau. J'ai songé à la mettre aux fers, mais on me taxerait de cruauté. Je ne tiens pas à en faire une martyre. J'attendrai pour me décider qu'elle trahisse mes bontés.

— Monseigneur, dit Brice, je crains que cela ne tarde guère.

Mme Latour ne semblait nullement encline à trahir la confiance du gouverneur et ses « bontés ».

Elle logeait avec Catherine dans une soupente, dans les

223

cales du « Saint-François ». Les hommes d'équipage et les soldats ne passaient jamais près de leur cellule sans jeter un regard aux captives ; ceux qui lavaient le pont cognaient du talon sur les planches, au-dessus d'elles, pour attirer leur attention, sans y mettre de malice ; le soir les hommes s'installaient avec flûte et violon à l'entrée de la coursive proche du cachot pour leur donner une aubade.

— Les imbéciles ! bougonnait Mme Latour.

— Ce sont de braves garçons ! protestait Catherine. Au lieu de nous jeter la pierre ils nous font de la musique !

— Ils seraient plus logiques avec eux-mêmes en nous jetant des pierres.

Catherine la laissait bougonner. Sa maîtresse supportait sa captivité mieux qu'elle ne l'aurait cru. Peut-être avait-elle une idée derrière la tête, mais elle n'en soufflait mot. Elle disait simplement :

— J'ai le pressentiment que nous ne moisirons pas long-temps ici. Ce qui me coûte le plus, c'est de ne pouvoir prendre un bain.

Parfois M. d'Aulnay rendait visite à ses prisonnières. Il faisait ouvrir la porte, se tenait sur le seuil, immobile et silencieux. Mme Latour lui dit un jour :

— Pourquoi n'entrez-vous pas ? Vous craignez que je vous jette mon venin à la figure ?

Elles furent bientôt autorisées à faire toilette et à monter sur le pont pour de courtes promenades. Les matelots et les soldats, qui se montraient si entreprenants lorsqu'elles demeuraient invisibles, les regardaient à la dérobée. Un jour, sous bonne escorte, on les fit descendre à terre ; elles s'arrêtèrent, stupéfaites, devant l'habitation ; elles croyaient y trouver le champ de ruines qu'elles avaient laissé et les hommes grouillaient autour de la bâtisse à moitié reconstruite et de la chapelle qui surgissait de nouveau du sol. Bernard leur fit les honneurs du chantier.

— Toujours aussi obstiné, capucin ! dit ironiquement Mme Latour. Tu ne seras donc jamais rebuté par cette terre ?

— C'est vous qui m'avez chassé, madame, dit Bernard, pas elle. Cette terre et moi sommes faits pour nous entendre. Elle me donne généreusement son bois et sa pierre.

Il montra avec fierté la croix de bois grossièrement équarrie qui remplaçait celle qu'on avait fait abattre et brûler. Mme Latour était persuadée que cet endroit retournerait à sa sauvagerie, que le gouverneur renoncerait à y planter la croix, qu'il deviendrait une sorte de lieu maudit, comme celui où se dressait l'arbre tabou des Indiens, à quelques milles de là. La vie reprenait et, de nouveau, tous les espoirs étaient permis.

Les Indiens n'avaient pas tardé à reparaître. La haute silhouette couleur de terre du « sagamo » Manthoumermer s'était dressée un matin sur un rocher dominant le fort ; il était resté de longues minutes immobile, appuyé sur sa lance, demi-nu dans le soleil ; le lendemain, des « sauvages » tournaient autour de l'habitation et des navires, puis la tribu tout entière des Etchemins avait débarqué avec chiens, poules, femmes et vieillards. On avait vu des canots surgir, tourner lentement autour des navires ; pour effrayer les « sauvages », les soldats levaient les sabots cachant la gueule des canons et riaient de voir les curieux fuir précipitamment.

Mme Latour observait la manœuvre des Indiens avec une telle insistance que Catherine ne put s'empêcher de lui demander :

– Comptez-vous sur eux pour nous aider à nous évader ?

– Qui sait ? Connais-tu suffisamment de « sauvageois » pour entrer en contact avec eux ?

– Je m'exprime assez bien dans ce patois. Que faudrait-il leur dire ?

– Tu le sauras bientôt.

– Je vous aiderai, mais c'est le dernier service que je vous rendrai.

– Si je réussis, tu n'auras pas à le regretter.

– Vous ai-je jamais demandé une faveur ?

– Non, j'en conviens. Tu m'es demeurée fidèle jusque dans l'adversité.

– Vous voulez dire jusque dans l'erreur, jusque dans le crime ?

– Bernard prétend que tu es « pétrie de fidélité ».

– Ma fidélité a des limites. Dès que je serai libre je vous quitterai. Je n'aime guère M. d'Aulnay, mais je préfère être à

225

son service plutôt qu'au vôtre. Et puis je suis lasse de votre présence. J'ai soif de besognes rudes, faciles, de lendemains sans surprise, de nuits sans cauchemars. Je veux surtout fonder une famille. Le seul enfant qui me soit né est mort mais il m'a laissé un besoin de maternité.

Elles marchaient dans le petit matin en direction de la proue, sous des vols de mouettes qui ramaient dans l'air brumeux ; l'odeur des rats musqués montait de la rive. Mme Latour s'accouda à la rambarde, le regard perdu dans les remous où tournoyaient des écorces et des herbes ; en se retournant elle s'entrava dans sa robe, tomba à la renverse sur le pharillon posé au pied du mâtereau de beaupré, qui se brisa sous le choc.

— Êtes-vous blessée ? demanda Catherine.

— Ce n'est rien. Rentrons. Tu me soigneras dans notre cellule.

Elle portait une petite éraflure sur le dos de la main. Catherine constata qu'elle cherchait à dissimuler un morceau de verre.

— Que comptez-vous faire ? Vous ouvrir les veines ?

— Pas pour la raison que tu crois. Je tiens à la vie. Il me reste un espoir, un seul : Charles. Il faut que je lui écrive. Par ton intermédiaire un Indien se chargera de lui faire parvenir mon message. Cette lettre, je l'écrirai avec mon sang et une écharde de bois, sur un morceau de chemise.

Elle ajouta en riant :

— Voilà qui est très romanesque, tu ne trouves pas ? Cela aurait plu à Gautier de Costes. Un bel épisode pour un de ses romans !

— On n'est jamais sûr des Indiens. Si vous échouez, M. d'Aulnay vous fera mettre aux fers.

— C'est ma seule chance. Si j'échoue, je n'aurai plus qu'à me laisser mourir. Tu me vois revenant en France les fers aux pieds, comme un galérien ?

Pour soudoyer un Indien, Catherine fit briller à ses yeux l'or d'une chaînette portée par sa maîtresse. L'Indien reçut le message et le présent par un hublot. Il salua d'un sonore « aguyaz ! », promit d'être de retour dans moins d'une lune.

— Savez-vous ce qu'il va faire ? dit Catherine. Il va montrer sa chaînette à sa famille qui n'aura rien de plus pressé que d'en parler au « sagamo », lequel interrogera l'Indien qui lui révéla le stratagème en se frappant la poitrine pour témoigner sa contrition. Manthoumermer ira remettre la lettre au grand chef blanc. Et c'est ainsi que vous aurez, sans tarder, une nouvelle visite du gouverneur...

Moins d'une semaine plus tard, M. d'Aulnay s'introduisit dans la soupente, blême de colère, bégayant, la canne en bataille.

— Vous allez m'obliger, madame, dit-il, à faire preuve de rigueur. Vous n'êtes qu'une misérable ! Vous avez trahi ma confiance !

— Comme je vous plains, dit avec une froide ironie la prisonnière. Vous devrez sévir et vous ne serez plus en paix avec votre conscience !

— Le cachot ! glapit le gouverneur. Le cachot et les fers pour vous deux !

— Vous commettriez une grave injustice envers cette pauvre fille, dit Mme Latour. Elle est innocente. Elle ne m'a obéi que sous la menace.

— C'est faux ! s'écria Catherine. Je suis aussi coupable qu'elle.

— Ça suffit ! J'en ai assez de toi et de cette fidélité de chienne. Monseigneur, cette folle est incapable de commettre un acte répréhensible. Elle met son point d'honneur à m'obéir, Dieu sait pourquoi ! Laissez-la près de moi et elle deviendra elle aussi un monstre. Libérez-la et elle deviendra un ange du bon Dieu.

— On m'a déjà dit cela, maugréa le gouverneur. Ce jeune capucin, frère Bernard, prétend que vous avez envoûté cette malheureuse. Eh bien, nous statuerons sur son sort.

— C'est cela, monsieur le gouverneur. Et que votre Dieu vous inspire la clémence. Quant à moi, j'ai une ultime requête à vous présenter : donnez-moi la permission de prendre un bain chaque jour.

« Je n'aurai plus qu'à me laisser mourir... », avait dit Mme Latour. Catherine avait cru à une boutade, mais sa maîtresse n'avait fait qu'exprimer le fond de sa pensée.

Catherine n'était pas autorisée à lui rendre visite, mais Bernard, en revanche, descendait souvent dans la cale où on l'avait enfermée. Elle refusait toute nourriture; chaque fois que le cuisinier du bord déposait à ses pieds la cruche d'eau et la potée de bouillie, elle l'accueillait avec des malédictions et le malheureux se retirait en se signant comme s'il s'était trouvé face à face avec un démon. L'insistance de Bernard n'y faisait rien, si bien qu'il finit par en prendre son parti. La prisonnière ne l'accueillait plus par des bordées de sarcasmes mais avec un air de lassitude dû aux privations qu'elle s'infligeait.

— Auriez-vous cessé de jouer avec Dieu ? lui disait-il. Vous l'avez constamment défié. Aujourd'hui il a gagné et toute revanche vous est interdite. C'est de bonne guerre. Vous devriez vous avouer vaincue et vous montrer digne de sa confiance.

Elle faisait la sourde oreille, mais Bernard devinait qu'il avait touché juste et que ses propos remplissaient le vide intérieur de la prisonnière. Elle ne le chassait plus avec des injures; elle avait même une flamme singulière dans le regard en le voyant surgir avec son gros crucifix de bois à la ceinture.

Le jour où elle lui demanda de lui amener Catherine, Bernard secoua la tête :

— Vous avez trop longtemps porté le trouble dans son âme, dit-il. Laissez-la en paix.

— J'aurais aimé lui dire... Et puis, non. Tu as raison.

Bernard ne sut jamais ce que la prisonnière eût aimé dire à Catherine, mais cela lui importait peu : ce qu'il désirait ardemment, c'était amener à contrition cette âme égarée. « Si j'y parviens, songeait-il, c'est qu'elle aura perdu la maîtrise de sa conscience, et alors où sera mon mérite ? » Puis il se dit que cette notion de mérite confinait à l'orgueil et décida de renoncer à s'en prévaloir. Toutes ses approches, d'ailleurs, se heurtaient à un mur. Allongée sur son bat-flanc, le dos contre la cloison, poignets et chevilles blessés par les bracelets de fer, la captive paraissait somnoler, mais Bernard savait que ses paroles la pénétraient et apportaient au Bien des armes nouvelles contre le démon. C'est un combat que rien ne trahissait et que Bernard ne faisait que pressentir.

Il lui dit un matin à voix basse :

— Aimeriez-vous vous confesser à moi ?

Elle le fixa de son regard fiévreux.

— Nous y voilà ! Je me demandais si tu allais te décider. Eh bien, je te propose un marché : j'accepterai si tu obtiens pour moi un bain chaque jour. Mon âme pour quelques seaux d'eau de mer. Tu y gagnes, capucin !

Le lendemain, la prisonnière prenait son premier bain sous la surveillance de la femme d'un colon ; elle faillit en mourir. Bernard lui rappela sa promesse.

— Soit ! Après tout, je n'ai pas conclu de pacte avec le diable.

Ce matin-là, le petit frère remonta sur le pont transfiguré, mais écrasé par sa victoire : cette âme qui s'était ouverte à lui, il faudrait une vie de prières pour la laver de tous ses péchés.

— Demain, dit-il à Catherine, elle communiera et récitera ses premières prières. Il faudra que je les lui apprenne.

— Combien de temps lui reste-t-il à vivre ?

— Trois ou quatre jours, guère plus. Cela fait une semaine qu'elle refuse de s'alimenter. Elle sait que tout espoir est perdu pour elle.

— Lui a-t-on donné des nouvelles de Latour ?

— Oui. Elle sait, là encore, que toutes ses illusions ont sombré.

Malgré la chaleur étouffante qui stagnait sur les eaux mortes, autour du môle, Latour ne cessait de marcher et d'inspecter l'horizon comme s'il en attendait l'apparition d'une flotte miraculeuse. Lestang le suivait en soufflant et en épongeant ses grosses joues.

— Nous n'avons plus rien à espérer de ces marchands, dit le commis. A quoi bon nous attarder ? Il faut vous faire une raison : pour eux, vous êtes dévalué comme une marchandise et, de plus, votre présence les importune en gênant leurs négociations avec d'Aulnay. Vous êtes le grain de sable qui s'oppose à leurs projets et qui fait grincer leur conscience si tant est qu'ils en aient une.

— Leur conscience sommeille douillettement au fond de leur bourse, mais je ne me décourage pas. Il faut qu'avant de partir je leur arrache une promesse ferme.

– Hélas! vous n'en obtiendrez ni argent ni navires.

– Souviens-toi de ce jour de mars, l'an dernier, ici même. Tout paraissait désespéré mais, quelques semaines plus tard, nous quittions ce môle aux accents d'une fanfare.

– C'est vrai, mais il vous restait des biens : le fort Saint-Jean, une réserve de « pelu », de l'argent et des titres que nul ne contestait. Aujourd'hui, même votre vieux compagnon, David Kirke, ne croit plus en votre étoile.

– Kirke... murmura Latour. Tu as bien dit Kirke ? Allons lui rendre visite!

– Vous oubliez qu'il vous a éconduit avant-hier...

– ... mais il m'a donné un renseignement qui vaut de l'or : le nom d'un armateur, Samuel Maverick. Nous lui rendrons visite à lui aussi.

– Vous n'en tirerez rien. C'est un vieil avare.

– Qu'en sais-tu ? Nous allons le retourner comme un paillasson...

Samuel Maverick dut se repentir d'avoir répondu au coup de sonnette de Latour : ce mécréant, en l'espace d'une heure, était parvenu, par un miracle d'éloquence, à lui arracher la promesse d'armer un navire chargé de cinq cents livres de marchandises, le « Planter », qui appartenait pour une bonne part à Kirke, contre des garanties que Latour eut la prudence de ne pas contester.

– Qu'allons-nous faire avec un seul navire ? gémit ce rabat-joie de Lestang. Il ne suffira pas à débloquer le fort Saint-Jean et à délivrer votre épouse.

– Pas si bête! dit Latour. Nous allons dans un premier temps faire les corsaires sur le Grand Banc de Terre-Neuve où il y a de l'or à gagner avec un peu d'audace. Nous débarquerons les matelots anglais qui sont des espions de Kirke et de Maverick au Cap Sable et à nous la liberté! Nous pousserons jusqu'à Québec. Le gouverneur, M. de Montmagny, semble bien disposé en ma faveur. C'est une chiffe molle qu'il me sera facile de mettre dans ma poche. Il nous donnera les moyens de prendre notre revanche.

Il ajouta en respirant profondément l'air marin :

– Tu devrais savoir, Lestang, que, pour un homme tel que moi, il n'y a pas de situation désespérée.

Mme Latour perdit connaissance au cours de son troisième bain. La femme du colon retira du cuveau un fagot
d'or enveloppé d'un parchemin cireux, le déposa sur le bat-
flanc et fit appeler le chirurgien qui hocha gravement la
tête : la prisonnière n'avait que quelques heures à vivre. Elle
mourut peu après dans les bras de Bernard, s'accrochant à
lui comme une naufragée, le fixant d'un regard fiévreux,
chargé de supplications muettes.

Quelques minutes plus tard M. d'Aulnay se présenta en
compagnie de Brice, un mouchoir sur le nez. Il se signa,
bénit le corps et, le touchant du bout de sa canne, murmura :

— Que Dieu me pardonne, Brice, mais je n'éprouve qu'un
sentiment de soulagement. Cette femme était le dernier obstacle à mes projets.

— Il reste Latour, monseigneur.

M. d'Aulnay se retourna vivement, fouetta l'air de sa
canne.

— Ne prononcez plus jamais ce nom devant moi ! glapit-il.
Dois-je vous rappeler qu'il est mort lui aussi ?

10

UN AIR DE PARADIS

Port-Royal : été 1650.

Les enfants remontaient de la grève comme une volée de moineaux lorsque Catherine s'avança sur la terrasse du manoir de Port-Royal. Comme toujours Charles était en tête ; il se lançait résolument, fier de sa jeune force, à l'assaut des pentes les plus abruptes par les chemins les plus difficiles et, parvenu au sommet, il donnait fièrement la main aux autres pour les aider à franchir le dernier pas : René, puis Jeanne, Renée, la petite Anne qui pleurait comme si on l'avait abandonnée, empêtrée dans ses jupes trop longues. Paul, le dernier-né de Mme d'Aulnay, était encore au berceau.

L'aîné des enfants, Joseph, s'avança à son tour sur la terrasse, s'informa de la raison de ce vacarme qui l'avait tiré de la lecture de *Cléopâtre* de Gautier de Costes, emprunté à Catherine.

— Rien d'important, dit Catherine. Vos frères et sœurs reviennent de la plage. Leur bonne santé fait plaisir à voir. Vous devriez sortir davantage, monsieur Joseph. Le grand air vous ferait du bien.

Joseph secoua sa tête fine et pâle entourée de cheveux blonds qui bouclaient sur le large col de dentelle couvrant les épaules de son habit. Ses seize ans distillaient des mines suffisantes qui faisaient sourire Catherine. Ce jeune paon déployait à chaque rencontre ses séductions devant elle, surpris qu'elle les méprisât.

— Je ne m'habituerai jamais à ce tumulte, dit-il d'une voix lasse. Cette maison est un enfer.

235

— Vous exagérez, monsieur Joseph. Ils s'amusent. C'est de leur âge.

Cette demeure, un enfer! Pour Catherine, depuis que le gouverneur l'avait ramenée du fort Saint-Jean et lui avait confié la garde des enfants, ce manoir était un paradis selon son cœur. Chaque jour était comparable à celui-ci : doux et paisible. Il lui semblait parfois qu'elle se trouvait allongée sur la bordure d'une plage, à la frontière de la terre et de l'eau, de la bruyère et du varech, en un endroit que les marées tumultueuses de l'équinoxe n'atteignaient jamais... Les rires des enfants, le babil des servantes indiennes, le chant d'un oiseau, constituaient un « supplice » pour M. Joseph; pour elle c'étaient les rumeurs de l'Éden.

Ses épreuves passées avaient eu l'avantage de la révéler à elle-même. Elle songeait parfois qu'elle n'était pas faite pour ce pays, qu'il la rejetterait toujours, et qu'elle était prête à suivre qui lui eût offert de la ramener au vieux pays. D'autres fois elle se disait que sa vie était là, dans cette Nouvelle-France qui s'édifiait dans le sang des soldats et des martyrs, en proie à la terreur iroquoise. A Port-Royal, M. d'Aulnay régnait en souverain débonnaire et un peu timoré, sur un monde d'ordre et de paix. Latour écrasé et ruiné, Nicolas Denys contenu dans ses possessions septentrionales, il révélait l'Acadie à sa vocation profonde : une petite Touraine, une terre de mission; des prairies naissaient des terres conquises sur la mer, des concessions s'étageaient sur les rives des fleuves, tenues par des familles d'engagés, les « sauvages », portant au cou, avec le sachet de tabac, la croix chrétienne, descendaient en canot avec leur chargement de « pelu »... Si c'était l'enfer, il avait des apparences séduisantes!

— Vous devriez veiller davantage sur leur tenue, à ces garnements, dit Joseph. De vrais petits « sauvages »! Savez-vous qu'au lieu de se rendre à la messe ils sont allés vagabonder dans la prairie du nord avec leur poney, sans surveillance?

— Rassurez-vous : je ne les quitte pas de l'œil.

En débouchant sur la terrasse, Charles s'arrêta brusquement en voyant son frère aîné. Il se moucha avec son poignet, fit demi-tour, bousculant ceux qui le suivaient. Joseph le considéra d'un air sévère, s'étonna de ses poches gonflées et ruisselantes.

236

— Charles, dit-il d'un air rogue, approche! Qu'as-tu dans tes poches?

— Regarde toi-même!

Joseph plongea la main dans la poche de son frère, la retira avec un cri et porta ses doigts à ses lèvres dans un concert d'éclats de rire.

— Des oursins! glapit Joseph. Quelle occupation stupide! Je vous dénoncerai à notre père.

— Fort bien! dit Charles. Je lui dirai que tu fais la cour à Catherine!

Joseph haussa les épaules, blêmit et se retira en grommelant.

— Charles, gronda Catherine, quelle est cette invention?

— Rassure-toi, dit Charles, je n'en aurais rien fait, mais je n'aime pas que ce grand dadais nous surveille comme si nous étions des malfaiteurs. C'est bien assez de M. Melansson, de Mme Brice et de ma mère.

— Ces oursins, que comptez-vous en faire?

— Ils étaient pour toi, dit Renée, une fillette au regard futé. Tu les aimes?

— Nous avons rapporté aussi des huîtres et des coques, ajouta Jeanne, une gamine au visage rond. Regarde!

Elle vida sur la terrasse le contenu de son giron.

— Au mois de mai, dit Catherine, les huîtres ne sont pas bonnes à manger.

Charles se mit en devoir d'ouvrir les oursins avec son couteau; il aspirait le corail avec délices sous le regard désapprobateur de Catherine.

— Tu vas attraper une maladie, dit-elle. Souviens-toi de ce qui est arrivé au fils de Petitpas de la rivière de l'Orignal.

Non seulement Charles ne l'écoutait pas, mais les autres garnements l'imitèrent en se bousculant. Renée tendit à Catherine une huître large comme la main, qu'elle était parvenue à ouvrir.

— Non merci, dit Catherine. Je ne tiens pas à m'empoisonner.

— Alors je vais l'apporter à ma mère.

— Laisse ta mère en paix! protesta Catherine. Tu sais qu'elle est fatiguée.

— Elle est toujours fatiguée, dit Charles, et personne ne sait ce qu'elle a.

Catherine s'attendait à voir surgir à tout instant Mme Brice, la dame de compagnie de Mme d'Aulnay, pour ordonner à la marmaille d'aller jouer plus loin, sa maîtresse ayant horreur du bruit; à travers ses perpétuelles somnolences elle percevait et bannissait le moindre chuchotement, comme si l'atonie de ses sens eût développé celui de l'ouïe; elle s'abandonnait à une sorte de consomption consécutive, disait le médecin, à ses sept maternités, et elle attendait son huitième enfant. L'« humble petite servante du Seigneur » ne recevait quasiment personne dans sa chambre qui avait pris des allures d'infirmerie, exception faite pour les servantes indiennes et sa dame de compagnie qui ne l'abandonnait que le temps nécessaire à l'éducation religieuse des petits « sauvages », ainsi que pour le père Ignace qui venait chaque matin recueillir des confessions anodines.

Catherine avait le don de l'exaspérer; elle rendait sa servante responsable de la mauvaise tenue imaginaire et des innocentes facéties des enfants dont elle avait la garde, et elle ne l'appelait que pour la tancer. Catherine ne lui tenait pas rigueur de sa sévérité : elle accomplissait sa tâche avec la conscience aiguë de ses responsabilités, persuadée que, sans la surveillance attentive et constante qu'elle exerçait, la turbulence de ces « petits drôles », comme on disait en Périgord, eût dégénéré; quant à leur tenue, elle préférait les voir attifés comme des « sauvages » plutôt qu'engoncés, comme « M. Joseph », dans des habits dignes de la Cour.

— Où est mon père? demanda Charles en essuyant ses lèvres barbouillées de jus d'oursin.

— Il est allé inspecter les travaux de drainage sur la rivière du Dauphin. Il reviendra tard dans la soirée.

Elle porta son regard vers la baie crépitante de soleil par où M. d'Aulnay était parti au lever du jour, en pirogue, accompagné d'un serviteur indien.

— J'aurais bien aimé l'accompagner, dit Charles. Pourquoi ne m'emmène-t-il jamais?

— C'est un voyage dangereux en canot. Si un gros temps survenait...

— Tu crois qu'il y aura du gros temps ce soir?

— Je l'ignore.

A l'horizon du sud, de l'autre côté de la baie, les nuages

prenaient vilaine apparence ; par moments, des souffles ardents balayaient l'étendue liquide et les basses terres ; les falaises blanches se voilaient d'une brume louche.

– Nous aurons de l'orage avant ce soir, pour sûr, dit Renée.

Catherine sourit, caressa la chevelure qui frisottait, mêlée à quelques brindilles de varech. S'il arrivait malheur au gouverneur, son œuvre serait compromise, la guerre civile reprendrait : on reverrait surgir la longue barbe de Nicolas Denys et la silhouette puissante de Latour. Catherine chassa cette pensée importune, mais des propos du père jésuite revinrent à sa mémoire : « M. d'Aulnay m'inquiète. Pourquoi parle-t-il si souvent de sa mort ? C'est un signe néfaste... » Catherine n'aimait guère M. d'Aulnay – un mystère qu'elle parvenait mal à élucider. En dépit des bontés qu'il avait eues pour elle, de sa piété, de son sens de l'équité, elle éprouvait parfois l'impression que ce personnage falot n'était que la projection matérielle de quelques principes divins : il manquait de chair, de réalité ; on devinait, à travers sa mansuétude, une volonté étrangère à sa nature, comme s'il accomplissait l'ultime étape de son existence terrestre.

Mme d'Aulnay lui semblait plus accessible ; elle était vulnérable, elle souffrait ou, du moins, en donnait l'impression, si bien qu'on avait envie de la soutenir et de la bercer comme un enfant. Catherine ne la voyait guère qu'allongée dans sa chambre à la lumière tamisée, tantôt sur son divan, rarement dans un fauteuil. Elle songeait que c'était l'ennui qui la rongeait ; elle avait pris trop à cœur sa mission de procréatrice et s'y était vouée avec une sorte de passion, mais on perd le meilleur de soi dans une passion qui tourne à l'habitude. Il ne restait à l'épouse du gouverneur que la satisfaction d'avoir procréé pour la gloire de Dieu, ce qui ne lui mettait pas beaucoup de chair sur les os.

– Le tonnerre ! s'écria Anne.

L'air devenait brûlant et lourd. Taons et maringouins devenaient agressifs. Catherine voulut faire rentrer les enfants, mais ils protestèrent : l'intérieur du manoir était pour eux un piège multiple ; à peine rentrés ils tombaient entre les mains des servantes indiennes chargées de leur toilette et de leur tenue, du précepteur qui, les voyant inactifs, les enfermait dans la salle d'étude, de Joseph qui ne manquait aucune occasion de les réprimander...

– Nous allons faire des « wampums » avec les coquillages! lança Jeanne.

– Ouampoums! ouampoums! se mit à chantonner la petite Anne.

Les « wampums » de Jeanne, la métisse... Catherine les avait conservés dans son coffre, où ils voisinaient avec les lettres de Denis, les livres de Gautier et la plume d'oie qu'elle lui avait volée. Lorsqu'elle plongeait dans son trésor de souvenirs, elle dépassait rarement l'étage supérieur, celui qu'occupaient les robes offertes par Latour, qu'elle ne porterait sans doute jamais; les étages inférieurs appartenaient à un passé qui sombrait peu à peu dans l'oubli. Si d'aventure elle faisait ressurgir ces reliques, elle se sentait soudain très vieille; elle avait envisagé de les détruire, mais elle préférait ignorer leur existence.

Latour... Où était-il aujourd'hui? On annonçait sa présence à Terre-Neuve, à Québec, à Trois-Rivières, sur les rives de la Mer Douce, au pays des Hurons. On apprenait un autre jour qu'il était à Paris, en train de faire sa cour aux gens de la Compagnie ou aux ministres. Il semblait être partout et nulle part.

De Denis, elle n'avait eu de nouvelles qu'à deux reprises. Un colon débarqué à La Hève avait aperçu sur les quais de La Rochelle ce « grand gars aux cheveux rouges ». Un jour un capucin fraîchement débarqué lui avait dit :

– Latour est un vrai passe-muraille. On le rencontre chez les ministres, les dames patronnesses, les évêques, les marchands, toujours accompagné de ce grand diable de rouquin...

Catherine n'avait pas cherché à en savoir davantage : elle associait les deux personnages dans une même volonté d'oubli. Le Périgord, le manoir de Louversac ne projetaient plus dans sa mémoire que des images floues. M. Larroque, Médard Bouche-en-cœur, le bon chanoine Tarde ami des étoiles, Gautier, le chien César n'étaient plus que des fantômes égarés dans la brume.

Avant de s'embarquer pour le territoire des Abénakis, Bernard lui avait dit :

— Je prierai pour que Denis et toi vous vous retrouviez et que vous fondiez un foyer. Dieu fait parfois de ces miracles.

Dieu pouvait faire qu'il revînt, mais pourrait-il faire que leur affection devienne de l'amour?

— Eh bien, Catherine, vous rêvez? dit Joseph.

Elle rouvrit ses paupières alourdies par la fatigue. Joseph était assis en face d'elle, sur la terrasse. Depuis combien de temps? Elle n'aimait pas qu'il la regardât somnoler.

— Pardonnez-moi, dit-elle. Cette chaleur orageuse...

Il vint s'asseoir près d'elle, face au paysage qui vivait maintenant de la vie de l'orage, lequel avait pris possession de la terre et de la mer. Les courants qui moiraient de larges bandes l'espace de la baie se teintaient de phosphore à chaque éclair qui éclaboussait les falaises entre les rivières de l'Orignal et du Moulin; une pinasse traversait lentement la rade et vint se ranger à son poste d'ancrage; le hunier jeta un ordre à la timonerie, mais son appel se perdit dans une bourrasque de vent chaud.

— Je vous ai attendue hier soir derrière le four, dit Joseph.

— Je vous avais prévenu que je ne viendrais pas.

— J'espérais malgré tout. Les femmes font rarement ce qu'elles disent.

Elle faillit pouffer de rire.

— On voit que vous connaissez bien les femmes, monsieur Joseph.

— Moquez-vous de moi! Pourquoi, lorsque je vous parle, m'écoutez-vous avec attention et refusez-vous mes rendez-vous?

— Parce que vos propos m'amusent et que de telles rencontres seraient dangereuses. Cessez de me harceler, je vous prie. Vous perdez votre temps et cela m'exaspère.

— Un jour vous céderez, quand vous aurez oublié les autres: Gautier de Costes, Latour, Chapdeuil...

— Je vous interdis de prononcer ces noms devant moi.

— Je vous prie de me pardonner. De vous voir si près de moi mais pareille à un mur me donne envie de vous enlever comme une forteresse.

241

— Vous avez à ce que je vois le goût des entreprises désespérées.

— Celle-ci ne l'est pas. Ce soir vous viendrez dans la cabane située près des fossés du nord. Personne ne pourra nous surprendre.

— Non, monsieur Joseph. Laissez-moi et ne me faites plus jamais de telles propositions. Je vous en prie.

Il se redressa d'un air fat, lissa une ombre de moustache.

— Ma pauvre amie, si vous pouviez vous voir... J'ai l'impression que vous vous abandonnez déjà à moi. Vous savez mal vous défendre. Le désir...

— Taisez-vous! gémit-elle. Vous avez perdu la tête.

— J'attendrai jusqu'à minuit.

— Je ne viendrai pas. Laissez-moi. Vos paroles me font mal. D'ailleurs il ne me sera pas possible de me libérer. Comprenez-moi, je...

Quand elle se retourna il était déjà parti.

— Une goutte! cria Renée.

Catherine s'avança jusqu'à la balustrade, près du canon dont l'affût de bronze orné d'une fleur de lys portait la date de 1632. C'était l'année où M. Larroque était venu la sortir du pensionnat de Périgueux pour la conduire à Louversac. De lourdes vagues de nuages noyaient le soleil qui commençait à descendre sur l'horizon. Un canon tonna, dispersant ses échos jusqu'aux murs du manoir. A l'embouchure de la rivière du Moulin, des pêcheurs souquaient vers le port pour fuir la tempête qui se levait. Catherine se dit que M. d'Aulnay risquait sa vie s'il ne rentrait pas avant qu'éclate le gros de l'orage.

Des bruits de voix attirèrent son attention; Joseph était en conversation avec Melansson et un jeune officier qui criait d'une voix perçante :

— Il semble que vous n'ayez jamais assisté à un orage sur la rivière du Dauphin! Par gros temps vous ne pourriez obliger un Indien à monter dans son canot simplement pour passer d'une rive à l'autre. Est-ce que M. d'Aulnay sait cela?

— Je pense qu'il le sait, dit Joseph.

242

— Je n'en suis pas certain, ajouta Melansson. Il faut aller à ses devants.

Catherine sentit sur sa main posée contre le bronze s'écraser des gouttes tièdes. Elle revint vers les enfants.

— Il faut rentrer, dit-elle. L'orage va éclater.

Mme Brice de Sainte-Croix louvoya vers Catherine à travers les fauteuils et les guéridons qui encombraient la chambre de Mme d'Aulnay, comme pour lui fournir des appuis dans la traversée de la pièce.

— Ma fille, dit-elle, pensez-vous qu'il puisse être arrivé quelque accident à monseigneur ? Il est bien en retard.

— Des hommes sont partis à sa recherche. Des courants ont pu entraîner son canot à travers la baie. Peut-être a-t-il jugé plus prudent de cabaner sur la rive en attendant la fin de l'orage. La pluie et le brouillard gênent les recherches, mais on finira bien par le retrouver.

— Qui était avec monseigneur ?

— Un domestique dont j'ignore le nom bien qu'il soit resté quelques mois au service de M. Latour, à la rivière Saint-Jean.

— Voilà qui n'est pas fait pour me rassurer. Ne dites rien de tout cela à Mme d'Aulnay. De fâcheuses nouvelles pourraient aggraver son état.

Mme d'Aulnay dormait sur le sofa, une couverte écossaise remontée jusqu'au menton malgré la chaleur. En la voyant, bouche ouverte dans un visage cireux, Catherine ne put réprimer un mauvais frisson. La main grasse de Mme Brice se posa sur son avant-bras.

— Il est grand temps, dit-elle, que cet enfant vienne au monde. Notre maîtresse souffre le martyre. Fort heureusement c'est sans doute sa dernière grossesse. Partez mais tenez-moi au courant.

Catherine noua sous son menton un mouchoir de tête, traversa la cour où régnait une chaleur d'étuve et descendit vers le rivage par une pente marécageuse où grenouilles et crapauds célébraient la fête de l'orage. A travers les vapeurs qui montaient du sol elle apercevait la grève battue de mauvaises vagues et un groupe de pêcheurs et de soldats tournés vers le large comme s'ils

243

attendaient l'arrivée d'un navire. C'est une simple barque qui sortit de la brume. Le gros œil rouge du pharillon apparut d'abord, puis un homme qui faisait des signes, debout contre le mâtereau de pavillon. Une vague puissante souleva l'embarcation et la porta jusqu'à la grève. Joseph en descendit le premier, vêtu d'un manteau ruisselant.

— Toujours rien! dit-il. Nous avons ramé plus de quatre milles à l'aveuglette dans cette mélasse. Les courants ont failli nous jeter sur les récifs de Poutraincourt. Notre seul espoir est que mon père se soit arrêté pour cabaner, mais je n'y crois guère. Il aurait envoyé le domestique au manoir pour nous rassurer.

— Ce domestique qui l'accompagnait, demanda Catherine, le connaissiez-vous? Saviez-vous qu'il appartenait jadis à Charles de Latour?

— Vous devriez le connaître mieux que moi! répliqua-t-il abruptement.

Le visage de Catherine se ferma.

— Pardonnez-moi, dit-il. Je ne voulais pas vous blesser.

Il ajouta en s'ébrouant :

— Rentrons. Il va faire nuit et je suis mort de froid et de fatigue. De toute manière il ne reste rien à faire qu'à attendre.

Ils remontèrent côte à côte vers le manoir à travers les rafales de pluie et la danse des éclairs. Joseph chercha sa main; elle n'eut pas le courage de la lui refuser.

Toute la maisonnée passa la nuit dans des fauteuils ou sur les bancs de la grande salle. Après minuit, la température ayant fraîchi, on fit une flambée et l'air prit un goût d'hiver. A intervalles réguliers un sous-officier retour d'une patrouille aux concessions faisait irruption dans la salle : on n'avait rien trouvé. Chacun s'en retournait à son fauteuil, glissait en passant sous le manteau de la cheminée un regard triste au portrait du gouverneur — sur la pyramide imposante du col de dentelle blanche, un visage hésitant entre la sévérité et la bonté, qui paraissait tendu vers une invite de l'au-delà.

Le sous-officier repartait en laissant des traces humides sur les dalles.

Catherine s'endormit peu avant le jour. Quand elle s'éveilla elle était seule. Son regard se porta sur le portrait du gouverneur; elle resta un long moment face à cet homme qui semblait regarder des choses ou des êtres que personne d'autre que lui ne pouvait voir. Ils étaient seuls, lui, le créateur de l'Acadie heureuse; elle, l'humble petite engagée; des dialogues auraient pu s'ouvrir entre eux; ils auraient eu beaucoup de choses à se dire.

Elle se leva, la tête lourde, se dirigea vers les fenêtres qu'elle ouvrit une à une. Le matin était frais et lumineux; de beaux nuages pommelés, échoués sur l'horizon du sud, roulaient au-dessus des terres basses, laissant le soleil creuser des gouffres de rayons. Tout était calme : les pêcheurs avaient repris la mer; des troupeaux paissaient sur les pentes; les Indiens montaient lentement, appuyés sur leur lance empanachée de plumes multicolores, le chemin conduisant au manoir...

Elle dressa l'oreille. Les enfants l'appelaient. Elle s'étonnait qu'ils se fussent réveillés si tard, mais l'orage avait dû les priver de leur temps de sommeil habituel. Elle monta jusqu'à leur chambre; ils demandèrent en chœur si leur père était rentré.

— Pas encore, dit-elle, mais il ne saurait tarder.

Peu avant midi, un homme de guet aperçut un canot qui cinglait à force de pagaies vers le manoir. De temps en temps l'Indien qui le conduisait mettait la main en porte-voix et lançait des appels qui se perdaient dans la brise fraîche. En quelques minutes toute l'habitation regardait l'estacade où l'Indien allait accoster : il faisait signe qu'il transportait quelque chose.

— Pensez-vous qu'il ait retrouvé votre père? demanda Catherine.

Joseph hocha la tête.

— Je le crains, dit-il. Ramenez les enfants. Je ne veux pas qu'ils voient ce spectacle.

Mme d'Aulnay se redressa dans son lit.

— Quel est ce remue-ménage? dit-elle. Madame Brice, aidez-moi à aller jusqu'à la fenêtre.

— Il vaut mieux que vous restiez allongée, madame.

– Qu'y a-t-il ? Pourquoi ces mystères ? Que veut-on me cacher ? Pourquoi mon époux n'est-il pas venu me souhaiter le bonjour ?

– Monseigneur n'est pas rentré cette nuit, madame. Des Indiens viennent de le retrouver. Ils nous le ramènent.

– Est-il... mort ?

– Je n'en sais encore rien, madame, mais je le crains.

C'était bien le corps du gouverneur que l'Indien ramenait dans son canot. Le visage bouffi et bleu du noyé était comme barbouillé de terre molle et l'une de ses mains tenait un morceau d'écorce arraché à l'épave du canot à laquelle il avait dû s'accrocher avant que les courants ne le rejettent vers les marécages où les Indiens l'avaient découvert.

Catherine sentit la main de Joseph se crisper sur son épaule. Ils suivirent en silence jusqu'au manoir le corps que l'on avait laissé dans le canot porté sur les épaules des soldats.

– Et maintenant, monsieur Joseph ? demanda Catherine.

Il leva vers elle un regard lourd de détresse et ne répondit rien. Maintenant ? Le capitaine disparu à son bord, ce n'était pas au mousse à le remplacer. Et qu'était-il d'autre, lui, Joseph ? Depuis qu'il avait l'âge de raison, il savait qu'il ne vouait aucun attachement à ce pays. La France l'attirait irrésistiblement ; les quelques séjours qu'il y avait effectués en compagnie de son père l'avaient convaincu qu'il ne ferait pas carrière aux Amériques ; il reviendrait en France dès que possible, compléterait les notions d'art militaire inculquées par Melansson et irait se battre à travers l'Europe ; il partirait dès que le chancelier de France aurait nommé un nouveau gouverneur. Il prévoyait une situation difficile en Acadie : son père s'était ruiné en investissements, avait dû vendre une partie de ses domaines de France ; les créanciers de La Rochelle et de Paris allaient s'abattre sur ce qui restait de ses biens et consommer la ruine du petit royaume qu'il s'était constitué. Joseph ne se sentait pas de taille à leur tenir tête ; M. Brice, l'intendant, s'en chargerait.

246

Brice venait justement d'entrer dans la chambre mortuaire. Il se signa devant le cadavre et murmura à l'oreille de Joseph :

— J'ai confié au capitaine de la « Vierge » un courrier à l'intention de Sa Majesté, pour lui annoncer ce malheur. Le navire doit quitter Port-Royal aujourd'hui.

Joseph songea qu'il aurait aimé être à bord.

— Comment va ma petite sœur ? demanda Joseph.

Penché sur le berceau, il écarta le linge fin qui recouvrait le visage chiffonné de Marie qui grimaçait, une bulle de salive au coin des lèvres.

— Pauvre petite ! dit Catherine. Elle est sauvée, mais nous avons craint le pire. En naissant elle était comme morte, mais elle a repris vie entre mes bras.

Joseph lui prit les mains, les porta à ses lèvres.

— Elles donnent la vie, dit-il. Laissez-moi les regarder.

— Elles n'ont aucun pouvoir, mais elles sont pleines d'amour.

— Vous avez sauvé Marie, Catherine, alors que la sage-femme l'avait condamnée en se disant que, née un mois avant terme, elle ne pouvait vivre. Seul un miracle...

Marie était née trois jours après les obsèques du gouverneur dans la chapelle de Port-Royal. Si cette enfant était morte, tout espoir aurait disparu pour l'Acadie; cette sorte de miracle était un signe : Dieu veillait sur cette terre.

— Vous avez accompli un autre prodige, dit Joseph : vous avez tiré ma mère de sa léthargie et lui avez redonné goût à l'existence. Nous perdons un père mais vous nous rendez une mère et une sœur.

Mme d'Aulnay était dans la montagne avec les enfants; ils allaient rentrer avec des corbeilles de fruits sauvages et Mme Brice n'en finirait pas de s'étonner :

— Madame ! Vous êtes montée à pied jusqu'au sommet du mont ? Vous avez bu de l'eau de source ? Vous vous êtes baignée avec les enfants ? Que d'imprudences !

Les imprudences dont parlait la dame de compagnie étaient désormais aussi nécessaires à Mme d'Aulnay que l'air qu'elle respirait. Quand elle revenait de la montagne ou de la grève, durant ces jours d'été qui se prolongeaient paresseusement sur la baie en soirées tièdes, les couleurs avivées de ses joues et l'étincelle qui animait son regard proclamaient combien Catherine avait eu raison de la persuader, au nom de ses enfants, de l'Acadie, de la mémoire de son époux, d'affronter l'existence.

L'« humble petite servante du Seigneur » avait enfin pris conscience de sa mission. Elle savait maintenant que Dieu n'aide que ceux qui ont la volonté de vivre et de lutter. C'était dit dans le testament de son époux, et elle ne se sentait pas le droit de le trahir.

Le Borgne leva la tête et, les poings au creux des reins, considéra avec intérêt l'auguste façade de l'hôtel de Charnissay, rue de Grenelle-Saint-Germain, numéro 16, demeure de l'ancien conseiller du roi Louis XIII et père du défunt gouverneur de l'Acadie, M. Charles d'Aulnay. C'était une façade opulente mais négligée dans son entretien : les fenêtres étaient soulignées d'une crasse noirâtre et les hirondelles avaient laissé des concrétions de fiente sur l'architrave des portiques.

L'ancien agent rochellais de M. d'Aulnay tourna vers son commis, Saint-Mas, un regard interrogateur.

– Belle coquille, dit Saint-Mas, mais elle est pour ainsi dire vide. M. de Charnissay a près de quatre-vingts ans. Il se nourrit de salade, de pain azyme et d'eau fraîche. Il ne doit pas être très difficile à circonvenir.

Ils suivirent un vieux serviteur perclus de rhumatismes qui s'appuyait, en montant l'escalier, à la rampe et à son genou.

– Je vous attendais! dit une voix grêle.

M. de Charnissay fit avancer des sièges sans quitter les deux visiteurs de son regard vitreux. Le Borgne était un petit homme remuant vêtu d'un habit noir, qui paraissait tenir autant qu'à son existence au portefeuille de cuir qu'il portait haut sous le bras.

– Vous venez, je présume, dit le vieillard d'une voix plaintive, me présenter vos condoléances pour la mort de mon fils bien-aimé et m'entretenir de son œuvre ?

– Plutôt de sa succession, dit Le Borgne en toussant d'un air embarrassé. Nous avions, vous le savez sans doute, d'excellents rapports. Ils auraient continué si le destin n'avait abrégé ses jours.

Le vieillard eut un geste de nervosité : il n'avait pas pris beaucoup d'intérêt aux affaires que son fils conduisait avec un désintéressement qui le menait peu à peu à la ruine. Se ruiner pour permettre à des colons de s'installer et à des « sauvages » de devenir des agneaux de Dieu dépassait son entendement.

– Soyez bref, dit-il, ça va être l'heure de mes selles.

– Eh bien, monsieur de Charnissay, poursuivit Le Borgne, je suis au regret de vous dire que votre fils laisse en disparaissant une créance impayée qui se monte à trois cent mille livres.

Comme écrasé par l'énormité de la dette, le vieil homme se laissa glisser dans son fauteuil et considéra ses visiteurs avec un regard étincelant de colère.

– Qu'est-ce qui vous fait croire que je possède cette somme ? L'aurais-je, d'ailleurs, que vous n'en auriez pas le premier centime. Clément !

Le domestique arriva, un pot de chambre à la main, qu'il posa derrière un paravent déployé derrière la table de travail ; il aida son maître à se lever pour satisfaire ses besoins. On entendait le vieillard glapir :

– Trois cent mille livres ! Tu entends, Clément ? Comme si j'avais jamais possédé une telle fortune... Vous n'aurez rien, messieurs, inutile d'insister !

Il resurgit de derrière le paravent en se rajustant, au moment où les deux visiteurs se retiraient ou faisaient semblant.

– Où allez-vous ? Qu'allez-vous faire ? s'écria-t-il.

– Ce que l'on fait en ces cas-là : remettre l'affaire entre les mains d'un huissier.

– Vous oseriez saigner à blanc un pauvre homme qui peut mourir demain ? Que puis-je faire ?

– La part de votre fils dans les revenus de son négoce vous revient. Abandonnez ces droits à notre profit et nous nous engageons à ne pas poursuivre.

– Mais c'est du vol ! Je connais mes droits.

250

– Laissez-nous achever, dit Le Borgne. Outre que vous n'aurez rien à débourser, nous nous engageons à vous servir une rente annuelle de cinq mille livres.

Le visage du vieillard s'éclaira d'un sourire puis reprit son air renfrogné. « Gagné! » songea Le Borgne. Il se demandait si ce vieil égoïste aurait une pensée pour la veuve et ses enfants que son acceptation du marché jetait dans la misère; il avait toujours tenu rigueur à son fils d'avoir épousé malgré son opposition cette roturière, Jeanne Motin, qui ne lui apportait que des enfants.

– Cinq mille livres... bougonna le vieil homme. Me prenez-vous pour un mendiant? Oubliez-vous que vous parlez à un ancien conseiller du roi? Il y a quelques années ce chantage eût pu vous coûter la Bastille! Misérables, vous faites fi de la douleur d'un père!

– Puisqu'il en est ainsi, dit Le Borgne d'un air faussement offensé, brisons là. Bien le bonjour, monsieur.

– Attendez! s'écria M. de Charnissay. Ajoutez deux mille livres et je suis votre homme.

Latour débarqua à Paris en pleine Fronde. Ils se promenaient, Denis et lui, vêtus à la dernière mode, entre la sévérité de mise à la Cour et les excentricités des libertins. On avait remplacé sur les murs le nom de Mazarin, que le peuple haïssait, par celui de Condé et de quelques autres « importants » qui méprisaient la régente, le jeune roi et le cardinal. La grande ville vivait dans une ambiance de carnaval tragique. Sous la neige ou la pluie des malheureux couraient rues et places, se plantaient devant les murs de la Bastille pour réclamer l'exécution des princes de la rébellion qu'on y avait enfermés.

Latour se frottait les mains : nombre de ses adversaires avaient été balayés par la tourmente politique et les plaintes portées contre certains hors-la-loi, dont il était, dormaient dans les chancelleries. Il arrivait vierge dans une capitale toute neuve; certains le connaissaient mais presque tous avaient oublié sa situation de contumace.

– Nous sommes comme devant un champ labouré par la tornade, dit-il à Denis. C'est le moment d'y semer notre grain.

Il avait décidé de ne rester à Paris que le temps nécessaire à circonvenir certains notables qui avaient quelque chance de se maintenir autour du trône ébranlé. Il avait décidé de viser haut et de demander audience à la régente. Il expliquait à Denis :

– J'aime les natures passionnées, et Anne d'Autriche en est une. Quant au petit roi, je lui parlerai des Indiens des fleuves, des forêts pour le décider à m'ouvrir sa cassette. Je dois obtenir des lettres patentes signées de Sa Majesté ou de la régente, avec de beaux rubans scellés de fleurs de lys. Nous les ferons enregistrer par l'Amirauté de Normandie et nous trouverons facilement les navires et l'équipage qu'il nous faudra pour retourner en Acadie.

Quelle situation allait-on trouver à Port-Royal ?

– Ce Lafosse qui a été choisi pour remplacer d'Aulnay comme gouverneur doit sentir son notaire. Il serait bien incapable, si j'en juge à ce qu'on m'en a dit, de distinguer une fourrure de castor d'une peau d'orignal. Le vrai gouverneur, c'est et ce sera moi.

Latour passa le début du mois de février à Paris. En repartant il avait dans son portefeuille une lettre ornée du sceau royal, avec ces mots : « ... *Voulant, comme il est raisonnable, reconnaître ses bons et fidèles services, avons, par l'avis de la reine régente, notre très honorée Dame et Mère, et de notre pleine puissance et autorité royales, iceluy sieur de Saint-Étienne confirmé et confirmons à nouveau, autant que besoin est et serait, ordonné, ordonnons et establissons, par ces présentes signées de notre main, gouverneur et lieutenant général en tous pays, terres et côtes de l'Acadie. Signé : Louis.* »

Latour et Denis foncèrent à bride abattue pour la Normandie dans l'intention d'y fréter un navire, de recruter un équipage et des colons. Dans un château à demi ruiné de la côte, ils découvrirent un gentilhomme qui ne l'était pas moins, mi-paysan, mi-brigand, Philippe Mius d'Entremont, qui respirait rêveusement dans l'air du large l'odeur des terres lointaines. Il signa l'acte d'engagement comme s'il lui tombait du ciel.

Les trois compères se trouvèrent bientôt en possession de tout ce qu'ils souhaitaient. Au mois d'août, les documents enregistrés par l'Amirauté, le navire nolisé, avec quelques jolies batteries de canons, ils quittaient le vieux pays.

Latour avait appris dans le courant de l'été, des anciens agents du défunt gouverneur, Le Borgne et Saint-Mas, que M. de Charnissay venait de mourir dans sa maison de la rue Grenelle-Saint-Germain. Lorsque Latour leur dit son intention de s'installer à Port-Royal avec le titre de gouverneur, Le Borgne sourit et lui dit :

— Mon ami, je vous souhaite beaucoup de courage. Vous devrez repartir de zéro. Le gouverneur d'Aulnay avait chez nous une dette de trois cent mille livres. Nous n'avons été défrayés que d'une partie de cette somme par ce que nous avons découvert en matière de fourrures et de peaux, de mobilier et d'armes, mais pour le solde nous serons patients.

Il ajouta avec un sourire hypocrite :

— Ce sera notre façon de compatir aux malheurs de cette pauvre veuve et de ses enfants...

La situation que Latour trouva en débarquant à Port-Royal était pire que ce qu'il avait imaginé. Ce brigand de Le Borgne n'y avait pour ainsi dire laissé que misère. Le comptoir et les entrepôts avaient été pillés de fond en comble ; le père Ignace gémissait sur ses autels dépouillés et s'était battu pour qu'on épargnât les cloches de ses chapelles ; on n'avait laissé à la famille du défunt qu'une réserve de vivres pour une quinzaine, des chaises, des tables et quelques lits.

Lorsque, blême de colère, Latour pénétra dans le manoir, il eut du mal à reconnaître Catherine. C'était une femme à présent et qui, malgré les malheurs qui s'étaient abattus sur le pays et la famille, respirait une profonde sérénité. Elle avait trouvé dans la péninsule une terre et un milieu à sa mesure et à sa convenance. Le temps des orages passé, elle s'était épanouie et se donnait avec ardeur aux tâches pour lesquelles elle se sentait faite, sans réticence comme sans ambition. Il la découvrait plus belle qu'il l'avait connue à son départ du fort Saint-Jean ; elle lui en imposait, et davantage encore à Denis. Elle avait envie de dire à son compagnon : « D'où viens-tu, garnement ? Toujours attaché aux pas de ton maître comme un chien à la botte ! » et Denis, en sa présence, se sentait penaud. Ils restèrent une semaine à se croiser dans la grande bâtisse vide sans se dire autre chose que « bonjour » et « bonsoir ». Et puis un soir de septembre, face au crépuscule vert de la baie, ils se retrouvèrent côte à côte sur la terrasse déserte qui recueillait comme une conque les rumeurs venues de deux milles alentour : appels de pêcheurs, cloches d'angélus, chants de grenouilles et de crapauds dans les marais, cris de bêtes dans la montagne, aboiement des chiens de traîne...

Ils ne se dirent ce soir-là que des phrases banales. Ce qui comptait, c'était que le passé se dépouillât de toutes les feuilles mortes qui les isolaient l'un de l'autre.

— Si tu savais, lui dit Catherine, combien j'ai pu te maudire. A certains moments j'essayais de me souvenir de la forme de ton visage, de la couleur de tes yeux, et je n'y arrivais pas. L'oubli faisait son œuvre.

Dans la nuit tombante, Denis distinguait l'ovale clair du visage de sa compagne, ses mains qui se détachaient comme des reliques de sainte, très pâles, sur la balustrade.

— Je ne parviens pas à t'en vouloir de m'avoir abandonnée, aujourd'hui que tu es là, mais je suppose que tu ne vas pas tarder à repartir. Tu ne tiens pas en place.

— Je l'ignore.

Elle se mit à rire doucement.

— Te souviens-tu, dit-elle, de ce que frère Bernard disait de nous : que nous étions faits l'un pour l'autre. Il comptait sans les aléas de l'existence, ton goût pour l'aventure et ta fidélité à ton maître.

— Je n'ai pas oublié, dit-il. Bernard avait peut-être raison. Qui sait si un jour...

Catherine s'était engagée dans le couloir menant à la chambre de sa maîtresse quand elle en vit sortir Joseph. Il esquissa un mouvement de repli puis se ravisa ; il serait passé près d'elle sans dire un mot si elle ne l'avait retenu par le bras.

— Que me voulez-vous ? dit-il abruptement.

— Depuis l'arrivée de M. Latour vous semblez me fuir. Quelle mouche vous a piqué ?

Il tenta de se dérober ; elle le retint.

— Vous me devez une explication. Si vous avez des soucis il faut me les confier. S'il y a autre chose, je veux le savoir.

– Je n'ai pas de compte à rendre à une servante.

– Je veux la vérité, monsieur Joseph, sinon je vous retire mon affection.

Il ricana :

– Cela ne vous gênera guère. Vous savez sur qui la reporter. Vous faites bon ménage avec ces brigands qui nous ont envahis. Ce n'est pas à eux que vous interdirez l'entrée de votre chambre !

La gifle partit avec une telle violence que Joseph se trouva propulsé contre la cloison.

– Vous me paierez ça ! s'écria-t-il.

– Vous l'avez bien cherché. Si vous cessiez de jouer les jaloux, peut-être pourrais-je me confier à vous.

Il ergota lourdement :

– Moi, jaloux d'une servante ! Encore faudrait-il que j'en fusse amoureux, mais vous ne m'avez jamais inspiré qu'un vague désir. Aujourd'hui je n'éprouve pour vous que de l'indifférence.

Elle se dit que Joseph n'était encore qu'un enfant, qu'il affectait trop de sérieux et prenait les premiers élans du cœur pour de grands sentiments. Elle devrait s'en méfier car nul n'est plus dangereux que les enfants qui se prennent pour des adultes.

Latour n'avait pas oublié Catherine. Elle n'eut aucune peine à le deviner. Un jour qu'il embarquait pour les concessions, il lui proposa de l'accompagner durant les trois jours que durerait le voyage. Elle refusa ; il en conçut une déception trop vive pour la dissimuler.

– Je te comprends, petite, dit-il. Tu préfères la compagnie de Denis à la mienne.

– Il n'y a rien entre nous, vous le savez bien.

– Allons donc ! Que faisais-tu, l'autre soir, dans sa chambre ?

Elle se troubla. Comment avait-il appris qu'elle avait passé une heure dans la chambre de son compagnon ? C'était une visite bien innocente ; ils s'étaient contentés de parler de leur vie passée loin l'un de l'autre. En le quittant elle avait aperçu Joseph ; il avait fui comme un malfaiteur.

Elle conta l'incident le soir même à Denis qui fronça les sourcils d'un air soucieux.

– Je comprends, dit-il, pourquoi Latour a insisté pour que je l'accompagne. Il y a des choses entre vous qu'il ne peut oublier. Il faudra te méfier de lui.

Catherine sentit sa gorge se serrer. Elle eût aimé lui confier combien ces souvenirs lui étaient importuns mais l'allusion de Denis l'ulcérait. Pourquoi était-il revenu? Pourquoi tentait-il de se rapprocher d'elle, de ranimer des cendres mortes? Des cendres... Avaient-ils seulement brûlé d'amour l'un pour l'autre? Ce n'étaient pas leurs chastes étreintes d'adolescents solitaires, les baisers qu'ils avaient échangés en toute innocence qui auraient pu transformer en passion des mouvements de tendresse. Elle devinait sans peine de quelle flamme ils eussent pu nourrir leur vie commune, mais elle n'en sentait pas la chaleur.

Latour revint des concessions la mine sombre : les colons réclamaient à grands cris de l'outillage, du bétail et des subsistances, Le Borgne et Saint-Mas ayant tout saisi. Il eut avec la veuve du gouverneur un entretien orageux; il comprenait mal qu'elle ne se fût pas opposée à ce pillage en règle, qu'elle n'eût pas fait intervenir les quelques soldats qui lui restaient. La pitié avait fait peu à peu retomber sa colère. Il se souvenait avoir désiré l'épouse de son rival, et ce désir se ranimait soudain devant cette femme accablée par les grossesses mais qui avait encore belle allure. Sans cette créance qu'elle traînait comme un boulet, peut-être eût-il songé à en faire son épouse. Cette décision, qui aurait pu passer pour une attitude magnanime, était en fait intéressée : cette union aurait réuni sous une même autorité – la sienne – toute l'Acadie.

Denis dit un jour à Catherine :

– Il tient à ce mariage. Dans une taverne de Cherbourg, alors qu'il était ivre, il m'a avoué qu'il avait eu l'idée de faire disparaître le gouverneur afin d'épouser sa fiancée à sa place. Certain de l'impunité, il l'aurait fait. C'est bien dans sa manière.

Catherine n'en doutait pas : Latour brisait sans scrupules tout ce qui s'opposait à ses ambitions; elle l'avait appris à ses dépens. Pour l'avoir à sa merci, il n'avait pas hésité à exiler Denis. Il recommencerait; la menace se précisait. Catherine avait l'impression de traverser un bourbier sur une planche instable, Latour guettant le moment où elle trébucherait.

L'idée se précisait en elle que, sûre de l'amour de Denis, elle résisterait avec plus de conviction et d'énergie et que se donner à lui serait le moyen le plus sûr de se défendre de Latour, mais une tentative manquée risquerait de lui faire perdre son compagnon et cette indépendance chèrement conquise, pour retomber dans les filets de son ancien maître. En revanche, une réussite lui permettrait de partir avec Denis, de monter vers le Saint-Laurent et d'y fonder le foyer dont elle rêvait. Il n'était pas trop tard.

Un matin de la fin d'octobre, Denis partit pour l'estuaire de la rivière du Dauphin participer aux préparatifs de la pêche aux éperlans.

C'était une de ces journées encore tièdes imprégnées par l'odeur des pluies prochaines. Les vieux Indiens prévoyaient les premiers froids pour le début de novembre; les grandes marées d'équinoxe commençaient à déshabiller les terres basses et leurs ressacs laissaient dans les branches des genêts et des ajoncs des dentelles d'algues mortes.

Catherine décida de rejoindre Denis. Après s'être assurée de l'absence de Latour, elle enfourcha une jument et courut sur les pistes côtières en évitant de se montrer à moins d'un demi-mille des demeures des colons. Il lui fallut un peu plus d'une heure pour arriver sur la rivière du Dauphin. Les pêcheurs vérifiaient leurs seines en fumant la pipe, mêlés à quelques Micmacs, près du campement constitué de grossières cabanes d'écorce et de séchoirs à poissons.

En apercevant Denis en discussion avec un Indien, le cœur de Catherine se mit à battre plus fort, et le malaise qu'elle ressentait depuis son départ s'accrut encore. Dès qu'il l'aperçut il s'avança vers elle en fronçant les sourcils, sa pipe indienne passée dans sa ceinture.

— Que fais-tu ici? dit-il. Qu'est-il arrivé?

— Rien! dit-elle joyeusement. J'ai eu envie de venir voir comment on pêche l'éperlan. Cela te dérange?

— Nullement, dit-il. As-tu faim? On est en train de faire cuire la « sagamite ».

Les pêcheurs ne la quittaient pas du regard, avec des sou-

257

rires et des clins d'œil. Ces engagés, célibataires pour la plupart et qui n'avaient pas touché une femme blanche depuis des mois, la regardaient comme une radieuse apparition. Denis saisit la jument par le mors et la mena vers un coudrier où il noua la bride. Puis il prit Catherine par le bras et la conduisit vers l'Indienne qui apportait la « sagamite ».

— Assieds-toi avec nous, dit-il, et mange.

Le repas achevé, les pêcheurs s'éloignèrent sous les premiers couverts pour une heure de sieste. Seuls les Indiens demeurèrent à leur place, assis dans le sable, les yeux mi-clos dans le soleil. Denis se curait les dents avec la pointe de son couteau et crachait dans le sable en contemplant ses pieds nus; la médaille offerte par Bernard, qu'il portait au cou, se balançait dans l'échancrure de sa chemise. Ils restèrent un long moment sans parler. Catherine se leva la première en secouant le devant de sa robe.

— Il faut que je parte, dit-elle. Les enfants...

— Déjà! Tu ne m'as toujours pas dit ce qui t'a amenée. Je ne crois pas à l'histoire que tu m'as racontée. Allons, cesse ce jeu absurde! Je pourrais te poser des questions mais je n'aime pas les devinettes.

Il se leva à son tour, posa ses mains sur les épaules de Catherine qui frémit des pieds à la tête en évitant son regard.

— Je sais que certaines paroles sont parfois difficiles à prononcer, mais il faut te décider. Qu'attends-tu de moi?

Elle dit dans un souffle :

— Je veux quitter Port-Royal.

— Je suppose que tu as des raisons sérieuses.

— Je ne décide jamais rien à la légère. Je me sens en danger.

— Latour? Il t'a relancée?

— Oui. Latour.

— Et c'est pour me dire ça que tu as fait tout ce chemin.

Elle se troubla, resta muette, se contenta de détourner la tête comme si elle était prise en faute.

— Viens, dit-il.

Il la prit par la main, la mena le long de la berge jusqu'à quelque distance du campement, dans une austère solitude de rochers et de sapins dominant les remous parsemés de troncs pourris et de vieilles pirogues. Elle s'assit près de lui, respira profondément comme pour prendre un élan, et dit :

— Denis, je t'en conjure, partons ensemble. Depuis des années nous jouons un jeu absurde. Cela ne peut durer. Nous devons nous décider.

— Eh bien, dit-il en riant, voilà qui est net! Je partage ton avis : il est temps de prendre une décision.

— N'hésite pas trop longtemps, dit-elle, sinon je prendrai cette indécision pour un refus. Je vais te faire un aveu qui me coûte beaucoup : si je t'ai rejoint, c'est dans l'intention de me donner à toi. Il y a entre nous trop d'affection ou pas assez de désir.

Il lui prit la main, la caressa, la porta à ses lèvres, parut l'étudier comme une image mystérieuse.

— J'ai longtemps espéré, dit-il, que nous ferions notre vie ensemble, mais il y avait tout le reste : la fascination pour Latour, la forêt, la chasse... Latour... J'ai parfois l'impression d'être comme son ombre, son double. Tantôt je l'aime, tantôt je le déteste. C'est en moi un conflit permanent dont je ne sors jamais indemne. Que deviendrai-je sans lui? Comment me comporterai-je avec toi? J'ai tant à me faire pardonner...

— Je suis disposée à tout te pardonner.

Elle inclina son visage vers le sien; il vint à sa rencontre, parut l'étudier comme il avait fait de sa main, appuya ses lèvres contre les siennes. Ils cessèrent soudain d'entendre le murmure du fleuve et de la forêt.

A dater de ce jour, leur existence s'était élargie à l'image de ces estuaires gonflés par des crues soudaines à la fonte des neiges. Il leur était aisé de se retrouver. Joseph continuait à les épier de son regard torve, mais ils se moquaient de cet avorton vindicatif; Latour les tenait à l'écart comme s'ils lui fussent devenus étrangers, mais ils s'en réjouissaient. Leur liaison était connue de tous les occupants du manoir; les soldats en parlaient à voix basse en fumant leur pipe, entre deux parties de cartes ou de dés, et souriaient d'un air complice en les croisant. Le moindre prétexte leur était l'occasion d'un rendez-vous : une course de Catherine au comptoir ou au presbytère du père Ignace; une expédition qui conduisait Denis vers quelque lointaine concession... Ils jouissaient de leur amour, comme d'une merveilleuse découverte. Tout naturellement, sans qu'ils eussent à s'interroger, il s'était substitué à cette affection qui les isolait au lieu de les rapprocher.

Ils eurent un long hiver pour eux seuls. Quand ils quittaient le manoir et s'éloignaient de quelques toises dans la forêt ou les déserts glacés des landes, ils se croyaient seuls au monde. Ils recherchaient cette solitude, se détachaient insensiblement de cette terre et de ces gens qu'ils voulaient quitter au printemps. Les jours s'écoulaient, sans ombre et sans poids.

Le départ de Latour pour la rivière Saint-Jean où il voulait reconstituer un comptoir et une habitation leur fut une délivrance. En revanche ils virent d'un mauvais œil arriver Le Borgne.

— Que me voulez-vous encore ? se lamentait Mme d'Aulnay.

— Vous nous devez toujours deux cent mille livres, madame.

— Je n'ai plus rien, vous le savez bien.

— Que non, madame ! Vous avez encore un beau domaine en France : Charnissay. Vendez-le !

— Si je le vendais, que laisserais-je à mes enfants ?

— Les garçons feront carrière dans l'armée et les filles dans le mariage.

— Vous êtes un misérable ! M. Latour présent, vous n'eussiez pas tenu un tel langage.

— Au printemps, disait Catherine, nous partirons pour Montréal et nous nous marierons dans la chapelle de Bon-Secours. Ma vie est désormais à tes côtés.

Ils espéraient retrouver le frère Bernard pour qu'il célébrât leur mariage. Il quitterait le territoire des Abénakis, traverserait des immensités de forêts grandes comme la France, passerait des fleuves larges comme dix fois la Seine. Sans lui, il manquerait quelque chose à leur bonheur.

— Je vais lui écrire, dit Denis, mais qui sait si je parviendrai à le toucher ?

Il lui envoya une lettre succincte mais qui disait tout ce qu'il y avait à dire et laissait entendre bien davantage. Bernard ne s'était pas ensauvagé au point de ne pas savoir lire entre les lignes.

Ce ne serait pas frère Bernard qui les unirait. Ils apprirent avec consternation que sa mission terrestre était achevée depuis quelques mois. Un jour de septembre de l'année passée, alors qu'il remontait avec quelques Abénakis la rivière Yamaska, aux confins du territoire des Agniezs, il était tombé dans une embuscade. Capturé, il avait été torturé avec des raffinements diaboliques par ces « sauvages ». Son agonie avait duré trois jours, puis les Indiens l'avaient dévoré. On tenait ce récit d'un Abénaki fait prisonnier, réduit à l'esclavage mais qui avait pu s'échapper.

Latour ramena la triste nouvelle au retour de la rivière Saint-Jean ; il n'avait pu en apprendre davantage. Cette mort l'affectait plus qu'il ne voulait bien le laisser paraître. Les épreuves, les cruautés qu'il lui avait infligées s'étaient retournées contre lui ; Bernard s'était révélé un adversaire courageux et loyal alors que lui, Latour, ayant usé de toutes les armes en son pouvoir pour l'abattre, avait échoué. Bernard n'était pas un antagoniste ordinaire ; toute victoire remportée contre lui en apparence était en fait un échec : plus grande était cette victoire et plus lourd le remords.

Leur détresse passée, Denis et Catherine n'avaient plus éprouvé qu'un sentiment de révolte, mais ils n'auraient pu dire contre qui et contre quoi. Les Agniezs étaient des guerriers redoutables que les Anglais montaient contre les Français en armant leurs bras, mais Dieu n'avait rien fait pour éviter ce martyre. Ils sentaient une bouffée de colère leur monter au visage lorsqu'ils se trouvaient en présence de négociants de Boston, et la main de Denis se crispait sur son pistolet.

Ces sentiments d'émotion et de révolte s'estompèrent avec les dernières semaines de l'hiver. Dans les assemblées de l'Ordre de Bon Temps créé par les premiers colons de M. de Champlain pour lutter contre les longs jours d'oisiveté, le froid et la faim des premiers temps de la colonie, on commençait à chanter le printemps avec des refrains de France.

Dès que les premiers soubresauts du dégel secouèrent la rivière, Denis alla informer Latour de son intention de le quitter en emmenant Catherine. Latour leva son visage des documents qu'il était occupé à compulser et posa les mains à plat sur son bureau.

— Vraiment ? dit-il. Et quand comptez-vous partir ?

— Dans les premiers jours d'avril, quand les chemins seront libres. Catherine et moi, nous allons nous marier. Y voyez-vous un inconvénient ?

— J'en vois plusieurs, dit Latour d'un air sombre. Tu me dois encore deux ans de service, de même que ta fiancée. D'autre part elle est trop utile à Mme d'Aulnay. Sans elle, qui s'occuperait des enfants ? Ils deviendraient de véritables petits sauvages. D'ailleurs pourquoi voulez-vous quitter Port-Royal ?

Denis répondit après un silence :

— Parce que... parce que je tiens à me détacher de vous, à être moi-même. Je crois que je peux vivre ailleurs que dans votre ombre. Je ne veux plus dépendre de personne. Catherine de même : vous lui faites peur. C'est en partie pour vous échapper qu'elle est venue vers moi.

— Pour m'échapper, dis-tu ?

— Dès votre retour vous avez de nouveau cherché à la séduire, ne le niez pas !

— Je n'aurais pas eu à insister beaucoup pour qu'elle me cède. Toutes les femmes sont ainsi : elles finissent toujours par céder à la loi du plus fort.

— Pas elle !

Le poing de Latour retentit sur la table.

— Blanc-bec ! Je la connais mieux que toi !

— Si elle a succombé, jadis, c'était contrainte et forcée. Vous la terrorisiez. Elle n'a jamais éprouvé pour vous que de la haine et de la crainte.

Latour rugit :

— J'en ai assez entendu ! Voilà ma décision : tu ne reverras pas cette fille durant les deux ans que tu me dois. Tu iras faire le joli cœur chez les « sauvagesses ». Cette fille est une entrave à ton destin. Tu es fait pour la forêt et la vie sauvage, pas pour être responsable d'un foyer et faire de la terre. Quand tu auras réfléchi et conclu que tu peux fort bien te passer d'elle, tu reviendras me trouver et je te donnerai le commandement d'un poste.

— ... et en mon absence vous prendrez soin de Catherine!

— Va-t'en! hurla Latour, si tu ne veux pas que je te fasse mettre aux fers.

Le premier soin de Denis en quittant son maître fut d'aller trouver Catherine pour lui faire part de son entretien. Puis il lui dit:

— Nous allons nous enfuir de Port-Royal.

— Quand?

— Tout de suite.

— Je partirai quand tu l'auras décidé, mais il me sera difficile de me séparer des enfants. Ils me sont très attachés.

— Tu accepterais de gaspiller encore deux ans de ta vie pour ces marmots? Je ne te comprends pas! Je ne te comprends plus!

Il s'éloigna en traînant le pas sur la terrasse où subsistait une croûte de neige, s'appuya quelques instants à la balustrade avant de s'éloigner sans un mot et de disparaître. Catherine le vit dans le soir tombant seller un cheval pour aller galoper sur les prairies marécageuses encore enneigées qui bordaient le fleuve, où déjà l'odeur puissante des terres en train de fermenter se mêlait à celle des premières brises du printemps. Il songeait en chevauchant: « Ce soir, il faut que je parvienne à la convaincre de partir dans les jours prochains. Si nous réfléchissons trop nous sommes perdus... »

Il revint à la nuit noire, entra dans la chambre de Catherine et n'y trouva qu'une vieille servante indienne occupée à plier du linge. Quand il lui demanda où était Catherine, elle pointa le doigt vers l'étage supérieur et lui dit:

— On vient de lui installer un lit dans un cabinet voisin de la chambre de Mme d'Aulnay. Il te sera difficile de la rejoindre, Cheveux-Rouges...

Denis repartit en titubant, s'allongea tout habillé sur son lit et ne trouva le sommeil qu'à l'aube. Une heure plus tard, réveillé par le clairon du fort, il s'arrosa le visage d'eau claire. Quand il voulut quitter sa chambre, il se heurta à un soldat qui l'attendait et lui dit:

— Le gouverneur te fait dire de lui rendre visite dès que tu seras levé. Suis-moi!

Latour l'accueillit d'un air hargneux; il devait avoir mal dormi car il avait des cernes autour des yeux et le teint livide.

— J'envoie un détachement de dix hommes à Cap Sable, dit-il. Philippe d'Entremont éprouve des difficultés avec les trafiquants basques de « pelu ». C'est toi qui commanderas mes hommes. Il faudra tenir jusqu'au début de l'hiver prochain. J'espère qu'au retour tu seras mieux disposé à mon égard.

— Et si je refusais de partir?

— Tu aurais tort. Je n'hésiterais pas à te faire passer devant un tribunal qui te condamnerait aux fers ou à la pendaison. Cela me peinerait car tu es un excellent collaborateur quand tu ne te mets pas en tête des idées folles.

— Quand partons-nous?

— Dans deux heures. Des Indiens vous montreront le chemin.

Il leva un œil soupçonneux sur Denis dont le calme l'intriguait et lui dit :

— Un conseil : ne tente pas de fuir. Mes hommes ont l'ordre de t'abattre à la première tentative, mais tu sembles devenu raisonnable.

— Ne vous y fiez pas! J'accepte de partir mais avec l'intention de vous faire payer vos excès de pouvoir.

— Bah! Je te connais. Tu changeras vite d'avis, et pas seulement en ce qui me concerne.

— Pourrais-je faire mes adieux à Catherine?

— Je me chargerai de les lui transmettre.

— Latour, un jour je vous tuerai.

— Non, petit, un jour tu me remercieras.

11

LES PLUIES DE MARS

Charles traversa le jardin baigné par la lumière toute neuve du printemps, foula d'une allure d'Indien les herbes sauvages et, s'avançant vers Catherine qui soignait une éraflure que la petite Marie s'était faite en tombant, il lui dit en lui tendant un pli :

– Un Indien est arrivé au manoir. Il portait cette lettre pour « *Mademoiselle Catherine Brunet* ». Il est reparti sans attendre la réponse.

Catherine glissa la lettre dans son corsage.

– Charles, dit-elle, ne dis rien à personne. C'est promis ?

Il hocha gravement la tête tandis que Catherine se retirait sous la charmille. Cette lettre ne pouvait venir que de Denis. Depuis deux mois qu'il avait quitté Port-Royal, elle n'avait obtenu aucune explication de ce départ précipité, mais elle savait que cette absence n'était pas de son fait. C'est Latour qui l'avait éloigné; il était coutumier du procédé.

C'était bien un message de Denis. Il disait : « *J'ai dû partir contraint et forcé sans pouvoir te faire mes adieux, mais je pense toujours à toi. Comment pourrais-je t'oublier ? La vie à Cap Sable est difficile mais je l'affronte avec la conviction que nous nous reverrons bientôt...* »

Catherine sortait de la charmille pour rejoindre les enfants quand elle se heurta à Joseph; adossé au tronc d'un chêne, il examinait ses ongles avec une attention soutenue.

– Alors, dit-il, vous avez de bonnes nouvelles ?

267

— De quoi parlez-vous?

— De cette lettre de votre amoureux, que vous venez de recevoir. J'étais présent lorsque l'Indien l'a remise à Charles, votre chouchou. Si M. Latour apprenait qu'on a désobéi à ses ordres...

— Vous allez le prévenir?

— Mon devoir me le commande, mais je ne le ferai sans doute pas car je déteste M. Latour autant que vous le détestez.

Il ajouta en se dirigeant vers elle, le regard bas :

— Ce qui m'intrigue c'est que, son rival absent, il n'ait pas tenté de se rapprocher de vous. Peut-être ne veut-il pas risquer de compromettre son projet d'épouser ma mère. Reste ce problème, ce cas de conscience : vais-je ou non informer M. Latour? En ne le faisant pas, je risque de passer pour votre complice...

Catherine se détourna brusquement avec une mine de dégoût : Joseph lui rappelait ces couleuvres qui sortent au printemps de leur trou pour s'enrouler au tronc des bouleaux comme pour les étouffer. Elle l'entendit murmurer près de son oreille :

— Moi, votre complice, vous rendez-vous compte? Ce serait burlesque, avouez-le! Il ne manquerait, pour que cette farce devienne une comédie, que vous et moi...

— Que voulez-vous dire, monsieur Joseph?

Il rougit violemment et ajouta dans un souffle :

— Vous le savez fort bien. Je vous propose mon silence contre un rendez-vous, ce soir, dans ma chambre. Si vous l'exigez, je resterai près de vous sans vous toucher. Votre présence me suffira. Certaines nuits, je colle mon oreille contre la porte de votre chambre pour entendre les bruits de votre sommeil. Parfois vous parlez en dormant...

— Taisez-vous! cria-t-elle d'une voix âpre. Je ne vous ouvrirai jamais ma porte, vous le savez bien!

— Qu'ai-je fait pour que vous me détestiez tant?

— Détrompez-vous : je ne vous déteste pas, mais céder à vos caprices serait trahir la confiance que votre mère me témoigne.

— Si vous saviez à quel point je vous désire, vous auriez pitié de moi.

Elle répliqua avec une pointe de sarcasme :

– Le plaisir que vous éprouverez à me dénoncer à M. Latour constituera une compensation.

– Sotte ! dit-il. Vous allez m'y obliger.

Joseph avait longtemps hésité à mettre son projet à exécution. Une semaine plus tard, Latour fit appeler Catherine et entra aussitôt dans une violente colère, menaçant de donner des ordres pour que Denis fût mis aux fers.

– Rien ne vous empêche de le faire, riposta Catherine, puisque vous êtes tout-puissant, mais sachez que pour nous faire renoncer l'un à l'autre vous devrez nous tuer. Je vous ai cédé jadis, par contrainte puis par lassitude, mais cela ne se reproduira plus. Mieux vaut renoncer définitivement à me poursuivre de vos assiduités.

– Si j'avais eu l'intention que tu me prêtes, je serais déjà parvenu à mes fins.

– Alors pourquoi avoir éloigné Denis ?

– Pour lui redonner le goût de la forêt. Il y a trois états par lesquels Denis ne passera pas parce qu'il en est incapable : bourgeois, paysan et époux exemplaire. Sa panoplie résume ses goûts : des vêtements de peau, un mousquet, une pipe, quelques verroteries au fond de sa poche pour offrir aux Indiennes... Tu n'y changeras rien.

– Vous vous trompez. Il reviendra et rien ne pourra nous empêcher de vivre ensemble et de fonder une famille.

Certains soirs de l'été torride qui suivit, le désir de Joseph s'exacerbait au point qu'il ne réintégrait sa chambre que tard dans la nuit, après s'être épuisé à courir à cheval à travers la forêt et le long de la grève. Avant de regagner son lit il s'arrêtait devant la porte de Catherine et prononçait des paroles incohérentes. Il ne semblait pas que Mme d'Aulnay se fût alarmée de ce comportement, sinon elle eût expédié son fils aîné respirer l'air du vieux pays pour calmer ses ardeurs.

Le soir, lorsque Catherine, selon son habitude, venait rendre compte de la conduite des enfants, Mme d'Aulnay la remerciait sèchement. Elle ne manquait pas de la réprimander lorsqu'elle arrivait en retard à la messe ou qu'elle oubliait d'aller se confesser au père Ignace.

– Pardonnez-moi, madame, répondait humblement Catherine, mais j'ai tant à faire avec les enfants...

– Je sais, ma fille, mais le devoir de religion passe avant tout.

Elle montrait la même sévérité pour la tenue de sa servante. Un jour que Catherine avait noué négligemment à son corsage un ruban de couleur, elle l'avait tancée avec aigreur :

– Votre tenue se relâche, ma fille. Veillez-y, sinon je serai contrainte de sévir et de vous imposer le noir, comme à moi et à Mme Brice.

Lorsque Catherine, pour satisfaire aux observations de sa maîtresse, s'habilla de vêtements ternes, les enfants la trouvèrent laide et se moquèrent d'elle. Charles alla jusqu'à la comparer au père Ignace ; Jeanne lui présentait par dérision son front à bénir en l'appelant « ma sainte mère ». Quant à Joseph...

– Vous pouvez vous vêtir comme une nonne, lui dit-il, vous ne parviendrez pas à vous enlaidir.

Mme d'Aulnay, en revanche, semblait curieusement encline à user de la coquetterie qu'elle reprochait à sa servante. Latour s'était ouvert à elle de son intention de l'épouser, mais il attendait prudemment que Le Borgne eût rabattu de ses prétentions ou que les tribunaux eussent tranché contre lui ; la procédure traînait en longueur ; tout ce que M. Brice de Sainte-Croix avait pu obtenir, c'est un projet de partage des droits de Mme d'Aulnay avec le duc César de Vendôme, oncle du jeune souverain.

A la coquetterie malhabile de Mme d'Aulnay faisait écho celle du nouveau gouverneur. Elle arborait une coiffure dite en « battant-l'œil » et un négligé d'intérieur de soie noire ennuagé de valenciennes, appelé « innocente » ; il s'habillait comme s'il avait rendez-vous avec un ministre et portait des cravates mirifiques sous sa barbe soigneusement taillée qu'il avait renoncé à couper.

Catherine comptait les jours qui la séparaient de la première neige. Par l'intermédiaire d'un Indien dont elle était sûre, elle avait écrit à Denis que Latour ne reculerait devant rien pour qu'il ne revînt pas. Elle ne revit pas son messager mais reçut un nouveau courrier de Denis, qui disait à peu près la même chose que le premier. Elle était certaine qu'il mettrait son projet à exécution, au point qu'elle demanda au père Ignace, sous le sceau de la confession, s'il consentirait à les unir en mariage, ce que le père accepta.

Les pluies fraîchirent, se mêlèrent à de la neige. Un matin d'octobre, les lointains sommets sortirent blancs de la nuit. Catherine les regarda de sa fenêtre se dégager des dernières brumes sur un ciel couleur de capucine, et son cœur se serra en songeant que Denis, s'il tenait sa promesse, ne tarderait guère à la rejoindre.

Le dernier dimanche de l'Avent elle alla se promener avec les enfants en direction des collines. Joseph précédait le joyeux groupe, tirant une luge et se retournant de temps à autre pour attendre les attardés. En raison de sa santé délicate, la petite Marie était demeurée au manoir. Le soleil escaladait le ciel éblouissant; le son des cloches ricochant sur les pentes se mêlait au murmure des futaies d'épicéas. La forêt s'annonçait par une plantation d'arbres nains que surplombaient des érables aux troncs tailladés de plaies pruineuses.

– N'allons pas plus loin, dit Catherine. De là vous pourrez vous laisser glisser sans risque de vous blesser en tombant de la luge.

Elle effectua une première descente en compagnie de Charles. En remontant à son point de départ, son attention fut attirée par des traces de pas dans la neige : celles d'un homme chaussé de bottes sauvages. Un Indien, peut-être, mais rien n'indiquait qu'il se fût servi de sa lance pour marcher dans la neige. Depuis des jours, personne, pas plus au fort qu'au manoir, n'était allé dans la montagne. Peut-être ce prisonnier – un déserteur – qui s'était évadé quelques jours avant et dont on n'avait pas retrouvé trace.

– Voulez-vous faire une descente avec moi, Catherine ? demanda Joseph.

Elle repoussa son invitation : elle préférait souffler un peu et faire un brin de promenade, tandis que Joseph prendrait soin des enfants. Elle retrouva aisément les traces de pas et, s'armant de courage, s'enfonça dans une sapinière, la main sur la poignée du coutelas qui ne la quittait pas en prome-

271

nade depuis qu'elle avait appris qu'un enfant s'était fait enlever par les loups près du fort de Notre-Dame-des-Bonnes-Eaux. Les traces paraissaient être celles d'un homme fatigué; les piétinements à la base de quelques arbres prouvaient qu'il s'y était reposé.

Elle faillit interrompre ses recherches quand elle entendit une voix qui murmurait son nom. Elle poussa un cri. Denis était assis sur une souche, son mousquet entre les jambes. Avant qu'il ait pu ajouter un mot, elle se jetait contre lui, le pressait de toutes ses forces sur sa poitrine; il pesait à son épaule comme un enfant endormi.

— Je n'étais pas certaine, dit-elle, que ces traces soient les tiennes. Un prisonnier s'est échappé il y a quelques jours.

— Je l'ai rencontré chez les Indiens, à quelques milles d'ici. Je suis venu un peu par hasard sur cette pente : je savais que tu y viens quelquefois faire de la luge avec les enfants. Mon flair ne m'a pas trompé.

— Denis! tu as tenu parole. Tu es revenu...

— Entremont a reçu l'ordre de Latour de me garder jusqu'au printemps, mais je n'ai pas pu résister au plaisir de te retrouver.

— Qu'allons-nous faire? Latour va te faire chercher partout dès qu'il apprendra ton évasion.

— Je vais me cacher chez les Indiens micmacs, à quelques milles au sud de Port-Royal. Ils me sont fidèles. Tu viendras me rejoindre aux environs de Pâques. Je te ferai signe.

— Je viendrai, dit-elle en appuyant sa tête contre la poitrine de Denis. Rien ne pourra m'en empêcher.

Il était sale, dépenaillé, la barbe en broussaille, puant la peau mal tannée, mais son visage rayonnait sous la crasse et la barbe rousse. Tout à coup elle le repoussa avec un cri. Inquiet de son absence, Joseph venait à sa rencontre.

— J'aurais dû m'en douter! dit-il. Salut, Chapdeuil! C'est M. Latour qui va être surpris de te revoir si tôt.

— Je n'ai pas l'intention de lui faire cette surprise, et je plains ceux qui trahiraient ma présence : ils le paieraient très cher.

Avant que Denis ait pu faire un mouvement, Joseph bondissait sur le mousquet et braquait le canon sur sa poitrine.

— Ton maître, dit-il, serait outré que tu passes dans la région sans lui faire une visite. Nous irons ensemble.

– Imbécile, dit Denis, tu perds ton temps. Cette arme n'est pas chargée.

– Je vois bien qu'elle l'est! Tu ignores que je suis le meilleur tireur de la garnison. A cinquante pas je coupe net la plume d'un Indien.

– Monsieur Joseph, dit Catherine, posez cette arme.

Elle tendit la main pour la prendre; Joseph la mit en joue.

– Écarte-toi! dit Denis. Il est assez sot ou assez fou pour tirer! Ne lui donne pas ce plaisir.

– Je n'en éprouverai aucun plaisir, dit Joseph, mais je n'hésiterai pas à tirer. Vous allez me suivre tous deux. Charles ramènera les enfants.

Il n'y avait pour Denis aucun moyen de s'échapper sans risquer sa vie : le mousquet était bourré d'une forte charge et Joseph avait appris à mener un prisonnier, ni de trop près, ni de trop loin. Ils descendirent vers le manoir par une piste parallèle à celle par laquelle les enfants étaient venus. Melansson s'occupait à faire ferrer des mulets dans la cour. Il eut un hoquet de surprise en les voyant paraître.

– Par exemple! s'exclama-t-il. Je le croyais à Cap Sable.

– Il y était, dit Joseph, mais il s'est échappé. Mettez-le en prison en attendant que l'on prévienne M. Latour.

Melansson s'exécuta.

– Monsieur Joseph, dit Catherine, cela ne vous portera pas bonheur. Denis se vengera, et moi je vous déteste!

Elle l'entendit murmurer :

– Moi, Catherine, je vous aime plus que jamais!

Le gouverneur sourit dans sa barbe en apprenant de la bouche de Joseph comment il avait arrêté le prisonnier. Le « héros » attendait un compliment; il fut déçu.

– Tu as agi, dit Latour, comme un gamin vindicatif. Tu sais bien que Catherine ne sera jamais à toi. Autant vouloir t'attaquer à la respectable Mme Brice. Tu n'as pas agi d'une manière chevaleresque, c'est le moins qu'on puisse dire.

– Et vous, riposta Joseph, lorsque vous éloignez Denis, les scrupules ne vous étouffent pas!

– J'agis dans son intérêt, pour lui éviter de faire des bêtises. Et puis j'ai besoin de ses services : c'est mon meilleur lieutenant. Maintenant file, morveux, si tu ne veux pas que ma botte fasse connaissance avec le fond de tes braies!

Il rendit visite à Denis dans son cachot :

— Je ne sais pas encore ce que je vais faire de toi, dit-il. Je pense que je vais te laisser les fers pendant une semaine ou deux et que je t'enverrai ensuite sous bonne escorte au fort Nashouat qui a besoin d'hommes pour la traite. Quand tu en reviendras ta ceinture sera deux fois plus lourde.

— Vous vous faites des illusions sur mon compte, dit Denis. Je n'ai plus de goût pour la traite. Je pense à la forêt sans désir, comme à une maîtresse décatie. Je dois me faire vieux.

— Avec le poste de Nashouat tu auras l'impression de découvrir une jeune maîtresse. On y trouve les plus belles fourrures du continent.

— Je n'ai pas envie d'aller à Nashouat.

— Tu iras. Je te ferai embarquer au printemps et si tu cherches à te défiler, dis-toi que je te retrouverai, même si tu vas te perdre dans le Grand Nord ou dans les montagnes de l'Ouest.

— Je vous ai prévenu qu'un jour je vous tuerai. Vous auriez tort de croire que c'est une parole en l'air.

— Je te crois, petit. Je te crois.

— Laissez-moi voir Catherine.

— Non.

— Quelques instants seulement.

— J'ai dit non.

— Vous aimez tant cette fille que vous feriez n'importe quoi pour la garder. Vous devez souffrir, mais ce n'est qu'un début. Ce sera pire quand nous partirons d'ici. Vous vous retrouverez sans victimes à tourmenter.

— Si tu savais comme tu te trompes...

Lorsque Latour se retira, Denis éclata de rire : il venait de songer que c'était Latour qui était en prison, enfermé dans sa solitude, et lui, Denis, un homme libre.

Le troisième jour de mars le destin décida de débroussailler son jardin d'Acadie. L'herbe était mûre et le printemps commençait à distiller ses odeurs de rat musqué.

Ce matin-là, comme chaque jour, Denis monta sur son escabeau pour accéder à la fenêtre de sa cellule. La pluie ruisselait du toit de bardeaux ; l'air avait une autre couleur et une autre saveur que les jours précédents; le printemps semblait filtrer en senteurs lourdes du sol de terre battue. Il aperçut avec un serrement de cœur une petite lumière à la fenêtre de Catherine; elle allait pousser les battants, apparaître en chemise de nuit, et son premier sourire, comme chaque matin, serait pour lui; ils resteraient quelques instants à s'observer, à se faire des gestes, à abolir la distance entre eux; puis elle disparaîtrait et Denis se retrouverait en tête à tête avec sa cruche d'eau et son pain rassis.

Ce matin de mars il comprit qu'il ne resterait plus longtemps prisonnier. Un moment viendrait où les odeurs de la forêt seraient trop insistantes, les signaux de Catherine trop attirants, le pain amer et l'eau saumâtre. Il s'évaderait. Il ne savait ni quand ni comment, mais dès qu'il pensait au printemps, à Catherine, au pain tendre, aux chemins à travers la forêt, son cœur se soulevait et rien ne lui paraissait impossible.

A quelques heures de là un navire anglais jetait l'ancre au milieu des bâtiments français. Un homme sautait à terre et, sous la pluie, se hâtait vers le manoir.

— Je vous attendais, dit Latour. M'apportez-vous l'accord du gouverneur Winthrop?

— Oui, monseigneur. En ce moment même, lord Sedgewick, amiral de Son Excellence le lord-protecteur Olivier Cromwell, se dirige vers Port-Royal pour se mettre à votre disposition.

— Fort bien, marmonna Latour, mi-figue mi-raisin.

Cette nouvelle le comblait et le navrait en même temps. Son union, discrètement célébrée l'hiver passé, avec la veuve de M. d'Aulnay avait profondément irrité Le Borgne. Tant qu'il avait affaire à cette femme vulnérable et incompétente, le marchand rochellais se sentait en position de force pour régler ses affaires; avec Latour il allait falloir se battre pied à pied : le nouveau gouverneur avait pris en main le contentieux en stipulant dans le contrat de mariage que la séparation des biens cesserait entre eux à l'extinction de la dette. Fine mouche, Latour, qui venait de passer la soixantaine, se sentait suffisamment de courage pour protéger son épouse mais non pour recevoir des coups à sa place. Elle faisait front d'ailleurs aux événements avec une sérénité qui ressemblait beaucoup à de l'indifférence. L'ancienne Mme Latour, la dame « Jacqueline », eût agi tout autrement : elle eût fait feu des quatre fers, armé des pinasses et exterminé ces importuns.

Au début de l'hiver, revenu en France, Le Borgne avait assiégé les secrétaires des ministres, les ministres eux-mêmes et le chancelier ; il avait déposé des requêtes dans tous les cabinets et ne laissait pas à la poussière le temps de s'y déposer : cet homme avait la sainte horreur du temps perdu. Il fit tant et si bien qu'on ne parla bientôt plus de Latour que comme d'un usurpateur et d'un hors-la-loi. Pouvait-on refuser à cet honnête marchand rochellais les moyens de le maîtriser ?

Bien décidé à ne pas se laisser surprendre, Latour avait habilement rappelé à lord Winthrop le temps où ils avaient uni leurs forces contre le chevalier d'Aulnay et les excellents rapports commerciaux qu'il avait entretenus avec Boston ; il lui demandait de nouveau son aide. En dictant la lettre à son secrétaire il entendait le mot « trahison » bourdonner dans son crâne comme une mouche obstinée ; il le chassait mais il revenait inlassablement.

Sa lettre arriva opportunément sur le bureau de lord Winthrop, le gouverneur du Massachusetts étant en plein désarroi. Depuis des mois il recrutait des hommes de troupe, tirait des plans en vue d'une attaque des colonies hollandaises, notamment cette île de Manhattan où convergeaient les routes de traite des Iroquois. Et voilà que le lord-protecteur Cromwell traitait avec la Hollande et faisait la paix ! Winthrop se retrouvait avec des troupes inutiles, des navires immobilisés et des plans sans objet. Il relut la lettre de Latour, convoqua son conseil, enleva aisément la décision. Puisqu'il était interdit d'attaquer la Hollande, on prêterait main-forte à ce vieux forban de Latour, mais au prix fort !

– Nous commencerons, dit-il, par nous rendre maîtres des postes de Pentagouet et de la rivière Saint-Jean où nous laisserons des garnisons, aux frais de Latour bien entendu, puis nous mettrons à la voile vers Port-Royal...

Lorsqu'il prononçait ce nom, lord Winthrop allongeait des lèvres gourmandes comme pour mordre dans un fruit juteux.

– Une fois ancrés à Port-Royal, lord Sedgewick enverra une unité s'emparer de La Hève, une position importante pour nous. De là, il remontera vers Cap Breton où une simple démonstration de notre puissance de feu nous livrera ce brigand de Nicolas Denys. Ce ne sont pas les postes français des îles Saint-Jean, Shippagan et de la Madeleine qui pourront nous faire obstacle.

Il ajouta, les yeux au plafond :

– Nos navires ne s'arrêteront qu'à l'endroit où les vagues de l'océan affrontent les eaux du Saint-Laurent.

– Bien, dit Latour. Fort bien...

Il gratta son menton à travers sa barbe grisonnante et se leva pesamment pour se diriger vers la fenêtre de son cabinet. Le paysage était noyé par les premières pluies de printemps; la montagne se dessinait au loin, encore couverte de neige. Il était moins rassuré qu'il voulait bien le laisser paraître. Qu'allait-il advenir de son indépendance maintenant qu'il avait fait entrer le loup dans la bergerie, qu'il avait donné libre cours aux ambitions dévorantes des « couacres » ? L'amiral Sedgewick était signalé à Pentagouet et dans l'estuaire de la rivière Saint-Jean; dans quelques jours il mouillerait devant Port-Royal. Le Borgne n'oserait pas reparaître avec ses assignations, mais le remède semblait pire que le mal. Latour devrait sortir de son coffre ses titres anglais signés de sir William Alexander : « *Sir Charles of Latour de Saint-Stephen, lord of Saint-Deniscourt...* » Pourrait-il encore se dire français ? Cette terre qu'il distinguait dans le brouillard de pluie allait-elle cesser de l'être par sa faute ? Un flot d'amertume l'envahit.

En bas, de l'autre côté de la cour, Denis, les poings rivés aux barreaux de sa cellule, regardait comme lui tomber la pluie. « Je vais le libérer, se dit Latour. Que lui au moins soit libre de quitter ce pays alors que je prendrai le chemin de l'Angleterre. Ma nouvelle patrie... »

L'homme qui gisait à ses pieds, Denis le connaissait bien : un bon bougre qui se demandait pourquoi on avait fait de lui un geôlier. La blessure était superficielle, l'escabeau n'ayant fait que meurtrir le sommet du crâne. Il glissa le pistolet du

277

gardien dans sa ceinture et partit en refermant la porte. Pour prévenir Catherine il se glissa à travers l'ombre jusque sous sa fenêtre. Au premier caillou qui heurta ses contrevents elle surgit.

— J'ai réussi à m'évader, dit-il. Rendez-vous dans trois ou quatre jours au village indien dont je t'ai parlé. Tâche de venir avec un cheval.

— Je viendrai, souffla-t-elle. Sois prudent. Que Dieu te garde!

Toujours longeant les murs, Denis parvint au corps de logis où était installé le bureau du gouverneur, en face de sa cellule. Il lui serait aisé d'y parvenir : depuis des jours il observait les fréquences des patrouilles. Il se glissa dans le vestibule, monta à pas feutrés jusqu'à la porte du cabinet, la heurta discrètement.

— Entrez! dit une grosse voix.

A peine entré, Denis pointait son arme vers Latour qui sursauta dans son fauteuil.

— Toi! dit-il. Comment as-tu fait?

— Je n'ai pu résister au plaisir de venir vous faire mes adieux, *monseigneur*.

Latour cacha un sourire derrière sa main.

— Quelle étrange coïncidence! dit-il. J'avais prévu de te faire libérer dans les jours qui viennent.

— Nous avons pensé la même chose au même moment. En admettant que vous disiez vrai, cette bonne intention ne suffit pas pour apurer nos comptes.

— Aurais-je des comptes à te rendre? Je t'ai mis à l'ombre pour désobéissance et rébellion alors que j'aurais dû te faire pendre!

— Vous avez été magnanime, *monseigneur*! Pourtant je ne vais pas partir la conscience lourde et la bourse légère. Où est ma ceinture?

— Dans ce placard, derrière moi.

— Rendez-la-moi.

— Non.

— Pourquoi?

— Si j'ouvre moi-même ce placard, je prends un pistolet et je crains de ne pouvoir résister à la tentation.

— C'est très chevaleresque de votre part. Je ne vous reconnais plus, *monseigneur*!

Denis prit lui-même la ceinture, vérifia qu'elle contenait toujours l'or de ses économies, puis il glissa dans l'encoche réservée à cet effet le pistolet à crosse de nacre de son maître.

– Eh bien, voilà, soupira Latour. Nous sommes quittes, petit. Salut et bonne chance.

– Je ne vous tiens pas quitte, dit Denis. Pas tout à fait. Souvenez-vous : j'ai dit que je vous tuerais, mais je veux faire preuve de magnanimité moi aussi. Je vais vous donner une chance. Nous allons nous battre en duel au pistolet. Est-ce correct ?

– Comme tu voudras.

Latour pensait à autre chose : aux navires anglais qui allaient arriver. Cette obsession ne cessait de le tarauder. Il songeait aussi avec un pincement au cœur qu'il allait devoir faire amener le pavillon à fleur de lys. Il se leva lourdement.

– Je suis à toi.

– Laissez brûler vos chandelles. Nous allons sortir discrètement par la porte du jardin, comme des amoureux.

– Et Catherine ? N'aviez-vous pas l'intention de partir ensemble ?

– Nous verrons plus tard. Rien ne presse.

Il leur fut si facile de quitter le manoir que Latour ne put s'empêcher de pester contre les sentinelles. Il précédait Denis ; quand son allure se ralentissait il sentait le canon du pistolet dans son dos. Il avait envie de dire à Denis combien, depuis quelques jours, il accordait peu de prix à l'existence. L'esprit de vengeance qui animait ce garçon, il ne le comprenait que trop bien ; il le considérait un peu comme son fils adoptif. Il se sentait las, découragé, sans force. Pourrait-il tenir son arme, appuyer sur la gâchette ?

Ils marchaient depuis une dizaine de minutes quand Denis s'arrêta.

– Cet endroit conviendra, dit-il. Le vent souffle du sud. On n'entendra pas les détonations.

Ils étaient arrivés au-dessus de la rivière, sous une sombre épaule de colline plantée de mélèzes qui bleuissaient dans la clarté des étoiles. Denis tendit les deux crosses à Latour qui prit l'une d'elles au hasard. Il aurait pu tirer sur son adversaire à l'improviste ; jadis il l'eût fait sans la moindre hésitation ; il aurait traîné le cadavre jusqu'au fleuve et on l'aurait retrouvé quelques jours plus tard dans la boue glacée. Comme le corps d'Aulnay.

– C'est mon pistolet, dit-il. Une belle arme qui manque rarement son coup.

– Vous souvenez-vous, dit Denis, de ce jour où vous m'avez assommé, dans l'appentis, au fort Saint-Jean, parce que votre garce de fille m'avait embrassé ?

– Tu l'avais mérité.

– C'est ce jour-là que j'ai su que je vous tuerais. Je vous ai admiré, obéi comme un chien. Pour vous plaire j'ai supporté le danger, la fatigue, l'infamie, mais je sentais toujours en moi cette idée de meurtre, comme une petite flamme qui refusait de s'éteindre. Aujourd'hui, ça me sera facile car je suis libéré de la fascination que vous avez exercée sur moi et dont vous avez abusé.

– Je te comprends, petit, mais je te préviens : je ne tirerai pas en l'air.

– J'y compte bien, mais vous avez un handicap : votre barbe grise. On la voit à vingt pas et elle me servira de cible. Donnez-moi votre mouchoir.

Denis glissa le morceau d'étoffe claire dans un coin de sa veste de peau, sur la poitrine.

– Nous sommes à égalité, dit-il. Prenez cette branche. Vous la lancerez en l'air quand nous aurons fait chacun dix pas. Au bruit qu'elle fera en retombant nous tirerons.

Latour lui tendit une main qu'il refusa.

– Adieu, petit, dit-il.

Ils s'éloignèrent l'un de l'autre à pas lents. Denis respirait à pleins poumons un air qui sentait la liberté ; il lui semblait que la nuit prenait une dimension nouvelle, que des portes invisibles venaient de s'ouvrir. Sur l'horizon de la rivière une clarté diffuse et bleuâtre annonçait le lever de la lune. Il songea à Catherine ; il allait la retrouver dans trois ou quatre jours et il chancelait de bonheur.

Latour lança la branche. Lorsqu'elle atteignit le sol les deux pistolets partirent en même temps et le vent dissipa deux fantômes de fumée blanche. Denis respira profondément, de nouveau : la balle avait sifflé à un doigt de sa tête.

– Êtes-vous blessé ? cria-t-il.

Rien ne répondit. Il apercevait toujours la petite tache claire de la barbe. Il replaça le pistolet dans sa ceinture, s'avança. Latour était tombé sur les genoux, haletant comme un soufflet de forge.

– Touché... murmura-t-il. Au côté droit... Compliment... Moi, j'ai perdu la main. Je ne suis plus qu'une vieille bête.

– Pourrez-vous retourner seul au manoir?

– Il le faudra bien. A moins que tu n'aies l'intention de m'y transporter...

Il rit doucement en levant la main à la hauteur de son visage : elle paraissait noire.

– Je vais vous faire un pansement, dit Denis. Après je vous laisserai.

– Qu'est-ce que tu ressens?

– Un sentiment de liberté.

– Ça doit être fameux, hein?

– Moins que vous ne pensez. C'est vous tuer que j'aurais voulu. Vous me gâtez mon plaisir.

Ils rirent ensemble.

– Détendez-vous, dit Denis, et laissez-moi faire. Je vais vous panser avec un pan de cette belle chemise. Si nous avions eu un peu de lumière et un couteau, j'aurais tenté d'extraire la balle. Vous la garderez comme un souvenir de moi.

Latour se laissa faire docilement, retenant ses plaintes, les poings crispés; une écœurante odeur de sueur monta de son habit entrouvert.

– C'est fini, dit Denis. D'ici quelques jours vous serez rétabli, avec l'aide de Dieu. Eh! vous m'entendez?

Latour s'était évanoui. Il le chargea sur ses épaules, ses reins craquant sous le poids, parvint à le hisser jusqu'à un endroit proche du manoir, d'où l'on ne manquerait pas de l'apercevoir le lendemain. Il l'installa au pied d'un chêne, sur un tapis de fougères et resta quelques instants en face de lui, le souffle coupé, les jambes brisées, comme s'il le voyait pour la dernière fois.

Le village des Micmacs était à quatre lieues de là. Il se mit en route en sifflotant.

Catherine s'éveilla dans le tumulte qui montait de la cour. Elle s'habilla fébrilement, croisa dans le couloir Mme Brice, affolée, qui lui dit :

– Le gouverneur a disparu. Son prisonnier aussi. Pour comble les navires anglais viennent d'arriver, et personne pour les accueillir!

Catherine se précipita dans la cour. Joseph et Mme Latour étaient en conversation animée avec Melansson. Le chef de la milice était partisan d'ouvrir les portes du manoir aux uniformes rouges qui arrivaient à proximité des palissades.

– Tirez-leur dessus! glapit Joseph.

Mme Latour pleurait.

C'est Melansson qui eut gain de cause : avec la poignée de soldats et de miliciens qui défendaient le fort on ne pouvait opposer qu'une résistance dérisoire aux soldats des trois navires hérissés de canons qui venaient d'accoster, apparemment sans intentions belliqueuses.

L'amiral Sedgewick entra le premier dans le manoir.

– Veuillez informer M. le gouverneur que j'aimerais le voir, dit-il d'un ton âpre.

On ne lui amena le gouverneur qu'au milieu de la journée, sur une civière improvisée. Bien qu'il eût perdu beaucoup de sang il vivait encore. Sedgewick se fâcha :

– Que se passe-t-il? On se moque de moi! Je ne comprends pas!

Catherine, elle, savait.

Elle avançait à travers la forêt dans la chaleur légère de mars qui sentait la pluie. La fonte des neiges avait commencé depuis peu; sur les collines, de vieux seigneurs de la forêt, qui avaient vu passer les navires de Cartier et de Champlain, assisté aux premiers défrichages des pionniers faiseurs de terre, comme Poutraincourt et Biencourt, gardaient des bourrelets de neige sur leurs ramures. Catherine progressait sur une terre gorgée d'eau, qui cédait sous les pas et d'où montaient des tiédeurs fétides.

Elle avait laissé le manoir en plein désarroi. L'amiral jetait des ordres que les soldats du fort écoutaient en se tenant les côtes et que Melansson, la sueur aux tempes, s'efforçait de traduire sans que personne ne l'écoutât. On attendait que Latour émergeât de sa léthargie, mais, depuis qu'on l'avait ramené au manoir, il ne s'exprimait que par des gémissements. La balle avait déchiré les tissus avant de se loger près d'un rein d'où le chirurgien avait eu du mal à l'extraire. Sedgewick se présentait plusieurs fois par jour au chevet du blessé, faisant craquer ses bottes et ronfler sa colère comme un bourdon enfermé dans une cloche. Un matin, Latour avait ouvert un œil, suivi les évolutions de ce diable rouge dont la soubreveste s'ornait d'une médaille piquée de rubis; il avait gonflé sa voix pour lui lancer :

— Sedgewick, même un amiral se découvre en présence d'un gouverneur !

Lord Sedgewick avait obtempéré en faisant la grimace et avait tendu la main à Latour qui l'avait ignorée.

— Heureux de vous voir vivant ! avait dit joyeusement l'Anglais. Je me demandais quand vous seriez en mesure de me suivre à Londres. Le lord-protecteur Cromwell est impatient de vous connaître.

Le domaine de la forêt s'ouvrait devant Catherine. Aux clairières ensoleillées succédaient des épaisseurs de futaies sombres; la piste côtoyait des ruisseaux que mordaient encore des dents de glace, sous des roches couvertes de lichens. On ne voyait pas de fleurs, mais il suffisait de lever les yeux au-delà des buttes pour découvrir la grande prairie bleue au-dessus de laquelle s'arrondissaient de jolis nuages de printemps.

« Je t'attends dans trois ou quatre jours... » lui avait dit Denis. Catherine avait glissé son pécule sous sa jupe et quitté le manoir le plus facilement du monde. Elle n'avait jamais imaginé qu'il lui eût été si facile de s'évader. Les enfants ? elle les aimait bien; la petite Marie pleurerait sûrement en apprenant son départ et lorsque les mains rudes de Mme Brice l'habilleraient, au lieu des siennes qui lui arrachaient des gloussements de plaisir; Joseph éprouverait une profonde détresse mais se consolerait vite, sa colère et sa vindicte reprenant le dessus. La famille ne resterait d'ailleurs pas longtemps en Acadie : elle était attendue à Londres.

La piste suivait une petite rivière dont Catherine eût aimé

connaître le nom dans cette langue indienne dont les syllabes semblent roucouler sous la langue. Lorsque Jeanne la métisse s'allongeait près d'elle, au fort Saint-Jean, à l'heure du couvre-feu, Catherine prenait plaisir à l'entendre parler cette langue sauvage de la forêt; sa compagne s'endormait avec sur les lèvres des noms de rivières, de lacs, de villages, et il semblait à Catherine qu'elle respirait dans ses cheveux la fraîcheur du vent.

Elle sursauta : deux Indiens venaient de surgir d'une haie de cormiers, souriants, avec deux doigts de la main levés en guise de salut. Ils dirent simplement :

— Toi, venir... Cheveux-Rouges, là-bas...

Ils prirent les devants et Catherine les suivit à travers un chaos de rocaille d'où suintaient des eaux vives sous la tripe de roche. Ils redescendirent vers la berge d'un lac paisible qui paraissait dormir nu au soleil avec, en son milieu, un nombril d'herbe et de glace. Le village n'était pas loin; une fumée en montait, droite comme une colonne contre la haute muraille de la forêt. Les Indiens se retournèrent vers Catherine pour lui faire signe qu'on était presque arrivé; malgré le froid encore vif de ces contrées ils avaient dépouillé leurs fourrures hivernales pour se vêtir de peaux légères qui laissaient leurs membres nus; ils étaient beaux comme la liberté.

Denis surveillait le feu sur lequel cuisait une marmite de « sagamite ». Il était entouré de quelques jeunes « squaws » qui caquetaient en découpant sur un billot des tranches de poisson frais. En apercevant Catherine il lui fit un geste de la main en essuyant du poignet ses yeux que la fumée faisait larmoyer. Les « squaws » battirent en retraite avec des rires narquois vers les cabanes d'écorce, leur tête curieuse pointant derrière les rideaux de fibre.

— Je t'attendais, dit Denis.

Il la garda un moment dans ses bras; il fermait les yeux, l'embrassait, prenait la mesure de son bonheur. Puis il demanda des nouvelles de Latour.

— Il est bien vivant, dit Catherine, et même il recommence à donner de la voix, à boire sec et à pétuner.

— C'est bon signe, dit Denis. Il se remettra vite.

Il prit Catherine par le bras, la conduisit jusqu'à une hutte dans laquelle achevait de sécher près d'un feu de branches une veste encore barbouillée de traces rosâtres.

— Du sang, dit-il. Le sang de Latour. J'ai dû le porter sur mes épaules pour le ramener au manoir, sans quoi il serait mort. Il saignait comme un porc.

Ils s'assirent à l'indienne près du feu.

— Comme je suis bien... soupira Catherine, les yeux clos.

Denis fit retomber le rideau de fibre après avoir vérifié que la « sagamite » cuisait convenablement. Il revint s'asseoir près de Catherine, commença à délacer le haut de son corsage.

— Attends, dit-elle dans un souffle. Attends un peu.

Elle voulait laisser s'imprimer en elle ces images d'une liberté toute neuve : un lac, des rochers, une haute forêt à travers laquelle bruissaient les eaux vierges descendues des sommets, un canot qui se détachait lentement de la rive, voguait vers un îlot de soleil éblouissant et parut se dissoudre dans une risée de soleil et de vent.

DEUXIÈME LIVRE

LES FORÊTS SONT IVRES

1

MITCHITAPANI

Montréal : printemps 1660.

Laurent mettait beaucoup de passion et d'orgueil à jouer au « manitou », son divertissement favori. Les jambes ankylosées par des agenouillements prolongés, il se penchait sur son territoire : des arpents de forêts, de marécages, de prairies sur lesquels il régnait en maître absolu. Parfois, d'une main pacifique, le « manitou » déplaçait une cabane ou une tente, rectifiait la limite d'un jardin ou d'un champ, redressait le clocher de la chapelle qui partait de guingois ; d'autres fois sa main coléreuse suscitait des cataclysmes, faisait sortir de la Baie des Chaleurs le « Gougou », un monstre antédiluvien au dos chargé de boues putrides, le laissait traverser comme un cyclone le territoire de Mitchitapani et punir la population indocile. Cela se produisait généralement lorsque l'univers du « manitou » redevenait un jeu d'enfant dans la lumière légère du grenier : des morceaux de bois grossièrement coloriés pour les Indiens, un morceau d'étoffe pour figurer le fleuve, des branchettes pour la forêt, des cubes de papier pour les cabanes.

Laurent soupirait devant le désastre : le village de Mitchitapani n'existait plus ; le « Gougou » en avait fait un désert. Dans le chapelet de noms indiens que récitaient les coureurs des bois amis de son père, Laurent avait pris quelques éléments propres à composer ce nom mystérieux. Il avait tracé une piste ouvrant sur l'inconnu et se plaisait à imaginer qu'à des centaines de milles au-delà des soleils couchants s'ouvrait l'océan menant à la Chine.

Le secret qui entourait sa souveraineté, Laurent s'attachait à le préserver, même de son frère jumeau, Irénée, de sa mère, Catherine, de son père, Denis, préférant que l'on pensât qu'il se contentait de jouer alors qu'il régnait sur son univers.

Il décréta que les Iroquois se préparaient à attaquer Mitchitapani. Il était tard pour une décision de cette gravité (l'angélus venait de sonner à Bon-Secours), mais elle s'imposait. A en croire les Montréalais, les Iroquois pullulaient jusque dans l'intérieur de la cité et l'on ne prononçait pas sans se signer les noms des différentes tribus des Cinq Cantons.

Cette vague de panique faisait sourire Laurent. Pour lui les Iroquois n'étaient guère plus dangereux que leurs statuettes de bois. Les seuls qu'il eût vus étaient de pauvres bougres que les hommes du commandant de la place, Dollard des Ormeaux, avaient ramenés de l'île Jésus, blessés et penauds. Irénée ripostait : et les trois miliciens tués la semaine passée ? et M. Saint-Père à qui ces « sauvages » avaient tranché la tête ? et le pauvre Algonquin qu'ils avaient fait griller, sans doute pour le dévorer ? Laurent savait que, pour Mitchitapani, les Iroquois ne constituaient pas un grave danger ; il suffisait, pour leur couper l'envie d'attaquer, de mettre en batterie tous les canons du poste.

Laurent était en train de mettre de l'ordre dans son royaume quand une voix retentit :

– Descends ! La soupe est servie...

Catherine, sa vaisselle achevée, annonça que Boissier était venu voir Denis en son absence. Denis piqua sa pipe dans sa barbe et battit le briquet.

– Il savait que j'étais chez le gouverneur. Il aurait pu venir m'y attendre. Que voulait-il ?

Catherine referma le catéchisme que Laurent avait laissé traîner sur la table.

– Toujours cette histoire d'eau-de-vie pour les Indiens, sans doute. Il tient à son idée.

– ... et moi à la mienne.

Denis tira quelques bouffées de l'âcre tabac du Brésil qu'il mélangeait de « sagakomi », comme les Indiens. Il se laissa tomber sur le banc-lit qu'on n'allait pas tarder à déplier pour coucher les enfants, et dit avec une pointe d'humeur :

– Boissier commence à m'importuner. S'il persiste je le rosserai pour de bon. Cela risquera de me coûter cher : ce brigand est reçu par tout ce que Montréal compte de notabilités.

« Pure forfanterie... », songea Catherine. Elle savait qu'il finirait par céder aux instances de Boissier, qu'il échangerait le « lait du roi de France » contre les fourrures des Indiens. Il était jusqu'à ce jour un des rares coureurs des bois à tenir bon, ce qui lui valait l'estime du gouverneur, M. de Maisonneuve, et des messieurs de Saint-Sulpice, l'ironie agressive des autres « gentilshommes de la forêt » et l'indifférence méprisante de quelques chefs de tribu, Ottawas et Outagamis notamment, pour qui l'« eau de feu » primait toute autre marchandise de « troque ». Il aimait trop les « sauvages » pour les voir, par sa faute, sombrer dans l'ivrognerie et la dégénérescence.

Il alla respirer sur le seuil l'odeur du soir de mai. Un vol de hérons faisait des grâces sur les battures du Saint-Laurent ; de petits brouillards poussaient des moraines diaphanes jusqu'au milieu du fleuve ; derrière les étendues plates de la prairie, les collines écrasaient leurs formes violettes, et plus loin encore, jusqu'à l'endroit où le bas du ciel se cimentait de brume, s'ouvrait l'estuaire de la mystérieuse rivière Richelieu par où les Agniez remontaient vers Montréal et Trois-Rivières.

– Ce n'est pas tout, ajouta Catherine. Dollard est venu lui aussi en ton absence.

Denis ne parut pas entendre. A travers la fumée de sa pipe il lui semblait voir couler, majestueuse, la rivière Richelieu. En ce moment, des flottilles de canots en descendaient le cours en direction de Québec, venues des Cinq Cantons iroquois : Agniez, Onneïouts, Onontagués, Tsonontouans, Goyogoins ; d'autres tribus, revenant des territoires de chasse du Nord-Ouest, franchissaient les rapides de l'Ottawa pour affronter le « Grand Onontio », M. d'Argenson, gouverneur de la Nouvelle-France. Dans moins de deux lunes toute la nation iroquoise serait prête à fondre sur les établissements français et, aux premières neiges, il ne resterait plus aucun Blanc qui ne soit mort ou esclave. La grande colère iroquoise grondait avec les tambours dans les forêts. Finie la petite guerre : dans leurs visions, les sorciers contemplaient des montagnes de chevelures, des ruisseaux de sang, des troupeaux d'esclaves aussi serrés que les grains d'un « wampum ». « Houah ! » le Grand Esprit avait parlé ! « Houah ! » il réclamait du sang...

Denis passa la main sur son visage, comme pris d'un vertige. Il se sentait soudain pauvre, las, découragé. Chaque fois qu'il rencontrait Dollard des Ormeaux, le jeune commandant de la place, il voyait la mort derrière lui : Dollard ne parlait que de se battre et de mourir pour la patrie, avec une telle désinvolture que Denis se demandait si, une fois au moins dans sa carrière, ce blanc-bec avait vu la mort en face.

— Dollard... répéta Catherine. Il est...

— Je sais, dit Denis. Je l'ai rencontré dans le cabinet du gouverneur.

— Que te voulait-il ?

— C'est sans importance. Je t'expliquerai. Bientôt.

Malgré la rude existence qu'elle menait, le labeur épuisant des étés, la souffrance des hivers, Catherine avait conservé la fraîcheur de sa jeunesse, son regard clair, sa taille robuste mais svelte. Comparée aux femmes qui arrivaient du vieux pays sur les « bateaux de fiancées » destinées aux colons célibataires, elle faisait bonne figure.

Les mains de Denis se posèrent sur ses hanches, dessinèrent la forme du ventre rebondi. Elle lui avait donné deux beaux enfants, Laurent et Irénée, et lui en donnerait un troisième lorsque l'été à son terme incendierait les forêts, et il pourrait les voir et les embrasser avant de partir sur les routes de traite.

— Je sais ce que te veut Dollard, dit-elle. Que tu l'aides à se battre contre les Iroquois.

Incorrigible, Dollard ! Il partait pour la guerre comme pour une partie de chasse, sans savoir comment se battaient les Indiens ni combien il pourrait recruter de volontaires pour se porter au-devant de l'ennemi.

— Ne l'écoute pas, ce beau parleur, dit-elle. Cette expédition est trop dangereuse. Mieux vaut attendre les « sauvages » à Montréal. Je t'en prie...

La tête de Catherine pesa contre son épaule ; il resserra ses bras sur elle, laissa son regard embrasser le décor de leur existence quotidienne : une modeste demeure avec un jardinet limité par le ruisseau Saint-Martin, un hangar pour la réserve de « pelu » et une niche pour les chiens de traîne ; le coffre venait de France, mais c'est Denis qui avait façonné le lit, l'armoire, le petit mobilier, consolidé les murs lézardés. Avec les pierres que la terre recrache sous l'effet du gel il avait limité son petit domaine. L'argent qu'ils avaient ramené d'Acadie leur avait permis d'acheter ce bien au supérieur de Saint-Sulpice. Ils ne se sentaient plus errants et menacés, sinon par les Iroquois, mais ils avaient appris à s'en défendre.

— Laisse-les partir, insista-t-elle. Ils sont plus jeunes que toi. Nous avons payé trop cher notre tranquillité pour la risquer sur un coup de tête. Ils n'ont aucune chance contre les « sauvages ». Ils seront débordés, massacrés...

— Je sais, dit rêveusement Denis.

— Qu'est-ce que nous deviendrions s'il t'arrivait malheur ?

Il y avait songé et c'est ce qui le retenait encore de se décider. Cette expédition n'avait guère de chance d'opposer une barrière efficace à la ruée des « sauvages », malgré les secours qu'apporteraient les Indiens des tribus amies : Hurons et Algonquins notamment. Sans lui, cette chance se réduirait encore, car il connaissait les Indiens, leurs tactiques de guerre, mieux que quiconque. Et qui sait si on ne le traiterait pas de lâche en cas de refus ?

— C'est dans Montréal qu'il faut attendre l'ennemi, répéta Catherine. Il faudra transformer chaque demeure en bastion, distribuer des armes et des munitions. Il faudra...

— Les Iroquois qui ont pris le sentier de la guerre attaqueront Québec. Quand ils se seront rendus maîtres de cette ville, ils attaqueront Trois-Rivières. Ensuite, s'ils réussissent, ce sera au tour de Montréal. Si nous leur ouvrons nos portes, ce sera la fin de la Nouvelle-France. En revanche, si nous prenons les devants, si nous abattons quelques centaines d'attaquants, ils rebrousseront chemin. Je les connais bien, les Iroquois : leur bravoure a des limites.

Catherine se détacha de lui, serra frileusement contre sa poitrine son écharpe de « catalogne » et dit :

— Vous repousseriez peut-être les Indiens, mais à quel prix ? Et qui sait s'ils ne recommenceraient pas à la première occasion ?

Ils avaient prévu de se retrouver au domicile des Chapdeuil : ses compagnons, Chicot le scalpé, Archambault, Tillemont, Mercier, Lasvigne... Assis sur le banc de la cuisine, Denis avait écarté ses genoux pour faire un siège à ses deux « drôles ».

Chicot entra le premier, son bonnet de cuir enfoncé jusqu'aux sourcils pour cacher l'os crânien mis à nu par le couteau d'un Onontagué ; c'était un homme terrible, qui ne pouvait voir un Indien sans éprouver des idées de meurtre, mais il connaissait parfaitement les dialectes et les routes de traite.

Archambault revenait de ramasser du foin de mer sur les battures pour en recouvrir la niche de ses chiens et en portait encore des brins dans la barbe. Il était toujours précédé de sa chienne, Souris, que l'on appelait « la fille à Pilote » parce qu'elle descendait d'une chienne célèbre dans toute la colonie pour son intelligence et son flair dans la chasse aux Indiens. Ce brave homme d'habitant avait choisi sur le tard, après la mort de sa femme, de vivre en « enfant perdu » et n'avait dû qu'à sa robuste constitution de supporter durant des années les coups de chien et les terribles hivers chez les Indiens cris d'où il avait ramené une jeune « squaw » bien ronde et bien grasse, dont il avait fait sa nouvelle épouse, en fait son esclave : Anna.

Archambault s'assit près de Chicot qui cassait des noisettes avec ses dents pour les distribuer aux enfants, tandis que Catherine, la main en porte-voix sur le pas de la porte, appelait leur voisin, Nicolas Tillemont, occupé dans son jardin à soigner ses framboisiers. Il était déjà devant son portail.

– Il arrive, dit Catherine.

Tillemont cracha son jus de chique avant d'entrer, fit rouler le tabac dans sa joue, salua la compagnie et gratta la tête de Souris qui lui faisait fête.

– Regarde ce grand dadais de Nicolas, dit Archambault. Le printemps commence à faire son effet. Au prochain « bateau de fiancées » on le verra rôder dans le port pour se trouver une belle garce !

Tillemont ne parut pas entendre. Dans le petit jour de la brunante il s'assit à même le sol, à l'indienne, en suçant une branchette de framboisier. C'était un beau gars aux épaules puissantes, presque aussi taciturne que Chicot et de caractère aussi ombrageux; ses querelles avec les négociants lui valaient la réputation d'une forte tête; il ne portait des armes que rarement, pour résister à la tentation de s'en servir.

— Ça va, fiston? dit Denis. Tu as l'air morose.

Tillemont se gratta les genoux.

— Tout à l'heure, dit-il, j'écoutais pousser les feuilles de mes framboisiers. Ça fait un drôle de bruit. On dirait...

— C'étaient les maringouins, mon gars! dit Archambault.

— Non, dit Tillemont d'un air buté. C'étaient bien les framboisiers. J'ai écouté avec attention, parce que c'est peut-être la dernière fois.

— Que veux-tu dire, fiston? dit Denis.

— Tu le sais bien. Nous allons partir, et qui sait combien de nous reviendront. Aucun sans doute. Vous vous foutez peut-être d'aller vous faire massacrer par les « sauvages ». Moi pas.

— Personne ne t'oblige à venir, mon gars, dit Chicot.

Nicolas Tillemont allait riposter quand on vit surgir sur le seuil la silhouette courtaude de Tavernier, qui descendait de la ville haute. Homme du fleuve, grand pêcheur d'anguilles, il portait sur ses vêtements une odeur de vieux suint et d'eau croupie.

— Répète, Chicot, dit Tillemont en se levant, l'air menaçant.

— Eh là! dit Denis, te fâche pas, mon gars. Chicot voulait dire que nous sommes tous libres de choisir. Si tu n'es pas vraiment décidé, mieux vaut renoncer. Personne ne t'en voudra.

Tavernier s'était assis sur la pierre de la cheminée, un peu à l'écart, sa toque de fourrure sur le nez.

— Si je restais à Montréal, ajouta Tillemont, je sais bien ce qui se passerait : on me traiterait de lâche et toutes les portes se fermeraient devant moi. Foutus colons!

On entendit craquer une noisette sous les dents de Chicot. Il tendit le fruit à Laurent. Catherine servait le cidre; elle dit d'une voix calme :

— Je comprends Nicolas. Il ne fait que dire tout haut ce que vous pensez tout bas. N'oubliez pas qu'il est le plus jeune de nous tous : il a vingt ans tout juste, et son père a été massacré par les Agniez.

— Je n'en connais qu'un qui n'ait pas peur, dit Denis : c'est Dollard. Il a l'âge de Nicolas. C'est l'homme que j'estimerais le plus au monde si j'étais certain qu'il n'a pas un grain de folie dans la tête.

— Fou, peut-être, dit Archambault. Courageux, à coup sûr. Il y a quatre ans je l'ai vu se battre près de Québec contre les Agniez. Il venait à peine de débarquer avec M. d'Argenson quand le tocsin s'est mis à sonner. J'ai vu Dollard bondir le premier, affronter l'assaillant le sourire aux lèvres, sans cesser de plaisanter avec ses hommes. Il n'avait que seize ans et il était joli comme une fille. Que savait-il alors de la situation dans la colonie ? Rien. Il débarquait avec encore de la poudre sur sa perruque et de la dentelle jusque sur le revers de ses bottes. Aujourd'hui tous les Iroquois ont peur de lui.

Irénée s'était endormi sur le genou de son père. Dans la dernière lueur de la brunante Denis voyait briller le fil de salive qui glissait jusqu'au menton. Laurent, lui, ne perdait rien de l'entretien ; il serrait dans sa menotte un Iroquois de bois peint de Mitchitapani et se demandait si son père accepterait de l'emmener avec lui. Il écrasa un maringuoin sur son genou, frotta son museau contre la vareuse de peau d'orignal de son père, qui fleurait encore le boucan, et sentit une brume noyer ses pensées.

On n'attendait plus que Mercier et Lasvigne. Catherine servit à chacun un autre gobelet de cidre qui commençait à piquer, puis elle s'installa sur le banc, devant la maison, pour continuer à tricoter un bonnet pour ses enfants.

La matinée était chaude et pure lorsque Denis appela les jumeaux. Irénée était assis au soleil, rêvassant comme d'habitude avec sur ses genoux son sac d'écolier auquel pendait l'encrier de bois fabriqué par son père, accroché à une ficelle. Denis lui demanda où était son frère ; il montra le fort : il était parti en disant qu'il reviendrait « bientôt ». Une nouvelle fugue, mais avec, toujours, la certitude d'un retour rapide : peu après que la sonnette de la sœur Marguerite Bourgeoys appelant les enfants à l'école eut retenti. Revenu à son domicile, il promettait, en voyant son père détacher sa ceinture pour le corriger, qu'il ne recommencerait pas. Pour qu'il consentît à fréquenter l'école il fallait qu'il plût ou que le rendez-vous avec son jeune ami huron Anaotaa fût reporté.

Sœur Marguerite avait fini par prendre son parti de ces absences; lorsque Laurent daignait se présenter, elle lui affectait une place parmi les cancres et, de cet observatoire privilégié, il puisait ce qui lui convenait à la source des connaissances. Il écrivait difficilement le français mais parlait couramment le huron appris à la mission sulpicienne où vivait Anaotaa et savait construire un canot.

Denis ne pouvait se résoudre à la contrainte et aux châtiments : à Irénée, élève studieux mais indifférent à la vie sauvage, il préférait ce fils hermétique à l'enseignement des bonnes sœurs mais qui lui ressemblait.

– Partons sans lui... soupira Denis. J'ai rendez-vous avec le gouverneur. Je te laisserai à l'école en passant.

Irénée confia sa main à celle de son père et ils prirent le chemin de la bourgade. Un bourdonnement d'insectes montait des buissons de noisetiers et de saules chauffés par le soleil. Derrière les murs sombres du séminaire et de la maison du gouverneur, le mont Royal dressait ses pentes couvertes de forêts feutrées par la lumière glorieuse du matin. Ce n'était pas une « journée à Iroquois », comme on disait, mais Denis savait que leurs éclaireurs se tenaient à l'affût aux abords de la ville, guettant les colons désarmés, tombant sur eux du haut des branches comme des lynx ou jaillissant des fourrés. On retrouvait parfois un pêcheur d'anguilles qui avait perdu sa chevelure, une femme violée alors qu'elle cueillait des fruits de bluets, des chasseurs percés d'une flèche ou d'une lance...

Denis serra la main d'Irénée et le petit tourna vers lui un visage couleur de lait, saupoudré de son.

– Quand dois-tu partir, père ?

– Dans quelques jours sans doute.

– Laurent dit que tu ne reviendras pas.

– Il dit des sottises. Il faudra bien que je revienne pour m'occuper de vous et de l'enfant qui va naître.

– Tu me rapporteras un petit renard. Je le dresserai comme Flambeau.

299

Il imaginait déjà les jeux entre l'animal domestique, leur chien, et l'animal sauvage. Il faudrait lui trouver un nom, comme au dogue blanc, gardien de la maison.

Lorsqu'ils arrivèrent aux abords de l'école, sœur Marguerite agitait déjà sa sonnette. Elle salua Denis, regretta que Laurent manquât l'école une fois de plus.

– Vous n'êtes pas assez sévère avec cet enfant, dit-elle. Vous avez pourtant la réputation d'un père avisé et attentif. Pourquoi tolérez-vous une telle indiscipline? Je crains que votre fils finisse comme ces « enfants perdus », qu'il parte vers l'ouest et ne revienne jamais. Il épousera une « squaw » et vos petits-enfants seront des « bois-brûlés », des métis sans foi ni loi!

– Ma mère...

– Ta ta ta! Je sais ce que je dis!

La sonnette frétilla de nouveau dans la main grasse et rose de la religieuse. Elle cria :

– Simon, Perrine, François! Dépêchez-vous! Gilette, montre tes mains! Olivier, veux-tu enlever ton bonnet! Monsieur Chapdeuil, Irénée est un exemple pour toute ma classe. Il s'intéresse beaucoup à la religion. Pourquoi ne pas le consacrer à Dieu?

– Nous avons le temps d'y penser, ma mère.

Elle s'envola soudain dans le tourbillon de sa robe pour rejoindre ses collègues : sœur Marguerite Picaud et M. Suard. Deux petits Hurons en retard s'engouffrèrent sous le portail. Denis se frotta la barbe : mécontent contre Laurent et contre lui-même. Mère Marguerite avait raison : il faisait preuve de trop d'indulgence, mais Catherine était aussi coupable que lui. Il resta un moment immobile devant la maison d'école, son bonnet à la main. La demeure donnait sur une place, vis-à-vis de l'hôtel-Dieu d'où sortait la musique délicate d'un harmonium. Il aperçut, par une fenêtre grande ouverte sur le jardin, une sœur hospitalière jolie et fraîche qui jouait sur son instrument un air du vieux pays avec de jolis mouvements de tête.

Il se dit qu'il aurait dû écouter Catherine. Avec le modeste pécule qu'ils ramenaient de Port-Royal ils auraient pu s'établir sur une concession près de Québec, dans un endroit moins exposé aux attaques des « sauvages ». C'est lui qui avait choisi Montréal, l'ancienne Ville-Marie, pour être plus près des routes de traite. Il se reprochait, mais trop tard, de n'avoir tenu aucun compte des suggestions de Catherine, toujours inspirées par la raison et la prudence. Il vivait près d'elle comme un aveugle, comme un sourd. Lui qui n'était guère croyant et encore moins pratiquant, il irait faire une prière dans la chapelle proche de leur domicile pour demander à Dieu de le faire revenir vivant de l'expédition projetée.

Il se souvint brusquement qu'il était attendu chez le gouverneur. C'était l'heure où les petites sœurs hospitalières descendent vers le fleuve avec sous le bras leur panière de linge souillé par les malades, chantant comme des écolières, leur jupe bleue volant dans le vent du matin. Le soldat de la garnison qui les accompagnait comme chaque matin, la pipe aux lèvres, son mousquet en bandoulière, le salua de la main.

Un murmure de voix enfantines s'éleva derrière lui : « *Je vous salue, Marie pleine de grâce...* » La classe de mère Marguerite venait de débuter.

Arrivé peu avant l'heure du rendez-vous dans la ville haute, Denis se divertit à regarder de jeunes Hurons demi-nus jouer dans la poussière au jeu des « pailles » : ils frottaient entre leurs mains des faisceaux de brindilles, les lâchaient sur le sol en criant « Chok! » et les comptaient d'un coup d'œil rapide.

Une main se posa sur son épaule. Il reconnut en se retournant un des officiers de la garnison : le major Zacharie Dupuis.

– C'est l'heure, dit le soldat. Vous êtes attendu. Suivez-moi.

Ils longèrent un corridor qu'une Indienne lavait à grande eau. Le cabinet du gouverneur occupait une pièce éclairée par une fenêtre ouvrant sur la modeste éminence portant la croix érigée par M. de Maisonneuve à la suite d'un vœu, et que cachait un boqueteau.

– Entrez, mon ami, dit le gouverneur. Asseyez-vous.

M. de Maisonneuve était un homme simple, de caractère doux et conciliant. Il avait fondé Ville-Marie, devenue peu après Montréal, à une époque où cette entreprise passait pour un défi au bon sens et à la prudence. Retroussant la dentelle de ses manchettes, il avait abattu de ses propres mains l'arbre dont on avait fait la croix qu'il avait portée lui-même, durant une lieue, jusqu'au sommet du mont, pour remercier le Ciel d'avoir interrompu une crue dévastatrice. Il avait tenu à éviter toute manœuvre offensive contre les Iroquois, ce qui l'avait fait passer pour un poltron, mais cela le laissait indifférent. Il jouait fort agréablement du luth et certains soirs, dans son jardin privé, régalait les notables de la colonie d'un concert.

Plusieurs personnes avaient déjà pris place en face de lui. Denis reconnut le major Lambert Closse, retiré depuis peu dans sa concession, au nord de l'île de Montréal, Claude de Bigeard, secrétaire du gouverneur, l'abbé de Queylus, supérieur des sulpiciens, et Dollard des Ormeaux.

— Vous connaissez, dit M. de Maisonneuve, la réputation que l'on m'a faite de craindre les Iroquois au point de me refuser à porter la guerre sur leur territoire et de me contenter de leur montrer la gueule de nos canons. Ma mission ne me faisait pas obligation de m'installer ici. A peine débarqué à Québec, j'annonçai au gouverneur général, M. de Montmagny, l'intention de fonder la ville où nous sommes. Il refusa, objectant que c'était une folie. Vous connaissez ma réponse ?

L'abbé de Queylus prit le relais :

— Elle est restée dans toutes les mémoires, monseigneur. Vous lui dîtes : « Je suis venu pour exécuter, non pour délibérer. Vous trouverez bon que j'aille dans cette partie de la colonie, même si tous les arbres de cette contrée devaient se changer en autant d'Iroquois! »

— Monsieur le supérieur, dit en souriant M. de Maisonneuve, votre mémoire est excellente.

— C'est la mémoire du cœur, monseigneur.

— Ma mission était donc de fonder une colonie et de la défendre. Y aurais-je manqué ?

Des protestations s'élevèrent; le gouverneur y répondit d'un geste de la main pour ajouter :

— Devant une telle accusation de couardise j'ai décidé un jour d'aller avec quelques volontaires porter la guerre chez l'Iroquois qui nous narguait. Qu'en est-il résulté ? Un échec. Aujourd'hui...

Le gouverneur gratta son menton avec la pointe d'une plume avant de poursuivre :

— ... aujourd'hui, mes amis, un capitaine de vingt ans vient dire au vieil homme que je suis : « Laissez-moi mourir pour sauver Montréal et toute la colonie ! » Puis-je accepter cette proposition qui me met dans le plus grand embarras ? Puis-je tolérer un tel sacrifice ?

Dollard, troublé, parut se cramponner aux accoudoirs de son fauteuil.

— Monseigneur, dit-il, c'est le salut de toute la colonie qui est en jeu. Mes compagnons et moi...

— Certes, mon jeune ami, vous ne serez pas seul, mais je crains que votre sacrifice soit inutile. Que savez-vous des ruses de guerre de ces Indiens ? Avez-vous combattu en forêt ?

Tendu à l'extrême, Dollard croisait et décroisait ses jambes. Il répliqua :

— J'ai pris soin de m'entourer de volontaires qui n'ignorent rien des méthodes des Indiens et connaissent leur langue. Denis Chapdeuil notamment.

— Je sais que vous avez fait un choix judicieux, mais ce projet demande réflexion.

« Les dés sont jetés... » songea Denis. Un goût d'amertume lui montait au palais, comme lorsqu'il avait longtemps fumé le tabac des « sauvages ». Il regarda Dollard et c'est de nouveau l'image de la mort qu'il vit se profiler derrière lui. Il se souvint du nom qu'on lui donnait parfois en Acadie, à lui qui avait à plusieurs reprises échappé à la mort : Lazare ; mais Lazare, après le miracle de sa résurrection, était mort pour de bon.

Le gouverneur s'éclaircit la voix avant de déclarer :

— Je ne suis point contre l'idée d'un sacrifice qui conditionnerait la survie de notre territoire, mais je me méfie des beaux gestes de théâtre. Autant je suis disposé à accepter le sacrifice de M. Dollard des Ormeaux et de ses compagnons s'il devait réellement sauver la colonie, autant je refuse de les laisser courir inutilement à la mort. Ils nous seraient aussi utiles ici pour défendre la ville en cas d'attaque.

La riposte de Dollard jaillit promptement :

— Vingt hommes vont se sacrifier pour en sauver des milliers d'autres, femmes et enfants! N'est-ce pas un argument suffisant pour nous laisser partir?

– Cela reste à prouver, dit l'abbé de Queylus.

– Eh bien, nous le prouverons!

– Si vous échouez, comment pourrons-nous vous demander des comptes? Vous vous devez à la colonie et non à je ne sais quelles héroïques utopies. J'admire votre témérité et je prierai de toute ma conviction si vous arrivez à convaincre M. le gouverneur. Mais je ne puis cautionner une entreprise aussi folle!

M. de Maisonneuve ramena la sérénité dans le débat d'un geste de la main. Il dit d'une voix lasse :

– Major Closse, votre sentiment sur cette affaire?

Le vieux soldat, qu'on appelait le « guerrier aux vingt batailles », redressa sa courte taille d'obèse. Il était un de ceux à qui la ville devait sa survie.

– Je regrette, dit-il, de n'avoir pas vingt ans de moins. Je serais parti sans regret avec ces braves.

– Et vous, major Dupuis?

Le major ne marqua pas la moindre hésitation :

– Peut-être cette expédition, comme dit M. de Queylus, est-elle une héroïque utopie, mais j'ai toujours eu le goût de l'héroïsme et j'approuve cette décision.

– Attitude de soldat! répliqua sèchement le supérieur. La raison et la prudence y sont étrangères.

M. de Maisonneuve se laissa glisser dans son fauteuil, la tête tournée vers la butte du mont Royal finement découpée sur le ciel où se profilait la croix. Il songeait : « Raison, prudence... Lorsque j'ai débarqué en Nouvelle-France, ces sentiments me commandaient de demeurer à l'abri des murs de Québec. Et pourtant c'est ici, en pleine " sauvagerie ", que j'ai décidé d'implanter ma colonie, afin de montrer aux Iroquois que la puissance de la foi est supérieure à celle des armes. Pour ceux qui nous déconseillaient cette aventure, c'était un suicide. Comment faire grief à ce jeune fou de Dollard des sentiments qui m'animaient et auxquels l'avenir a donné raison? Comment approuver ceux qui s'opposent aujourd'hui à une volonté qui fut jadis la mienne? »

Cette croix qui dominait la ville, Dieu avait permis qu'il pût la façonner et la porter sur son épaule, comme le Christ

304

au Golgotha, par des chemins abrupts de neige et de rocaille. L'arête du bois avait marqué ses épaules d'une plaie, comme d'un baiser. Dollard et ces volontaires qu'il avait recrutés voulaient eux aussi porter leur croix.

Le gouverneur sourit comme pour s'excuser de son silence.

— Il nous reste, dit-il, à connaître l'opinion de celui sur qui repose en grande partie le succès de cette expédition : Denis Chapdeuil. Cet homme connaît la forêt et les « sauvages » mieux que quiconque.

De nouveau, Denis ressentit un goût d'amertume dans sa gorge : la forme physique de sa peur. Pour se donner le courage de s'exprimer, il songea à la peur de Nicolas Tillemont, avouée la veille, à la brunante, devant ses compagnons.

— Je connais bien les « sauvages », dit-il. Un hiver passé sur les territoires de chasse des Onneïouts, trois combats contre les Agniez, quatre expéditions chez les Goyogouins ont forgé mon expérience. Si je me déguisais en Iroquois, nul ne me reconnaîtrait. Je n'en tire aucune fierté, mais j'estime pouvoir être utile à cette entreprise.

Il ajouta d'une voix raffermie :

— Lorsque le capitaine Dollard m'a dit : « Es-tu prêt à sacrifier ta vie pour Montréal ? » je lui ai donné mon accord. Après mûre réflexion, j'ai pensé ce projet tellement risqué que j'ai failli revenir sur ma décision. J'ai réfléchi de nouveau et je crois aujourd'hui que cette expédition constitue la seule chance de survie pour la colonie contre l'armée indienne qui va déferler sur elle. Que M. le supérieur me pardonne, mais le temps n'est plus à la raison et à la prudence.

La main de Dollard se tendit vers celle de Denis.

— Soit... soupira M. de Queylus, je me rends à vos raisons. Toute la ville priera pour vous.

— Quand comptez-vous partir ? demanda le gouverneur.

— Dès que possible ! lança Dollard. Demain peut-être.

— Non, dit Denis. Les eaux du Saint-Laurent sont trop hautes et nous avons encore à rassembler les Indiens qui doivent nous prêter main-forte. Il faudra attendre une semaine.

— Vous comptez sur combien d'alliés indiens ? demanda le major Zacharie Dupuis.

— Une cinquantaine, répondit Denis, mais beaucoup nous lâcheront dès qu'ils comprendront que la partie est perdue.

M. de Maisonneuve se leva lourdement, fit un signe vers Claude de Bigeard qui lui tendit sa canne à pommeau d'argent. Il regarda intensément Dollard, puis Denis, et toussa pour dissiper son émotion.

— Mes amis, dit-il, je vous envie!

2

LA REDOUTE DES SACRIFIÉS

Montréal : été 1660.

Lorsque Denis parvint à trouver le sommeil il faisait presque jour. Une traînée de soufre dessinait à l'est les collines du pays algonquin. Catherine se leva la première et s'habilla sans hâte. Ces quelques heures qui la séparaient du départ de son époux, elle se refusait à les voir fuir comme l'eau entre les doigts; le temps collait à sa peau, à ses mains, et ses jambes paraissaient bottées de plomb; les objets eux-mêmes prenaient une densité insolite.

Elle gratta dans l'âtre pour faire une attisée, écarta les cendres, découvrit le trésor d'une braise qu'elle recouvrit de brindilles, puis elle demeura quelques instants immobile dans cette première bouffée de chaud qui lui rappelait les soirées d'hiver, lorsqu'elle veillait à son rouet, reposant ses yeux sur la danse paisible des flammes. La chaleur qui se plaquait sur son visage lui fit du bien. Elle promena sa main sur son corps en songeant : « Cette nuit Denis était très amoureux : il m'a touchée ici, embrassée là... » Ils s'étaient aimés avec une sorte de rage, comme pour mettre entre eux et la fatalité une barrière de souvenirs heureux; ils avaient ensuite parlé à voix basse pour ne pas réveiller les enfants, avaient édifié un avenir radieux : Denis renonçait à la traite, vendait ses chiens, leur bicoque de Montréal pour s'installer dans une concession du Québec. Dans la nuit de printemps traversée de forces sauvages ils investissaient en aveugles sur un avenir dont ils n'étaient pas maîtres.

La flambée menaçant de s'éteindre, elle la recouvrit d'une poignée de « frisette » de bouleau et, de nouveau, une

309

flamme claire s'épanouit. Elle fit sa toilette du dimanche, s'habilla de la robe que Latour lui avait offerte à son retour du vieux pays, élargie pour sa grossesse. Elle savait que Denis ne l'aimait guère, mais c'est ainsi vêtue qu'elle l'accompagnerait jusqu'à l'embarcadère, afin qu'il se souvînt mieux d'elle.

Une fois habillée, elle colla son front à la fenêtre : des formes bougeant dans les jardins de Tavernier et de Tillemont animaient seules le paysage du matin. La lumière ruisselait sur les collines, dégageant de la brume la fine dentelure des épinettes et les ruisseaux qui sillonnaient les pentes.

C'est Tavernier qui se présenta le premier.

— Dollard nous attend, dit-il. Faut y aller.

— Denis s'est endormi il y a une heure à peine, dit Catherine. J'aimerais qu'il se repose jusqu'au départ.

Il la regarda avec surprise, émit un sifflement.

— Fichtre! dit-il. Vous êtes mise comme la femme du gouverneur général. Permettez que je vous embrasse. Vous serez peut-être la dernière femme que...

— Taisez-vous! dit Catherine.

Archambault cracha sa chique au seuil de l'église, frotta ses lèvres à une manche de sa vareuse et, s'avançant vers les Algonquins, leur dit en dialecte :

— Entrez vous aussi. Y a de la place pour vous dans la maison de Dieu. Mais gare! le premier qui bouge je le fous dehors avec mon pied au cul!

Les Indiens inclinèrent leurs faces sombres. Ils étaient torse nu et portaient des culottes de cuir effrangées dans le bas et sur la poitrine les médailles d'étain offertes par le gouverneur. Leur chef était l'ami de Laurent, le jeune huron Anaotaa, accompagné d'un garçon malingre qu'il appelait par dérision La Mouche; le chef Métiomègue commandait le groupe des Algonquins.

Denis arriva, le mousquet en bandoulière, tenant ses enfants par la main, accompagné de Catherine qui laissait sur son passage un sillage de murmures soulevés par la beauté de sa robe dont les dentelles semblaient donner plus de légèreté à sa démarche. Elle paraissait ne voir personne, mais on ne voyait qu'elle.

Dès que Dollard des Ormeaux s'était montré, la foule avait fait cercle autour de lui. Presque tout Montréal était là, dans un soleil de dimanche. On n'attendait plus que le gouverneur dans le branle des cloches.

Catherine se demandait d'où venait cette odeur de fleurs chaudes qui libéraient leur parfum avant de se flétrir ; elle se tenait près de Denis, sur le parvis, entre Tillemont, et Chicot, le grand Archambault aux moustaches jaunies par le jus de tabac, Tavernier bardé de pistolets comme un corsaire... Les autres trappeurs volontaires, fils de colons, se tenaient à quelques pas en arrière, leur figure tannée crispée par l'émotion.

M. de Maisonneuve paraissait soucieux en descendant de son carrosse ; escorté des majors Closse et Dupuis, il se redressa en atteignant le portail de l'église où il pénétra sous une pluie d'harmonium et de voix fraîches tombant de la tribune. L'odeur que Catherine avait respirée venait des bouquets de lis des bois que les sœurs hospitalières étaient allées cueillir à l'aube dans la montagne et qu'elles avaient entrelacés de vigne sauvage et de rameaux de pembinas.

Denis avait pris la main de Catherine. De temps à autre elle se tournait vers lui, ne rencontrant que son profil dur, comme s'il refusait de la regarder. Elle murmura :

– Quoi qu'il arrive, jamais je ne t'oublierai. Que tu reviennes ou non, désormais nous sommes inséparables. Cet enfant qui va naître portera ton nom ou le mien. Mais tu reviendras. Je prierai tant, tu seras si présent dans mes pensées que je te protégerai.

Elle ajouta :

– Pourquoi ne dis-tu rien ? Regarde-moi. Promets-moi de revenir.

La main de Denis se crispa sur la sienne ; elle vit une larme briller sur la pommette et se perdre dans la barbe, tandis qu'une vague de musique et d'odeurs semblait la soulever de terre. Derrière eux, du groupe des épouses et des mères des « sacrifiés », montait un chœur de lamentations.

Lorsque Denis se dirigea vers l'autel pour recevoir l'hostie, les autres volontaires se rangèrent derrière lui et se présentèrent un à un à l'abbé de Queylus.

Laurent et Irénée restèrent, tout au long de l'office, plus

calmes qu'ils ne l'avaient jamais été en pareille circonstance. Laurent ne quittait pas des yeux son ami Anaotaa qui lui souriait. Le jeune chef huron lui avait dit peu avant : « Ton ami te quitte, mais il reviendra si le Grand Esprit des Français ne veut pas de lui. Pourquoi voudrait-il de la peau d'un pauvre " sauvage " comme ton ami Anaotaa ? » Et Laurent se disait que, s'il ne revenait pas, il tuerait de sa main une dizaine d'Iroquois.

De temps à autre Irénée tirait la manche de sa mère, mais Catherine faisait comme s'il n'était pas là ; il l'appela à voix basse mais elle ne répondit pas ; il finit par éclater en sanglots, et Laurent dut menacer de le gifler pour qu'il cessât.

La cérémonie terminée, Catherine dit à Denis :

— Il nous reste une heure avant ton départ. J'aimerais que nous la passions chez nous.

Ils s'assirent de part et d'autre de la table. Denis, avec une plume usée et une encre couleur de terre, rédigea une sorte de testament qu'il plaça sous une pile de linge. Puis il fuma sa pipe, la tête de Flambeau sur ses genoux. On voyait par la porte ouverte des groupes, familles, Indiens, colons solitaires, descendre vers l'embarcadère pour assister au départ. M. Boissier, le négociant, était accompagné de ses enfants et de son épouse qui portait un caniche sous le bras. Toute la bourgade s'était donné rendez-vous au bord du fleuve où attendait la flottille des pirogues.

A Denis comme à Catherine il tardait maintenant que tout prît fin. Ils commençaient à s'enliser dans leur mutisme. Lorsque la silhouette de Dollard s'encadra dans la porte, Denis ramassa son bagage, sa grande couverte rouge et ses armes, puis il dit à Catherine :

— Toi tu restes ici avec les enfants. Ça vaudra mieux pour nous.

— Non, dit-elle, je veux rester le plus longtemps possible avec toi. J'emmène les enfants.

Dollard les précéda jusqu'à la rive ; durant tout le trajet ils n'échangèrent pas un mot, comme s'ils étaient déjà repliés sur leur solitude. L'embarquement se fit sans autre forme de cérémonie, sauf que les canons de la citadelle firent éclater leur tonnerre.

312

– Adieu, ma femme, dit Denis, la gorge nouée. Adieu, mon amour. Adieu, mes petits. Ne pleurez pas, je vous en prie. Pensez à moi, très fort, chaque jour, comme je penserai à vous.

– Tu n'oublieras pas mon renardeau! dit Irénée.

– C'est promis! Tu peux déjà lui chercher un nom.

Denis prit place avec cinq autres compagnons, dont Dollard, dans le grand canot de tête. Il vit Anaotaa soulever Laurent dans ses bras musclés et le serrer contre sa poitrine. Le jeune chef huron passa son « wampum » au cou de l'enfant et s'éloigna à reculons, la main levée.

C'est alors que retentit le son aigre d'un sifflet. Dollard donnait le signal du départ.

Le temps des chaleurs approchait. Il ne restait plus, en lisière des forêts, que des croûtes de neige, aux endroits que le soleil ne visitait jamais. Au moindre effort des hommes courbés sur la pagaie, torse nu, l'odeur de leur sueur flottait autour d'eux. Lorsque le fleuve, ramifié en une multitude de bras, se resserrait entre les collines noires, un souffle de glace les faisait frissonner.

Au soir du premier jour la flottille atteignait l'extrémité de l'île de Montréal et s'engageait par une petite rivière sous des voûtes d'épinettes. Les Indiens cachèrent les embarcations dans les roselières d'un bras mort, à l'abri d'une île caquetante d'outardes et de bécasses.

Denis connaissait cet ancien campement d'Iroquois, à un quart de lieue tirant au nord, où ils seraient à l'abri de toute surprise. Anaotaa et Métiomègue camperaient près des pirogues et des vivres et se relaieraient pour la surveillance. Le soleil à peine disparu, le repas achevé, chacun s'enroula dans sa couverte car la fraîcheur tombait vite dans ces parages. Par chance les maringoins n'étaient pas au rendez-vous.

Le sifflet de Dollard donna le signal du réveil. La forêt saupoudrée de gelée blanche ruisselait de lumière. Le « thé de trappeur », infusion d'écorce de cormier, avalé sur le pouce, les cendres du foyer dispersées, les hommes reprirent le chemin du fleuve.

— A la mi-journée, avait dit Denis, nous serons sur la rivière Ottawa.

Il empruntait ce parcours à chaque montée de canots, peu avant les premières neiges, quand les feuilles commencent à tomber. Il n'était pas un aspect de ce pays sauvage qui ne lui fût familier : sur cette batture il avait tué trois outardes d'un seul coup de mousquet; dans cette crique il avait bivouaqué avec des Algonquins; il avait abattu, sur cette pointe rocheuse, un ours menaçant... Il retrouvait sur les étendues liquides les mêmes transparences gris-bleu, les mêmes algues noires, les mêmes mousses mordorées, et cela lui donnait des idées de bonheur.

Le Saint-Laurent s'élargit à l'endroit où les eaux de l'Ottawa se mêlent aux siennes. La flottille se glissait en silence entre les îles dans le lourd soleil de mai où bourdonnaient des nuées de maringoins dont on subissait les assauts sans cesser de souquer.

Dollard, qui se tenait à l'arrière du canot de tête mené par Denis, paraissait préoccupé. Il chassait avec son mouchoir, à gestes nerveux, les insectes qui tourbillonnaient autour de lui. Denis l'avait exempté de pagayage car il supportait mal un effort soutenu.

– L'Ottawa! annonça Denis.

On pénétrait dans une contrée dangereuse. Si les prévisions de Denis se révélaient exactes, les Iroquois devaient se préparer à descendre cette rivière pour rejoindre le gros de leurs effectifs cantonné dans les îles Richelieu. Le courant roulait entre les îlots ses eaux puissantes. Il fallut effectuer plusieurs portages harassants sur des terrains escarpés où, à tout moment, on pouvait tomber sur une bande d'Iroquois. Pour comble de malchance la pirogue conduite par un jeune coureur des bois nommé Josselin se disloqua en reculant contre une roche.

Continuellement sur le qui-vive, ils passèrent une mauvaise nuit dans un bivouac de fortune. La montagne pleine de bêtes en amour bruissait autour d'eux, les enveloppait de gémissements, de cris, de souffles fiévreux.

Denis avait, non sans peine, retrouvé la direction de l'ancien campement d'Algonquins, fortifié jadis pour tenir tête aux envahisseurs. L'expédition s'y posterait pour attendre l'ennemi.

Ils souquèrent avec ardeur dans les eaux limoneuses,

315

embarquant des paquets d'eau glacée. Les Indiens suivaient à peu de distance ; les occupants d'un de leurs canots avaient renoncé à poursuivre et ceux qui restaient paraissaient nerveux. Un vol de grues s'élevait-il derrière une butte, ils cessaient de pagayer, prêts à faire demi-tour. La voix puissante d'Anaotaa dominait le murmure des hommes et le grondement des rapides ; il traitait ses hommes de « femmes de chasse » et de « gelinottes ». Denis commençait à se repentir de les avoir acceptés dans cette aventure...

Le canot de tête s'arrêta près d'une crique assez bien abritée, dans un chaos de rochers. L'endroit était sinistre. Au pied des chutes de Long-Sault dont on entendait en amont le grondement, la rivière se resserrait. De chaque côté des pentes de rocailles concassées par le gel s'adossaient d'épaisses sapinières. Où était ce fameux fort indiqué par Denis ? Les embarcations s'enfoncèrent avec précaution dans la crique aux rives bouleversées par des amas de souches et de racines et s'embossèrent de part et d'autre du canot de tête.

— Je ne vois rien qui ressemble à un bastion, dit Dollard.

Il lui manquait cet œil aigu des trappeurs et des Indiens. Denis lui montra une butte de terre jaunâtre mêlée de roches pourries, couronnée de quelques pieux.

— Comment pourrions-nous tenir dans cette casemate ? dit le chef.

— Nous allons reconstituer ses défenses, dit Denis. La situation est des plus favorables pour attendre les Iroquois.

Tandis que les Indiens cherchaient des caches pour les embarcations, les volontaires montèrent à travers les éboulis jusqu'au fort fantôme. Dollard avait raison : dans l'état où elles étaient, ces défenses tiendraient à peine une heure devant un assaut soutenu. Il fallait se mettre au travail sans tarder. Dollard et Denis désignèrent des équipes. Lorsque Dollard retroussa ses manches, Denis lui dit :

— Laissons travailler nos gars. Nous avons quant à nous mieux à faire. Suis-moi : nous allons reconnaître les alentours.

Alors qu'ils se livraient à leur inspection, Dollard dit à son compagnon en se laissant tomber sur une souche :

— J'ai bien réfléchi depuis que nous avons quitté Montréal. Ce serait terrible si j'avais commis une erreur, si notre geste était inutile. Dieu me pardonne, Denis! J'ai à peine vingt ans, je jette au vent des idées généreuses sans en mesurer les conséquences. Quand je pense à ces hommes qui vont mourir je me sens bourrelé de remords. Je ne suis qu'un petit militaire inexpérimenté, incapable de faire la différence entre un Huron et un Algonquin, un castor et un rat musqué. Nos compagnons se moquent de moi entre eux, je le sens et je le crains.

Denis fronça les sourcils.

— Si j'entends un de ces hommes plaisanter à ton sujet, je l'assomme. Tous te respecteront tant que tu ne leur donneras pas l'image du découragement. Parle-moi franchement : aurais-tu peur?

Dollard se dressa comme sous un coup de fouet.

— Si tu n'étais pas mon ami... dit-il, les dents serrées.

— C'est la réponse que j'attendais.

Denis fit la moue en le regardant.

— Tu devrais changer de tenue. Cet uniforme, ces manchettes, ça ne va pas avec notre mission. Attends-moi ici.

Il revint, les bras chargés de vêtements.

— De vieilles frusques! dit-il en les tendant au chef, mais tu y seras à l'aise. Mille excuses si elles puent.

Dollard revêtit les raides et rudes vêtements de peau qui puaient le boucan, et s'y sentit tout de suite plus à l'aise, dit-il, « que dans ma robe de chambre ».

— Tu as l'allure d'un vrai coureur des bois! dit Denis. Nous garderons ton uniforme pour y tailler un drapeau. Ça renforcera le moral de nos gars.

Anaotaa remontait de la rive avec ses hommes. Il avait trouvé une cache sûre pour les embarcations. Dollard distribua quelques ordres : Archambault préparerait la soupe au lard et la « sagamite »; Simon Grenet se chargerait d'aménager le campement, de construire quelques cabanes rudimentaires; Tavernier irait reconnaître des points d'eau pour le cas où l'on serait coupé de la rivière. Puis il partit avec Anaotaa dans la forêt pour ramener du gibier. Lorsqu'il se fut éloigné, Denis réunit ses compagnons et leur dit :

— Vous êtes à un âge où on a l'ironie facile. Il pourrait vous venir la tentation de brocarder Dollard, mais dites-vous

317

que ce garçon est le plus courageux de nous tous malgré ses allures de fille. Il vous le montrera sous peu.

Dollard revint au jour tombant, rayonnant comme le dieu des chasseurs, un daim sur l'épaule, qu'il avait tué d'une seule flèche, avec l'arc d'Anaotaa. Denis prit le jeune chef huron à part et lui dit :

– Tu n'as rien remarqué d'anormal dans les parages ?

– J'allais t'en parler. J'ai aperçu une fumée, à quelques heures de marche d'ici. Ça veut dire que les Iroquois ne sont pas loin et que nous verrons les premiers passer demain. Il faut que les hommes se dépêchent de remonter les palissades.

Jusqu'au milieu de la nuit la forêt résonna de la cognée des bûcherons et le fort du maillet des charpentiers. Des petites lumières brillaient dans la colline et sur l'esplanade du fort où l'on avait allumé des torches de résine. Personne ne souffrait du froid, tant chacun se dépensait. A la lumière d'une chandelle, Dollard et Denis étudiaient sur une table le détail des lieux, de manière à profiter du moindre accident de terrain. Denis se posterait avec quelques bons tireurs sur la rive, derrière les rochers et les arbres ; il faudrait causer un effet de surprise puis battre en retraite vers le fort en laissant sur les arrières Chicot et quelques Hurons dissimulés dans les tranchées ; c'est là que l'on recevrait la première vague d'assaillants.

C'était le plus beau matin du monde. Dans la lumière éclatante, à peine tamisée par endroits de voiles de brume, la forêt tressaillait de chants et de cris, haussait vers le ciel les crêtes sombres des sapinières. Le raire pathétique d'un cerf traversa l'étendue sauvage, répercuté de colline en colline.

Denis bourra sa première pipe, tendit sa blague à Tillemont puis à Lasvigne qui se tenaient près de lui. La fraîcheur et la rumeur de l'eau les engourdissaient au point de leur brouiller la vue. Denis tira une première bouffée, les yeux mi-clos dans l'odeur opiacée du « sagakomi ». Les Indiens étaient nerveux ; ils se demandaient si les Iroquois ne seraient pas comme eux armés de mousquets ; Denis les rassura, puis il se mit à songer à Catherine et aux enfants. Elle devait être déjà levée ; elle jetait dans la marmite les

318

cubes de lard de la soupe du matin, le visage illuminé par la lumière du feu. Les enfants devaient dormir encore sur le banc-lit. Catherine se redressait, contemplait au mur la place nue du mousquet et de la corne à poudre, la paillasse de foin de mer, chaude et creuse à l'endroit qu'elle avait occupé. Flambeau grattait contre la porte pour rentrer, et elle lui disait à voix basse, pour ne pas réveiller les enfants : « Paix, chien ! »

Denis sursauta lorsque Lasvigne lui tapa sur l'épaule pour lui rendre sa blague et lui dit en battant le briquet :

– Vingt dieux de vingt dieux ce que le temps me dure !

– Fumiers de « sauvages » ! ajouta Tillemont, qu'est-ce qu'ils attendent ? Je boirais ben quelque chose de chaud.

A défaut il décrocha sa gourde en peau d'orignal à demi pleine d'eau-de-vie et lampa quelques gorgées ; les « sauvages » le regardaient avec envie. Denis leur jeta sa propre gourde qu'ils vidèrent avec des grognements de plaisir.

« Boissier, songea soudain Denis, Boissier et sa gueule tavelée de taches noires comme une poire pourrie, Boissier trônant dans son magasin regorgeant de fûts de gnôle... » Denis ne pouvait regarder le bonhomme sans ressentir un malaise : il était de ces êtres qu'il eût pu supprimer de sang-froid. Ses paroles mielleuses bourdonnaient encore à ses oreilles : « Réfléchissez, Chapdeuil ! L'eau-de-vie est devenue monnaie courante dans les échanges avec les " sauvages ". Si nous refusons de leur en fournir, ce sont les Anglais et les Hollandais qui le feront. Ils ont moins de scrupules que vous. Si tous les coureurs des bois vous imitaient, il ne me resterait plus qu'à fermer boutique. » Denis devait se retenir pour ne pas crever d'un coup de pistolet les futailles de poison. Boissier n'avait sans doute jamais vu un Indien ivre mort, sinon peut-être eût-il réfléchi. Il nourrissait un autre grief contre cette larve : Catherine s'était plainte à lui, à plusieurs reprises, de ses assiduités. Lors des campagnes de traite qui retenaient Denis dans les « pays d'en haut » durant des mois, Boissier faisait à son épouse de fréquentes visites, lui proposait de l'employer à son magasin – son « hangar », comme on disait dans le pays. Elle refusait ; il revenait à la charge. Elle avait fini par lui interdire sa porte mais il la retrouvait à l'église ou sur la place d'Armes ;

il lui glissait à l'oreille : « Vous savez que je suis riche, madame Catherine, très riche. Si vous vouliez... » Il semblait suer son or par tous les pores de sa peau. Elle répliquait sèchement : « Vous perdez votre temps! » Vexé, il ripostait qu'il ne perdait jamais son temps et arrivait toujours à ses fins.

— Gare, les gars! cria Lasvigne.

Un Algonquin venait de surprendre les signaux de fumée du guetteur; il avait transmis l'alerte au fort; on la répercutait aux avant-postes.

— Trois canots et douze hommes, traduisit Tillemont.

Denis tira une dernière bouffée avant de replacer sa pipe dans la poche de son « parka ». Il donna l'ordre de charger mousquets et pistolets.

— Faudra viser juste, compagnons, dit-il, pour que pas un n'en réchappe et n'aille alerter le gros de la troupe.

Il sentait la chaleur de sa pipe chauffer doucement sa peau à travers sa chemise, comme la main de Catherine endormie. Il répéta son ordre en « sauvageois » et une vingtaine de mousquets et de pistolets hérissèrent le rempart naturel. Le premier canot surgit au tournant de la rivière, suivi de deux autres. Ils filaient à belle allure. Denis admira l'habileté du canot de tête qui louvoyait à travers les roches et savait reprendre à temps le fil du courant. Lorsque les trois embarcations furent dans la ligne de tir, Denis ordonna de faire feu. Les trois canots versèrent avec ensemble et passèrent à vive allure devant le poste, mêlés aux cadavres et aux blessés.

— Que personne n'en réchappe! cria Denis.

Un des Hurons tua d'une flèche un blessé qui s'accrochait à un rocher émergeant de l'eau. Tillemont eut du premier coup un Iroquois qui allait s'échapper dans la forêt. Les autres ne pourraient éviter les chutes.

Une heure environ plus tard, d'autres canots surgissaient, annoncés par un signal de fumée. Ils étaient plus nombreux que les précédents. Denis bondit à travers les écorchis pour atteindre Chicot qui était en train de casser tranquillement des noisettes dont il avait toujours une poche pleine, au milieu de ses Hurons.

– Il faut décrocher, mon gars! dit-il. Ceux qui arrivent sont trop nombreux. Tu serais débordé.

– Pas question! dit Chicot. Tu oublies que j'ai un vieux compte à régler. Ils ne me prendront pas deux fois mon scalp. Mes Indiens peuvent partir. Moi, je reste!

Il dit quelques mots en « sauvageois » à l'intention des Hurons qui se concertèrent.

– Tu vois, dit Chicot. Ils veulent rester eux aussi.

– Tête de mule! dit Denis. Tu ne tiendras pas dix minutes ou alors c'est que Dieu sera avec toi.

– Je préférerais une gourde d'eau-de-vie, dit le scalpé.

– J'en ai plus une goutte.

– Alors salut, compagnon!

Dollard paraissait inquiet lorsque Denis le rejoignit.

– Les Iroquois sont plus de deux cents, dit-il, et le guetteur nous a prévenus que certains sont armés de mousquets.

Ils avaient arrêté leurs embarcations non loin du fortin, signe qu'ils se préparaient à lancer un assaut. Chicot était perdu : ils allaient tomber sur son poste comme une nuée de sauterelles.

– Tu aurais dû lui ordonner de se replier sur le fort, lui reprocha Dollard.

– Celui qui peut lui donner des ordres n'est pas encore né. Il semble avoir pris racine, le bougre! Cet homme ne fait que ce qu'il veut, mais il le fait bien, et jusqu'au bout.

– C'est bon, soupira Dollard. J'ai oublié que ces hommes ne sont pas des soldats et qu'ils ignorent la discipline.

Le soleil commençait à chauffer. Des maringouins sortaient des sapinières. Denis, qui avait mal dormi la nuit passée, rêvait de s'allonger à l'ombre de la forêt, comme le dimanche, à l'heure de la sieste, sur le bord du Saint-Laurent, avec la tête de Catherine sur sa poitrine. Il s'ébroua en pensant : « Imbécile! d'ici peu tu la feras, la sieste, et pour toujours... » Il entendit Archambault bougonner :

– Foutus « sauvages »! Qu'est-ce qu'ils attendent?

– Je suppose, dit Dollard, qu'ils mûrissent un plan d'attaque.

Anaotaa secoua la tête.

– En ce moment, mon frère, ils ont les yeux fixés sur toi, sur moi, sur nous tous. Tu vois ce rocher au-dessus du fort?

321

Ils sont cachés derrière et n'attendent qu'un signe pour nous tomber dessus.

— Il a raison, dit Denis. Ils sont partout autour de nous, et ils ne perdent aucun de nos gestes. S'ils attaquaient en ce moment je ne donnerais pas cher de notre peau.

— Eh bien, mes amis, tous à vos postes, et que Dieu vous garde! Tirez sur tout ce qui bouge. Denis, tu restes près de moi. Nous allons tâcher de couvrir Chicot.

Un silence profond se creusa dans un chaud remous de sudet, ce vent qui sentait la résine et les eaux sauvages. Aucun mouvement ne troublait l'immobilité du paysage, hormis la danse des avoines folles qui brillaient comme de l'or dans une écharpe de soleil. Rien ne bougeait non plus autour de l'avant-poste où Denis distinguait le bonnet de cuir qui surgissait de temps à autre pour inspecter les environs.

C'est de là que partit la première décharge; on eût dit que la montagne allait s'écrouler. Des Iroquois surgissaient de partout, torse nu, leurs mitasses de cuir dansant à travers la rocaille des écorchis un ballet féroce dans un concert de hurlements. Ils déferlaient par grappes sur le poste, le « tomahawk » ou la lance au poing. Un groupe surgit à quelques toises des palissades avec des cris gutturaux.

Denis, Dollard et leurs compagnons tiraient sans discontinuer, et chaque coup faisait mouche. Lorsqu'il avait déchargé son mousquet, Denis le tendait à un Indien qui lui rendait un pistolet chargé et se hâtait de bourrer le canon encore brûlant. C'était maintenant une véritable armée de « sauvages » qui se ruaient contre les palissades. Ils tiraient à l'arc et à la lance et les pieux grondaient sous les chocs répétés.

Dollard tourna vers Denis un visage rose de plaisir et noir de poudre.

— Tire, petit! lui jeta Denis. Tire sans arrêt. Nous faisons de la bonne besogne.

La résistance de Chicot paraissait efficace. Le bonnet de cuir était toujours à sa place et des tonnerres de détonations grondaient autour de lui. Denis n'en croyait pas ses yeux, quand il vit Chicot jaillir de son poste et glisser à écorche-cul jusqu'à la rive. Entre deux coups de mousquet il déchargeait ses pistolets et, à chaque coup de feu, un Iroquois s'écroulait en hurlant; il rechargeait derrière une roche, tirait, détalait et, lorsqu'il devinait que la distance se creusait entre lui et les assaillants, il rechargeait ses armes à la hâte. Chicot refusait de crever dans son trou comme une bête traquée: il lui fallait de l'espace, du mouvement pour se prouver qu'il était encore vivant. Il devait avoir à son actif une bonne douzaine d' « emplumés », comme il disait. Soudain Denis le vit chanceler, bras écartés, lâcher son arme et s'écrouler dans la rivière, une flèche plantée dans le dos. Denis poussa un cri de fureur. Il allait reprendre son tir quand il constata avec stupeur que l'assaut avait cessé contre le fort. Dollard et Tavernier s'interrogeaient du regard.

On profita de la trêve pour faire le compte des victimes. Tillemont avait eu une oreille arrachée par un coup de « tomahawk »; Laurent Hébert était blessé à un bras par une flèche; Louis Martin gémissait, allongé sur le sol, assommé par un coup de masse; Chicot était mort... Trois des Indiens d'Anaotaa avaient été blessés grièvement.

Quand ils furent certains que les assaillants s'étaient retirés, les Hurons se mirent à chanter et à danser sur l'esplanade.

— Qu'est-ce qu'ils s'imaginent, grogna Archambault, que nous avons remporté la victoire? Les gars, la journée n'est pas finie. Ces enfoirés vont revenir, je vous en fiche mon billet!

Le colosse s'occupa des blessés que l'on avait transportés dans la cabane et revint un moment plus tard, les mains rouges de sang.

— Il ne reste presque plus d'eau, dit-il. Va falloir descendre à la rivière.

— Attendons la nuit, dit Denis. En plein jour c'est trop dangereux.

Les Iroquois avaient installé un bivouac à quelques toises du fort. On entendait le grondement des tambours de guerre et des chants de mort. Une haute fumée blanche creva le dôme de la sapinière et s'épanouit dans le ciel du crépuscule.

— Laisse-moi rejoindre mes frères prisonniers et essayer de les délivrer, dit Anaotaa. Les Iroquois vont leur lever la chevelure, leur brûler les doigts dans le fourneau des calumets, leur arracher les nerfs. Si je ne fais rien pour les secourir, on dira partout que je suis lâche comme une femme.

Denis lui posa la main sur l'épaule et lui dit :

– Mon petit, si mon épouse et mes deux fils étaient en ce moment aux mains des Iroquois, je ne tenterais rien pour les délivrer et je me moquerais de ce qu'on pourrait penser de mon attitude. Tu auras d'autres occasions de montrer ta bravoure.

– Écoute ce que chantent mes frères! Que le courage monte au cœur d'Anaotaa, qu'il prenne vite son mousquet pour venger ceux de sa race!

– Serre les poings, mon frère, et patiente. Demain ceux de ta race seront vengés.

– Permets-nous au moins d'aller prendre les scalps des ennemis que nous avons tués.

– Va! Mais ne dépasse pas le poste de Chicot. Tes frères te couvriront. Sois prudent.

Denis ne se souvenait jamais sans une nausée de l'odeur écœurante des scalps que les Indiens de la grande forêt mettent à sécher sur les vignots, pêle-mêle avec les poissons exposés au soleil. Ses compagnons allaient protester, mais c'est le moins qu'il pouvait accorder au jeune chef.

Anaotaa et ses frères revinrent un moment plus tard, radieux, leur ceinture garnie de dépouilles saignantes et de têtes coupées qu'ils plantèrent sur les pieux. La nuit venue, les Algonquins de Métiomègue allèrent puiser de l'eau à la rivière et perdirent l'un des leurs, tué par surprise.

Persuadé que les Iroquois n'attaqueraient pas de nuit, Dollard prit tout de même la précaution d'organiser un tour de garde. La nuit fut calme, traversée par moments de cris de suppliciés et de chants de mort. Les guetteurs voyaient passer à travers les buissons des formes rampantes qui n'étaient pas celles d'animaux sauvages.

Le premier rayon de soleil toucha le visage de Denis à travers une somptueuse toile d'araignée scintillante de rosée, tendue à travers le fenestron de la cabane. Il eut honte d'avoir dormi comme une pierre. Sa première pensée, de même que la veille, fut pour Catherine et les enfants. Archambault troubla sa méditation en lui tendant un gobelet de thé d'épinette.

– Tout est calme, dit-il, mais ça ne durera pas. Tu as vu ce qui nous est arrivé ce matin ?

Il montrait le rocher dominant le fort. Ce que Denis prit tout d'abord pour un tronc d'arbre était un Indien nu, immobile, le regard fixe, la corde d'un arc barrant sa poitrine peinte de couleurs vives avec le sachet de tabac. Sûrement un chef ; il paraissait très vieux.

– J'ai bien envie de lui souhaiter la bienvenue à ma manière, dit Archambault, mais ça risquerait de précipiter les événements.

Anaotaa jetait un défi en règle à l'apparition : il se cognait la poitrine, aboyait des injures, se lamentait, brandissait sa hache et son mousquet sans que le chef s'émût.

Un Huron était mort au cours de la nuit. Tillemont, malgré la fièvre qui le harcelait, refusa de laisser sa place aux palissades. Il faillit en venir aux mains avec le grand Archambault qui voulait lui imposer de rester alité. Dollard, alerté par l'altercation, s'était approché.

– Ce n'est rien, dit Denis. Tillemont se bat contre sa peur, mais nous pouvons compter sur lui. La peur est parfois une forme de courage.

La forêt, autour du fortin, était parcourue par des files d'Iroquois. Au-delà de l'espace de terrain mis à nu autour de la redoute, on devinait à travers la masse végétale des glissements de renards, des chuchotements, des appels étouffés, toute une marée en mouvement qui tressait une trame redoutable autour de la palissade hérissée de mousquets. L'odeur de la chair en décomposition énervait les défenseurs ; des essaims de mouches bourdonnaient autour des têtes coupées et des scalps tendus au soleil sur le toit d'écorce.

L'attaque se déclencha dans la chaleur blanche de midi. Elle fut brève mais brutale. Les Iroquois paraissaient n'obéir à aucune stratégie concertée ; ils se jetaient par vagues sur le rempart comme s'ils aspiraient au suicide, tentaient d'ébranler les pieux ou de les escalader. Ceux qui parvinrent à s'introduire dans la place furent cloués au sol à coups de lance, dépecés par les Hurons et les Algonquins, jetés, morceau par morceau, sur les assaillants. Le tumulte était tel

325

que les défenseurs n'entendaient pas les ordres et n'en faisaient qu'à leur tête.

Le vieil Indien n'avait pas bougé de son perchoir, pareil à un vautour déplumé. La vague s'étant retirée, Anaotaa se mit à l'injurier avec une violence accrue, menaçant d'avoir son scalp, de lui briser les dents, de l'écorcher vif...

Les flèches des Iroquois avaient fait trois morts parmi ses frères; un Français avait eu le crâne broyé par un « tomahawk » : Jacques Brassier.

— C'était le plus jeune d'entre nous, dit Archambault, en guise d'oraison funèbre. Il n'avait pas seize ans. Il était persuadé de retourner vivant à Montréal. Ce matin encore, il me disait...

— L'heure n'est pas aux lamentations! dit Tavernier. Tout ce que tu dis là, nous le savons.

— Nous ne pouvons pas garder tous ces corps ici, dit Denis. L'air serait vite irrespirable. Il faut les jeter à la rivière. On les retrouvera peut-être à Montréal.

Anaotaa se proposa pour effectuer cette corvée, avec quatre de ses hommes. Ils quittèrent la redoute à la nuit tombée, chargés chacun d'un corps et d'une gourde qu'ils rempliraient à la rivière. On entendit un bruit de lutte et des cris. Seul Anaotaa parvint à s'échapper.

Catherine savait qu'elle ne devait pas chercher la paix hors de sa demeure; il n'y avait pas de réconfort à attendre au-delà de la haie d'églantiers qui en marquait les limites, en fronteau sur le chemin communal. Elle voulait ne vivre que pour elle, pour ses enfants et surtout pour ce nœud de chair qui bougeait en elle. Renoncer à cette solitude, c'eût été tuer deux fois Denis, car c'est un peu de lui qu'elle sentait remuer dans son ventre : elle lui devait cette réserve.

Elle n'ignorait pas ce que l'on disait d'elle dans la ville : qu'elle faisait la « fière », qu'elle se serait crue déshonorée de se lamenter, qu'elle négligeait d'aller chaque matin faire brûler un cierge à l'église pour le salut des sacrifiés... Elle s'en moquait. Elle détestait entendre les femmes se lamenter sur la place d'Armes :

— Pauvre de moé! J'cré ben que mon fils y r'viendra point. J'irai le rejoindre tout dret au paradis si r'vient point.

Elles étaient venues les premières, après le départ de l'expédition, toquer à sa porte pour chercher en une femme jugée plus forte qu'elles un réconfort et un espoir; elles étaient reparties déçues; Catherine leur avait dit :

— A quoi bon gémir sur votre sort ? Attendez les nouvelles sans vous plaindre. Il n'y a rien de mieux à faire.

Elles avaient failli le prendre de haut, ces bonnes femmes qui portaient leur chagrin comme un étendard. Aucune d'elles n'était revenue, sauf la « squaw » d'Archambault, Anna, précédée de sa chienne, Souris; elles s'entendaient bien et se comprenaient mieux encore dans leur dignité commune; il leur suffisait de se trouver l'une en face de l'autre pour avoir l'impression de mettre en commun leur peine, leur espoir, et de les partager sans phrases inutiles.

M. Souart, premier curé de Montréal, venait parfois, à la veillée, rendre visite à Catherine, mais il ne s'attardait guère et elle ne l'y encourageait pas. Il regrettait sans acrimonie que les deux femmes ne vinssent pas joindre leurs prières à celles des autres membres de la colonie pour le retour des héros.

— Je prie, lui disait Catherine, et mes prières, comme celles d'Anna, rejoignent les vôtres, monsieur l'abbé, mais ce qui m'arrive est une affaire entre le bon Dieu et moi.

Elle devinait les mots d'« orgueil » et d'« égoïsme » sur les lèvres du prélat. Il joignait sur la table, autour de son gobelet de cidre, ses longues mains sèches et disait :

— Promettez-moi de vous joindre à nous à la messe de dimanche, en toute simplicité, comme vous êtes là.

Catherine souriait : elle se souvenait qu'on avait jasé, après le départ des volontaires, sur sa tenue jugée ostentatoire. La femme d'un coureur des bois à demi ensauvagé, se vêtir comme l'épouse d'un gouverneur! On avait suggéré à M. Souart de lui refuser la communion si elle se présentait à la sainte table dans cet accoutrement.

— Je viendrai, promit Catherine. Comme je suis.

Elle voyait parfois passer dans le chemin M. Boissier, son visage à demi dissimulé par le chapeau à large bord orné d'une médaille sainte. Lorsqu'il l'apercevait il la saluait en levant sa canne à pommeau de nacre, avec un sourire engageant; elle rentrait précipitamment et fermait sa porte; elle n'eût pas supporté qu'il lui rendît visite.

Tassée sur ses formes replètes, Anna filait dans le ronron paisible du rouet de Catherine, presque immobile, petite statue du silence, ne s'arrêtant que pour détendre ses membres.

« Combien cette attente durera-t-elle ? songeait Catherine. Combien de jours, de semaines, de mois ? » Ils ne reviendraient peut-être pas. Ces hommes étaient partis pour mourir, et la plupart le savaient. Comment cette poignée de volontaires aurait-elle pu tenir en respect une armée d'Iroquois ? Le combat était trop inégal. Le seul miracle eût été que certains pussent échapper à la tuerie. Trop espérer, trop prier était preuve de faiblesse, mais c'était la seule qu'elle se permît. Chaque heure de sa vie, chaque pensée, chaque rêve dont sa nuit se peuplait étaient autant de prières. Elle se disait que la vraie sagesse, celle qui devait plaire à Dieu, était d'accepter sa solitude sans laisser tomber les poussières de l'oubli.

Anaotaa promena lentement le tison sur la poitrine du jeune guerrier iroquois qu'il venait de capturer. Il le fit vriller à l'endroit des mamelles qui grésillèrent. Le prisonnier hurla :

— Garao va parler !

Il s'écroula quand on défit ses liens. Anaotaa apprit que le chef des Onnéïtous avait perdu une dizaine de ses guerriers sur les deux cents qui avaient quitté les territoires de chasse de la rivière Ottawa et que, le premier jour de l'attaque, un canot était parti sur le Saint-Laurent, afin d'en ramener huit cents Agniez.

— Cette fois, les gars, dit Archambault, nous sommes foutus !

— Il n'y a qu'un moyen de nous tirer de ce piège, dit Simon Grenet : nous retirer de nuit et filer vers Montréal.

Denis crut que Dollard allait le molester. Bouillant de colère, il lui jeta au visage :

— Battre en retraite ! C'est ça que tu voudrais ? Chicot, Brassier, nos alliés indiens seraient morts pour rien ? Nous sommes ici pour vendre chèrement notre peau, pas pour déserter à la première occasion ! Grenet, je te préviens : si je te surprends à vouloir nous fausser compagnie, je te rattrape par la peau des fesses et je te brûle la cervelle !

Il parcourut l'assistance d'un regard sévère et poursuivit d'une voix âpre :

— Peut-être êtes-vous tous d'accord avec Grenet, sauf toi, Archambault, sauf toi, Denis. J'avoue que nous sommes dans une situation tragique : plus d'eau, plus de vivres, presque plus de poudre. Dans ces conditions, ai-je le droit de vous retenir ? Alors, partez si c'est votre idée. Moi, je reste. Après tout, vous êtes des hommes avant d'être des soldats.

— Je reste aussi, dit Denis. Que ceux qui le veulent partent. Qu'en pensez-vous, les gars ?

Tavernier cracha son jus de chique entre ses mocassins.

— Tu nous injuries si tu crois qu'on pourrait avoir envie de se défiler. Ce blanc-bec de Grenet a dégoisé à tort et à travers. Moi, j'ai fait par avance le sacrifice de ma peau qui, de toute manière, vaut pas grand-chose, et je reviens jamais sur ce que j'ai décidé.

— Huit cents Iroquois, c'est beaucoup, dit Archambault. M'étonnerait qu'on se tire vivants de cette merde. Mais si nous leur tenons tête hardiment, ces vilains « emplumés » y réfléchiront à deux fois avant d'attaquer la colonie.

Les autres opinèrent : ils se battraient jusqu'au bout.

— Et toi, La Mouche ? dit Denis.

L'Indien malingre, aux traits veules, se dissimulait à demi derrière son cousin Anaotaa. Denis l'amena d'une poigne rude au milieu du groupe des défenseurs et lui assena deux gifles vigoureuses.

— Qu'a-t-il fait ? demanda Anaotaa. Pourquoi le brutaliser ?

— C'est un faux-jeton ! dit Denis. Ce matin il a proposé à tes frères de nous abandonner. C'est indigne d'un Huron.

Anaotaa avait blêmi.

— Si mon cousin nous a trahis, dit-il, je l'abattrai de ma main.

Denis se tourna vers l'Algonquin Métiomègue. Était-il sûr de ses frères ? Le chef toucha sa poitrine du plat de sa main.

— Comme de moi-même, dit-il. Ce sont des gens de ma tribu qui ont construit cette redoute pour se battre contre les Iroquois. Si je veux les rejoindre dans les étoiles, il faut que je me montre aussi courageux qu'ils l'ont été.

— C'est bien, dit Dollard. A présent, prenons tous un peu de repos. Nous en aurons besoin.

Il demanda à ses hommes ce qu'on allait bien pouvoir faire du prisonnier iroquois.

— Donne-le-moi, dit Anaotaa. Mes frères le réclament.

— Ils veulent le torturer, soupira Denis, et nous ne pouvons pas leur refuser ce plaisir.

— Prends-le, dit Dollard, mais fais en sorte qu'il ne souffre pas trop et ne trouble pas notre repos par ses cris.

A peine attaché au poteau de torture dans le cercle des Hurons et des Algonquins agenouillés, le jeune Iroquois se mit à hurler son chant de mort. Dollard demanda à Denis ce qu'il disait.

— Toujours la même chose : il est un guerrier intrépide, il n'implorera pas ses bourreaux, il a tué plusieurs guerriers ennemis et pris leur scalp... C'est un brave.

Denis s'allongea à l'écart contre la palissade. Le bourdonnement de la fièvre, le grondement des rapides, les chants de mort qui montaient de la forêt, emplissaient son crâne d'une rumeur ininterrompue et lancinante. Il sentait à peine les piqûres des insectes mais la soif le tenaillait. Il avala ce qui restait d'eau saumâtre au fond de sa gourde et se mit à somnoler. Un coup de feu le réveilla; il vit Dollard revenir du lieu de torture avec à la main un pistolet fumant; il venait d'achever le prisonnier alors que ses bourreaux commençaient à lui arracher les nerfs.

— Tu n'aurais pas dû, dit Denis. C'est un mouvement de pitié qui risque de nous coûter la confiance de nos alliés.

Il se leva, fit quelques pas et s'écroula dans les bras de Dollard.

— La fièvre le ronge, dit le chef, et nous n'avons plus une goutte d'eau. Je vais descendre jusqu'à la rivière avec deux ou trois Indiens. Tu me couvriras. Le secteur a l'air calme.

— Trop calme, dit Tavernier. Prends garde, l'ami. Tout le monde ne fait pas la sieste.

Il accrocha sa pipe à ses dents, se posta avec trois hommes armés de mousquets de part et d'autre de la porte donnant sur la rivière, entre les têtes et les scalps qui puaient atrocement. Dollard et les deux Indiens qui l'accompagnaient disparurent derrière les rochers et les taillis de noisetiers. Ils revinrent un moment plus tard sans encombres, les Indiens ruisselants comme des dieux des eaux, riant de plaisir en brandissant les gourdes.

A travers son délire, Denis jetait des paroles incohérentes et toujours les mêmes noms : Catherine... Laurent... Irénée... Au milieu de l'après-midi, ayant bu à satiété, il retrouva sa lucidité puis sombra de nouveau dans un sommeil agité. Le lendemain matin, ses membres étaient rigides et glacés. Anaotaa décida de le soigner à la manière indienne. Il fit bâtir par ses Hurons une sorte de four qu'ils recouvrirent d'un magma d'écorces, de branches et de terre. On y glissa Denis qui n'avait pas retrouvé ses esprits, avec une écuelle à demi remplie d'eau-de-vie à laquelle on mit le feu avant de boucher hermétiquement l'orifice.

— Je te donne cinq minutes avant de rouvrir ce putain de four! dit Tavernier. Si tu en sors un cadavre, je te coupe les oreilles.

— Mon frère blanc sera sauvé! dit Anaotaa.

Lorsqu'on rouvrit le four, non seulement Denis n'était pas mort mais il était bien réveillé et souriait, le visage congestionné.

— C'est bien, dit Anaotaa, mais pour chasser tout à fait le mauvais esprit de ton corps, il faudrait que j'aille dans la forêt chercher les plantes nécessaires à te faire un « maski-kik ». C'est une tisane très bonne pour toi.

— Restons-en là! dit Denis. Si tu allais dans la forêt, tu ne reviendrais pas.

Le soir venu, Denis fuma avec délice sa dernière pipe; il ne restait que quelques pincées de tabac dans sa blague.

— Si nos prévisions sont exactes, dit-il, c'est demain que les renforts vont arriver aux Iroquois. Et demain est un dimanche. Dollard, il faudra réunir tous nos hommes à l'heure habituelle de la messe et leur faire chanter le *Salve Regina*. Ça pourrait les requinquer. Il faudra décrocher du mât ta veste d'officier qui nous sert de drapeau et la planter au milieu du camp avec une croix. Ce serait bien si tu faisais un petit discours.

Il s'informa de ce qui restait de subsistance et de munitions. Dollard lui répondit :

— Nous n'avons plus rien : pas une once de farine, pas un morceau de pemmican et environ quatre charges de poudre par mousquet et par pistolet.

— Misère! Faudra viser juste.

— S'il le faut, nous nous battrons avec nos coutelas et nos haches.

— ... contre des centaines d'Iroquois? Et nos Indiens qui commencent à déserter!

— Il en est parti une dizaine ce matin, La Mouche en tête. Ils en avaient assez de crever à petit feu. Anaotaa et Métiomègue n'ont rien pu faire pour les retenir.

Dollard s'agenouilla près de Denis; il était pâle, avec des traits osseux et des yeux de braise. Il semblait vaciller à chaque mouvement dans ses vêtements de peau devenus trop grands pour lui.

— Qu'est-ce que tu éprouves dans ta tête?

— L'impression que je vais me liquéfier. La fièvre n'y est pour rien. Ce qui me tord les boyaux, c'est de ne pas savoir quand, comment et par qui je serai tué.

— Tu as souvent prononcé des noms dans ton délire, surtout celui de ta femme. Veux-tu me parler d'elle? J'aurais aimé mieux la connaître. Elle est si différente des autres! Moi j'ai essayé de penser à ma mère, mais je ne puis m'en souvenir que sous la forme d'une marotte, avec de faux cheveux, de faux bijoux, de faux sourires. Ta femme, elle, est vraie.

— Tu peux penser à elle autant qu'il te plaira, mais je ne saurais t'en parler. Il est des sentiments qu'on ne peut partager comme on partage le pain ou la poudre. Je l'aime. C'est tout. Et toi, chevalier Bayard, qu'est-ce que tu éprouves? Je parie que c'est avant tout l'envie de faire parler la poudre dans les fesses de ces enfoirés d'Iroquois.

— Non, l'ami, dit Dollard. C'est la frousse, tout simplement. Et ça aussi, c'est un sentiment difficile à partager.

Dans la chaleur pesante de mai les confins de l'horizon suaient l'orage. Le bec d'un pivert perché contre le tronc d'un bouleau martelait le temps figé. Le *Salve Regina* du matin chantait encore dans la tête des défenseurs blancs, mais, du côté des Indiens, c'était le vide. Tous les Hurons s'étaient éclipsés; seuls restaient Anaotaa, Métiomègue et une poignée d'Algonquins fidèles mais malades. Une ultime inspection effectuée par Dollard lui révéla que tous les défenseurs, plus ou moins terrassés par la fièvre ou l'inanition, se battraient à la limite de leurs forces. Les Indiens paraissaient les plus valides : depuis trois jours ils se sustentaient de la chair de l'Iroquois mis au frais sous les feuilles mais sur lequel bourdonnaient des essaims de mouches. Il ne restait pas la moindre goutte d'eau et il ne fallait pas songer descendre de nouveau à la rivière; les hommes léchaient le matin les feuilles humides de rosée.

D'étranges rumeurs montaient de la berge; on pouvait y reconnaître des grondements de tambours, des chants rauques, des appels pareils à des cris de bêtes. Une fumée s'éleva au-dessus de la forêt et les chants redoublèrent d'intensité.

— Ils vont passer à l'attaque, dit Anaotaa. Ils sont en train de boire de l'eau de feu et de danser. Après ils tomberont sur nous comme la tempête.

Les choses se passèrent comme il l'avait annoncé.

Une avant-garde de guerriers ivres et qui tenaient à peine sur leurs jambes vinrent jeter de terribles défis aux défenseurs. On les laissa se vider de leur colère, uriner contre les palissades qu'ils étaient bien en peine d'escalader. On les massacra à l'arme blanche afin d'économiser les munitions.

Par un interstice de la palissade Denis surveillait les abords. Par moments une taie tombait sur ses yeux et la main qui tenait le mousquet se mettait à trembler. Il serrait les dents, cherchait à faire monter un peu de salive autour de sa langue sèche et gonflée. Il se dit qu'il rêvait lorsqu'il vit danser à quelques pas des silhouettes animées par un vent de folie : mitasses ornées de scalps, torses peinturlurés ornés de colliers de coquillages, visages aux tempes rasées haut... Dans le chef qui s'avançait parmi eux, Denis crut reconnaître le grand vieillard nu qu'il avait aperçu les jours précédents, debout sur le rocher dominant la redoute. Il sut qu'il ne rêvait pas lorsqu'il entendit le chef entamer une étrange litanie.

— Que dit-il? demanda Dollard.

— Ce qu'ils disent dans les mêmes circonstances : que nous allons être anéantis, qu'ils prendront nos scalps, que ceux qui se rendront auront la vie sauve, et autres balivernes.

Sa harangue achevée, le vieillard demeura, comme par défi, immobile et le regard fixe, en apparence perplexe. Il tint conseil puis planta sa lance en terre pour signifier à ses guerriers qu'ils ne devaient pas reculer au-delà de cette limite. Un moment plus tard on vit surgir la silhouette étriquée de La Mouche. Il était ivre ; il cria dans son mauvais français :

– Vous n'avez aucune chance ! Rendez-vous ! Vous deviendrez des esclaves comme moi mais vous garderez votre scalp !

Quelques instants plus tard la forêt parut incendiée de toutes parts. Des porteurs de torches se précipitèrent en hurlant contre les défenses. Ils jetèrent leurs brûlots aux quatre côtés de la redoute, tout contre les pieux, et se retirèrent sans qu'un coup de feu eût été tiré, les Indiens du fort se contentant de riposter à coups de flèches.

– Les fumiers ! hurla Archambault, ils veulent nous faire griller vifs !

La situation devenait désespérée. Une fumée âcre montait des pieux secs comme de l'amadou et la chaleur faisait reculer les hommes. Les assaillants paraissaient peu pressés de livrer le dernier assaut, quand les défenseurs virent se presser contre la lisière sombre de la sapinière des rangs massifs d'Onneïouts. Et soudain, sur un cri perçant du vieux chef, la ruée s'ébranla.

– Feu à volonté ! crièrent en même temps Denis et Dollard.

Dans l'orage de mousquetades qui suivit, les premiers rangs des assaillants se couchèrent comme des javelles. Une deuxième vague escalada la première et vint avec des hurlements s'écraser contre les palissades enflammées. Les quelques mousquets anglais et hollandais des Onneïouts crachèrent furieusement. Un Algonquin et le Français Laurent Hébert s'écroulèrent, le crâne fracassé.

– Ménagez les munitions ! cria Dollard. Ne tirez qu'à coup sûr !

Les assaillants reculèrent jusqu'à la lance du chef et se concertèrent de nouveau.

– J'ignore ce qu'ils vont imaginer, dit Denis, mais j'ai idée que la prochaine attaque sera la dernière. Nos défenses ne tiendront pas.

Les flammes s'étaient communiquées à tous les côtés du

quadrilatère où l'incendie commençait à creuser des brèches.

— Qu'on en finisse! cria Denis. Qu'est-ce qu'ils attendent, tonnerre de Dieu?

Il avait envie de poser son mousquet contre un pieu, d'aller trouver ses compagnons un à un, de les serrer dans ses bras une dernière fois, ces héros aux visages d'enfants, de leur dire qu'il fallait tenir jusqu'au bout, mais il ne pouvait quitter son poste sans avoir l'air de déserter. Il regarda avec stupéfaction Dollard en train de bourrer jusqu'à la gueule le mousquet pris sur le cadavre de Laurent Hébert.

— Que fais-tu? dit-il.

— Je le charge à mitraille. Quand les Iroquois reviendront à l'attaque, je lancerai sur eux cette bombe. En tombant elle éclatera comme une machine infernale. Ça pourrait bien les décourager...

— Que Dieu t'entende!

Les Iroquois ne tardèrent pas longtemps à revenir à la charge; ils étaient protégés par des boucliers de bois faits de branches tressées. Ils s'avancèrent en groupes serrés comme la carapace d'une bête monstrueuse.

— Courage! cria Dollard. C'est notre dernière bataille. Tâchons de faire bonne figure. Pour Dieu, pour le roi, pour la colonie!

Il entonna le *Salve Regina* que quelques hommes reprirent d'une voix altérée. Quand l'antienne à la Vierge fut achevée, Dollard prit le mousquet chargé à mitraille, recula de quelques pas, le lança dans une trouée entre deux gros épicéas proches des palissades. La machine infernale resta accrochée à une branche, oscilla, retomba à l'intérieur de la redoute.

— Couchez-vous! eut le temps de crier Denis.

Le tonnerre et la foudre lui répondirent. Denis sentit ses reins traversés d'une douleur fulgurante; il essaya, mais en vain, de bouger. Autour de lui, c'était une vision d'apocalypse: Dollard se tordait dans une mare de sang, l'épaule arrachée; Tillemont avait été cloué à la palissade, la moitié de la tête enlevée; Grenet gémissait, le ventre ouvert.

— Ce n'est pas fini! gémit Denis. Pas encore.

Tandis que Tavernier et Archambault faisaient front avec

leur hache devant une brèche où se pressaient les Indiens, il rampa vers Dollard malgré la douleur qui lui cisaillait les reins et parvint à le traîner jusqu'à la cabane.

— Pardon! gémissait Dollard. Je ne suis qu'un maladroit.

— En plus de ton épaule, où es-tu blessé?

— Partout. Je ne sais plus. Je ne sens plus rien.

Denis défit les vêtements avec son coutelas, les referma aussitôt : le corps n'était que chair à vif; le visage seul paraissait intact. Les yeux fermés, Dollard ressemblait à Laurent en train de dormir : un visage boudeur, aux traits délicats.

— Eh là, compagnon! dit Denis. C'est pas encore le moment de mourir. Tu crois que tu pourras te servir de tes pistolets?

— Il faudrait que je sois mort.

Il hurla en sortant une de ses armes de sa ceinture et en baisa la crosse.

— La clé du paradis... dit-il en souriant. Si je flanche, secoue-moi!

— Toi de même!

Ils s'embrassèrent, s'allongèrent à plat ventre dans l'entrée de la cabane, derrière un long cadavre mutilé qui paraissait être celui du chef algonquin. Ils virent se démener comme des diables Archambault, Louis Martin, Jacques Boisseau, Nicolas Josselin; ils n'avaient plus de munitions et se battaient comme des fauves au coutelas et à la hache pour envoyer quelques Iroquois de plus dans les étoiles. L'un d'eux avait une flèche fichée dans la cuisse; un autre avait le visage couvert de sang.

— Ils ne tiendront pas longtemps, dit Denis. Ça sera bientôt notre tour. Sais-tu ce qui me fait le plus envie? Une bonne pipe. Rien que d'y penser je sens l'odeur du « saga-komi ». Si nous en réchappons, je demanderai cette dernière faveur à ces bandits avant de mourir.

— Je n'en puis plus, gémit Dollard. Je ne serais même pas capable de me tirer une balle dans la tête. Ils me prendront vivant!

— Garder la dernière balle pour nous, tu n'y penses pas! C'est une fantaisie que nous ne pouvons nous permettre.

Josselin gisait à quelques pas, inanimé. Jacques Boisseau le remplaça devant la porte de la cabane. Anaotaa et un

Algonquin se battaient côte à côte contre un groupe d'Onneïouts enragés. Le dernier défenseur venant de s'écrouler, une lance plantée dans le ventre, la brèche se débonda brutalement, libérant des groupes d'Iroquois. Trois d'entre eux foncèrent sur la cabane. Deux coups de feu partirent en même temps et deux Indiens basculèrent en hurlant. Le troisième marqua un temps d'arrêt que Denis mit à profit pour se lever, sa hache à la main.

— Moi d'abord, dit Dollard. Ne me laisse pas tuer par ces sauvages.

— Non, dit Denis. Je ne peux pas.

— Je t'en prie. Je ferme les yeux et frappe! Pour l'amour de Dieu!

Denis lui fracassa le crâne avec un cri de rage qui ressemblait à un sanglot, avant de se tourner vers l'Indien qui s'apprêtait à bondir, la lance au poing. Le ventre crevé, les reins en bouillie, Denis trouva encore la force de faire quelques pas en avant, la hache menaçante, un flot de sang coulant de sa barbe. A travers la brume qui tombait sur ses yeux, il murmura :

— Catherine... Catherine...

Un « sauvage » l'acheva d'un coup de « tomahawk ».

3

LA FOIRE AUX FOURRURES

Montréal : été 1665.

M. de Maisonneuve laissa flotter sa main pâle sur les cordes de son luth, la posa à plat sur le sillet et se renversa dans son fauteuil. Les yeux sur un *Magnificat* de Palestrina, il se mit à jouer, d'abord imperceptiblement, puis plus fort au fur et à mesure que la musique dessinait ses formes précises dans son esprit. Les yeux mi-clos, il accompagna la musique d'un murmure profond, dodelinant de la tête d'une épaule l'autre, ses boucles faisant danser leur ombre sur la partition. Peu à peu le motif s'estompait, faisant place à l'improvisation, et le gouverneur souriait de plaisir dans la bonne chaleur du soleil, où des voix d'enfants, Français et Indiens mêlés, ricochaient jusqu'à sa fenêtre.

L'été, paisiblement, tirait sur sa fin. Dans quelques semaines le nordet soufflerait son haleine de glace; puis on s'éveillerait un matin avec le désir de rester au chaud sous la couverte en regardant les premières mouches de neige voltiger dans l'air mou.

« Mon dernier automne canadien... », songea M. de Maisonneuve. Dans quelques jours il quitterait Montréal, que, dans son cœur, il appelait encore Ville-Marie, et un navire le conduirait en France sans espoir de retour. Il s'installerait avec son serviteur, Louis Frin, dans sa modeste demeure du Fossé-Saint-Martin, à Paris. Pour le remercier des services qu'il avait rendus à la colonie, les messieurs de Saint-Sulpice avaient proposé de lui verser une pension, mais il se refusait à ramener en France autre chose que sa garde-robe, son luth et le souvenir de quelques personnes qu'il ne pourrait jamais

341

oublier. Le domaine de famille, en Champagne, l'aiderait à subsister dans une humble aisance.

Il quitterait la Nouvelle-France sans colère ni amertume. Pourquoi la colère ? Pourquoi l'amertume ? Son temps révolu, son œuvre accomplie, on le destituait.

M. de Tracy, vice-roi de la colonie, lui avait dit :

— Comprenez-moi, monseigneur, Montréal ne peut plus être une colonie dans la colonie. Le roi risque de prendre ombrage de votre obstination à sauvegarder des principes d'indépendance qui n'ont plus cours et sont dangereux, à favoriser les sulpiciens au détriment des jésuites. Le nouveau gouverneur général, M. de Courcelles, a reçu des ordres vous concernant.

M. de Tracy jouait négligemment avec les aiguillettes d'or de son pourpoint et frisottait les boucles de sa perruque.

— Je sais ce que nous vous devons, ajouta-t-il, et nous ne saurions l'oublier. Vous avez abattu le premier arbre et planté la première croix sur ce territoire. On dit que vous êtes « brave comme un lion et pieux comme un évêque »...

— Comme un moine ! rectifia M. de Maisonneuve.

— Personne n'oubliera celui qui a eu le courage...

Le reste se perdit pour le gouverneur dans un brouillard sonore. Québec, où M. de Maisonneuve s'était rendu à la convocation du vice-roi, regorgeait d'uniformes chamarrés, résonnait d'appels de trompettes, de roulements de tambours, d'éclats de fanfares. On croisait dans les couloirs du château le colonel de Salières et ses officiers : cuir lustré, dentelles, suaves plumails sur les larges feutres à bord souple... Des noms chantaient dans la tête de l'humble fondateur de Ville-Marie : Verchères, Varennes, Sorel... Il s'effaçait pour leur faire place, choisissait, dans les assemblées et les conseils, le siège du fond, se faisait le plus discret possible.

Mille deux cents militaires campaient dans la ville. Les Iroquois n'avaient qu'à bien se tenir ! Depuis que l'unité de Carignan-Salières avait débarqué du « Saint-Sébastien », au début d'août, ces « sauvages » envoyaient des ambassades discrètes que l'on recevait avec morgue. Le chef des Cinq Cantons, l'Onontagué Garakontié, était en marche, depuis les confins de la rivière Richelieu, pour venir présenter le calu-

342

met de la paix au nouveau « Grand Onontio » venu de France avec ses guerriers armés de canons et vêtus de cuirasses. On l'attendait de pied ferme. L'Iroquois devrait se plier à la volonté du vice-roi, accepter l'envoi de missionnaires et de soldats dans ses territoires, la construction de redoutes et de forts aux embouchures des rivières dangereuses et, à la moindre incartade, châtier lui-même les tribus indociles. On n'avait pas oublié le massacre de Long-Sault, quelques années auparavant.

– Il faut me comprendre, répétait M. de Tracy.

Le vice-roi des Indes occidentales n'avait nul besoin d'insister.

M. de Maisonneuve monta dans son canot, triste jusqu'au fond de l'âme. Il sursauta en entendant tonner les canons de la citadelle, mais ce n'était pas lui qu'on saluait. Il vit défiler une escouade, le mousquet à l'épaule, mais ce n'est pas son départ que l'on honorait ; si l'étendard à fleurs de lys flottait sur le château, ce n'était pas en son honneur.

Le gouverneur fit signe aux petits Indiens qui jouaient sur la batture ; ils poussèrent le canot dans les eaux du Saint-Laurent avec des cris de joie. Puis ce fut l'immensité du fleuve qui brasillait dans la lourde chaleur d'août.

La sonnette de mère Marguerite Bourgeoys grelotta au-dessus du jardin qui séparait le château de l'école.

– Dans quelques jours... murmura M. de Maisonneuve en caressant son luth.

Il posa l'instrument sur sa table de travail, tira le cordon et dit à son vieux serviteur :

– Louis, ma canne et mon chapeau, je vous prie. Dites au major Zacharie Dupuis qu'il me prépare une petite escorte. J'aimerais me rendre à la foire aux fourrures.

Laurent mit deux doigts sur sa langue et siffla. Il attendit quelques instants derrière la haie où il était allongé, la nuque dans les prêles, un œil sur le portail donnant sur le potager de l'hôpital. La silhouette de Gilles Trottier ne tarda pas à se montrer : c'était un petit vieillard à peine usé par trente années de traite et qui s'était sur le tard voué au jardinage pour le service des sœurs hospitalières de Montréal. Il avait noué des liens d'amitié avec Laurent Chapdeuil depuis l'affaire de Long-Sault, à laquelle il regrettait de n'avoir pu participer. Il avait été l'ami de son père ; ils en parlaient souvent.

Le vieux portait dans ses mains deux pommes rouges ; il en tendit une à Laurent et se mit à croquer l'autre. Par le sentier du vieux fort ils descendirent vers la ville basse en marge de laquelle, dans les prairies jaunies par l'été qui bordaient le Saint-Laurent, s'alignaient les campements des Indiens.

— Connais-tu la nouvelle ? dit Laurent. Charles Lemoyne est de retour. On ne parle que de ça dans Montréal. Paraît que pour rien au monde il n'aurait voulu manquer cette foire. Il s'est évadé de chez les Iroquois, à ce qu'on dit.

— Sûr qu'ils l'ont pas relâché, le bougre ! Lemoyne... Tu sais comment les Indiens l'appellent ? « Aquessan. » Ça veut dire « La Perdrix ». Ton père était un fameux trappeur, mais Lemoyne le vaut. Faudra que je lui parle.

Gilles accentua son allure, si bien que Laurent peinait à le suivre. Le vieil homme se retournait pour l'interpeller :

— T'es-tu procuré des fers de hachots, gamin ? Et de la poudre ? Et des couteaux ?

Laurent avait tous ces articles dans sa besace, et même un mousquet qu'il portait à l'épaule. Gilles se frotta les mains.

— T'as même pu te procurer un mousquet ! Ça va être une fameuse journée, mon gars ! Ta mère, qu'est-ce qu'elle en pense de te voir faire le troc ?

Laurent ne répondit pas. Elle était comme toutes les mères : inquiète de voir l'oiselet se pencher au bord du nid pour prendre son vol. Elle lui répétait les reproches que mère Marguerite Bourgeoys rabâchait depuis des années : « Tu finiras comme un enfant perdu, chez les " sauvages ", avec des " squaws " pour préparer ta soupe de chien et plein de petits " bois-brûlés " à nourrir. » Laurent eût aimé répliquer qu'il ne faisait que suivre le destin d'un père qui n'avait pas encombré sa vie de « squaws » et de « bois-brûlés », mais il préférait se taire : cinq ans avaient passé depuis la mort du père mais sa présence était encore sensible entre eux et le seul énoncé de son nom faisait monter des larmes dans les yeux de sa mère.

Gilles Trottier chantonnait en sautillant d'une allure déhanchée sur le sentier indien bordé de nappes de bluets dont les petits fruits noirs brillaient comme des perles sous les feuilles vernissées.

— Comment que tu t'es procuré cette marchandise, petit ?

— Tu sais que je travaille pour M. Boissier. Il me paie quelquefois en nature.

A la mort de Denis, une fois née la petite Cathy, Catherine avait fini malgré sa répugnance par accepter de s'employer chez le négociant. Il fallait bien vivre. L'ouvrage ne manquait pas, mais elle était courageuse. Elle n'avait fini par céder qu'à condition de ne s'occuper que du comptoir sur lequel régnait Mme Boissier. Celle-ci avait son mari à l'œil, connaissant son goût pour les jolies femmes qui le changeaient de la sienne, qui ne l'était guère.

Depuis deux ans déjà Laurent travaillait lui aussi chez le négociant ; il était chargé des courses et de la manutention des marchandises, mais, à quinze ans, il se sentait mûr pour un autre destin.

Son frère jumeau, Irénée, avait choisi une voie différente. Catherine l'avait confié aux sulpiciens ; c'était un élève studieux, dont l'abbé de Queylus vantait les qualités. De la fenêtre de sa classe il découvrait l'immensité du fleuve et, derrière une rangée de saules bordant un ruisseau, le toit de bardeaux de la demeure familiale que le malheur, en la touchant, avait figée dans une éternité de tristesse ; la première chose que l'on remarquait en entrant, c'était l'étrier vide où Denis suspendait son mousquet.

A peine Gilles et Laurent avaient-ils passé le seuil, Cathy et Flambeau se jetaient dans leurs jambes.

— Paix, tous les deux ! cria Laurent.

Il salua de la main la grosse Indienne, Anna, la veuve d'Archambault, qui gardait la petite en l'absence de Catherine.

— Tu vas où ? demanda Cathy.

— A la foire aux fourrures, faire du troc.

— Tu m'emmènes ?

— Trop de monde. Tu te perdrais. Les Indiens t'emporteraient chez eux, dans la forêt.

Elle retourna d'un air contrit dans les jupes d'Anna, tandis que Laurent gravissait l'échelle menant aux combles où il régnait une chaleur suffoquante. Sous la lucarne, à l'endroit où il jouait jadis au « manitou », le village de Mitchitapani était toujours en place sur son socle de terre : il restait quelques Indiens peinturlurés et des trappeurs couchés sous des arbres gris de poussière. Il retira d'un vieux coffre deux gourdes d'eau-de-vie qui avaient échappé à la vigilance de sa mère et les glissa sous sa parka.

— Allons-y, vieux loup! dit-il à Trottier.

Le vieillard fronça les sourcils.

— Qu'est-ce que tu caches sous ta parka, petit? C'est de l'eau-de-vie, hein? Ça se voit comme le nez au milieu de la figure. Passe-moi une de ces gourdes, et aussi le mousquet. Vingt dieux! je sens que nous allons troquer mieux que ton père et que Lemoyne. Ça me rappellera le bon temps.

Au bord du fleuve la foire bourdonnait déjà comme une nuée de maringouins excités par l'orage. Les fourrures s'entassaient devant les « tipis » de peau ou d'écorce, hâtivement dressés sur des branchages, et des pirogues renversées sur des piquets. Il en montait une odeur puissante de sauvagine et de fumée que les deux visiteurs respirèrent avec délices.

— Ne fais pas cette tête, dit Gilles Trottier. On dirait que tu tombes du ciel. Les Indiens vont s'imaginer que tu es prêt à tout céder pour rien. Fais comme moi : prends l'air blasé.

Il s'approcha de l'étal d'un jeune Ottawa, fit voleter d'une main experte des peaux de loutres, de castors, de visons que l'Indien lui présentait avec un sourire béat. Il fit la moue et s'éloigna. L'Indien le rappela.

— Mon frère ne trouvera pas sur toute la foire de loutres aussi dorées. Et ces castors! Mon frère en a-t-il vu d'aussi sombres?

Il fit crépiter la fourrure sous sa main.

— Ouais... murmura le vieux loup. Pas vilain. J'en prends cinq pour ce mousquet.

L'Indien éclata de rire :

— Ce mousquet est aussi vieux que mon père. Il ne vaut pas cinq castors.

Gilles fit sauter l'arme entre ses mains, manipula avec dextérité la platine à silex.

346

– Sais-tu, mon salaud, combien ce mousquet a tué de putains d'Iroquois ? Dix fois autant que tu as de doigts aux deux mains. Plus d'ours et de caribous qu'il y a de foutus Indiens sur toute cette foire. C'est le « Grand Onontio » de Québec qui me l'a offert.

L'Indien saisit l'arme, fit la grimace en la soupesant, sourit avant de déclarer :

– Pas plus deux castors.

– Trois. Pas un de moins.

Gilles ne laissa pas à l'Ottawa le temps de réfléchir. Il lui jeta l'arme et rafla trois peaux.

– Nous aurions pu en obtenir quatre, dit Laurent, alors qu'ils s'éloignaient.

– Faut pas exagérer, petit. Cette pétoire risque de lui exploser dans la gueule. Regarde ces fourrures. Elles sont « primes ».

Ils marchandèrent des loutres à un Iroquois de la tribu des Onontagués contre des hachots, troquèrent quelques livres de poudre contre deux splendides peaux de loutres, bazardèrent des couteaux contre des castors et des rats musqués. Gilles faisait merveille dans le boniment. A l'entendre, les « Yanguisses » du Massachusetts n'auraient pu proposer de meilleures marchandises.

Chaque tractation se terminait de la même manière : l'Indien laissait entendre que le « lait du roi de France » l'intéressait davantage que les hachots, les couteaux ou la poudre. Laurent et Gilles proposaient un marché ; l'Indien secouait la tête obstinément. Gilles disait :

– Patience, petit. Ce soir ils auront tous soif et nous obtiendrons ce que nous voulons pour nos articles, et de l'eau-de-vie notamment.

La foire s'animait au fil des heures, et il semblait que tout Montréal y fût présent et se livrât au plaisir de la « troque ». On voyait des gosses changer avec des mines d'experts de vieux couteaux ou des ustensiles de ménage jetés au rebut contre des colliers ou des flèches ; des commis de la Compagnie raflaient les plus belles fourrures, bousculaient les habitants venus proposer de vulgaires brocantes pour quelques rats musqués. Laurent se piquait au jeu et l'émulation tournait petit à petit à la fièvre. Gilles avait fini par lui laisser l'initiative des opérations et n'intervenait que lorsqu'il devinait que son protégé ne concluait pas une transaction à son avantage. Il s'apprêtait à lui éviter une bévue lorsqu'il s'entendit héler par une voix puissante :

— Eh, Gilles, vieux sacripant! Quel plaisir de te revoir!

En se retournant le vieillard se trouva enfermé entre deux bras musclés et pressé contre la poitrine d'un colosse moustachu, au fort accent de Normandie. Il s'écria :

— Lemoyne! Mon vieux Charles Lemoyne! On te croyait chez les « sauvages » et tout Montréal sait depuis ce matin que tu es de retour. Tu as donc échappé à la « grillade », Aquessan ?

— En partie seulement, dit Lemoyne.

Il montra des doigts à demi brûlés dans le fourneau d'un calumet, puis, soulevant la cravate crasseuse qui lui pendait à la poitrine, découvrit l'emplacement des lanières de peau qu'on lui avait arrachées.

— Ben alors... Ben alors... murmurait le vieux Gilles en se grattant le crâne. T'as vu, Laurent? Sont pas tendres, les « sauvages »...

Ils décidèrent tous trois de se retrouver, la foire terminée, au cabaret, puis Gilles et Lemoyne se séparèrent en se donnant sur l'épaule des claques à assommer un bison.

— J'emmènerai le gars Laurent, le fils à Chapdeuil, dit le vieux loup. Il a beaucoup entendu parler de toi et il t'admire. N'est-ce pas, Laurent?

Laurent était trop ému pour trouver le moindre mot à dire. Il songeait que M. Boissier et Catherine allaient s'inquiéter de cette absence prolongée et qu'on lui demanderait des comptes.

En remontant vers la bourgade, ils virent arriver M. de Maisonneuve accompagné de deux hommes de la garnison, sur l'épaule desquels il s'appuyait lorsque le chemin se faisait rocailleux. Il s'installa dans le fauteuil d'osier préparé à son intention sous un bosquet de coudriers, s'épongea le visage avec son mouchoir de batiste et, posant son large chapeau sur ses genoux, parut prendre un vif intérêt à l'animation qui régnait sur le vaste espace de la foire. Plusieurs coureurs des bois vinrent lui faire leurs civilités et s'entretenir avec lui en toute simplicité. Puis vinrent les « sauvages »; ils arrivaient par petits groupes, porteurs d'offrandes, des peaux qu'ils déposaient aux pieds du gouverneur avant de s'asseoir sur leurs jambes repliées, leur nudité à peine voilée par une couverte multicolore, comme devant un « manitou ».

Gilles poussa Laurent du coude.

— Regarde, fiston ! Ce « sagamo » au crâne à moitié rasé qui rapplique en grand tralala est un chef iroquois ami des Français. Souviens-toi de son nom : Garakontié. Il est le chef suprême des tribus qui composent les Cinq Cantons. Il a près de lui le chef huron Kondiarok, qu'on appelle aussi le Rat. Ce sont des adversaires irréconciliables, mais ils ne veulent pas le montrer devant le gouverneur.

Il ajouta :

— Toutes ces émotions m'ont donné soif. Attends-moi une minute.

Il fit mine d'aller se désaltérer au canon d'une source qui crevait un écorchis et lampa quelques gorgées à la gourde qu'il portait et qu'il finit de remplir avec de l'eau claire.

— Nous n'avons plus une minute à perdre ! dit Laurent. M. Boissier doit être furieux. Un jour comme celui-ci, avec une boutique qui doit regorger de clients, je n'aurais pas dû m'absenter.

Ils remontèrent en pressant le pas à travers les derniers campements indiens immobiles devant leurs étals. Gilles inspecta les alentours.

— Pas d'uniforme en vue, dit-il. C'est le moment de nous débarrasser d'une de nos gourdes.

Il s'approcha d'un groupe de Hurons et leur dit dans leur langue :

— Mes frères doivent avoir la langue sèche ! J'ai là de quoi les désaltérer. Ils riront comme des enfants, ils chanteront et ils verront danser la forêt !

— Ouah ! répondit un « sauvage ». Que mon frère regarde mes castors et qu'il me dise s'ils ne sont pas « primes ».

On se mit d'accord pour six castors contre une gourde. Laurent suspendit les peaux à sa ceinture et ils s'éloignèrent. Ils n'avaient pas fait dix pas que les Hurons les interpellèrent.

— Filons en vitesse, fiston ! dit Gilles. Faut que je te dise : j'ai un peu arrosé l'eau-de-vie. C'était pour leur bien. L'alcool, ça leur réussit pas.

— Sacré vieux loup! Ils vont nous courir après, ameuter toute la foire...

— Courons! dit Gilles.

Il bondit comme une flèche, trébucha en jurant. Encerclé par des « sauvages » menaçants, Laurent dut restituer trois peaux sur les six qu'il avait reçues. Il se sentait humilié.

— Je suis un satané fripon! gémissait Gilles. Je mérite pas d'avoir comme ami le fils de Chapdeuil, qu'était un grand honnête homme et un héros. Cogne-moi, mon gars! Vas-y de bon cœur!

— Cesse de faire le pitre! lui jeta Laurent, sinon nous aurons toute la garnison à nos trousses.

Il n'était pas d'humeur à en vouloir au vieux. Il lui avait fait perdre trois castors mais lui en avait fait gagner davantage et, grâce à lui, il avait rencontré l'un des plus prestigieux coureurs des bois de la Nouvelle-France et avait fixé dans sa mémoire les traits de deux grands chefs indiens. Ç'avait été une grande journée.

Une foire aux fourrures se terminait invariablement au « cabaret rouge » tenu par Laviolette. C'était une simple cabane de bois-rond, couverte de foin de mer, ouverte sur sa façade par une galerie à balustrade que le tenancier appelait le « dégobilloir ». Elle était sise à l'extrémité d'une bande de terre marécageuse où moustiques, maringouins et brûlots menaient leur sarabande. Les messieurs de Saint-Sulpice et le gouverneur fulminaient contre cette « verrue » qui « déshonorait Montréal », mais Laviolette, fort de son droit, tenait bon; lorsqu'on lui envoyait de l'uniforme pour l'évincer, il montrait avec orgueil sa manche vide : il avait laissé un bras à la bataille de Nordlingen, aux côtés de Turenne, mais, avec l'autre, il pouvait se défendre.

C'était un endroit pittoresque mais dangereux. Certains soirs où les Indiens venaient troquer leurs peaux contre de l'eau-de-vie, l'air sentait la bataille. Laurent accepta néanmoins de s'y rendre, chaperonné par Gilles Trottier, un peu dégrisé par le sermon des sœurs hospitalières. Ce soir-là il eût fallu l'enfermer dans une cellule pour l'empêcher de satisfaire à l'invitation de Lemoyne. Laurent, lui, y venait comme à un premier rendez-vous d'amour.

A peine franchi le seuil, Gilles chercha des yeux son compagnon d'aventure ; il l'aperçut en compagnie de quelques autres fameux coureurs des bois, louvoya à travers les tables, s'entrava dans la rapière d'un sergent et enjamba trois ivrognes qui dormaient à même le sol.

Lemoyne se déplaça pour le laisser s'asseoir. La partie d'hombre tirait à sa fin sur un rapide chassé-croisé de pistoles. Lemoyne compta son gain et commanda une fiasque de tord-boyaux. Gilles bourra sa pipe, tira, les yeux clos, les premières bouffées et vida cul sec son gobelet, puis il parcourut du regard ses compagnons de table, les plus enragés coureurs des bois de toute la colonie, coiffés de tuques de laine ou de feutres crasseux : Joncaire, un grand diable tout en os et en poils, qui revenait de chez les Onontagués où il avait noué de solides amitiés ; Du Luth, ingénieur royal de profession, qui s'était découvert une vocation pour la traite et songeait à s'installer, loin vers l'ouest, chez les Indiens sioux ; Nicolas Perrot, ancien factotum des pères jésuites auxquels il avait emprunté un langage châtié et des manières courtoises, et qui revenait d'explorer le lac Michigan et la Baie Verte où pullulaient castors et rats musqués.

Leurs propos dont Laurent ne perdait pas une bribe lui avaient été rendus familiers par la fréquentation de Trottier et de quelques autres seigneurs de la forêt. Peu à peu, Gilles retrouvait tous les personnages qu'il avait été jadis : coureur, interprète, enfant perdu, capitaine de « sauvages », trafiquant d'alcool et d'armes, contrebandier, sur la rivière Richelieu qu'il descendait avec des chargements de « pelu » jusqu'aux loges anglaises et hollandaises. On l'écoutait avec respect et condescendance : aujourd'hui la course était devenue dangereuse en raison de l'hostilité des Iroquois et du contrôle des commis ; ces contrées qu'il avait sillonnées jadis étaient maintenant semées de postes de garde et de missions ; on y gagnait en sécurité ce que l'on perdait en profit ; les ambitions les plus modestes de Du Luth, qui comptait se créer une sorte de royauté chez les Sioux, les Cris et les Assiniboins, sur les rives ouest des lacs Supérieur et Népigon, eussent autrefois paru d'une folle témérité. Lemoyne laissait s'épancher Gilles Trottier sans l'interrompre. Lorsque le

351

vieillard eut épuisé son lot de souvenirs et de nostalgies, il finit par s'éteindre tout à fait, comme une source tarie.

– Sacré vieux loup! s'exclama Lemoyne, il a son compte. L'est plus ce qu'il était. Peut-être ben que nous finirons tous comme lui, jardiniers chez les bonnes sœurs...

– Moi, dit Du Luth, j'ai idée de la manière dont je finirai : loin dans l'Ouest, au milieu d'une tribu dont on ne connaît pas encore le nom. Je n'aurai pas assez de toute ma vie, Aquessan, pour arpenter la forêt. Après elle il y a la prairie, puis la montagne, puis l'océan qui mène à la Chine. C'est à ton âge, Laurent, que j'aurais dû foutre le camp, mais je n'étais alors qu'un béjaune, avec sur les hommes et la société des idées que je prenais pour de la philosophie.

Du Luth fixa Laurent de son œil bleu plein de soifs amères, avant de poursuivre :

– J'ai souvent rencontré ton père, petit : un des héros qui ont sauvé la colonie à Long-Sault. Il était franc comme l'or et rien ne lui faisait peur. Il n'avait qu'un défaut : il aimait trop ta mère et ne se décidait pas à choisir. On ne compose pas avec l'aventure. On ne peut aimer à la fois la femme et la forêt. La race des véritables coureurs des bois est en train de s'éteindre : ils ont presque tous une famille, un champ à cultiver, une âme vouée à Dieu. Ils font la traite comme un métier alors que c'est une vocation.

– J'ai soif! dit Gilles.

Laurent se sentait soudain mal à l'aise. Le gobelet d'alcool et la fumée de la tabagie lui soulevaient le cœur et lui brouillaient l'esprit.

– Une vocation! s'écria Nicolas Perrot. Du Luth a raison. C'est ce que je me dis lorsque je mets de l'ordre dans les notes que j'ai prises sur les Indiens. Mais je refuse l'idée de mourir attaché à un poteau, quelque part dans l'Ouest. Je rentrerai au vieux pays dès que possible et je publierai mes mémoires.

Joncaire eut un rire nerveux en écartant ses moustaches pour y loger le tuyau de sa pipe.

– Compagnons, dit-il, vous raisonnez comme si l'avenir vous appartenait. Il n'appartient à personne, et à vous moins qu'à quiconque. Le hasard se chargera de contrarier vos projets.

– Il a raison, dit Lemoyne. La vie est une vacherie. C'est elle qui a le dernier mot, et les plus ambitieux en sont les premières victimes. Il y a un mois, quand j'étais ficelé et prêt à la « grillade », c'est la réflexion que je me faisais. Puis je me suis trouvé au fond d'un « tipi » avec, en face de moi, un petit sentier indien qui paraissait me faire signe. Je me suis levé et je suis parti.

– Vous avez juré de me faire crever de soif! se lamenta Gilles Trottier.

Lemoyne commanda une autre fiasque, remplit le verre de l'ivrogne qui le vida cul sec puis s'assoupit.

Des éclats de voix montèrent du fond de la salle. Un jeu de jacquet vola à travers la pièce, suivi d'un fracas de verre brisé. Laviolette contempla d'un œil morne son comptoir ravagé et se dirigea d'une allure menaçante vers le buveur irascible qu'il jeta dehors à coups de pied et de poing.

Les clients s'étaient remis à boire et à parler quand la porte se rouvrit sur un groupe d'Indiens porteurs de fourrures.

– Des Onneïouts... observa Lemoyne. Cette racaille...

Laurent sentit son sang se figer. Les Indiens de cette nation venaient peu souvent dans ces parages où l'on ne les aimait guère, le souvenir du massacre de Long-Sault étant toujours aussi vivace à Montréal et dans toute la colonie.

Ils se dirigèrent à pas lents vers Laviolette. Au passage, Joncaire cracha sur le plancher.

– Pardonnez-moi, dit Laurent, il faut que je rentre.

– Je te comprends, dit Lemoyne, mais reste encore un peu en notre compagnie. Ces « sauvages » ne s'attarderont guère.

– Veux-tu fumer? dit Du Luth.

– Merci. J'ai oublié ma pipe à la maison.

– Je te fais cadeau de la mienne. J'ai passé un hiver à la culotter chez les Indiens cris, à l'ouest des Grands Lacs. Prends-la. Je refuse de m'attacher aux objets comme aux êtres humains.

Laurent prit avec émotion le calumet taillé dans une pierre rouge où était planté un tuyau d'os. Aux premières bouffées il ressentit un plaisir d'homme : ses mains parurent se décontracter, sa voix adopta un registre plus mâle pour vanter la qualité du tabac de Lemoyne. Le simple fait de tirer sur sa bouffarde l'intégrait plus étroitement à la confrérie.

Les Onneïouts avaient disparu dans l'arrière-salle avec leurs fourrures; à des éclats de voix on devinait que la tractation était laborieuse. Ils reparurent enfin, le visage impassible, des gourdes d'eau-de-vie sous les bras; ils regimbèrent lorsque Laviolette voulut les jeter dehors.

– C'est bon! grogna-t-il. Vous pouvez rester un moment, mais gare au premier qui s'agitera!

Lemoyne traduisit en iroquois et les Indiens lui jetèrent un mauvais regard avant d'aller s'asseoir contre une cloison, à même le plancher, et de commencer à boire. Bientôt ils se mirent à parler bruyamment, à hoqueter, à rire en se tapant sur les cuisses, à se lancer des bourrades. Ils ne tardèrent pas à tirer leurs coutelas.

– Laviolette! cria Du Luth, il y aura du vilain dans ton bouchon si tu ne mets pas ces ivrognes à la raison.

– Je pouvais pourtant pas refuser de les recevoir, répliqua le cabaretier. Ils m'ont apporté des peaux superbes.

– Je ne donnerai pas cher de la tienne, dit Nicolas Perrot, s'ils s'aperçoivent que tu as mouillé ta bibine!

Un Onneïout se leva en titubant pour réclamer une autre gourde d'eau-de-vie que Laviolette lui refusa d'un ton sans appel. L'Indien se mit à parler avec une volubilité stupéfiante, martelant sa poitrine constellée de « pourcelines » anglaises.

– Qu'est-ce qu'il dit? demanda Laurent.

Lemoyne traduisit : « le « sauvage » était habité par le Grand Esprit qui réclamait de l'eau de feu; s'il n'obtenait pas satisfaction, il armerait le bras terrible des Onneïouts et le sang des Blancs coulerait comme d'une fontaine.

– Il se vante aussi, ajouta Lemoyne à voix basse, d'avoir été des braves qui ont massacré les Français à Long-Sault.

Laurent sentit une sueur froide lui humecter les tempes. Le tabac, ajouté à l'alcool, lui donnait une idée héroïque de la situation et il devina qu'il se devait de faire quelque chose d'important. Il s'était dit jadis, à la mort de son père, qu'il provoquerait un jour le chef des Iroquois et lui défoncerait

354

le crâne. Dans Mitchitapani ravagé s'installaient des personnages d'une bouleversante réalité, mais le temps des jeux était révolu. Laurent posa lentement sa pipe sur la table, avala une gorgée d'alcool et se leva.

– Eh, petit! lança Gilles, où que tu vas?

Le vieil ivrogne, qui surveillait depuis un moment la scène entre ses paupières mi-closes, se leva en même temps que son jeune protégé et tenta de s'interposer entre lui et les Indiens qu'il se mit à injurier dans leur langue. L'un d'eux le menaçant de son coutelas, Laurent le frappa de la tête au creux de l'estomac. L'Indien rebondit en hurlant contre le mur. Les autres, Lemoyne, Joncaire et Du Luth, s'étaient dressés à leur tour. Au milieu du cercle qui s'était formé il y eut une lutte brève mais violente, les Indiens ayant dégainé leurs coutelas pour faire front. On leur fit rentrer leurs menaces dans le crâne à coups d'escabeau avant de les jeter dehors.

Joncaire souffrait d'une estafilade à la cuisse; il baigna la plaie avec de l'alcool et dit à Laviolette:

– Demande à l'ange du foyer de m'apporter un peu de charpie. Je saigne comme un veau!

La maritorne se mit à rire grassement lorsqu'elle vit le blessé laisser ses braies tomber sur ses talons. Elle le pansa avec dextérité et mit une certaine coquetterie à nouer les pansements.

– Le gosse! s'écria Gilles. Où qu'il est passé, nom de Dieu?

– T'inquiète pas! dit Lemoyne. Il est au « dégobilloir ».

Laurent vomissait pêle-mêle, avec l'alcool, son dégoût et son chagrin. Accoudé à la balustrade, la tête dans ses mains, le corps secoué de mauvais frissons, il regardait sous la lune d'automne la ligne sinueuse du Saint-Laurent et, plus loin, les prairies et les forêts qui repoussaient les limites de l'horizon vers les épaisses collines bleues. A un goût de sel aux commissures des lèvres il devina qu'il pleurait la fin violente et prématurée de sa jeunesse. Plus rien désormais ne serait comme avant: il venait de recevoir un baptême qui donnait accès à sa vie d'adulte. Il ne verrait plus sa mère avec des yeux d'enfant; il ne songerait plus à son père comme à un demi-dieu. En une seule journée, la vie l'avait abreuvé de cet alcool qu'elle distille d'ordinaire à petites doses.

355

— J'aimerais savoir ce que tu éprouves, dit la voix de Du Luth dans son dos. Tu songes à ta mère, hein, petit ? Tu te dis qu'elle seule pourrait te venir en aide. Tu aimerais oublier ce qui s'est passé ce soir.

— Vous vous trompez, dit Laurent.

Il essuya ses larmes, secoua la tête, se refusant d'en dire davantage pour éviter qu'un sanglot lui brisât la voix. Du Luth le prit par le bras, l'aida à descendre de la galerie. Ils s'engagèrent dans le sentier menant au fleuve, butèrent sur un Onneïout qui s'était endormi en travers du chemin. La terre devenait molle au fur et à mesure qu'ils se rapprochaient de la berge et dégageait une puissante odeur d'eau croupie. Dans quelques jours l'air mollirait, le nordet commencerait à souffler et Montréal s'éveillerait un beau matin sous la première neige.

Ils s'assirent sur une batture dégagée, recouverte d'une écaille de boue. Laurent alla s'asperger le visage et revint s'asseoir près de Du Luth qui lui dit :

— Ça sent la forêt, petit. La forêt et la neige. Lorsqu'elle tombera, je serai loin. Je repars demain vers l'ouest pour hiverner dans une des tribus du Grand Lac. Au printemps, je reprendrai la route de la traite.

— Pourquoi ne restez-vous pas à Montréal ?

Du Luth se mit à rire : question saugrenue.

— Parce que ma place n'est pas ici, pardi ! Les colons m'exaspèrent. Ils débarquent avec leur soif de profit, leurs airs supérieurs, leur religion, leur bêtise... Ils pourraient conquérir le monde et ils se contentent de creuser leur tanière, de gratter quelques arpents de terre tout autour, d'exploiter les Indiens...

Laurent se dit qu'il était trop sévère mais il préféra garder le silence. Il ne fut guère surpris d'entendre Du Luth lui dire d'une voix calme :

— J'embarque demain en fin de matinée sur mon canot pour fuir cette pouillerie blanche. A tout prendre, je préfère celle des « sauvages », plus conforme aux lois de la nature. Si tu veux me suivre...

Laurent se doutait qu'il en viendrait à cette proposition. Il ne répondit pas. Du Luth se leva lentement et remonta vers le cabaret, les mains dans sa ceinture. Il se retourna avant d'arriver, pour lancer :

— La nuit porte conseil. Souviens-toi : demain, avant midi...

Laurent se lava à grande eau dans une seille de bois, sous le coudrier planté devant la maison. Il en venait à douter de la soirée de la veille, mais ce dont il était certain, c'était de la proposition de Du Luth : « Demain, avant midi... » Cette phrase émergeait d'un monde nauséeux qui lui laissait dans tout le corps le souvenir d'une mauvaise fête. Des êtres sans visage lui revenaient à la mémoire, mais il ne pouvait oublier celui de Du Luth : sa coiffure nette, ses traits longs et sévères, ses yeux d'une dureté de métal froid. Laurent irait le rejoindre. Il ne restait entre lui et le jeune trappeur qu'un obstacle, mais de taille : l'affection qu'il vouait à sa famille. Il redoutait moins l'opposition de sa mère que la peine qu'il allait lui occasionner.

Elle était venue, comme chaque matin, lui secouer l'épaule pour le réveiller ; en ouvrant les yeux il l'avait vue sourire à travers ses cheveux défaits à peine ternis par l'âge.

— Allons, mon grand, c'est l'heure. Tu es rentré bien tard cette nuit. Je m'inquiétais.

Il avait des réveils difficiles. S'il refermait les yeux, le sommeil le happait de nouveau, mais la main de Catherine était toujours présente pour le rappeler à l'ordre avec une insistance affectueuse. La meilleure des mères... Lorsqu'il lui arrivait de prononcer ces simples mots, elle souriait : ils auraient suffi à lui faire oublier un passé de souffrances et de luttes ; ils faisaient écho à d'autres mots, qui venaient de très loin : « Tu es la meilleure des épouses. »

Catherine versa la soupe dans les écuelles, observa Laurent qui rentrait dans une bouffée d'air vif.

— Montre-toi, dit-elle.

Laurent s'approcha à contrecœur, les yeux baissés.

— Je te trouve une petite mine, ce matin. Je parie que ce vieil ivrogne de Trottier t'a fait boire. Et tu as fumé ! Ne dis pas le contraire : j'ai trouvé cette pipe sur la table. Ce n'est pas raisonnable, mon grand. Tu es trop jeune pour imiter ce vieux sacripant. Tu m'entends ? Regarde-moi, au moins !

— Je te demande pardon. Je me suis laissé entraîner.

— Je sais que ce n'est pas de ta faute, mais prends garde !

357

« Je n'aurai jamais le courage de lui annoncer ma décision », se disait Laurent. Il mangea sa soupe, laissa quelques cuillerées au fond de son écuelle qu'il heurta avec son couteau; Cathy n'attendait que ce signal.

— Tu m'en as gardé un peu? dit-elle.

Il vint s'asseoir sur le lit-banc qu'il partageait avec sa petite sœur. Elle tendit son museau encore barbouillé de sommeil, avala ce qui restait de soupe comme si c'eût été une friandise avant de replonger sous ses couvertes. Laurent écarta ses cheveux, embrassa la nuque de porcelaine tiède.

« Non, jamais je n'aurai ce courage... » Il finit de s'habiller. Catherine chantonnait dans le fond de la salle en rangeant des vêtements; elle avait déjà oublié la fugue de son fils.

— Mère!

C'était presque un cri. Catherine se retourna et le considéra avec une expression de surprise.

— Mère, il faut que je te dise... Je pars.

— Mais oui, mon grand. Moi aussi. Anna va arriver. C'est le moment.

— Je veux dire... je pars pour de bon, je te quitte. Du Luth m'a proposé de m'embarquer avec lui pour l'Ouest. J'ai accepté.

Il parlait par à-coups, lèvres pincées, regard fuyant.

— Non, mon grand! dit sévèrement Catherine. Tu ne pars pas. J'ai souvent cédé à tes caprices, mais cette fois-ci je refuse. Tu as à peine quinze ans...

— Tu ne peux pas refuser. J'ai promis.

Elle secoua la tête.

— Tu étais ivre. Du Luth comprendra.

— Mais je ne suis plus un enfant, mère!

— Si, et je peux t'interdire de quitter ta famille. Du Luth n'y pourra rien.

Laurent peigna ses cheveux à gestes nerveux.

— Au fait, ajouta Catherine, pourquoi veux-tu partir? Tu n'es pas bien à Montréal?

— Non. Pas vraiment. J'en ai assez des colons: ils ne pensent qu'à vivoter sur leurs quelques arpents de terre, à exploiter les Indiens dont ils ignorent l'existence. Si pour eux ce doit être comme en France, pourquoi ont-ils fait un si long voyage? Ma vie à moi est dans la forêt, en compagnie des trappeurs et des Indiens.

Il se rendit compte qu'il reprenait les arguments dont Du Luth avait usé la veille pour le convaincre, et en éprouva un peu de gêne. Il ajouta, ce qui n'était pas non plus de son inspiration :

— Tu ne gâcheras pas ma vocation comme tu as gâché celle de mon père. Tu as tout fait pour qu'il devienne un cul-terreux!

Catherine passa la main sur sa joue comme si elle venait de recevoir un soufflet et se laissa tomber sur le banc.

— Je ne sais pas, dit-elle, ce qui t'a mis cette idée absurde dans la tête. Ton père avait ses idées et j'avais les miennes. S'il ne m'a pas abandonnée, c'est qu'il m'aimait. Je ne me suis jamais accrochée à lui pas plus que je ne m'accrocherai à toi, plus tard, lorsque tu auras l'âge de prendre seul tes décisions.

— Pardonne-moi, dit-il. J'ai l'impression que quelqu'un d'autre que moi s'exprimait par ma voix.

— J'en suis convaincue. C'est pourquoi je vais tâcher d'oublier ce que tu as dit. Il doit te rester quelque chose de ton ivresse d'hier soir. Cela te passera et tu verras que j'avais raison.

— Non, mère. Ma décision est prise. Je ne veux plus revoir cet ignoble Boissier et sa grosse femme, les commis, et tous ces gens qui puent l'argent et la sueur. Je me passerai de ta permission.

— J'irai dire deux mots à ce Du Luth!

— Il est déjà parti. Je dois le rejoindre dans quelques jours pour monter avec lui aux Ottawas.

Il se délecta de cet habile mensonge qui sembla paralyser sa mère. Il pourrait partir sans être inquiété. Catherine se leva lentement.

— J'ignore, dit-elle, ce que tu as pu faire cette nuit, de quoi tu as parlé, et avec qui, mais sache que pour monter aux Ottawas il faut avoir des raisons sérieuses. La plupart quittent la colonie pour se mettre hors la loi. Ils parlent de la forêt comme du paradis sur terre, de la traite comme d'une mine d'or, de la vie à l'indienne comme d'une partie de campagne, mais tout cela est faux! Au bout de quelque temps il faut qu'ils reviennent, s'ils sont encore en vie, comme Gilles Trottier. Sais-tu qui me disait cela? Ton père!

– Ce qui était vrai alors ne l'est plus aujourd'hui. Le temps des découvreurs est venu. Du Luth, Perrot, Joncaire, Lemoyne ne sont pas des hors-la-loi. S'ils ont choisi la forêt, c'est qu'elle est la voie vers les terres à découvrir, et s'ils trafiquent, c'est qu'il faut bien vivre. Quant à moi, je n'ai pas l'intention de devenir un enfant perdu. Chaque été je vous retrouverai, toi, Cathy, Irénée. Je ne veux pas gaspiller ma vie à auner l'étoffe ou à aligner des chiffres. Ce serait une existence indigne du fils de Denis Chapdeuil!

– Il t'aurait interdit de partir!

Laurent eut un mouvement de lassitude : ils ne parlaient pas le même langage; comment auraient-ils pu se comprendre? Il mit la pipe dans sa poche, ouvrit la porte, revint sur ses pas.

– Un jour, dit-il, tu admettras que j'avais raison.

Il prit sa mère dans ses bras, lui embrassa le front, les yeux, les joues, une boucle qu'il prit au creux de sa main.

– Et moi! cria Cathy du fond de son lit.

Il lui caressa la joue, les cheveux, se laissa embrasser par elle, réprima une envie de pleurer, puis il partit sans se retourner.

M. de Maisonneuve regarda une dernière fois Montréal.

L'hôtel-Dieu, les magasins du roi, les boutiques des marchands s'alignaient dans un désordre aimable autour de la place centrale au milieu de laquelle flottait au sommet d'un mât le drapeau à fleurs de lys. Dans la tiédeur de la matinée des nuées d'oiseaux pépiaient autour des chênes et des coudriers. De jeunes Indiens nus, une ceinture de truites autour de la taille, revenaient du ruisseau Saint-Marin; ils s'arrêtèrent, interloqués, puis détalèrent à toutes jambes. M. de Maisonneuve les suivit de l'œil en souriant.

– Tout Montréal est venu assister à votre départ, monseigneur, dit M. de Queylus. Regardez!

Le long du chemin conduisant au port, les colons, mêlés aux habitants de la ville, s'étaient massés, leur tuque ou leur chapeau à la main, s'inclinant sur le passage du gouverneur.

– Si M. de Mézy pouvait assister à votre départ, dit le major Zacharie Dupuis, il comprendrait qu'il a eu tort de vous congédier. Ces gens perdent un père en vous.

Dans les parages du port, la foule se fit de plus en plus dense. M. de Maisonneuve reconnut Catherine Chapdeuil entre Boissier et son épouse; il lui fit un signe de la main et elle répondit d'une révérence.

— Bigeard, dit-il à son secrétaire, n'oubliez pas mes instructions au sujet de cette femme. Vous lui réglerez la part que j'ai stipulée sur la rente de cinq cents livres qui m'a été octroyée et dont je ne veux pas. Vous lui verserez cette somme dès mon départ.

— Pourquoi cette femme, monseigneur? Il y en a tant d'autres qui...

— Tenez-vous-en à ce que j'ai notifié. Cette femme représente pour moi le symbole vivant de cette colonie : elle est fière, courageuse, discrète dans la peine, accrochée à la vie. Moins pieuse que je l'aurais souhaité, mais si tous les habitants de la Nouvelle-France lui ressemblaient nous aurions moins de problèmes.

Les soldats de la garnison s'alignaient sur deux rangs dans leur uniforme bleu, au garde-à-vous. On leur fit présenter les armes et battre le tambour. M. de Maisonneuve salua d'une brève inclinaison de tête, s'arrêta devant le carré de la milice qui présenta les armes à son tour et dont il baisa le drapeau. En présence de ces rudes hommes, il songeait à ceux qui, cinq ans auparavant, avaient sauvé la colonie en se portant contre les Iroquois. Il aurait pu réciter leurs noms sans en oublier.

Quand M. de Maisonneuve reprit le chemin de l'embarcadère, le soleil s'était caché derrière un nuage. Le Saint-Laurent brillait d'un vif éclat du côté de Laprairie où des collines balayées de grandes ombres glissaient doucement vers la montagne. Au-dessus de la ville, la croix de Ville-Marie paraissait chavirer dans la course des nuages.

Le gouverneur embrassa les deux petites filles, une Huronne et une Algonquine, qui lui tendaient un bouquet de pembinas enrubannés. Puis il monta dans son canot tandis que les canons du fort saluaient son départ.

Laurent tressaillit : on brûlait la poudre de salut pour M. de Maisonneuve.

Il était entré comme un voleur, sans se préoccuper de la

présence de Cathy et d'Anna qui gardait la maison; il avait hâtivement rassemblé quelques hardes, laissant son argent sur la table, excepté quelques pistoles.

– Où tu vas? demanda Cathy.

Il s'assit, la prit sur ses genoux, lui parla dans le creux de l'oreille : il allait loin, très loin, mais il reviendrait et il lui rapporterait un renard qu'elle pourrait apprivoiser.

– Je préférerais un petit Indien! dit-elle.

Il posa Cathy à terre, gratta la tête de Flambeau, étonné de ces préparatifs insolites, puis il franchit le seuil sans un regard en arrière.

Il laissa au séminaire une lettre pour Irénée; il ne tenait pas à avoir avec lui un entretien qui aurait risqué de dégénérer. D'ailleurs Du Luth allait partir et ne l'attendrait pas.

– Je suis heureux que tu te sois décidé, dit-il. A vrai dire, je n'y croyais guère. Bon sang ne saurait mentir. Nous allons faire de la bonne besogne, tous les deux!

Les Indiens étaient déjà installés dans les canots.

– Le ciel se graisse, dit le chevalier. Il est temps de partir.

Laurent venait de jeter son baluchon dans son canot quand un appel ricocha sur le fleuve :

– Eh là! Une minute, vous deux!

Gilles Trottier venait de débouler sur l'embarcadère.

– Laisse ce vieil ivrogne, dit Du Luth, et saute. Les attendrissements sont inutiles.

Laurent se décida à regret à embarquer. Une fois au large, aussi longtemps qu'il put voir le vieux Gilles, il le salua de la main, et Trottier, planté sur la berge comme un épouvantail secoué par le vent, continuait à brandir sa tuque de laine.

4

« PETITE POUSSE D'ATOCA »

Montréal-Lachine : 1665-1667.

Trois jours après le départ de Laurent, la pluie s'était mise à tomber : une infâme brouillasse qui noyait l'immense paysage du fleuve. Beaucoup d'hommes étaient déjà montés aux Ottawas, leur canot rempli de matériel pour la troque, et la ville était quasiment déserte. Quelques semaines plus tard, le temps fraîchit et la première neige tomba sur Montréal. On ne voyait du fleuve qu'une ligne lumineuse aux endroits des berges où la glace commençait à prendre.

Peu de temps après le départ du gouverneur, Catherine avait reçu le titre de rente ; elle tourna et retourna sans se décider à y croire le feuillet couvert d'une écriture élégante et de paraphes tarabiscotés. Bigeard lui confirma cette attribution.

— Ne soyez pas surprise, madame Chapdeuil, M. le gouverneur avait beaucoup d'estime pour vous. Ce n'est que le témoignage de sa reconnaissance et de sa sympathie.

Un peu ivre de plaisir, elle se rendit au séminaire des sulpiciens pour annoncer la bonne nouvelle à Irénée. Il lui prit les mains, l'embrassa.

— Cette rente est la bienvenue, dit-il. Elle te permettra de prendre un peu de repos. Je trouve que tu n'as pas bonne mine, ces temps-ci.

Et lui! S'il avait pu se voir : amaigri, flottant dans le froc avachi, le visage blême, les yeux battus par des lectures et des prières interminables.

— Me reposer, moi ? dit-elle. Tu sais bien que c'est impossible. Même avec cette rente il faut que je travaille.

— Occupe-toi de Cathy au lieu de la laisser à la garde de cette Indienne, prends soin de ton ménage, du jardin et tu auras assez à faire.

Elle suivit ses conseils, s'installa sans difficultés dans sa situation de rentière, plus aisée à supporter qu'elle ne l'avait cru.

Laurent ne donna de ses nouvelles qu'au mois d'avril de l'année suivante : quelques mots griffonnés à la hâte par des doigts gourds sur une feuille graisseuse qu'un Indien apporta en descendant vers Trois-Rivières. Il avait passé l'hiver dans une tribu d'Outagamis, sur la baie des Puants, en compagnie d'un lieutenant de Du Luth ; il parlait assez bien le langage de ces Indiens et comptait étendre ses connaissances à d'autres idiomes ; les chasses avaient été fructueuses ; le temps des chaleurs venu, il rejoindrait Du Luth chez les Indiens cris. Cette existence lui plaisait et il ne parlait pas de son retour.

L'été passa, puis l'automne alluma ses brasiers sans que Catherine reçût d'autres nouvelles. Durant l'hiver qui suivit, Irénée tomba malade et Catherine obtint la permission de le retirer du séminaire pour l'installer chez elle. Jean Cavelier, un jeune prêtre qui l'avait pris en amitié, venait lui rendre visite chaque jour. Irénée profita de sa convalescence pour enseigner à Cathy les premiers rudiments de l'écriture et, pour la distraire, lui dessinait des portraits d'Indiens, inventait des histoires édifiantes où les Hurons christianisés bernaient les vilains Iroquois. Lorsqu'elle lui demandait s'il partirait lui aussi, comme son frère, dans la forêt, le visage du jeune sulpicien se fermait : aucun des frères du séminaire qui ne rêvât d'aller glaner des âmes chez les « sauvages ». L'épopée des jésuites tirait à sa fin ; beaucoup d'entre eux partaient vers des contrées ignorées et dangereuses, mais la plupart en revenaient au bout de quelque temps. On oubliait un peu leurs premiers martyrs massacrés, écorchés ou brûlés vifs, dévorés parfois. Dieu refusait-il de tels sacrifices ? Que l'on prêchât et que l'on convertît des « sauvages », c'était toujours le souci de l'Église, mais point jusqu'au péché d'orgueil, la tentation perpétuelle de ces missionnaires. Irénée savait qu'il partirait. Au terme de son noviciat, il ne voyait pas d'autre idéal que de sauver de l'erreur d'innocentes âmes indiennes. Comment eût-il pu concevoir une mission plus en accord avec sa foi ? Tous étaient prêts ; tous regardaient avec envie les frères qui partaient accompagnés d'un ou deux Indiens portant la croix sur leur poitrine et le cœur du Christ tatoué sur leur bras. Irénée les suivait de l'œil sur le chemin de rive, le plus loin possible, la main levée. L'an prochain, ce serait le tour de l'abbé de Salignac, frère de M. de Fénelon, de l'abbé Claude Trouvé, de l'abbé de Galinée... Irénée attendait son tour en rongeant son frein, redoutant que sa santé délicate le fît écarter de ces saintes missions.

L'été venu, pour l'éprouver, l'abbé de Queylus lui confia une modeste mission, à quelques lieues de Montréal, sur la rivière des Prairies. Il en revint transfiguré : non seulement il avait gagné quelques âmes à Dieu mais il avait découvert les limites de sa résistance physique.

Au printemps il se présentait au père Dallet, secrétaire de M. de Queylus, afin d'obtenir la permission d'accompagner l'abbé de Salignac sur le lac Ontario où il allait fonder une mission ; on lui fit comprendre qu'il était trop jeune encore pour une tâche aussi redoutable. Loin de se révolter, il s'accusa en confession du péché d'orgueil. Il trouvait néanmoins la vie au séminaire bien monotone et sans horizon.

En juillet survint un événement qui allait lui donner le change et bouleverser l'existence de sa famille.

A vingt-quatre ans, M. Robert Cavelier de La Salle avait autant d'assurance qu'un homme de quarante. Il paraissait savoir ce qu'il voulait, pourquoi il était là et non ailleurs. Il ne se posait guère de questions : il supputait et il agissait. C'était un Normand d'allure pesante plus fait, semblait-il, pour arpenter un pont de navire que les espaces de la forêt. Son frère aîné, l'abbé Cavelier, mettait certaine ostentation à le présenter, comme s'il se fût agi du gouverneur général ou du vice-roi.

Catherine eut vite compris que les visites fréquentes qu'il lui faisait n'étaient pas seulement inspirées par la courtoisie : cela se lisait dans son regard de Viking.

– Je dois vous préciser, dit-il un jour, que ma famille est au mieux avec celle de Pierre Corneille, l'illustre dramaturge. Nous habitions à Rouen des demeures voisines. J'ai rendu visite à Pierre au cours d'un voyage à Paris, peu avant mon départ pour la Nouvelle-France, et j'ai rencontré chez lui un écrivain que vous avez bien connu : Gautier de Costes, sire de La Calprenède, natif du Périgord.

Le regard de Catherine se brouilla; ce nom remuait en elle des souvenirs encore tièdes; elle aurait pu, en fouillant dans son coffre, retrouver les volumes de sa *Cléopâtre* et la plume d'oie qu'elle lui avait dérobée. Elle revoyait son visage tendu vers elle, dans le jour blafard du parloir, au Châtelet où il était emprisonné à la suite d'un duel. Elle dit en étouffant son émotion :

— Je n'en ai jamais eu de nouvelles. Qu'est-il devenu ?

— Hélas! il est mort peu avant mon départ. Son intention était de me remettre un billet à votre intention, mais je ne l'ai pas revu. Il reste qu'il ne vous avait pas oubliée. Il m'a même confié que vous l'aviez inspiré pour certains de ses personnages.

Robert Cavelier parti, Catherine se trouva plongée dans un monde peuplé de fantômes : M. Larroque, le chanoine Tarde, M. Renaudot, Bouche-en-Cœur, le frère Bernard... Un souffle de jeunesse revint un moment la réchauffer. Gautier était mort, mais elle le sentait vivre en elle plus que jamais.

Robert Cavelier revenait souvent. Il savait les heures où il pourrait la rencontrer seule. Il s'asseyait devant le pichet de cidre et paraissait l'étudier comme s'il avait l'intention de l'associer à quelque projet. Elle se retenait de lui proposer de laver sa chemise, de nettoyer son pourpoint, de cirer ses bottes. Il considérait la propreté comme une préoccupation superfétatoire. Cet homme, ce « découvreur », sacrifiait beaucoup au rêve.

« Ces visites, songeait Catherine, ont un but. Lequel ? » Cavelier n'était pas homme à perdre des heures par désœuvrement. Un jour il lui dit :

— Vous vous demandez peut-être à quoi attribuer mes assiduités ? Je vais vous éclairer. Plus je vous regarde vivre et plus j'ai l'impression de me trouver dans une de nos belles fermes normandes où j'ai laissé tant de souvenirs. Ne voyez pas là un mouvement de nostalgie. Il m'arrive rarement de regretter mes décisions. J'ai tant fait d'esclandres dans ma jeunesse qu'on m'a renvoyé du collège des jésuites. J'aurais fait un piètre religieux, alors que j'avais la vocation de découvreur, comme tous ceux de ma race.

« Ce n'était que cela ? » se dit Catherine. Cavelier reprit :

– D'ici peu arrivera de France un nouveau bateau. Des engagés bretons et saintongeais que nous installerons sur des concessions pour faire de la terre. J'ai acheté aux messieurs de Saint-Sulpice quelques arpents au sud de l'île, près des rapides. Nous y créerons un village.

– Vous, Robert, vous voulez devenir colon ?

– Lorsqu'on me tend un siège, j'en éprouve toujours la solidité avant de m'asseoir. Se retrouver le cul par terre est un ridicule qui peut tuer un homme. J'ai besoin d'un siège où venir me reposer de temps à autre. Ce domaine me convient d'autant plus que j'ai la certitude qu'il me rapportera une fortune. Je suis d'une famille de drapiers qui ne font rien à la légère. D'ici un an il y aura un village à Lachine. C'est le nom que j'ai donné à mon domaine.

Il ajouta en prenant la main de Catherine :

– Cette terre sera ma première étape vers un fleuve qui me mènera vers un océan inconnu au bout duquel est la Chine. Je consacrerai toute mon existence s'il le faut à découvrir cette route. Je me suis longuement entretenu avec des Indiens : ils sont unanimes à dire qu'il y a, vers le sud-ouest, un fleuve qui se déverse dans un océan. Je le trouverai, je le descendrai et je donnerai un empire à mon pays.

« Cela fait beaucoup de *je* et d'ambition, songea Catherine. Cet homme a trop confiance en lui. Il voit loin mais il oublie de regarder où il met les pieds. »

– C'est une grande ambition, dit-elle, et qui vous honore, mais je ne vois guère en quoi cela me concerne.

– J'y viens. Je veux que vous abandonniez cette demeure et que vous me suiviez à Lachine.

– A Lachine ? Grands dieux, qu'irais-je faire là-bas ? Je suis bien ici. Une vie modeste, beaucoup de souvenirs...

– Allons donc ! Catherine, vous n'êtes pas une femme assez faible pour vous accrocher à des souvenirs et à une vie modeste et monotone. Je vais me faire bâtir une grande maison à Lachine. C'est à vous que j'ai pensé pour la tenir et garder mes pantoufles au chaud. Sûr de vous retrouver au retour de mes expéditions, je partirai plus tranquille, sachant qu'un peu de nos provinces françaises m'attend là-bas. Acceptez, je vous en conjure !

Catherine secoua la tête.

— Non, Robert, ce n'est pas possible.

Cavelier se leva avec effort, reprit son feutre graisseux.

— Je vous comprends, dit-il avec amertume. L'inconnu, l'isolement, les Iroquois... Tout cela vous effraie.

— Vous vous trompez !

— Alors dites-moi ce qui vous retient, tonnerre de Dieu !

Elle se leva, fit le tour de la table en se tenant la tête à deux mains. Puis elle soupira :

— Vous avez gagné, Robert. Je vous suivrai à Lachine.

— Catherine, dit Cavelier, je vous souhaite la bienvenue dans votre nouveau domaine.

Il mouilla ses bottes pour aider Catherine à sauter sur la rive, mais elle avait déjà plongé ses pieds nus dans l'eau glacée où glissaient des bancs d'alevins. Elle prit la main qu'il lui tendait pour accéder à la rive.

— Il manque un embarcadère, dit-il, mais nous y pourvoirons.

Robert Cavelier et Irénée s'occupèrent avec les Indiens de décharger les bagages. Cathy et Anna descendirent à terre à leur tour.

Cavelier observait Catherine. L'année passée il lui avait promis un village et il n'avait encore à lui offrir que des cabanes de bûcherons, mais elle n'en paraissait pas affectée. Elle eût mal accepté de s'installer dans un lieu solitaire, silencieux, immuable. Ici, tout bougeait : des engagés allaient et venaient autour des fûts d'épinettes, maniaient en chantant dans le soleil d'avril la cognée, la scie, la doloire. Une eau noire suintait des drains, à travers un marécage à demi asséché. Une odeur sucrée de fumée se mêlait dans l'air vif à celle des dernières neiges qui liséraient la base des buttes de rocaille et de terre couvertes de sapinières : dans une clairière on faisait bouillir le sucre d'érable, et cette simple odeur réconciliait Catherine avec ce que cet endroit de l'île avait d'inachevé, avec cette impression d'insécurité dont témoignaient les mousquets suspendus aux branches.

Ils s'avancèrent vers une clairière où, dans le noir désordre des brûlis et des chicots de souches, avait commencé à s'édifier une demeure bâtie sur solage de billots de bois-ronds jointoyés d'argile : un bousillage efficace contre les plus rudes hivers. Cavelier ne quittait pas Catherine des yeux.

– C'est un palais ! s'exclama-t-elle. J'y serai comme une reine.

Cavelier haussa les épaules et sourit avec indulgence. Un palais... Elle exagérait ou elle voyait plus loin que les apparences : peut-être un chemin menant au fleuve, un jardin potager, un parc, des arbres fruitiers, des massifs de fleurs, des dépendances pour le bétail...

– J'ai décidé d'appeler cette demeure « Saint-Sulpice », dit-il. Est-ce que ce nom vous agrée ? Vous y plairez-vous ?

Elle hocha la tête, se retourna vers Irénée qui transpirait sous la charge des bagages.

– Crois-tu, dit-elle, que ton père approuverait mon choix ?

– Sans nul doute. Il t'approuvait toujours.

– D'ici la fin de l'été, dit Cavelier, Lachine sera fortifiée. Nos hommes ont commencé à tailler les pieux des palissades et j'ai dessiné le plan des défenses. Mais vous n'aurez rien à craindre. Cette contrée est calme.

La porte s'ouvrit sur une jeune et jolie Indienne qui portait un enfant dans ses bras.

– C'est une Huronne, dit Cavelier. Elle s'appelle dans sa langue « Petite Pousse d'Atoca ». Pour la commodité, je l'appelle Thérèse. Cet enfant est son fils, Nica. Je les ai recueillis après la mort de leur père, tué par les Agniez.

La demeure était vaste et serait confortable ; elle était couverte de bardeaux de pruche, imputrescibles, taillés à l'herminette. Un perron surélevé, avec une galerie, longeait une partie de la façade. L'intérieur révélait un parti pris de rusticité qui plut à Catherine, avec des lambrissures parfaitement jointoyées. Par les fenêtres on avait, à travers les épinettes et les érables, une vue sur le fleuve et sur le village huron de Kahnawakae qui occupait la rive opposée. Cavelier faisait les honneurs :

– La salle commune... votre chambre... La mienne, au

fond. Entrez-y chaque jour lorsque je ne serai pas là : une pièce où l'on ne pénètre pas de longtemps devient vite une cellule morte. Thérèse et Anna dormiront à l'étage. Si vous avez un souhait à formuler, profitez de ce que je suis dans un jour favorable.

— Je souhaite que vous reveniez le plus souvent possible chausser vos pantoufles et que les recherches du passage pour la Chine ne vous fassent pas oublier ce village et cette maison.

Robert Cavelier était un jour à Montréal, un autre à Trois-Rivières, un troisième à Lachine ou à Québec. Il paraissait infatigable. Dormait-il ? Ses proches en doutaient. Il veillait tard, penché sur des cartes, étudiant les relations des anciens missionnaires, se levait avant l'aube pour sauter dans son canot. Il criait : « Nagez ! » et la plume de son feutre disparaissait dans le brouillard du fleuve.

L'hiver venu, il considérait chaque jour d'inaction comme un châtiment du ciel, lorsque la « poudrerie » envahissait l'espace ou qu'un froid intense empêchait la moindre sortie. Il ne faisait alors pas bon l'approcher ; il défendait comme un dogue l'approche de son cabinet et la cellule que M. de Queylus lui avait cédée au séminaire. L'abbé toquait timidement à la porte, disait à voix basse :

— Que puis-je faire pour vous, monsieur Cavelier ?

— Me foutre la paix et prier le Ciel qu'il fasse cesser ce temps de chien !

Il ne se réconciliait avec l'hiver que lorsqu'il se trouvait à Lachine. Il l'avoua à Catherine et ajouta :

— C'est votre présence surtout qui m'est agréable. Vous êtes native du Périgord mais vous vous êtes identifiée à ce pays au point de lui ressembler.

Elle ne put en savoir davantage. Selon son habitude, il lâchait quelques mots et, sans attendre la réaction de son interlocuteur, ouvrait la porte, allait visiter ses chiens de traîne, constater les dégâts du gel dans les érablières et veiller à ce que les troupes de loups ne se hasardent pas trop près des habitations.

Parfois il interrogeait devant une cruche d'eau-de-vie un Indien qui arrivait de l'Ouest avec du « pelu » :

– Mon frère a-t-il entendu parler d'un grand fleuve qui prendrait sa source loin vers le couchant?

L'Indien rassemblait ses souvenirs, prenait le temps de la réflexion avant de déclarer :

– Ouah! Un grand fleuve naît aux pays du couchant, dans les prairies des buffalos [1], et coule en direction du levant. Les pères des pères de nos pères chassaient jadis sur ses rives...

L'imagination de l'Indien dérivait vers des récits qui parlaient de monstres, d'hommes dotés de longues queues, de géants, si bien que le pauvre Cavelier ne parvenait plus à distinguer la vérité de la légende.

Au printemps de l'année suivante Catherine eut une grande joie : grâce à l'intervention du découvreur, Irénée fut autorisé par ses supérieurs à créer une mission sulpicienne près de Lachine. Comme jadis frère Bernard au fort Saint-Jean, il voulut bâtir de ses mains une chapelle de rondins, mais sa santé le lui interdit et il accepta l'aide des habitants et des Indiens christianisés. A défaut de Mgr de Laval, vicaire apostolique du Canada, c'est l'abbé de Queylus qui consacra le sanctuaire un matin de mai vibrant de cantiques.

Une autre grande joie fut donnée à Catherine. Quelques mois plus tard, passé la foire aux fourrures, elle vit arriver à Lachine un trappeur qu'elle ne reconnut pas tout d'abord. Elle se tenait près de l'embarcadère, occupée à pêcher à la fascine avec Cathy et Nica, les anguilles qui descendaient par myriades le Saint-Laurent à l'approche de l'automne; elle ne se dérangea pas, songeant qu'il devait s'agir de quelque colon de Lachine retour de Montréal. L'homme resta assis un bref moment sur la berge, à observer le petit groupe, puis il se releva, fit un signe de la main en s'avançant.

– Laurent! cria Catherine.

Il la reçut dans ses bras, frémissante, secouée de hoquets d'émotion, la gorge nouée.

– Tu n'as pas changé, mère, dit-il. Comment fais-tu pour paraître si jeune? Et voici Cathy, sans doute...

Il ne l'aurait pas reconnue, elle. Quel âge pouvait-elle avoir? Dix ans? Onze peut-être? Elle ressemblait à sa mère; ce serait plus tard son portrait vivant.

1. Des bisons.

373

— On m'a dit que mon frère est à Lachine lui aussi et qu'il a créé une mission. J'aimerais le revoir.

Catherine ne se lassait pas de le regarder : il avait encore grandi; ses épaules avaient pris de l'ampleur; son visage s'était allongé et une barbe rousse comme celle de son père l'avait envahi. A près de vingt ans, c'était déjà un homme qui apportait beaucoup d'assurance aux moindres de ses gestes et de ses propos, un homme qui savait ce qu'il voulait et qui allait au bout de ses volontés.

— J'ai quitté mon associé Du Luth, dit-il. Nous ne nous entendions plus. C'est un beau parleur, un poète mais un homme dangereux par ses ambitions : il veut instaurer une sorte de royauté sur les tribus sioux et, pour les soumettre, il les abreuve de belles promesses et d'alcool.

Catherine retint un moment la question qui lui brûlait les lèvres et finit par la lâcher :

— Que vas-tu faire à présent ? Rester ? Il y a de la place pour toi à Lachine.

Il sourit, lui prit les mains.

— Si je m'écoutais en ce moment, dit-il, je déciderais de rester, mais ce serait une illusion dangereuse. Joncaire me voudrait comme associé mais cela demande réflexion. J'ai suffisamment de ressources pour rester deux ou trois ans les pieds dans la cendre, mais il faudrait pour cela que je sois impotent.

Ils revinrent vers l'habitation, Catherine suspendue à son bras.

— Tu n'as jamais songé à te marier ? dit-elle.

— Quelle femme voudrait de l'original que je suis devenu ? dit-il en éclatant de rire.

— Je pensais qu'une Indienne ou une « bois-brûlé », peut-être... Tu recevrais du roi une gratification de cent cinquante livres et, lorsque tu aurais dix enfants, tu toucherais trois cents livres.

— Tu me vois avec une Indienne et une dizaine de « bois-brûlés » autour de moi ? Mère, il n'y aura jamais qu'une femme dans ma vie : toi.

— Je devrais en être fière mais je n'en suis qu'attristée. J'aurais aimé savoir que le grain que nous avons semé, ton père et moi, ne demeurera pas stérile.

Les jumeaux s'observèrent un moment en silence avant de s'étreindre. Par-delà les différences de leur caractère, de leur tempérament, de leurs idées, qui s'opposaient sur bien des points, il demeurait entre eux un sentiment affectif plus fort que tout. A la veillée la mère leur dit :

— Sais-tu, Laurent, que ton frère rêve de t'imiter et d'aller chez les « sauvages », loin dans l'Ouest ?

— L'imiter ! dit sèchement Irénée. Dieu m'en garde ! Si je pars, ce sera pour sauver les Indiens, non pour les perdre. Mon premier souci sera de réparer le mal que les trappeurs leur ont fait en leur donnant à boire la liqueur du diable et en souillant leurs femmes et leurs filles.

— Irénée ! cria Catherine. Je t'en prie...

— Il a raison, soupira Denis. J'ai vu trop d'Indiens ivres morts se massacrer entre eux, j'ai passé trop de nuits le doigt sur la gâchette de mon mousquet, pour lui donner tort. J'ai vu tant de déserteurs partis en « enfants perdus » vivre à l'indienne, habillés comme les « sauvages », tatoués comme eux, vivant à leur manière, que je ne puis qu'approuver son indignation. J'espère qu'il ne me prend pas pour un de ces trafiquants d'eau-de-vie.

— J'aimerais te croire, dit Irénée, mais nous connaissons bien les méthodes de Du Luth et de ses acolytes.

— C'est pourquoi je l'ai quitté !

Au bruit de l'altercation, Thérèse avait levé la tête de son ouvrage, son mince visage aux yeux légèrement bridés marqué par la surprise entre ses nattes noires et luisantes. Catherine se mordait les lèvres.

— Pardonnez-moi de m'être emporté, dit Laurent. Bonsoir !

Quand il se fut retiré, Catherine reprocha à Irénée d'être allé trop loin dans sa réprimande.

— Pardonne-moi, mère, dit-il, mais c'était malgré moi. L'orgueil, toujours l'orgueil ! C'est un défaut dont je ne puis me défaire.

Lorsqu'ils se retrouvèrent le lendemain, les deux frères firent comme si rien ne s'était passé. Laurent se rendit même à la messe dominicale; c'était un jour de grand vent de nordet qui éparpillait des sonneries de cloche aux quatre coins de l'horizon; l'étroite chapelle de rondins sentait l'odeur de fourrure boucanée qui imprégnait les murs de dosses et ceux de toutes les habitations. Avec un bel ensemble, les Hurons de Kahnawakae accompagnaient le rituel; Thérèse chanta *a capella* quelques cantiques et il sembla à Laurent que cette voix pure et juste traversât les épaisseurs de foin de mer de la toiture pour aller envoûter le monde; cette image puérile l'amusa; Thérèse crut qu'il lui adressait un sourire et elle détourna la tête.

L'après-midi, dans un grand canot indien, toute la maisonnée remonta le fleuve, chaque occupant tenant à manier la pagaie : une vraie promenade du dimanche telle que Catherine l'avait longtemps rêvée. Depuis des années le hasard n'était pas parvenu à les réunir comme elle le souhaitait, et voilà qu'ils étaient là, qu'elle pouvait, d'un seul regard, embrasser ses enfants et ceux qui lui étaient chers, tous dans la même barque, sur ce fleuve majestueux et amical qui, dix ans auparavant, avait vu partir Denis pour sa dernière aventure. Elle se dit que la chance allait peut-être enfin lui sourire : il se pourrait qu'Irénée demeurât à sa mission, que Laurent consentît à ne plus repartir, sinon pour de brèves courses d'hiver aux Ottawas, comme Denis jadis. Elle se reprocha presque aussitôt son égoïsme : elle n'était qu'une vieille femme exigeante, une mère exclusive, une grousse acharnée à défendre sa couvée des tentations du départ.

Laurent invita Thérèse à chanter. Elle entonna une berceuse indienne d'une voix basse et rauque, puis un des cantiques du matin, dû à M. de Fénelon, qui semblait s'accorder avec la douceur du vent et la majesté des eaux :

« *Qu'ils sont aimés, grand Dieu, tes tabernacles*
Qu'ils sont aimés et chéris de mon cœur
Là tu te plais à rendre tes oracles
La foi triomphe et l'amour est vainqueur... »

Ils abandonnèrent leur pagaie pour battre des mains. Thérèse souriait, heureuse, fière de ce succès; elle se tourna vers Irénée, mais c'est le regard de Laurent qu'elle rencontra et elle baissa les yeux.

Laurent ne parlait pas de quitter Lachine et Catherine se gardait de l'interroger.

Un matin qu'il était assis au bord du fleuve, près du portage aboutissant à la tête des rapides, Laurent vit passer les derniers canots des trappeurs chargés à couler bas de marchandises destinées à la « troque »; il ne reconnut personne et personne ne fit attention à lui, assis sous les aulnes. Bientôt les jeunes hommes de Lachine partiraient eux aussi. Laurent devinait qu'une chaleur de vie était en train de tiédir en lui. Il avait quitté Du Luth avec fracas, Lemoyne s'était établi à Trois-Rivières, Perrot vivait quelque part autour des Grands Lacs, Gilles Trottier était mort dans sa soupente du séminaire et le rendez-vous avec Joncaire était passé. Il se demanda ce qui le retenait à Lachine, et c'est la voix de Thérèse qui lui répondit.

L'arrivée de Cavelier, maugréant, crotté, vint à point pour le distraire de ses obsessions. Le découvreur mangea gloutonnement, but quelques gobelets de cidre en rotant, bâilla en étendant ses longues jambes sous la table. Il dit à Laurent :

– On dit que tu as quitté Du Luth. Pourquoi ?

Laurent expliqua les motifs de leur mésentente. Catherine hochait la tête, les yeux mi-clos, écrasée de sommeil et de fatigue.

– Mon petit Laurent! s'écria-t-il. Un idéaliste! Tu me plais et je t'engage. Tu es bien le premier de ces enragés coureurs des bois qui répugne à troquer de l'alcool avec les « sauvages »!

Il essuya à sa manche ses moustaches blondes et demanda brusquement :

– Crois-tu au passage vers la Chine ?

Prévenu par Catherine et Irénée de la lubie de Cavelier, Laurent répondit qu'il y croyait, que le Canada ne pouvait être un monde clos, sans limites. Le visage du découvreur parut s'illuminer.

– A la bonne heure! As-tu entendu parler dans tes pérégrinations d'un grand fleuve qui coulerait vers l'est et que les Indiens appellent le Mescacebé [1] ?

Laurent en avait entendu parler.

1. Le Mississippi.

— Alors tu es l'homme dont j'ai besoin ! Je ne moisirai pas longtemps dans les antichambres de notre gouverneur général Courcelles, de notre intendant général Talon ou du vice-roi Tracy. Les jésuites font tout ce qui est en leur pouvoir pour m'empêcher de partir, de crainte que leurs adversaires, les messieurs de Saint-Sulpice, ne leur disputent les âmes des « sauvages » que nous rencontrerons, mais je suis au service des sulpiciens. Envers et contre tous, avec ou sans l'aide du gouverneur et du vice-roi, je partirai, et tu viendras avec moi !

La neige devint prenante une semaine avant Noël. Un matin Laurent gratta la pellicule de givre collée aux vitres et se frotta les mains. Il descendit à l'office, avala un thé brûlant, tailla dans le jambon d'ours et dans la miche. Comme il était le premier levé, il fit une flambée à rôtir un orignal avec cette frisette de bouleau dont la flamme rend joyeux. Il revêtit sa pelisse et ses bottes indiennes, décrocha ses raquettes et son mousquet.

L'air du matin était immobile comme un mur de glace. La veille, des bûcherons travaillant dans une forêt de pruche avaient observé des passes d'orignaux et des éraflures contre le tronc des jeunes bouleaux, assez hautes pour laisser à penser qu'il devait s'agir d'animaux de grande taille. Le froid était vif mais la neige portait bien. Laurent coupa à travers les sapinières, en direction du nord et du chantier des bûcherons. La forêt était silencieuse, figée dans sa lourde enveloppe de neige, telle que l'aimait Laurent. Il s'arrêtait de temps à autre pour souffler et dégeler ses cils collés par le froid. Passé le chantier, au cœur d'une large clairière austère comme la rotonde d'un temple, piétinée par une troupe de loups, il s'enfonça dans des terres inconnues, mi-marécage, mi-forêt, puis dans une futaie qui paraissait sans limites. Il escalada une butte couronnée de bouleaux aux ramures violettes, sourit en apercevant au loin, dans le brouillard rose et bleu où le soleil faisait courir des risées de perle, les villages de Lachine et de Kanawakae, empanachés de fumées paisibles.

Au-delà, selon les indications des bûcherons, les traces devaient commencer. Il découvrit quelques passées de sauvagine, fit détaler un lièvre revêtu de sa pelisse d'hiver, d'une blancheur virginale.

378

Il trouva enfin les traces qu'il cherchait : elles étaient fraîches et révélaient des bêtes puissantes. Suivant la tactique qu'il tenait de son père, il s'attacha à contourner l'orignal en veillant à ce que le vent ne mette pas en alerte l'odorat et l'ouïe de l'animal.

En fin de matinée, un « norouâ » très sec se mit à postillonner à travers les branches. « Gare à la poudrerie ! » se dit le chasseur. Le temps s'était graissé, avec de lourdes peaux de nuages plissées accrochées aux collines lointaines. Malgré la poudre glacée qui l'aveuglait il pressa l'allure. L'orignal qui traînait derrière le troupeau ne devait plus être très loin, rembuché dans un trou de neige. Laurent s'arrêtait, se frottait les yeux avec ses moufles, vérifiait le chien de son mousquet, scrutait à travers les troncs de sapinettes et de bouleaux l'obscurité blanche et immobile.

Il tomba soudain en arrêt devant une forme figée à une trentaine de pas : c'était un vieux mâle barbu comme un dieu, haut comme un poney, avec une robe moirée de reflets bleus. Les doigts brûlés par le contact du métal, il épaula, tira. La bête, frappée en plein poitrail, fit un bond avant de s'écrouler.

C'était un orignal magnifique pesant guère loin de mille livres, doté de bois majestueux. Sa chair généreuse permettrait de tailler des filets de belles dimensions que l'on pourrait mettre à boucaner pour le reste du temps d'hiver. Laurent dépeça la bête qu'il enfouit profond sous la neige pour la préserver des loups, puis il prit le chemin du retour.

Le « norouâ » soufflait maintenant à pleine gueule et la poudrerie que redoutait le chasseur dansait à travers les troncs, tournait, cabrait, filait à ras de terre, se déployait en panaches vertigineux. A la pensée qu'il pourrait s'écarter, il sentit son sang se figer. Qui viendrait le chercher ici ? Il but une gorgée d'eau-de-vie, gouverna au jugé à travers la tourmente et soudain, en retrouvant ses traces de pas et de sang, il devina qu'il avait tourné en rond et se dit qu'il n'aurait pas dû partir sans Flambeau. Il était exténué mais ne devait pas s'arrêter, au risque de mourir de froid. Il se souvenait de ce trappeur que l'on avait retrouvé près du lac des Nipissings, raide au pied d'un arbre. Il reprit sa route, se trouva sur la berge d'un petit lac gelé qu'il n'avait pas rencontré auparavant. Une grosse cloche se mit à tinter dans sa tête. Il repartit en vacillant, s'accrocha à un arbre et se laissa glisser jusqu'aux racines. Anesthésié par le froid, il se trouvait bien et acceptait sa mort ; après tout, crever dans cette magnifique poudrerie ou dans le lit puant d'un vieillard, comme Trottier, c'était toujours crever, et ce serait une mort digne d'un trappeur. Il rêva un moment que le visage de Thérèse se penchait sur lui ; elle murmurait des mots dont le sens lui échappait.

Thérèse avançait, sa lanterne à la main, sur des raquettes que la poudreuse portait mal. La tempête apaisée, la forêt avait repris son immobilité de pierre, sous un ciel grouillant d'étoiles. Elle s'arrêtait de temps à autre pour repérer les autres porteurs de lanterne : les gens de la famille et ceux de Lachine que l'on avait alertés. A la sortie du chantier les chercheurs s'étaient déployés en éventail.

C'est Thérèse qui, la première, aperçut Laurent. Elle s'assura qu'il vivait encore, fit couler entre ses mâchoires quelques gouttes d'eau-de-vie, lui frictionna le visage et les mains. C'était la première fois qu'elle se trouvait seule avec lui et c'était pour le disputer à la mort. Elle glissa les deux mains du moribond sous ses aisselles, par l'ouverture de sa robe, prit son visage entre ses paumes et y fit courir son souffle.

Puis elle appela les autres.

— Tu as eu beaucoup de chance, dit Catherine. Si la tempête ne s'était pas arrêtée, si le temps ne s'était pas radouci, si Thérèse avait regardé à droite au lieu de regarder à gauche, on aurait creusé pour toi la première tombe de Lachine. Irénée crie au miracle !

— Thérèse... Où est-elle ? Je veux la voir.

— Tu lui as tenu la main toute la nuit. Tu ne voulais pas la lâcher.

Thérèse s'avança lentement, les yeux baissés, comme redoutant d'avoir à soutenir le regard de Laurent.

— Approche, dit-il. Tu m'as sauvé la vie.

Elle secoua la tête.

— Si je ne t'avais pas retrouvé, ç'aurait été quelqu'un d'autre.

Il faillit lui dire que c'est elle qui était venue hanter ses pensées alors qu'il s'endormait dans son nid de racines, mais Catherine était là. Il attendrait pour le lui avouer.

Au bout de quelques jours il parvint à se lever, avec des gestes cassés de marionnette. Il se tirait sans trop de mal de cette aventure : un pouce et trois doigts de pied gelés, une pneumonie simple... Sa robuste constitution lui avait évité le pire.

Alors que Thérèse revenait du village, Laurent lui dit :

— Assieds-toi près de moi. Il faut que je te parle.

Elle resta debout; il insista et elle finit par obéir.

— Sais-tu à qui j'ai pensé avant de perdre connaissance ?

— A ta mère.

— Non : à toi. J'ai rêvé que tu te penchais vers moi et que tu me parlais. Je t'écoutais sans comprendre ce que tu disais et j'étais comme dans mon lit. Lorsque j'ai rouvert les yeux, tu étais là. Irénée a peut-être raison de croire à un miracle.

Elle se releva brusquement, sous le prétexte d'aller chercher les enfants au presbytère. Il la retint.

— Reste! dit-il. Si tu veux, nous irons les chercher ensemble. Depuis que nous nous connaissons, nous avons été seuls deux fois seulement : lorsque tu m'as retrouvé, et maintenant. Tu n'aimes pas être seule avec moi ? Je te fais peur ?

— Dans ma tribu, dit-elle, quand un homme parle à une « squaw » comme tu le fais et qu'elle ne doit pas l'écouter, elle répond : « L'ami que j'ai devant mes yeux m'empêche de te voir. » Je ne te vois pas et je ne veux pas te voir.

Il eut un mouvement d'impatience.

— Ton époux est mort, dit-il. Ce n'est plus qu'une ombre qu'il faut dissiper.

— Irénée dit qu'il est toujours présent et qu'il m'observe.

— Nous ne faisons rien de mal! Tu as confiance en mon frère et pas en moi ? Tu as tort. Irénée aussi a tort : il a trop d'âmes dans son jardin pour s'intéresser aux deux petites herbes que nous sommes. Il ne fait que dire ce qu'il dit à tous. Il n'y a qu'une seule plante dans mon jardin à moi : la « Petite Pousse d'Atoca ».

Le discours parut plaire à Thérèse. Elle sourit et se leva.

— Irénée prétend, dit-elle, qu'il faut se méfier des hommes blancs plus que des Indiens.

381

— C'est bon! bougonna Laurent. Puisque tu ne veux ni me voir ni m'entendre, eh bien, va-t'en!

— Je vais partir, dit-elle comme à regret, mais tu m'as dit que tu m'accompagnerais...

Le regard d'Irénée, lorsqu'il vit arriver Thérèse tenant Laurent par le bras, s'embruma d'orage. Il éprouvait le sentiment d'une défaite; il avait rêvé de faire en sorte que la « Petite Pousse d'Atoca » devînt un arbre de vertu exemplaire en se disant que, s'il réussissait, rien dans sa mission ne lui paraîtrait impossible : la beauté de Thérèse, sa jeunesse se révélaient comme autant d'obstacles à la perfection dans la foi qu'il voulait susciter en elle. Il savait que des hommes la désiraient parmi les célibataires de la censive. La chance pour lui était que Thérèse eût l'intelligence déliée et le cœur sincère. Lorsqu'il la regardait prier, qu'il l'écoutait chanter des cantiques, il songeait à cette autre petite Indienne, fille d'un Iroquois et d'une Huronne, Kateri Tekakwitha, que les jésuites avaient découverte dans un village perdu, les yeux dévorés d'ophtalmie et qui parlait du Seigneur comme s'il l'habitait; à quatorze ans elle brûlait de se consacrer à lui. Thérèse serait sa Tekakwitha; il la conduirait chez les hospitalières de Montréal qui parachèveraient son instruction religieuse et lui apprendraient l'oubli de toute passion qui ne soit pas celle de Dieu. Irénée n'était pas certain de la réussite de son ambition et y décelait parfois une pointe d'orgueil, mais il était décidé à la mener à bien. Le pire, qu'il n'avait pas prévu, était que son frère lui enlevât son agnelle. Il lui parlerait, il le supplierait si c'était nécessaire. Il n'était pas possible que Laurent refusât de l'écouter.

Laurent lui prêta une oreille distraite.

Ils étaient assis de chaque côté de la table où Irénée achevait son repas spartiate : anguille fumée, purée de choux, mélasse des Antilles.

— As-tu songé, dit Laurent, que je pourrais aimer Thérèse?

— Dans ce cas il faudrait y renoncer. Elle n'est pas pour toi.

— Vraiment? Et si mon intention était d'en faire ma femme?

– Toi, épouser une Indienne? Tu n'y songes pas?

– Tu la destines à Dieu et elle serait indigne de l'humble coureur des bois que je suis? Cette contradiction ne t'effraie pas? Ta passion des Indiens se bornerait-elle à leur donner une chance d'accéder à la foi, et que Dieu se débrouille pour changer la couleur de leur peau! Toi, tu refuses toute promiscuité avec eux!

Irénée repoussa son assiette, prit sa tête dans ses mains et articula avec effort, comme si les mots lui brûlaient les lèvres :

– Oublie ce que je viens de te dire. Je ne le pensais pas vraiment. Des mots malheureux...

– Tu y penses trop, au contraire! Tu ne penses qu'à ça. Pour toi ces Indiens ne sont pas tout à fait des êtres humains. Tu les surveilles comme un troupeau que tu destines à ton Dieu. De nous deux, c'est moi qui connais le mieux les Indiens. J'ai vécu dans leurs cabanes pourries, mangé leur soupe de chien, respiré leur boucane, couché avec leurs filles. Je les aime et beaucoup me respectent. Et toi, le beau parleur, saint Jean Bouche-d'Or, combien lui as-tu gagné d'âmes, à ton Dieu?

– Cinq... avoua Irénée penaud. Je ne suis même pas sûr de leur sincérité, mais ce dont je suis certain, c'est que tu dois respecter cette femme. Ne cherche pas à ébranler sa foi. Elle est solide, mais c'est une âme innocente : elle pourrait résister à la contrainte, pas à la ruse. Tu dois l'oublier, sinon je l'armerai contre toi.

Laurent parvint aisément à provoquer des occasions de se rapprocher de Thérèse, bien que Catherine, prévenue par Irénée, fît en sorte de limiter le danger. Thérèse ne faisait rien pour décourager Laurent; rien non plus pour l'encourager; elle s'abritait derrière Irénée, disant : « Votre frère m'a interdit de faire ceci... Il m'a déconseillé de dire cela... »

Un jour où Laurent avait tenté de l'embrasser alors qu'elle étendait du linge dans les combles, elle lui dit sans se fâcher :

– Laurent, je sais que tu aimes les Indiennes. Alors va rejoindre mes sœurs de la forêt et laisse-moi en paix.

– Je n'en ai trouvé aucune qui te vaille. D'ailleurs je ne

383

t'aime pas parce que tu es une Indienne mais parce que c'est toi.

— Mais moi, Laurent, je ne t'aime pas.

— Mon frère a dû te dire qu'on ne doit pas mentir. Alors répète ce que tu viens de me dire et jure-moi que tu dis la vérité!

Le visage de Thérèse parut chavirer. Elle lâcha le paquet d'épingles qu'elle tenait à la main, fixa Laurent avec une expression douloureuse et s'enfuit. Il la rattrapa, la prit dans ses bras, la força à le regarder en face.

— Allons, répète!

— Je ne peux pas.

— Je sais que tu m'aimes depuis que tu m'as retrouvé dans la neige et sauvé. Nous nous marierons au printemps et nous bâtirons notre propre maison, à Lachine. Je veux t'avoir près de moi, te regarder, te toucher à ma guise. Nica sera comme notre fils, et tu me donneras d'autres enfants.

Elle l'écoutait, silencieuse, figée. Quand il chercha ses lèvres, elle le repoussa violemment.

— Tu es bien comme les autres! cria-t-elle. Tu ne m'aimes pas vraiment. Reviens dans la forêt. C'est là qu'est ta vie!

Elle dégringola l'escalier sans qu'il fît rien pour la retenir. Il descendit à son tour alors que Catherine revenait du village.

— Qu'as-tu fait à cette pauvre fille? dit-elle. Je l'ai trouvée en larmes. Quand cesseras-tu de la harceler? Comprendras-tu enfin qu'elle n'est pas pour toi?

— C'est ce que me dit mon frère. Mais vous deux, comment pouvez-vous décider de ce que Thérèse est pour moi?

— Tu te contentes de la désirer. Quelle sera ta déception, dans quelques années, quand elle sera devenue laide et vieille! As-tu oublié qu'elle est plus âgée que toi?

Laurent considéra sa mère avec stupeur. Il s'assit au coin de la cheminée, les poings entre ses genoux, et murmura:

— C'est Irénée qui t'a mis ces idées dans la tête! Vous êtes tous contre moi. Vous ne me pardonnez pas ma fugue d'il y a trois ans, et mon frère moins que quiconque. Parce que j'ai couché avec des Indiennes il s'imagine que je me suis pourri l'âme à tout jamais. Et toi, mère, tu penses comme lui, que je ne suis bon qu'à vivre avec les « sauvages ».

Il ajouta avec de l'amertume dans la voix :

— Tu m'as toujours préféré Irénée et ce n'est que justice : il est plus fragile et il lui faut beaucoup d'affection. Mais que cette préférence t'aveugle, je ne puis le supporter.

Catherine fit front avec vigueur :

— Tu te trompes! dit-elle. Vous êtes égaux en affection dans mon cœur, tous les trois. Tu essaies de me blesser parce que tu sais que nous avons raison de t'interdire Thérèse et que nous pouvons l'obliger à se refuser à toi.

— Il est vrai que vous êtes plus forts que moi, mais l'essentiel de cette force réside dans la faiblesse de Thérèse, de la soumission qu'elle a acceptée. Prenez garde! elle risque de vous échapper car je sais qu'elle m'aime.

Catherine parut ébranlée. Appuyée à la table, elle dit :

— Tu l'aimes donc tant? Pauvre petit. Comme tu dois souffrir.

Il la regarda avec un air de défi.

— Je ne suis pas à plaindre, dit-il. Je sais que Thérèse sera à moi un jour prochain. J'ai toujours su que j'épouserais une Indienne. Pourquoi? Je l'ignore. C'est comme si tu me demandais pourquoi j'aime ce pays.

— Prends garde! Irénée est prêt à tout pour t'enlever Thérèse.

— Je saurai bien l'en empêcher, mais il faudra m'aider. L'accepteras-tu?

— Non, mon fils. Jamais.

Il y avait encore de fort belles neiges lorsque Cavelier revint à Lachine. Il avait remonté le Saint-Laurent sur une traîne magnifique, enfoui dans des fourrures de prix. Lorsque son attelage s'arrêta devant « Saint-Sulpice », toute la maisonnée était là pour l'accueillir. Il flatta la tête du vieux Flambeau, embrassa Catherine, distribua quelques bons mots et jeta sa pelisse d'ours dans les bras d'Anna. Il paraissait d'humeur radieuse; Catherine devina sans peine qu'il venait d'obtenir l'autorisation de M. de Courcelles d'aller découvrir dans l'Ouest; lorsqu'elle lui demanda si c'était cela qui justifiait sa bonne humeur, il ne répondit rien mais son visage rayonnait; il lui prit le bras pour lui faire franchir le seuil.

— J'ai envie d'une grosse omelette! dit-il.

Catherine la lui prépara en un tournemain, y tailla quelques cubes de jambon d'ours, joignit à ce mets une langue d'orignal fumée et quelques pommes : un repas pour trois personnes au moins, qu'il engloutit gloutonnement en vidant deux pichets de cidre.

— Robert, dit Catherine, j'ai à vous parler.

Elle l'entretint de Laurent et de Thérèse; il l'écouta au coin du feu en fumant sa pipe, les mains dans sa ceinture fléchée, son expression devenant peu à peu bougonne.

— Vous avez bien fait de me parler de cette affaire, dit-il. Je tiens trop à eux pour leur laisser faire cette bêtise. Laurent, se marier à une Indienne... Où est-il? J'aimerais lui parler.

— En train de tanner des peaux. Gardez-vous de l'aborder de front : ce serait le meilleur moyen de l'indisposer. J'ai engendré une fameuse nichée d'orgueilleux!

— Ouais... fit Cavelier. Et Thérèse, où est-elle?

— Chez Irénée, dans ce qu'il appelle son « presbytère ». Il la garde parfois, le soir, pour de menus travaux.

Cavelier se leva pesamment, enfila sa pelisse et s'en fut sans un mot.

« Peut-être ai-je mal agi... songeait Catherine. Et si ces deux-là s'aimaient vraiment? Si elle ne consentait que par esprit de soumission à renoncer à lui? » Elle allait peut-être faire le malheur de deux êtres, simplement parce qu'elle tenait Irénée pour plus raisonnable que son frère jumeau; comme si l'on pouvait les juger à la même aune!

Lorsque Cavelier, à la veillée, déploya ses cartes sur la table de la salle commune, les yeux de Laurent se mirent à briller. Il avança la lampe à huile de morue.

— Mon gars, dit Cavelier, nous partirons au début de juin avec une vingtaine d'hommes et deux sulpiciens : François Dollier de Casson et René-François de Galinée. Direction : l'Ohio, que les Indiens appellent la « Belle Rivière ». Ils prétendent qu'elle se jette dans le Mescacébé. C'est peut-être la route que je cherche pour la Chine...

Il avait posé la main sur l'épaule de Laurent, penchés tous deux sur les cartes sabrées de traits et d'annotations à la mine de couleur. L'index du découvreur volait au-dessus des immensités de forêts qu'on mettrait des mois à traverser, se posait ici et là, suivait le cours incertain des eaux.

Catherine s'était couchée tôt; elle paraissait profondément tourmentée.

— Toutes les mères sont ainsi, dit Cavelier. Ces départs vers l'inconnu les mettent dans les transes. Je n'ai pas voulu l'informer de cette expédition pour ne pas l'alarmer avant de savoir si tu aimerais m'accompagner. Viendras-tu?

— Assurément, dit Laurent, mais avant j'aimerais épouser Thérèse. Je l'aime, et elle...

— Je sais! grogna Cavelier. Ta mère m'a parlé de cette affaire. Je voulais t'en toucher deux mots mais j'ai d'autres soucis en tête. Je te donne un conseil : ne t'encombre pas d'une Indienne. Tu en auras autant que tu voudras dans la forêt.

— Sans doute, mais...

— Allons dormir! Demain, à la première heure du jour, je t'emmène à la chasse. J'ai besoin de me dégourdir. Je mange trop et ne fais pas assez d'exercice...

Laurent mit le nez à la fenêtre, regarda avec surprise partir le traîneau de Cavelier en direction du Saint-Laurent.

— Votre traîneau, dit-il. Qui donc l'a pris?

— Ne te tracasse pas. Je l'ai prêté à Irénée. Il avait une course urgente à faire à Montréal.

— Il ne m'en avait pas parlé!

— Quelle importance? Allons, viens. Je me sens d'humeur à faire un massacre d'orignaux. A deux et avec des chiens, nous ne risquons pas de nous perdre comme toi l'hiver dernier. J'emmène aussi quelques « sauvages ».

Ils rejoignirent quatre Hurons emmitouflés dans leur « gaccari » de fourrure qui leur laissait les cuisses et les bras nus, puis ils s'enfoncèrent pour la journée dans la forêt. Ils ne rentrèrent qu'à la brunante, harassés, les mocassins tailladés par des arêtes de glace, leur traîne indienne chargée de gibier.

Avant même de se changer, Laurent demanda où se trouvait Thérèse qui n'était pas venue, comme d'ordinaire, à ses devants; Catherine et Anna firent la sourde oreille; Cathy haussa les épaules et continua de préparer du poil d'orignal pour la broderie. Il se tourna vers Nica, prit le mince visage olivâtre dans ses mains et l'interrogea.

— Maman, dit l'enfant, partie.

— Pour où ?

— Sais pas.

Laurent traversa la grande pièce comme un ouragan, bousculant Flambeau, bondit au-dehors.

— Où vas-tu ? cria Catherine. Reviens !

Elle le vit courir dans la cour, sauter une haie, traverser une étendue de neige vierge qui bleuissait avec le soir, marcher droit vers Irénée qui arrivait tout juste et s'apprêtait à dételer les chiens devant le « presbytère ».

— Tu reviens de Montréal ? dit Laurent.

— Oui.

— Tu y as conduit Thérèse ?

— Oui.

— Je ne te le pardonnerai jamais !

— Je le sais et cela me torture, mais il le fallait.

— Pourquoi ? hurla Laurent. Réponds-moi ! Pourquoi ?

— Rentrons, dit Irénée. Je suis fatigué et je grelotte de froid.

Il entra, suivi de Laurent qui criait en refermant la porte :

— Vas-tu t'expliquer ? Tu l'as conduite au séminaire, n'est-ce pas ?

— Oui. Maintenant laisse-moi. Nous en reparlerons demain.

— Demain je ne serai plus là. Je vais partir pour Montréal cette nuit même, avec la traîne de Cavelier. Il y aura de la lune et je connais bien la route. Je vais arracher Thérèse à sa prison. Merci de ne pas avoir dételé.

— Les chiens ne supporteront pas un second trajet.

— Je les crèverai si c'est nécessaire. Adieu !

Irénée se plaça, les bras en croix, devant la porte, un sourire éclairant son visage encore marqué par l'enfance; ses yeux brillaient d'un éclat fiévreux sous le front rose de froid au niveau du bonnet.

— Laisse-moi passer ! dit Laurent.

Irénée secoua la tête sans cesser de sourire.

— Tu as tort de t'obstiner, dit-il. J'ai longuement parlé à

Thérèse en cours de route. Elle ne t'aime pas, pas plus que tu ne l'aimes. Elle a fait son bagage sans hésitation et sans regret. Ne va pas compromettre son salut pour des illusions.

— Laisse-moi passer! répéta Laurent.

Il saisit le fouet à chiens posé sur la table et en menaça son frère.

— Tu n'oserais pas, dit Irénée.

Au premier cinglon qui l'atteignit à la joue, il cessa de sourire mais garda les bras écartés. Au deuxième coup, plus violent, sa nuque alla heurter la porte. Laurent n'eut aucune peine à écarter son frère qui venait de tomber à genoux, la tête dans ses mains. On entendit la porte claquer, puis le sifflement du fouet au-dessus de l'équipage qui démarra dans les aboiements, tandis que les gens de «Saint-Sulpice», Cavelier en tête, accouraient avec des lanternes.

A mi-chemin de Montréal, les chiens étaient tellement fourbus qu'ils refusèrent d'avancer et que Laurent dut s'arrêter. Le traîneau glissait pourtant sur la plus belle piste dont on puisse rêver : celle du fleuve encore recouvert par la dernière neige. Il trouva refuge avec son attelage sur la berge, s'installa sous une sapinière, au milieu des chiens qui lui tenaient chaud.

Avant le jour il pénétra sans un frisson dans le vif du froid et se sentit aussi à l'aise que l'aigle à tête blanche qui jouait à faire des ronds sur les pentes d'air, au-dessus du fleuve.

La ville était déserte. Il passa sans s'arrêter devant son ancienne demeure occupée par des colons de Normandie, s'arrêta sur une terrasse naturelle avant la montée conduisant à l'hôpital et au séminaire.

Jodelet, le concierge, le laissa entrer et même lui fit boire un bol de lait chaud. Laurent, qui connaissait ce brave homme, lui dit sans ambages pourquoi il se trouvait là. Jodelet se gratta le menton et parla d'aller prévenir la mère supérieure, Mme de Sainte-Bonaventure.

— N'en fais rien! dit Laurent. C'est Thérèse que je dois voir pour la ramener à Lachine.

— Tu es fou! dit Jodelet. C'est impossible!

— Bon! Alors laisse-moi au moins la voir.

— C'est possible, mais quelques minutes seulement. Je risque gros, tu sais! Suis-moi au parloir.

Il s'éloigna, revint tête basse. Thérèse, qui chantait matines dans la chapelle, avait refusé de le suivre.

Laurent s'engouffra sans un mot dans la cour, avant que le concierge eût pu le retenir. La porte de la chapelle refermée sur lui, le cantique s'interrompit sous le coup de tonnerre. Laurent reconnu M. Souart qui officiait, la mère supérieure et, appuyée à l'harmonium, Thérèse, déjà engoncée dans la tenue bleue des hospitalières. Il s'avança vers elle avec l'impression de marcher sur un lac dont la glace risquait de craquer sous ses pas. La mère supérieure vint à sa rencontre; il arriva avant elle à l'harmonium, prit Thérèse par la main.

— Viens! dit-il. Nous retournons à Lachine.

Elle secoua la tête, l'air terrorisé, tenta de se dégager.

— Retirez-vous! dit la mère supérieure. Vous n'avez rien à faire ici. Cette fille est venue à nous de son plein gré.

— Nous devions nous marier. On me l'a enlevée. Je viens la reprendre.

La mère supérieure se tourna vers Thérèse.

— Est-ce vrai, mon enfant?

— Non, dit fermement Thérèse... Cet homme ment.

Laurent se sentit vaciller. Il s'appuya à l'harmonium, sentit le poignet de Thérèse se libérer de son étreinte.

— Thérèse, dit-il doucement, pourquoi?

Elle se détourna brusquement de lui; les sœurs l'emmenèrent.

— Vous voyez bien qu'elle ne veut pas de vous, dit la mère supérieure. Sortez à présent et découvrez-vous! Vous n'êtes pas dans un cabaret. Vous, Jodelet, raccompagnez ce garçon. Vous aurez des comptes à me rendre!

Laurent sortit de la chapelle à pas lents, ses bottes indiennes laissant derrière lui des traces humides. Montréal resplendissait dans la lumière éblouissante de la matinée. Le mont Royal dressait sa vague contre le ciel, portant, cachée par les arbres, la croix du Christ. A peine Laurent eut-il dépassé l'école, il entendit l'aigre clochette de Mlle Bourgeoys qui appelait les enfants. Il ne se retourna pas. La voix grêle de la religieuse tintait encore dans sa mémoire, disant à son père : « Savez-vous, monsieur Chapdeuil, comment finira Laurent s'il continue à bouder l'école? Comme un

390

enfant perdu! » Denis souriait de ces menaces; il savait qu'un coureur des bois n'est pas obligatoirement un coureur de filles et un brigand, qu'il peut voir dans une Indienne autre chose que de la chair à plaisir. « Personne, songeait Laurent, n'a compris que j'aimais véritablement Thérèse et qu'elle aurait pu changer ma vie. Mon père, lui, m'aurait aidé! »

« Enfant perdu! Enfant perdu! » semblait lancer la clochette. Ce n'était plus un reproche mais un encouragement à disparaître, à plonger dans la forêt, à n'attendre d'elle que ce secours donné aux hommes qui n'espèrent plus rien des autres hommes. S'y perdre, c'était pour Laurent retrouver cette part de lui-même honnie du reste du monde, s'y installer, en faire sa demeure et la source de sa joie. La joie de Laurent, ce serait sa liberté; il l'avait payée cher, mais on ne lui laissait que cela. Il eut un mouvement d'enthousiasme en songeant à l'expédition que lui avait proposée Cavelier de La Salle.

Les chiens l'accueillirent par des aboiements joyeux. Il leur distribua leur pitance contenue dans un sac placé sous le siège. C'était un remarquable attelage de chiens huskies, vifs, puissants, obéissants, que le découvreur avait dû payer fort cher. Il respira quelques goulées d'air vierge, sauta dans la traîne et, sans un regard en arrière, fonça sur le Saint-Laurent. C'était un des plus beaux matins du monde.

5

CHEMINS DE BRAISE

Lachine : 1670.

Catherine se demandait si M. de Maisonneuve recevait et lisait les lettres qu'elle lui faisait écrire par Cathy, régulièrement, pour le remercier de ses libéralités et le tenir informé des menus événements de la colonie. Il n'avait jamais répondu, si bien qu'elle avait l'impression de s'adresser à un mort ou à un être imaginaire, comme les personnages de Gautier de Costes.

— Qu'importe, disait-elle à Cathy, qu'il lise ou non nos lettres et qu'il n'y réponde pas. Nous les lui devons.

Elles s'installaient à la veillée sous la lampe à huile.

— Écris, disait Catherine.

Depuis que M. Cavelier avait vendu son domaine de Lachine aux messieurs de Saint-Sulpice, ne gardant que la demeure sur laquelle Catherine continuait de veiller, il ne faisait que de courtes et rares apparitions. Parti avec Laurent et toute une escorte, il s'était lancé à la découverte de terres nouvelles autour des fleuves Ohio et Illinois. Plus fortuné et mieux aidé par les autorités, il eût poussé encore plus loin ses explorations; et les jésuites lui jouaient des tours de leur façon pour le décourager.

— M. Cavelier, dit Cathy, ça fait des mois que nous ne l'avons pas revu.

Catherine jeta une bûche sur le feu, regarda monter dans l'âtre des gerbes d'étincelles. Elle ne voyait Robert Cavelier, à chacune de ses haltes, que le temps d'un repas; il arrivait on ne savait d'où et repartait pour l'inconnu; il mangeait beaucoup, parlait peu, sur un ton qui laissait deviner que le monde entier se liguait contre lui. Les rudes climats qu'il affrontait, les marches harassantes, les soucis surtout l'avaient changé. Ce n'est que par le petit Nika, son factotum, qu'on pouvait apprendre quelques détails sur la marche de ses affaires, Laurent étant resté quelque part sur les Grands Lacs : les jésuites qui intriguaient avec obstination pour faire échouer ses projets; l'intendant général Duchesneau qui évinçait cet éternel quémandeur; Villeray et les autres négociants qui semaient des traquenards sur la route de cet illuminé refusant de trafiquer avec eux et de vendre de l'alcool aux « sauvages »; Nicolas Perrot, devenu gouverneur de Montréal, et son homme de main La Fresnaye, qui l'accablaient de calomnies... En France, c'était pire : M. de Colbert, le ministre, le considérait comme un individu dangereux; il était plus difficile de se battre contre les gens de Cour que contre les difficultés de sa mission.

Cathy plongea sa plume dans l'encrier pour parler de son frère Laurent en un bref paragraphe, disant qu'il n'écrivait pas, qu'il semblait avoir renoncé à Thérèse et qu'on ne savait quand il reviendrait, s'il revenait.

Catherine se pencha sur l'épaule de sa fille et la rabroua : il ne fallait pas parler de Laurent que M. de Maisonneuve connaissait à peine. Sa dernière lettre datait de quelques mois après son départ brusqué, il y avait trois ans de cela. La missive, portée par un grand diable de coureur des bois ensauvagé, racontait en quelques phrases qu'il attendait M. Cavelier dans un village proche du fleuve Ontario, mais que, peut-être, il continuerait seul, la traite l'intéressant davantage qu'une découverte qui ne rapportait que des déboires.

— Il fait de la contrebande, dit Catherine, j'en mettrais ma main au feu. Un jour il se fera pincer. Les « enfants perdus » finissent presque tous en prison ou à la potence. A plus forte raison quand ils trafiquent avec les Iroquois et les « Yanguisses ».

— Tu as tort de l'accabler, dit Cathy. Peut-être n'avons-nous pas su le comprendre et l'aimer comme il l'aurait souhaité. Un jour il reviendra, j'en ai la certitude, et il restera près de nous.

— Écris! dit Catherine d'un ton autoritaire. Parle d'Irénée à M. de Maisonneuve. Il le connaît mieux que Laurent.

Irénée avait quitté Lachine à regret, depuis peu. Tout y était trop simple pour lui qui brûlait de conquérir des âmes alors qu'il se faisait peu à peu l'impression d'être un desservant de village. Il était resté quelque temps avec l'abbé Cavelier à Montréal et avait fini par obtenir des autorités ecclésiastiques une mission chez l'un des peuples les plus dangereux : les Agniez, de la nation des Iroquois, sur la côte sud de l'Ontario.

— Il faut ajouter, dit Catherine, que notre pauvre Anna est morte le jour de la Chandeleur, que le pays est calme depuis que M. de Saint-Lusson est allé planter la croix au Sault-Sainte-Marie en présence des quatorze nations indiennes, que MM. Talon et Frontenac gouvernent la colonie. Tu pourrais terminer ta lettre par une nouvelle qui touchera le cœur de ce saint homme : la fin des travaux à l'église de Montréal...

Cathy acheva la lettre, la recopia au propre, la signa d'un paraphe orné de fioritures.

— J'espère, dit Catherine, que ce courrier pourra partir par le prochain bateau « pour France ».

Irénée se surprit à pester comme un coureur des bois. Le sort s'acharnait contre lui; il se sentait de jour en jour plus vulnérable et plus menacé. Il avait fait une chute dans une rivière aux eaux glacées; la pluie était venue ensuite, interminable, gonflant les lacs et les rivières de tumeurs violâtres; ce matin, en s'éveillant, il avait constaté avec stupeur la disparition de ses deux guides hurons qu'il avait pourtant choisis avec soin; les jours précédents il les sentait inquiets, au fur et à mesure qu'on progressait en territoire iroquois marqué, le long des pistes, par des signes mystérieux. Alors que le cœur du missionnaire se gonflait de bonheur et d'espérance, celui des Hurons se vidait de toute énergie.

Déconcerté, Irénée allait de la berge dont les canots, au débouché du portage, étaient absents, au nid dans les buissons où ses guides avaient passé la nuit : ils avaient tout emporté, ne lui laissant qu'un hachot, un coffret de chapelets et de médailles saintes, un autel portatif enfermé dans un sac de cuir et une musette contenant de la farine de blé d'Inde qui commençait à sentir l'aigre.

Il se laissa tomber sur les genoux, pria longuement, se repentant d'avoir laissé éclater sa colère. Il résolut de poursuivre son chemin jusqu'à ce qu'il rencontrât un village. Il avait oublié le nom de cette rivière et de l'endroit où il avait échoué, mais il savait que le lac Ontario était à deux ou trois jours de marche, sans pirogue, à travers la forêt dense.

Il jeta la musette dans son dos, enfila le hachot dans sa ceinture de corde et reprit sa route, salué par le cri ironique d'un engoulevent tapi dans un buisson : « Bois pourri! Bois pourri! »

Le soleil se détachait insensiblement des brumes tassées au bas du ciel et déjà toute la forêt se reprenait à vivre. Ce n'était plus la vie inquiète, sourde, furtive de la nuit, cette rumeur faite d'appels étouffés, de frôlements, de vols noirs, mais une toilette de soleil. Tout craquait de vie. Sur la berge, remontant du nord à l'approche du printemps, un vol de canards brouillait l'eau calme des jonchères; des poules d'eau frôlaient d'un vol lourd la surface poudrée de pollen de la rivière; sous un bouquet d'aulnes, des pluviers perchés sur leurs pattes grêles lançaient leurs « tui-tui » à tous les échos; le gloussement sourd des gelinottes alignées sur la maîtresse branche d'un pruche foudroyé, le tambour d'un pic, le dernier ululement d'un grand duc perdu dans une brume bleue d'épinettes complétaient la symphonie matinale.

Irénée écrasa sur sa joue un premier maringouin. La journée serait chaude, brumeuse, lourde. Il s'arrêta pour grignoter quelques fraises sauvages à peine mûres et des pousses d' « atoca ».

Il pénétrait dans un pays de collines rondes et d'aimable apparence. La forêt était facile à traverser. A des brûlis où la végétation avait repoussé, il reconnaissait d'anciennes présences humaines, trappeurs ou Indiens. En fin de matinée il trouva sur son chemin un cabanage bien rond et un foyer dans l'herbe; peu après il vit avec effroi, debout contre un mélèze, un ours flottant dans sa pelisse d'hiver qui paraissait trop grande pour lui, avec des déhanchements de vieille femme. La bête ne lui prêta guère d'attention; elle se dandina sur ses lourdes pattes et déguerpit en grognant.

Quand le soir tomba, c'était toujours la même forêt, la même rivière, les mêmes horizons. Perdu dans cette immensité, Irénée se dit qu'il ne reverrait peut-être jamais une créature de Dieu, mais une prière le réconforta. Il battit le briquet sur des herbes sèches, parvint à faire une flambée, sentit la salive de la faim lui imprégner le palais. Depuis le matin il n'avait mangé que des fruits verts et de la bouillie de blé d'Inde qui lui restait sur l'estomac. Il avisa des gelinottes en chapelet sur une basse branche, en tua deux à coups de bâton. Elles étaient coriaces mais, en dépit de l'absence de sel, assez savoureuses. Il jeta du gros bois sur son feu et se terra sous une souche pour la nuit.

Irénée marchait depuis trois jours, relié à la berge de la rivière comme à une rampe, pieds nus dans ses mauvaises sandales, son visage et ses mains boursouflés par les piqûres des mouches à chevreuil et des maringouins le faisaient souffrir atrocement.

Un après-midi il vit la rivière se déployer en éventail, baigner une multitude de petites îles. A la première étoile il s'installa sur une grève de sable encore tiède de soleil. Il se trouvait devant une étendue d'eau sans limite, doucement animée par une houle discrète que le soir teintait de lilas. Le passage d'une ramberge de sept cents tonneaux ne l'eût pas autrement ravi.

Ce n'est qu'à la nuit tombée qu'il eut conscience d'avoir quitté un désert pour un autre. Il était si las qu'il s'allongea à même le sable sans se mettre en quête de nourriture.

Une odeur extraordinaire l'éveilla : cela sentait le poisson frit sur un feu de bois. Il aperçut une forme sombre accroupie en lisière de la forêt, à une dizaine de pas. Il marcha en titubant vers le nouveau venu : un Indien d'une taille peu commune qu'il reconnut être de la nation des Agniez ; il ne portait que des jarretelles en poils d'orignal teints en rouge, des colliers de médailles de cuivre et de coquillages ; il n'était pas orné des couleurs rutilantes et noires de la guerre et n'avait en fait d'armes qu'un arc et un coutelas.

Irénée leva la main en guise de salut ; l'Agniez l'imita puis, sans un mot, lui tendit au bout d'une baguette une truite dorée à point. Ils mangèrent côte à côte, en silence, puis, rassemblant les quelques rudiments de langue iroquoise qu'il connaissait, Irénée tenta d'entamer une conversation.

Il apprit que ce lac était l'Ontario, que l'Indien se nommait Koaré, que sa tribu cabanait à une journée de marche en direction de l'ouest et qu'il pouvait y conduire la « robe bleue ». Irénée devinait confusément que de nouvelles épines, des charbons ardents allaient semer sa route, mais son cœur bondissait d'allégresse.

– Que mon frère me suive! dit le « sauvage ».

Irénée se leva pour l'accompagner. Il se trouvait pour la première fois dans la forêt seul avec un Indien véritable et se dit que, désormais, il ne devait rien attendre que de Dieu et de lui-même. Il ne tirerait de joies que des épreuves qu'il allait endurer. Depuis qu'il vivait à Lachine, tout était devenu trop simple pour lui, trop facile, trop quotidien; il se méfiait des habitudes lénifiantes, d'une foi privée d'épreuves et d'élan. En cheminant derrière Koaré, il sentait naître en lui des forces ignorées et un murmure de *gloria* embrumait son esprit.

Il se disait que peut-être Dieu, enfin, daignait poser un œil sur lui.

Irénée et Koaré arrivèrent en vue du village au soir tombant. Il était situé au milieu d'une clairière, à proximité d'une rivière dont on entendait les rapides et les chutes bourdonner au loin. C'était un vaste espace enclos d'une double rangée de palissades avec, à l'intérieur, à mi-hauteur, un chemin de ronde sur lequel galopaient des enfants nus. Les habitations étaient constituées de longues cabanes couvertes d'écorces cousues; elles se tassaient sous les fumées du soir qui répandaient leur odeur âcre.

A peine étaient-ils arrivés au milieu de la place dominée par la silhouette décharnée d'un arbre recroquevillé comme un parchemin, ils furent entourés de chiens efflanqués, d'enfants étonnés, puis d'adultes qui sortaient des cabanes, se tenaient immobiles sur le seuil puis s'avançaient timidement: les hommes étaient entièrement nus, sauf ceux qui étaient mariés et les vieillards qui portaient un morceau d'écarlatine entre les cuisses; les femmes étaient vêtues de robes de cuir qui leur tombaient jusqu'aux genoux.

Irénée réprimait mal son émotion, tout en s'attachant à paraître indifférent. Il tentait de se remémorer les salutations rituelles, mais sa mémoire ne répondait plus.

Le « sagamo » était un très vieil homme, peut-être le plus vieux de la tribu, et probablement centenaire, nombre d'Indiens dépassant cette limite. Robuste encore malgré sa maigreur, il portait sur sa personne un air de majesté un peu hautaine. Il jeta sur ses épaules un pan de l'écarlatine anglaise, s'assit à terre et fit signe à Irénée d'en faire autant.

Le chef lui posa des questions : comment se nommait-il ? d'où venait-il ? que venait-il faire dans ces parages ? Cette dernière question laissa Irénée perplexe ; il gratta sa barbe et choisit de dire la vérité : il venait enseigner au peuple des Agniez à aimer et à respecter le « Grand Manitou » des Blancs, ce qui ne parut guère satisfaire le « sagamo »; il fit un signe et on lui apporta un calumet de belles dimensions. Irénée, qui n'avait jamais supporté la fumée et l'odeur du tabac, se sentit blêmir, mais il ne pouvait se dérober. Le vieillard alluma entre eux un maigre feu d'amitié et se mit à pétuner en silence, les joues creusées par l'aspiration, avant de tendre le calumet à Irénée. A la première bouffée il sentit que tout chavirait autour de lui et se souvint de l'expression des Indiens pris d'alcool : « Les forêts sont ivres ! Les forêts dansent ! » C'est le monde entier qui paraissait mener une ronde folle autour de la fumée âcre montant du calumet. Par chance la nuit était presque tombée et l'ombre s'épaissis-sait autour de l'arbre tabou d'où pendaient des dépouilles animales, si bien que personne ne remarqua son trouble.

– Mon frère blanc a-t-il faim ? demanda le « sagamo ».

Irénée s'inclina ; il n'avait rien absorbé depuis la truite de Koaré. Il dévora l'écuelle de « sagamite » qu'on lui tendit et sentit soudain le sommeil s'appesantir sur ses paupières.

Il s'éveilla fort tard dans la matinée, sous le regard intri-gué de trois fillettes qui s'enfuirent en le voyant bouger.

Il se trouvait dans une loge ouverte d'un côté sur la place, couché à même le sol et sans couverte. Une odeur caractéris-tique l'avertit qu'il avait vomi au cours de la nuit. Les reins moulus, affamé, il regarda une vieille « squaw » ronde et lisse comme un melon d'eau verser le contenu d'une cruche dans une cuvette de terre pour sa toilette et il se dit que le plus important dans l'immédiat était de se réconcilier avec son corps. Il trouva sur la rivière une petite grève de gravette rose, un de ces « ports à caleçons » où les navigateurs des eaux intérieures aiment à se baigner à l'abri des regards. Il ôta sa soutane et ses sous-vêtements qui puaient, se laissa glisser avec délices dans l'eau froide. Lorsqu'il regagna le village avec autour des reins une ceinture de feuilles, on le regarda en riant.

Il s'était juré que sa chapelle serait prête pour le dimanche du Précieux Sang, dans les premiers jours de juillet; elle le fut. Rien ne le pressait tant que d'offrir au Seigneur un abri dans la forêt, en marge du village, entre un champ de blé d'Inde et de citrouilles dont les Indiens grignotaient les graines. C'était une bâtisse sommaire, sans murs latéraux, couverte d'écorce; il y avait installé sur une table de bois-rond son autel de campagne surmonté d'une croix qu'il avait tenu à faire fabriquer par les Indiens eux-mêmes; les fleurs ne manquaient pas : il envoyait les fillettes en cueillir dans la forêt et les récompensait d'un cantique.

Durant la construction, les Indiens venaient le regarder manier la hache; ils s'asseyaient à même le sol, les mains sur les genoux, fumaient en silence, sans manifester la moindre hostilité. Il satisfaisait volontiers leur curiosité, disant :

— C'est la maison du Grand Esprit Blanc. Il va demeurer là.

— Ouah! Comment est fait le Grand Esprit Blanc?

Irénée leur répondait qu'ils ne le verraient pas pour la bonne raison qu'il était invisible.

— Notre frère se moque de nous! protestaient-ils. S'il ne peut le voir, comment sait-il qu'il est là?

— Parce qu'il est partout où je suis! Je suis comme son ombre.

Les Agniez se poussaient du coude en éclatant de rire.

Le « sagamo » venait parfois rendre visite à ce fou qui avait le don de le divertir et qui semblait tellement inoffensif, et même un peu sot, qu'on pouvait bien tolérer sa présence. Il le questionnait sur ce mystérieux édifice dont la destination lui échappait; il l'écoutait parler du Grand Esprit Blanc et, de temps à autre, écrasait des insectes sur sa peau tannée. Il lui dit un jour :

— Mon frère blanc me rappelle un homme que j'ai vu à Montréal, à la foire aux fourrures. Il portait une barbe et des cheveux rouges et s'apprêtait à monter aux Ottawas. Mes frères, les Onneïouts, l'ont massacré à Long-Sault et lui ont pris son scalp.

— Cet homme était mon père, dit Irénée, bouleversé.

De ce jour le « sagamo » ne le considéra plus comme un fou mais comme un personnage inquiétant. Les curieux se firent rares; les fillettes ne lui apportèrent plus les fleurs de la forêt. Pour la première messe, pourtant, la méfiance le céda à la curiosité. Irénée avait obtenu qu'ils viennent vêtus dignement; il faillit défaillir de bonheur en constatant que sa chapelle était pleine. Il tenta de dire sa messe en iroquois et y parvint sans trop de peine. Tout était facile, tout était agréable, au point qu'il soupçonna les pères jésuites d'avoir noirci le tableau des relations avec les « sauvages » dans leurs récits. Les « fidèles » se tenaient assis à même la terre, face à l'autel abondamment fleuri, éclairé par des cierges fabriqués par le prêtre avec des graines de laurier sauvage dont il était parvenu à extraire une mauvaise cire; muets, immobiles, ouvrant des yeux étonnés, ils ne perdaient rien des gestes et des paroles de l'officiant et guettaient l'apparition annoncée de l'Esprit au moment de l'élévation.

L'office terminé, il adressa quelques mots à l'assistance : Dieu les récompenserait; s'ils revenaient souvent dans la maison du Seigneur et suivaient ses préceptes, les portes du paradis leur seraient ouvertes. On lui demanda ce qu'était ce paradis dont il parlait : il évoqua des campagnes radieuses pleines de fleurs, de fruits et de lumière, parla d'un « printemps éternel » et de « délices inconnues ». Le « sagamo » l'interrompit brutalement pour lui demander si les guerriers auraient dans ce lieu enchanté autant de femmes qu'ils en voudraient; Irénée faillit répondre par un pieux mensonge mais songea qu'il devait la vérité à ces novices.

— Il y aura des femmes, mais elles seront vouées à Dieu, pas aux hommes.

— Alors, bougonna le vieillard, ton paradis ne vaut rien pour mon peuple!

Un débordement de rires accueillit cette conclusion. Le « sagamo », stimulé par l'hilarité générale, sautait sur place, gesticulait, la bouche grande ouverte sur ses derniers chicots noirs. Il fit un geste et la marée des rires reflua.

— Pas bon pour mon peuple! répéta le chef. Mon frère restera seul dans la cabane de l'Esprit Blanc. J'ai dit!

Irénée dut s'accrocher au bord de la sainte table pour ne pas donner le spectacle de son émotion. Il essuya une sueur froide à son front, bondit vers la foule qui s'écoulait vers la sortie; il s'écriait :

404

– Ne partez pas! Écoutez-moi, mes frères! Dieu vous pardonnera tous vos péchés!

Il constata avec stupeur qu'il ne restait au pied de l'autel qu'une fillette rachitique, abandonnée là comme une épave. Ils se regardèrent, lui assis sur la marche de l'autel, elle accroupie à même le sol et paraissant attendre qu'il vînt vers elle. Il se dit que, peut-être, l'espoir s'était réfugié dans ce corps malingre, qu'il pourrait trouver dans cette humble présence un signe de Dieu l'encourageant à poursuivre sa mission. L'exemple de la petite Kateri Tekakwitha, la Vierge iroquoise, comme on l'appelait, lui revint en mémoire. Il la prit par la main pour la conduire vers l'autel quand il eut conscience que ce n'était qu'une larve humaine, privée de parole et d'expression, dont le regard révélait un vide insondable.

Durant tout l'été les Indiens parurent ignorer la présence de leur hôte. Il avait trouvé refuge dans une hutte, seul comme il l'avait souhaité. Il ne pouvait supporter sans en être incommodé la présence des « sauvages », la nuit surtout : ces murmures de plaisir, ces mouvements convulsifs dans la pénombre, l'obligeaient à quitter sa couche pour aller s'étendre sous l'arbre sacré, malgré la puanteur que répandaient les peaux mises à sécher et les poissons posés sur des vignots de branchages.

Son logis était voisin de celui d'une veuve dont le séparait une cloison à claire-voie. Lorsqu'elle défaisait pour le sommeil sa chevelure ointe d'huile rance, l'odeur en venait jusqu'à ses narines; on avait confié à cette femme, pour tempérer ses ardeurs, un jeune prisonnier huron qui la rejoignait chaque nuit; le concert des rires gras, des soupirs, des plaintes voluptueuses lui faisait dresser les cheveux sur la tête. De l'autre côté de la loge dormait l'aïeul, un vieillard buriné par l'âge; homme paisible durant le jour, il était pris, la nuit, d'une sorte de délire sacré, aboyait des invocations au Grand Lièvre et au Dieu Castor ainsi que des injures aux « visages pâles »; il cohabitait avec ses petites-filles, trois gamines entre treize et dix-huit ans, assez jolies avec leurs mines de chattes grasses, leur visage lourd et leurs yeux bridés. Prévenu de la liberté de mœurs des « sauvages », Irénée se sentait, dans cette promiscuité, enveloppé par les flammes de l'enfer. De jeunes soupirants se présentaient aux belles, portant une tige de bois enflammé qu'elles éteignaient d'un souffle pour dire qu'ils étaient agréés : le jeu des « allumettes ». Horrifié, Irénée n'avait aucune peine à imaginer l'étrange ballet des petites torches traversant la nuit de la cabane et celle des voisines; lorsque la lumière éclairait un sein, une croupe luisante, des reins cambrés à travers la cloison, il sentait la nuit chavirer autour de lui et l'huile brûlante du péché pénétrer sa chair; s'il appelait l'anathème, c'était pour le substituer au trouble qui l'envahissait. Il ne pouvait s'habituer à ces spectacles lubriques; il mesurait l'étendue de sa faiblesse à ce qu'il craignait moins l'enfer pour lui que pour ces malheureuses créatures.

Le lendemain il retrouvait les trois demoiselles et la veuve, très dignes dans leur robe de cuir.

Il s'était plaint de ces nuits agitées au « sagamo » qui, en souriant, lui avait indiqué un autre refuge : la cabane où les femmes se retiraient pour leurs couches. Elle était infestée de puces, de cloportes, d'araignées, une compagnie préférable, à tout prendre, à l'agitation nocturne qu'il subissait.

Il consacrait une partie de son temps à aider les femmes à préparer la nourriture, ce qui lui valait le mépris des guerriers mais soulageait sa conscience : il n'avait plus l'impression d'être inutile à la collectivité.

A la mi-juillet un petit groupe de guerriers partit en expédition pour la rive nord de l'Ontario et la petite mission de Kenté où ils comptaient trafiquer le « pelu » d'été. Ils étaient de retour une quinzaine plus tard, poussant au bout de leurs lances une créature efflanquée comme une louve, aux vêtements en lambeaux, qui portait une croix d'os sur la poitrine. Elle tomba à genoux au milieu de la place, le menton sur la poitrine, entourée d'une foule menaçante qui la fustigeait à coups de bâton. Irénée s'approcha pour lui porter secours; elle l'enveloppa d'un regard lourd de surprise et lui dit dans un français hésitant :

– Que fais-tu là, mon frère ? Pourquoi ne t'ont-ils pas tué ?

– Pourquoi me tueraient-ils ? Je ne leur veux que du bien !

— Un jour ou l'autre ils te tueront. Sauve-toi si tu le peux encore!

— Je me nomme Irénée. Je suis un frère de Saint-Sulpice.

— Et moi Céleste Garongouas, de la mission de Kenté.

Ils passèrent le restant de la journée ensemble dans la hutte d'Irénée. Elle demeurait repliée sur elle-même, immobile, silencieuse, la tempe appuyée à la cloison; elle sommeillait mais, de temps à autre, un frisson brutal parcourait ses reins marqués de griffures profondes. Irénée écarta les curieux et demanda au « sagamo » pourquoi cette femme se trouvait là.

— C'est une Agniez, dit le vieillard. Elle a trahi son peuple pour aller vivre avec les Français et adorer leur « Manitou ». Elle nous a échappé à trois reprises, mais nous savions que nous la retrouverions. Ouah! ce jour est venu. Le « Manitou » des Français a cessé de la protéger. Elle mourra!

— Dieu ne l'a pas abandonnée, dit Irénée. Il l'a choisie pour que son sang se mêle à celui du Christ. Elle le sait et elle mourra sans se plaindre.

Le « sagamo » frappa violemment le sol de son bâton emplumé et déclara :

— Mon frère blanc a réponse à tout, mais la vérité est absente de ses paroles. Lorsque les Blancs trahissent comme l'a fait Garongouas, ils les punissent de mort.

— On les pend parce qu'ils ont enfreint la loi des hommes, pas celle de Dieu.

Le « sagamo » haussa les épaules, cracha, repartit de sa démarche cassée.

— Pardonne-moi d'avoir dormi, dit Céleste, j'étais très fatiguée.

— Tu es pardonnée, dit Irénée.

Elle se tenait debout devant lui, longue, mince, assez belle malgré les souillures de ses vêtements et de son corps.

Elle avait rabattu un pan de sa robe en lambeaux sur un de ses seins maculé de poussière et de sang. Elle lui raconta sa vie à Kenté, les circonstances de sa capture, alors qu'elle s'était éloignée de la mission.

— Que puis-je faire pour toi? demanda-t-il.

— Cela va peut-être te paraître ridicule, mais je voudrais que tu me procures une aiguille et du fil.

Il revint avec ce qu'elle demandait, la laissa seule en attendant qu'elle eût terminé la remise en ordre de sa tenue. Une telle pudeur lui plaisait; elle était dans ces circonstances le signe d'une fermeté dans la foi qui ne faisait fi d'aucun détail. Elle lui demanda de l'eau pour se laver; il réprima le désir qu'il avait de lui baiser les mains avant qu'elles ne fussent débarrassées de leurs souillures.

— Voilà! dit-elle joyeusement en finissant de natter sa chevelure brune. Nous pouvons prier à présent.

Elle ne put réprimer un cri de surprise en contemplant la chapelle.

— C'est un miracle, dit-elle, qu'ils t'aient laissé bâtir cette chapelle et célébrer la messe. Sont-ils nombreux aux offices?

Irénée fit le tableau désabusé de son échec.

— Tu as tort de penser que tu as échoué! se récria-t-elle. C'est déjà beaucoup qu'ils tolèrent ta présence.

Irénée baissa la tête.

— Ils se moquent de moi! dit-il. Je suis leur pitre. Ils éclatent de rire durant mes sermons. Ma présence pourrait être agréable à Dieu dans la mesure où je lui gagnerais des âmes, mais je vis en marge, plus inutile que je l'étais à Montréal et à Lachine. Je songe à retourner d'où je viens.

— C'est ce que je t'avais conseillé. Maintenant je te dis: tu dois rester. Le ridicule est ta croix. Il faut l'accepter.

— Je préférerais des coups, la torture, la mort.

— Cela viendra peut-être. C'était le lot de presque tous ceux qui nous ont précédés dans ces missions. Si Dieu décide que je dois mourir dans les supplices, je lui en saurai gré. J'aurai en toi un soutien. Je craignais de mourir seule.

Elle ajouta à voix basse:

— Surtout, lorsque mon heure viendra, ne fais rien pour m'épargner cette épreuve. Cela ne servirait qu'à te condamner toi-même. Promets-moi seulement de rester présent jusqu'à la fin et de prier.

— Je te le promets.

Irénée aménagea pour sa sœur une couche sur laquelle elle s'allongea aussitôt. Il décida qu'il passerait la nuit à veiller et à prier.

L'ambiance du village l'intriguait. Des groupes de jeunes passaient devant la hutte avec des rires gras, mimant des actes obscènes, lançant des propos grivois. Soudain un groupe plus entreprenant pénétra dans la hutte, le bouscula et le tint en respect sous la menace d'une lance pointée sur sa poitrine. Ils se saisirent de la captive et l'emmenèrent au milieu de la place. Irénée voulut prévenir le « sagamo » : elle l'en dissuada avec fermeté ; c'était un geste trop dangereux pour lui, et d'ailleurs on l'avait à l'œil.

Un petit feu de brindilles éclairait la scène. Autour du corps dévêtu et écartelé, les hommes se bousculaient avec des rires ; ils avaient dû l'assommer car elle n'eut pas un geste pour se défendre. Il l'appela mais elle ne répondit pas. Il eût aimé détourner son regard de la scène, mais il était comme paralysé d'effroi ; il eût voulu prier, mais ses lèvres demeuraient figées. Les hommes s'allongeaient sur le corps inerte, prenaient leur plaisir, se redressaient d'un air faraud, apportant à ce viol la même application qu'à un supplice.

Quand ils eurent pris leur part de la curée, ils abandonnèrent leur victime. Irénée rampa vers elle, l'enveloppa dans une couverture et la traîna jusqu'à la hutte où il lui fit avaler quelques gorgées d'eau. Ce n'est que lorsqu'il surprit un frisson dans le corps torturé qu'il commença à prier.

Les préparatifs du supplice ne dérangèrent en rien la vie du village. Le lendemain, les hommes qui, dans la nuit, l'avaient outragée passaient devant elle sans un regard et les femmes faisaient preuve de la même indifférence.

— Ils me laisseront tranquille jusqu'au supplice final, dit Céleste. Cela ne saurait tarder. Les hommes vont partir pour la chasse.

Elle parlait de l'épreuve qui l'attendait avec un détachement qui surprenait Irénée, comme s'il se fût agi d'un banal transit de l'âme vers d'autres contrées et une autre destinée. Le supplice était dans l'ordre des choses. Lorsqu'un homme de sa race était frappé par le malheur, il s'asseyait sur sa natte, y demeurait immobile des heures durant et murmurait : « L'Homme d'En Haut le veut ainsi. » Céleste acceptait son destin sans révolte et sans haine. Elle était telle qu'Irénée l'avait vue la veille, avant son viol : droite et fière. Il ne lui manquait que le sourire pour accéder à la sainteté, mais c'était un signe de dignité et non de faiblesse.

A quelques jours de là, le temps changea et l'air s'imprégna d'une tiédeur émolliente qui rappelait le printemps. Une sorte de fièvre parut gagner tout le village; au seuil de chaque cabane où les femmes broyaient le blé d'Inde et faisaient boucaner la venaison et le poisson, les hommes apprêtaient leurs armes et leurs trappes.

Un matin, le « sagamo » entra dans la hutte d'Irénée alors que Céleste était occupée à cuire à la mode iroquoise, sur une branche, un quartier de venaison. Il s'assit en face d'elle, jambes croisées, et resta un long moment sans prononcer une parole, écrasant de temps à autre un insecte sur sa peau.

— C'est la fin, dit Céleste. Il est venu m'annoncer mon supplice.

— Ma sœur, dit le « sagamo », prends courage. Tu vas mourir.

— J'attendais cette décision, dit Céleste. Je te remercie.

Le « sagamo » repartit, drapé dans sa couverte rouge. Céleste acheva la cuisson de la viande comme si de rien n'était, prépara le « succotch » qui était une bouillie de blé d'Inde et de pois, puis elle demanda à se confesser.

Un vent de folie parut souffler sur le village. Hommes, femmes, enfants, qui avaient paru, les jours précédents, ignorer la présence de la captive, la couvraient d'injures et de coups. En voulant la défendre, Irénée eut la lèvre fendue par un coup de bâton.

En dépit des supplications de Céleste il alla implorer sa grâce auprès du « sagamo » qui le renvoya sans un mot. Koaré, le jeune Agniez qui l'avait guidé jusqu'au village, se déclara impuissant à arrêter le cours des événements et lui répondit par une parabole : « Quand le vent souffle, rien ne peut lui faire obstacle. » Quand Irénée proposa de mourir à la place de Céleste, on lui rit au nez.

Dépouillée de ses vêtements, Céleste Garongouas fut menée au milieu de la place et attachée par les mains à un gros pieu, de façon qu'elle pût se mouvoir et donner ainsi à penser qu'elle voulait par faiblesse se soustraire au traitement qu'on lui préparait, mais elle se garda d'user de cette latitude; où on la plaça elle demeura immobile.

Avant de quitter la hutte, elle dit à son compagnon :

— Tu resteras près de moi et tu m'assisteras de tes prières jusqu'à la fin. Sois courageux.

Malgré l'envie qui le tenaillait de fuir ce spectacle, Irénée s'imposa de rester sur le seuil de la hutte, les yeux rivés au corps sombre et dénudé autour duquel tournoyait dans la rumeur des tambours un vent de folie. Céleste ne le quittait pas des yeux, mais c'était déjà presque un regard d'agonie, un regard de pierre noire dans un visage sans expression. Et lui la regardait avec une telle intensité, sans cesser de prier, que ses yeux s'embuaient de brume.

On commença à tourmenter Céleste en promenant sur sa chair des tisons incandescents, à marquer de brûlures son front, la pointe de ses seins, son ventre dans lequel on enfonça, cuisses écartées, un brandon enflammé. Elle vacilla, ouvrit la bouche, mais, au lieu d'une grimace de douleur, c'est un sourire qui s'esquissa sur ses lèvres.

Devant l'impassibilité de leur victime, les Agniez décidèrent d'appliquer à Céleste le supplice des haches : ils firent chauffer au rouge quelques fers de hachots qu'ils suspendirent en collier sur sa poitrine ; la chair se mit à fumer en grésillant. A travers les hurlements et les rires qui montaient de l'assistance, Irénée entendit Céleste crier son nom. Il bondit vers elle ; elle murmura d'une voix altérée :

— N'approche pas davantage ! Si je t'appelle de nouveau, ne bouge pas. Si je demande à boire, fais comme si tu n'avais rien entendu. Si tu me vois perdre connaissance, appelle-moi très fort.

Elle ajouta avec effort :

— Pardonne-moi de t'infliger ce spectacle. S'il devient insupportable, tu peux te retirer. Quand tu devineras que ma fin approche, chante un cantique. Et surtout, ne cesse pas de prier.

— Je ne t'oublierai jamais, dit-il. Je te promets que ton sacrifice ne sera pas vain.

Il vit une nouvelle fois sourire la suppliciée et se jeta dans la prière comme on se précipite dans les dernières batailles du désespoir.

Lorsqu'on ôta le collier de Céleste, les fers avaient laissé dans sa chair des empreintes charbonneuses et un sang noir coulait jusqu'au ventre. « Qu'ils l'achèvent! » songeait Irénée, mais il savait qu'ils la tourmenteraient jusqu'à son dernier souffle.

Le reste du supplice se déroula comme un cauchemar. Irénée devait se contraindre pour ne pas courir vers le « sagamo », impassible sur sa natte, et lui réclamer le coup de grâce. Céleste supportait ses épreuves avec une telle résignation qu'il en venait à douter qu'elle souffrît, mais il devinait que, derrière ses traits figés, elle luttait contre sa faiblesse. Des mots lui échappaient, toujours les mêmes : « Mon Dieu... Seigneur Jésus... Irénée... » mais pas une plainte et pas une injure pour ses bourreaux.

On lui trancha d'instant en instant les doigts et les orteils. Puis, avec une minutie de chirurgien, on entreprit de lui arracher les nerfs. Elle défaillit, s'adossa au poteau, se laissa glisser sur les genoux, la bouche grande ouverte, les traits tirés, les yeux clos. Un ouragan de voix sauvages parcourut l'assistance. D'une voix étranglée, Irénée entonna son cantique favori :

« *Qu'ils soient aimés, mon Dieu, tes tabernacles...* »

Céleste rouvrit les yeux, se tendit de tout son corps vers Irénée qui ne bougea pas. Elle n'était qu'une plaie; les brandons et les couteaux l'avaient à ce point malmenée qu'elle n'avait plus forme humaine. A coups de bâtons les tortionnaires la contraignirent à se relever. Elle réclama à boire et Irénée fut sur le point d'accourir.

Le supplice durait depuis plus d'une heure. Les bourreaux se concertaient de temps à autre, intrigués par l'impassibilité de leur victime qui mettait leur imagination à l'épreuve. Malgré ses mutilations, Céleste, adossée à son pieu comme une bête, ne paraissait pas prête à rendre l'âme. C'est alors qu'ils décidèrent de la scalper; un jeune guerrier s'en chargea : il prit un poignard de chasse et, tandis que les autres « sauvages » maintenaient la tête de la victime, il lui incisa la base du crâne, prit la chevelure à pleine main et l'arracha d'un coup sec. Céleste poussa un cri avant de s'écrouler, le visage contre terre. Irénée se fit violence pour entonner de nouveau son cantique, mais, perdue dans le tumulte joyeux de l'assistance, sa voix fut impuissante à parvenir à Céleste. Tandis que son scalp passait de main en main et volait jusqu'au « sagamo » qui l'accrocha au sommet de son bâton de cérémonie, elle se redressa, chercha Irénée du regard et parut ne pas le voir.

– Courage! cria-t-il de toutes ses forces. Dieu t'observe!

– Dieu... murmura-t-elle. Dieu... Où est-il?

Elle sembla le chercher lui aussi de ses yeux morts. Le sang ruisselait sur son visage et perlait à la pointe de ses cils, lui faisant un masque d'épouvante. Lentement, ses membres se détendirent et elle s'allongea sur le ventre, le bourreau ayant tranché la corde. Irénée la crut morte et se précipita, mais il fut durement repoussé. Ce n'est que lorsque des femmes eurent semé des cendres brûlantes sur le crâne écorché que l'on s'aperçut qu'elle avait seulement perdu connaissance. Elle poussa un hurlement, se dressa, fit quelques pas en direction d'Irénée qui recula malgré lui. Le sang l'avait aveuglée, la souffrance lui avait paralysé la langue, mais elle trouvait encore la force de tâtonner autour d'elle, ses mains aux doigts arrachés tendues à travers une nuit rouge. Un jeune sauvage lui lança un bâton dans les jambes; elle trébucha, se releva, se remit à tâtonner. Irénée se disait : « C'est moi qu'elle cherche, c'est mon visage qu'elle voudrait voir, ma voix qu'elle voudrait entendre. » Il allait de nouveau courir vers elle mais dut reculer sous la menace d'une lance. Céleste piétinait sur place sous une ondée de rires. On semait des tisons sous ses pas, on lui appliquait sur la peau des brandons ardents, mais elle paraissait insensible. Irénée eut soudain le sentiment que ce corps n'était plus habité par l'âme de Céleste, qu'il n'était qu'un haillon, une enveloppe vide sur laquelle s'acharnaient vainement les « sauvages ». Il se détourna et se plongea dans ses prières.

Quelques minutes plus tard, lorsque son regard embrassa de nouveau la scène du supplice, il poussa un gémissement et recula jusqu'au fond de sa cabane.

On avait de nouveau attaché Céleste au poteau. Après lui avoir arraché les yeux on avait planté dans les orbites deux braises sur lesquelles un tortionnaire s'amusait à souffler pour les ranimer. Irénée hurla :

– Achevez-la! Je vous en conjure!

On le laissa approcher, riant de le voir tenter de rompre les liens de la malheureuse, la recevoir dans ses bras et lui parler à l'oreille, mais Céleste Carongouas avait cessé de vivre.

Irénée eut du mal à regagner sa cabane : on le huait, on le lapidait, on tirait sur sa soutane pour le faire tomber. Quand il fut parvenu à trouver l'entrée il se jeta sur sa couche, secoué par la fièvre. La nuit était douce et fraîche. Il tenta de fixer sa pensée sur un sujet apaisant ; l'image de sa mère, celle de Cathy, se dessinèrent dans une nuit paisible de Lachine qui les enveloppait comme un cocon. Qu'est-ce qui l'avait poussé à quitter cette contrée, à partir à la recherche de l'enfer ? Sa faiblesse faisait de ce choix une folie. Il décida de quitter ce village où sa présence était inutile, où il ne parviendrait jamais à faire œuvre de missionnaire. Pourtant Céleste était une Iroquoise et d'autres Iroquois vivaient chrétiennement dans les missions et beaucoup donnaient l'exemple de la foi. Il se débattait au milieu de ses incertitudes, secoué de frissons chaque fois que la dernière image de Céleste surgissait dans son sommeil.

Au matin il ne restait au village que des vieillards, des femmes et des enfants, les guerriers étant partis pour une campagne de chasse au nord du lac Ontario. Lorsque Irénée demanda où se trouvait la dépouille de Céleste, on lui montra un tas de cendres.

Laurent tâta de la pointe du pied le « ventre de bœuf » où la traîne sauvage avait failli s'engloutir par la faute de l'Indien qui la conduisait. C'était un marécage dont la glace cédait à la moindre pression qui animait des anneaux d'eau morte sous la mince couche translucide.

— Imbécile! grogna Laurent. Tu as failli perdre tout notre chargement. Ni les Anglais ni les Hollandais n'auraient voulu de ces peaux.

L'Indien remonta dignement sur la traîne, lança un appel guttural, fit claquer son fouet et les chiens arrachèrent les patins à la neige humide. L'haleine chaude du printemps commençait à souffler sur la forêt; les châtaigniers, les ormes, les sapins se débarrassaient de leur carapace de neige. La rivière Hudson commençait à s'animer, crépitant au milieu de la nuit avec, parfois, de véritables détonations. Les glaces n'allaient plus tarder à éclater et à se mettre en marche vers les territoires des « Yanguisses ».

— Encore une semaine, cria Laurent, et je quitterai la tribu des Onontagués pour celles des Goyogouins et des Tsonontouans. Viendras-tu avec moi, Ganoa?

Le jeune chef agniez considéra Laurent avec une expression de ravissement.

— Si mon frère veut bien de moi... Ne souhaite-t-il pas faire étape chez les Onneïouts?

— Ils ont tué mon père, et je me suis bien promis de ne plus jamais traiter avec eux. S'ils m'offraient leur « pelu » je ne l'accepterais pas. Je compte demeurer une semaine chez le chef onontagué Garakontié. Dans trois lunes je serai de retour avec des peaux et nous irons les vendre aux marchands de Schenectady et d'Albany. Ensuite je reviendrai m'installer dans la tribu.

— Mon frère n'éprouve-t-il pas le désir de revenir vivre parmi les siens?

— Non! dit Laurent, avec une fermeté qui le surprit lui-même. Jamais sans doute.

Il n'osait avouer qu'il avait envie de revoir sa mère, sa sœur et Cavelier avec son grand nez qui paraissait toujours se tourner du côté où souffle le vent de l'aventure. «Mon rêve, songea-t-il : embrasser ma mère, Cathy, et repartir dans le sillage de ce diable d'homme. Je suis riche, j'ai beaucoup d'expérience de la traite : il m'accepterait sûrement...»

Les jésuites cherchaient toujours querelle au découvreur, mais M. de Frontenac, les sulpiciens, les récollets, faisaient barrage contre eux et leurs intrigues. Cavelier serait l'homme du Mississippi et du passage vers la Chine. Il s'apprêtait à lancer deux trois-mâts, un sur l'Ontario et un autre sur l'Érié, pour atteindre le territoire des Indiens miamis et illinois. Le chef Garakontié, qui l'avait entendu exposer ses projets, en avait retiré l'impression qu'il pouvait être un génie ou un fou, peut-être les deux à la fois.

— Deux chasseurs de ma race m'ont appris, dit Ganoa, qu'un religieux s'est établi dans notre nation, loin vers le soleil couchant, à trois journées de marche, et y aurait construit une maison pour son «Manitou».

— Un jésuite?

— Non, un sulpicien.

— Il sera massacré avant longtemps.

— On le laissera en paix tant qu'il ne cherchera pas à jeter le trouble dans la tête et dans le cœur de mes frères.

Le retour des chasseurs anima le village onontagué. Les jeunes gens sortaient flûtes, tambours et calebasses pleines de cailloux, les «chichikoués», pour donner l'aubade au dieu Castor. Quelques coups de mousquet éclatèrent. On traîna des marmites au centre de la place pour fêter l'événement par un festin.

— Notre peuple est content, dit Ganoa. La chasse a été bonne.

Il tourna vers Laurent un visage animé de jolis mouvements d'ombre provoqués par les plumes de cygne passées dans le lobe des oreilles.

— Ce soir, dit-il, nous danserons et mes frères réclameront l'eau de feu. Je supplie mon frère de la leur refuser.

— Sois tranquille, Ganoa. Le tonnelet de bière des Virgines que je leur donnerai ne suffira pas à les enivrer.

Laurent retrouva sa tente avec plaisir. A travers l'épaisse fumée il vit sa compagne, Christine, assise dans la pénombre, en train de coudre des mocassins et des moufles pour Laurent qui aurait à affronter des portages sur les soixante-dix lieues qui le séparaient des confins des Tsonontouans.

Il s'assit à même le sol, sema sur le foyer de la frisette de bouleau comme il aimait le faire jadis pour le plaisir de voir les petites flammes bleues danser sur les tisons.

— Femme, dit-il, je pars dans une semaine. Les rivières seront dégagées.

Elle aurait à préparer des sacs de vêtements et de vivres car il resterait absent durant deux ou trois lunes. Elle se leva lentement, s'assit près de son compagnon, les jambes repliées sous elle.

— Tu ne reviendras pas, dit-elle.

— Qu'est-ce qui te fait penser ça ?

Elle parut chercher sa réponse dans le feu et poursuivit :

— Ganoa dit que les hommes de ta race ne restent pas longtemps à la même place. Et voilà quatre ans que je suis ta « squaw ».

— Les hommes de ma race ne sont pas tous faits sur le même modèle. J'en connais qui ont passé leur vie dans une tribu et qui sont morts en ayant oublié la langue de leur pays.

Christine parut se satisfaire de cette réponse. Laurent l'observa à la dérobée : le feu détaillait le visage impassible dont les traits délicats rappelaient ceux de son frère Ganoa. La boucane de l'hiver, à laquelle Laurent avait mis longtemps à s'habituer alors qu'il voyageait avec Du Luth chez les Cris, avait liséré de rouge ses yeux dilatés par l'obscurité comme ceux des chats. Elle était belle encore malgré la trentaine proche ; ses nattes brunes, ceintes d'un bandeau au milieu du front, lui descendaient aux genoux; elle se plaisait, lorsque le printemps éclatait, à y piquer des fleurs de lis rouge.

Laurent se demandait pourquoi il avait choisi cette jeune veuve plutôt que telle autre adolescente plus jolie. Peut-être parce qu'elle l'avait recueilli dans sa tente et soigné après une chute dans un rapide; peut-être aussi parce qu'elle était la sœur de son ami Ganoa; peut-être encore parce qu'elle lui rappelait Thérèse. Peu importait d'ailleurs : ces femmes iroquoises se ressemblaient toutes, et l'attachement que Laurent éprouvait pour elles n'avait que de lointains rapports avec l'amour. Il devinait d'ailleurs qu'après Thérèse, la seule femme qu'il eût vraiment aimée, son cœur demeurerait insensible. Christine pouvait bien orner sa chevelure de lis rouges, se promener nue dans le « tipi » en attendant qu'il lui fît signe, elle ne parvenait pas à émouvoir autre chose que sa chair.

Elle lui avait donné deux enfants qu'il avait prénommés Denis et Jacques, mais il ne pouvait les considérer tout à fait comme ses fils : ils étaient nés du désir plus que de l'amour. Ils ressemblaient à leur mère, même Jacques, qui était encore à la mamelle.

Laurent éprouvait parfois le sentiment d'avoir tout manqué dans sa vie. Enfant perdu, il n'avait pas réussi à se perdre tout à fait. L'aigre sonnette de mère Bourgeoys grelottait encore à ses oreilles et semblait répéter : « Tu finiras comme un "enfant perdu", avec des petits "bois-brûlés" autour de toi! » Elle avait raison, la bonne sœur : il finirait comme elle l'avait prédit, on l'ensevelirait dans un de ces étranges cimetières iroquois, vêtu de ses vieilles défroques de trappeur.

En songeant à sa mère et à Cathy il sentait son cœur se serrer. Au temps des grandes chasses d'hiver il avait poussé jusqu'à Kanawakae, sur la rive sud du Saint-Laurent, en face de Lachine et il s'était retenu de traverser le fleuve, sachant que, s'il revenait à « Saint-Sulpice », il n'en repartirait plus et que le souvenir de Thérèse ne cesserait de le harceler.

Le bruit des flûtes, des tambours et des « chichikoués » se faisant insistant, Laurent se mit à manger une anguille fumée qu'il découpait en minces lanières; elle avait un goût si exécrable qu'il la jeta au feu.

L'air du matin était vif sur la rivière mais, les dernières brumes dissipées, le soleil dépassait les crêtes des montagnes et ranimait la forêt tandis qu'un premier souffle ridait la surface des dormants.

Laurent prenait toujours le même plaisir à ces randonnées matinales. Il pagayait avec autant de sûreté que n'importe lequel de ses guides, ce qui lui valait l'admiration de Ganoa. La solitude lui appartenait; les verts acides du printemps dévoraient les dernières neiges sur les lisières glacées; la montagne ruisselait d'eaux vives. « Mon royaume... » songeait Laurent. De telles heures suffisaient à gommer ses contradictions : il était certain qu'il ne pourrait vivre loin de la forêt et des rivières; il était un homme de ce pays et ce pays l'acceptait.

Ils débarquaient le soir dans des villages où Ganoa avait de la famille. A peine avait-on fumé le premier calumet, des discussions s'engageaient dans la tente du chef.

– Mon frère blanc, disait Ganoa, désirerait se procurer des fourrures. Il sait que mes frères sont de grands chasseurs.

– Ouah! répondait le chef. Nous avons des fourrures et mon frère blanc n'en trouvera nulle part d'aussi belles.

Laurent étalait son lot de pacotilles, d'étoffes, d'ustensiles de cuisine et d'armes. Autour de lui les yeux brillaient de convoitise, mais le chef finissait toujours par la même requête : ses guerriers avaient soif! Laurent se faisait tirer l'oreille : l'eau de feu était rare, chère et elle faisait perdre l'esprit aux guerriers. Le chef insistait et Laurent finissait par céder, à contrecœur, connaissant les dégâts occasionnés chez les « sauvages » par le mauvais alcool de grain vendu par les Anglais. Certains lendemains d'orgie il avait été agressé par des ivrognes qui lui reprochaient d'avoir fait pénétrer dans leur corps un mauvais esprit. Pourtant, sans alcool, point de fourrures! D'autres trafiquants ne tarderaient pas à paraître, qui ne s'encombreraient pas de scrupules.

Un après-midi qu'il descendait une petite rivière, peu après la Mohawk, il arrêta son canot dans une crique, près d'un village dont on distinguait les habitations à travers les branches. Il dit à Ganoa :

— Regarde cette maison de bois, ce toit d'écorce et, au-dessus, cette croix...

— C'est un village d'Agniez, dit Ganoa. Un religieux s'y est installé. Veux-tu t'arrêter et demander l'hospitalité?

— Non, dit Laurent. Je n'ai pas envie de rencontrer ce religieux.

Comme ils arrivaient, en longeant la rive aux abords du village, Laurent aperçut une forme sombre occupée à laver du linge. Il pressa l'allure mais au même moment un cri ricocha sur la rivière :

— Laurent! C'est moi, Irénée!

Le frêle canot tangua bord sur bord dans la précipitation que Laurent mit à changer de direction. Ganoa le vit sauter à l'eau et bondir vers le religieux; ils tombèrent dans les bras l'un de l'autre avec des rires. « Mon frère blanc a perdu l'esprit », se dit-il.

— Tu as changé, dit Laurent, et pas à ton avantage. Tu ne dois pas peser plus de cent livres. Et c'est quoi, ces taches sur ton visage? L'hiver t'a brûlé?

— Tu as changé toi aussi, dit Irénée, mais en mieux. Quelle mine! quelle carrure! La forêt te réussit.

— Sais-tu que j'ai failli ne pas m'arrêter? On m'avait prévenu qu'un religieux vivait dans ces parages. Lorsque j'ai vu la croix de ta chapelle j'ai pressé l'allure pour fuir.

— Mécréant!

— Tu te trompes, Irénée. Ce n'est pas cela qui m'éloignait.

— Tu songes toujours à Thérèse. Si cela peut te consoler, elle est heureuse.

Cette maladresse était bien dans la manière d'Irénée : il aurait suffi qu'il entrât dans la maison d'un pendu pour parler de corde.

— Je suis surpris, dit Laurent, que ces « sauvages » t'aient laissé libre de construire cet édifice. Depuis quand joues-tu au missionnaire?

— Cela va faire un an.

— Un an! Tu devrais logiquement avoir été rôti et dévoré. Comment as-tu fait pour survivre?

— Je n'ai rien fait. Je ne sais comment m'y prendre avec ces « sauvages ». Ils ne me méprisent ni ne me détestent : ils me tolèrent. Sans doute leur sens de l'hospitalité... Aussi vais-je partir. Seul, je ne puis rien. Pourquoi avoir bâti une chapelle si elle doit demeurer déserte ?

Laurent lança à Ganoa qui l'attendait sur la berge :

– Range la pirogue. Nous passerons la nuit ici.

Les jumeaux ne se quittèrent pas de la soirée. Laurent avait reporté au lendemain les tractations avec le vieux « sagamo » ; il avait confié à Ganoa le soin de camoufler les marchandises et les peaux qu'ils avaient acquises dans d'autres tribus. Tandis que les hommes de Ganoa couraient « l'allumette » chez les femmes, ils évoquèrent leurs souvenirs, tenus en éveil par les maringouins qui les harcelaient. Ils couchèrent côte à côte sur le lit de branchages, contre le mur tapissé de vieilles peaux pour préserver du froid.

– Je ne te connaissais pas cette croix d'os, dit Laurent.

– Elle m'a été offerte par Céleste Carongouas.

– Qui est-ce ?

Irénée raconta le supplice et la mort de la jeune martyre puis demanda la permission de prier. Ils s'endormirent tard dans la nuit. Dès l'aube, Laurent alla se baigner dans la rivière avec Ganoa et ses hommes, puis il alla rendre visite au chef. Les transactions furent difficiles. Le vieux renard avait flairé l'eau-de-vie et ne voulait rien d'autre, si ce n'est un mousquet et quelques « pourcelines » pour ses filles. Laurent dut en passer par sa volonté car les peaux étaient « primes ». Le marché était conclu lorsque Laurent vit accourir son frère qui paraissait très agité.

– Je viens d'apprendre, dit Irénée, que tu as vendu de l'alcool à ces « sauvages » ! Ils vont devenir fous !

– Que pouvais-je faire d'autre ? Ces peaux sont splendides, et je n'allais pas les laisser à un concurrent ! Est-ce ma faute si ce vieux singe ne veut que de l'alcool ? Ce n'était pas mon intention, mais il est resté inébranlable.

– Ton intention, c'était d'avoir ces peaux coûte que coûte. Depuis le supplice de Céleste cette communauté vit paisiblement. Ton passage va y semer la violence ! Repars avec ton poison. Jette-le à la rivière !

– ... et les marchands qui passeront après moi enlèveront ces peaux sans se faire scrupule de les échanger contre de l'alcool. Tenteras-tu de les empêcher de trafiquer ?

– D'ici peu je ne serai plus là. Je vais repartir.

421

— Je te comprends. Le supplice de ton Iroquoise t'a retourné!

— Je n'ai pas peur, mais si tu laisses de l'alcool à ces « sauvages », ils vont nous massacrer.

— Ils te massacreront un jour ou l'autre, de toute manière, avec ou sans raison. Je ne te comprends pas. Si encore tu les aimais...

— Détrompe-toi : je suis plein d'amour pour eux, mais j'obéis à un précepte plus qu'à un mouvement de l'âme. A l'école de Mlle Bourgeoys les Hurons et les Algonquins me dégoûtaient. Je n'ai guère changé, malgré Thérèse, malgré Céleste. Je fais tous les gestes de l'amour que Dieu me commande, mais le cœur n'y est pas. C'est pour dompter ma peur et mon dégoût que je suis venu jusqu'ici. Après une année passée parmi ces Agniez, j'essaie encore de prendre pour de l'amour la pitié qu'on voue à un chien malade. Et encore si j'étais certain qu'ils fussent malades! J'en viens à me demander si ce n'est pas moi qui le suis, si leur mode de vie, malgré la cruauté de leur comportement, n'est pas préférable au nôtre, et mieux adapté à ce pays. J'ai fait une découverte qui m'a bouleversé : ce peuple est heureux!

— Tu te poses trop de questions, dit Laurent. Retourne dès que possible à Montréal. Tu n'es pas préparé à une telle mission. La moindre maladresse risque de mettre ta vie en danger. Il faut fuir les occasions de montrer sa faiblesse.

— Depuis la mort de Céleste le doute me ronge. Et voilà que tu arrives avec ton chargement de poison!

— Si j'avais pensé te trouver ici, je ne me serais pas arrêté. Maintenant il est trop tard pour rompre le marché. Les Indiens ne me le pardonneraient pas.

Il montra l'entrée du village où un groupe d'Agniez rassemblés autour d'un canot chargé de marchandises faisaient circuler des tonnelets de main en main.

— Un jour, dit Irénée, il faudra payer pour tes péchés, pour cet or anglais et hollandais dont tu remplis ta bourse, pour ce vice que tu encourages, pour les larmes et le sang que tu auras fait couler.

— Je préfère ma situation à la tienne. Elle a le mérite d'être nette. Toi tu triches avec Dieu et avec toi-même.

Lorsque Laurent eut tourné les talons, Irénée s'étendit sur

sa couche après avoir laissé retomber sur l'entrée la peau d'orignal; la lumière, le bruit lui faisaient mal; il avait besoin d'ombre et de silence. Prier? il ne s'en sentait plus digne après les aveux qu'il avait faits à son frère. Il fallait qu'un jour ou l'autre il en vînt là. Laurent était le seul qui pût le comprendre, sans s'embarrasser, comme leur mère, d'une affection aveugle; il pensait que la lucidité de Laurent pourrait l'aider : elle l'avait bouleversé.

Laurent fit les salutations d'usage, reçut du « sagamo », en guise de bonne entente, un de ces colliers de coquillages qui scellent un accord. Avant de reprendre la rivière il alla faire une dernière visite à son frère; il le trouva allongé sur sa paillasse, le visage tourné vers le mur; il l'appela; Irénée fit la sourde oreille. Laurent haussa les épaules, laissa retomber le rideau et rejoignit ses compagnons.

Cela commençait toujours par un bûcher dressé par les « sauvages » au centre de la place. Ils adoraient le soleil et une foule d'autres divinités, mais c'est le feu qui avait leur faveur; ils ne faisaient rien sans lui, pas même l'amour.

Ce jour-là on fêtait le dieu Alcool. « Et peut-être quelque chose de plus terrible... » songeait Irénée. Il ne se trompait pas. Il se tenait dans sa chapelle, en train de disposer un bouquet quand il vit surgir Koaré; le jeune « sauvage » se tenait immobile, jambes écartées, attendant que le prêtre vînt à lui.

— Mon frère, dit-il, doit quitter ce village avant que le soleil ne se couche. Ce bûcher que les femmes préparent est pour lui.

Irénée vacilla, blêmit. Koaré en était-il sûr? L'Indien leva la main pour certifier sa parole et ajouta :

— Mon frère trouvera mon canot sous le gros orme. En se pressant il pourra rejoindre son frère aux cheveux rouges.

Irénée bondit vers l'autel pour en ôter les objets du culte mais s'arrêta dans son élan, revint vers le « sauvage » et lui dit :

— Non, Koaré, je reste. Merci de m'avoir prévenu.

Il se repentit presque aussitôt de sa décision en observant la scène qui se déroulait sur la place. Accroupis autour d'un tonnelet, les hommes avaient commencé à boire. Les « sau-

vages » apportaient une sorte d'onction rituelle à la dégusta-
tion du « lait du roi de France » qui « faisait danser la forêt » ;
ils se pénétraient de la présence du dieu dans leur corps,
titubaient, dansaient ; quelques gorgées de plus et ils tournaient sur eux-mêmes, se bousculaient, s'effondraient ; quelques gorgées encore et ils se querellaient, se battaient,
s'entretuaient.

Koaré disparu, Irénée se mit à trembler, sachant qu'il ne
reviendrait pas sur sa décision. L'annonce de son sacrifice
lui durcit l'âme. Il eut une pensée pour Céleste, baisa la
croix d'os qu'elle lui avait léguée, refréna un mouvement de
fierté en se disant qu'il n'aurait pas comme elle le secours
d'une présence. Il prépara les objets du culte pour sa dernière messe.

Accompagnés maintenant de la flûte, du tambour et des
« chichikoués », les « sauvages » tournaient autour de la chapelle sur un rythme de procession, en se rapprochant d'elle.
Un « sauvage » se dégageait du groupe de temps à autre pour
se jeter dans le sanctuaire avec des hurlements, en brandissant une arme, excité par les cris aigus des femmes. Irénée
s'attachait à ne pas se laisser distraire par cette musique de
mort, ces cris de girouettes rouillées et ces menaces, ni par sa
peur. Il disait cette messe moins pour rendre grâce à Dieu
de l'avoir choisi pour entrer dans la légion glorieuse des
martyrs que pour oublier la peur qui lui tordait le ventre.
Quand les cris et les rumeurs se faisaient plus intenses, il
élevait la voix. La messe se prolongea ; il l'acheva en chantant à pleine voix son cantique préféré :

« *Qu'ils sont aimés, grand Dieu, tes tabernacles...* »

Les « sauvages » commencèrent à mettre le feu à la toiture. Irénée eut un instant d'affolement et se mit à prier à
voix haute et avec une telle intensité qu'il prêta à peine
attention à la ruée qui se dirigeait vers lui. Il se retourna,
considéra sans effroi cette houle de crânes à demi rasés sub-
mergeant l'espace sacré. Il dit en iroquois :

– Je suis prêt.

En sortant de la chapelle qui continuait à se consumer
avec de grandes gerbes d'étincelles, il constata qu'on avait
dressé sous l'arbre sacré le poteau de bois peint de grossières
images où Céleste Carongouas avait subi son martyre. Il
n'eut pas un mouvement de recul.

Koaré n'eut pas trop de peine à rejoindre Laurent qui, après une descente de la rivière, se préparait à effectuer un portage.

— Mon frère blanc, dit-il, doit retourner tout de suite au village. Le religieux va mourir. Mes frères ont bu trop d'eau de feu.

— Nous faisons demi-tour! cria Laurent en regroupant ses hommes. Ganoa, en route!

Il se dit qu'en pagayant ferme on pourrait arriver avant que ce fou d'Irénée ne subisse son supplice.

Par bonheur les « sauvages » s'étaient mis en tête de faire participer leur victime à l'euphorie ambiante. Ils lui donnèrent à fumer un calumet et lui firent avaler quelques gorgées d'alcool. Le tabac lui souleva le cœur et le fit vomir; l'alcool lui brouilla l'esprit et le fit délirer. Il se laissa avec indifférence, en récitant à haute voix des prières incohérentes, barbouiller d'une graisse noire mêlée de raclures de marmite. Les « sauvages » se tapaient sur les cuisses, se contorsionnaient avec des hurlements, faisaient tournoyer au-dessus de sa tête leurs « tomahawks ». Irénée semblait ne rien voir et ne rien entendre; hébété, il gardait les paupières closes sur une nuit verte où dansaient des images de cauchemar.

Une douleur aiguë le fit sortir de sa torpeur : on venait, après l'avoir dévêtu et entièrement enduit de graisse, de l'attacher au poteau de torture; un Indien promenait sur ses cuisses le canon d'un mousquet porté au rouge. Il hurla avant de replonger dans sa nuit.

Après avoir disposé ses hommes de manière qu'ils puissent intervenir avec leurs armes le cas échéant, Laurent tira un coup de mousquet en l'air puis, après avoir rechargé son arme, s'avança vers le centre de la place et la foule menaçante qui se tournait vers lui. Sur un signe du « sagamo », l'assistance se sépara pour le laisser passer. Dès qu'il reconnut son frère il se précipita, trancha dans un murmure de réprobation les liens qui le tenaient attaché au poteau. Il criait :

— C'est moi, ton frère! Réponds-moi!

Le malheureux ne put répondre. Laurent glissa le goulot de sa gourde entre ses lèvres en maintenant le visage enduit de graisse. Irénée but avidement quelques gorgées d'eau, ouvrit les yeux, sourit, les referma aussitôt. Laurent l'entendit murmurer :

— Merci, Laurent ! Sans toi... j'ai bien cru...

Un jeune guerrier, exaspéré par cette intervention, se leva soudain et bondit, la lance au poing, avec un hurlement. Au coup de feu tiré par Laurent il tournoya sur lui-même, la gorge arrachée. Sur un signe du « sagamo » la foule reflua vers le fond de la place.

— C'est bon de revivre, dit Irénée.

Il s'accrocha au bras de son frère, fit quelques pas avec lui au flanc de la colline où la lumière rasante du soir allongeait démesurément les ombres. Tout au fond, le lac Ontario roulait ses lourdes vagues grises à travers les roseaux de la rive où s'ébattaient des vols de grues.

— Souffres-tu encore ? demanda Laurent.

Il ne sentait plus rien. Les Indiens du village ami, où son frère l'avait transporté, après son supplice, l'avaient soigné par des applications de gomme extraite de la loupe de sapin et de la deuxième écorce des jeunes pins ; le remède avait fait merveille : en quelques semaines les plaies avaient cicatrisé — le chirurgien de Montréal, Étienne Bouchard, n'aurait pas fait mieux.

— Es-tu vraiment guéri ? insista Laurent. Je veux dire dans ta tête.

Irénée sourit.

— Je le crois. L'orgueil m'a poussé à des extrémités que je regrette. J'ai eu l'imprudence d'accepter le martyre alors que je n'y étais pas préparé, que la simple vue du sang me révulse. Avant la fin de l'été je retournerai à Montréal ou à Lachine.

— Je compte moi aussi aller à Lachine.

Irénée sursauta :

— C'est impossible. Tu serais arrêté et pendu pour avoir trafiqué avec les « Yanguisses » !

Laurent secoua la tête.

— Cela m'étonnerait, dit-il. J'ai revu Cavelier durant l'été alors qu'il revenait des Illinois. Il a menacé de me dénoncer, puis il s'est radouci et m'a dit : « Je te pardonne à cause de ta mère, gredin, mais ne te trouve plus jamais sur mon chemin! » Il a fini par me proposer de le suivre. Il compte traverser les lacs sur de véritables navires. J'ai répondu que j'étais son homme. Je ne vais pas tarder à le rejoindre. D'ici une semaine nous partirons si tu es en état de voyager.

Irénée lui serra le bras.

— As-tu songé, dit-il, à l'émotion de notre mère, de Cathy, de toute la maisonnée? Voilà près de cinq ans que nous n'avons pas été réunis.

— Avant de partir, je dois retourner chez les Agniez, dit Laurent. Christine m'y attend avec nos deux fils. Je ne puis me décider à les abandonner. La maison de Lachine est assez vaste pour les héberger.

— Asseyons-nous, dit Irénée. Cette promenade m'a fatigué.

Ils s'assirent sous un érable que le soleil couchant perçait de part en part. Laurent se renversa contre le tronc en suçant un brin d'herbe. Il murmura comme pour lui-même :

— Ces quatre années passées chez les « sauvages » m'ont marqué. J'ai appris à les comprendre et à les aimer.

Par le sentier menant au village, deux Indiens progressaient avec lenteur, portant sur une perche reposant sur leurs épaules un énorme brochet encore vivant dont les soubresauts ébranlaient leurs corps qui se balançaient harmonieusement au rythme de la marche.

— Regarde comme ils sont beaux! dit Laurent. Ils ne le sont vraiment que dans leur cadre familier. N'est-ce pas suffisant?

— Rentrons à présent, dit Irénée. Ça m'est déjà assez difficile de partir. Ne tourne pas le couteau dans la plaie...

6

LE TEMPS DES SUCRES

Lachine : 1678.

Elles avançaient dans les rues grises de Montréal, sous la pluie froide de septembre; des nuages couleur d'ardoise glissaient au flanc du mont Royal; par des trouées, une étrange lumière jaune balayait l'amas de tentes et de cabanes de la petite mission sulpicienne de La Montagne, où Irénée s'était installé parmi des « sauvages » de toutes les races de la Nouvelle-France.

La ville n'avait guère changé depuis qu'elles s'étaient installées à Lachine. Du cimetière où elles étaient allées s'incliner sur les tombes des dix-sept héros de Long-Sault au port Saint-Laurent, c'était un monotone amas de bicoques grises, mal bousillées, aux murs lézardés par le gel, aux chaumes pourris. Ici et là se dressaient des comptoirs et des boutiques. A la place de celle de Boissier, qui était mort depuis peu, s'ouvrait un cabaret à soldats; à la place de l'humble demeure qu'elles avaient occupées on avait installé un manège pour chevaux...

Les deux femmes se laissaient porter par un flot de soldats descendant vers le port; ils se retournaient sur leur passage, le feutre rabattu sur les yeux d'un air faraud, et lançaient des grivoiseries. Malgré la pluie qui tombait dru, Cathy avait laissé entrouvert l'avant de son coupe-vent de droguet afin de laisser admirer sa ceinture de linette multicolore que la compagne de Laurent, Christine, lui avait brodée pour ses dix-huit ans.

— Pressons-nous! dit Cathy. Le bateau va accoster sans nous.

431

Elles pressèrent l'allure sous une rafale violente. Un œil rouge clignotait à une encablure de l'appontement où la foule s'était massée. Le navire approchait à travers une brume épaisse, son brûlot de poupe balancé par le roulis dégageant une épaisse fumée. Ses formes se dégagèrent peu à peu tandis que Cathy, laissant sa mère en arrière, se frayait un passage jusqu'aux premiers rangs de la foule. C'était une patache laide et lourde avec des rondeurs de matrone et des canons de fantaisie. La manœuvre fut délicate; des hommes couraient en hurlant sur le pont, bousculant des alignements de chapeaux, de bonnets, de manteaux d'où sortaient des mains agitant des mouchoirs.

Le « bateau des fiancées »... Cathy se trouvait au milieu d'un groupe de militaires qui s'amusaient de la voir se dresser sur la pointe des pieds. L'un d'eux lança, de manière à ce qu'elle l'entendît :

— A quoi bon faire venir de France de pleins bateaux de garces alors qu'il ne manque pas de jolies filles en Nouvelle-France ?

— Oh, Laframboise ! ajouta un sous-officier, n'approche pas trop ta truffe de ce tendron. Ce n'est pas avec tes dix sous de solde que tu peux t'offrir une femelle pour la soupe et le reste !

Laframboise était un petit anspessade vêtu d'un uniforme à parements amarante. Rouge d'émotion, il jeta un regard de mépris à ses compagnons, haussa les épaules et se rapprocha de Cathy pour respirer l'odeur de jeunesse et de pluie qui montait du coupe-vent.

— Je parie qu'il va l'embrasser dans le cou ! lança un officier. Il en est capable, le bougre !

Mis au défi, l'anspessade s'approcha de Cathy, lui prit la taille et fourra son gros nez dans sa chevelure. Elle allait le souffleter quand des matelots qui amenaient la passerelle la bousculèrent et forcèrent Laframboise et ses compagnons à reculer.

On vit d'abord descendre d'un pas hésitant une matrone à visage gras et poudré qui tranchait sur un capulet de deuil. Elle lança aux filles quelques paroles fort aigres leur reprochant de trop se presser pour descendre à terre.

— La mère maquerelle ! lança un sergent. La Ronce, celle-là est pour toi. Prépare ton petit compliment !

432

Une fille suivant l'autre, en bon ordre, le troupeau quitta le pont ; elles étaient une soixantaine, dont les commis enregistraient les noms avec des ronds de plume et des sourires, tandis que le cerbère en robe noire rectifiait leur toilette d'un revers de main, leur ordonnant de rabattre leur capuche malgré la pluie, de manière qu'on les vît bien. Il y avait dans le lot quelques jolies filles, pupilles de l'État, qu'on appelait les « filles du roi » et pour lesquelles on avait certains égards ; elles devraient, comme les autres, trouver un époux dans la quinzaine ; leur parrain leur faisait attribuer en guise de dot une demeure et des vivres pour huit mois. Les autres étaient de ces filles « saines et fortes », dont M. Talon, intendant général, exigeait qu'elles fussent « à l'âge de la génération » ; elles venaient de diverses provinces. Les soldats en repérèrent quelques-unes qui semblaient n'appartenir ni à l'une ni à l'autre des deux catégories : filles d'auberge, filles de joie, elles se tenaient en arrière de la vertueuse barrière déployée par leurs compagnes de voyage ; à peine débarquées, elles répondaient de bonne grâce aux invites des soldats.

— Que va-t-on en faire ? demanda Cathy.

La Ronce répondit en plaisantant :

— Cette mégère qui a débarqué la première va les mettre nues puis on les vendra au plus offrant, comme des esclaves !

— Ne l'écoutez pas ! dit l'anspessade. On va conduire ces filles chez les hospitalières où ceux qui veulent se marier viendront faire leur choix.

Cathy se demandait qui, de l'un ou de l'autre, disait la vérité ; elle prit le parti de rire, ce qui parut du goût des deux militaires. Lorsque les « fiancées », en rangs par deux sous la conduite du major en jupons, eurent pris la direction de la ville, La Ronce serra le bras de Cathy.

— Aucune de ces filles, dit-il, ne me plaît autant que vous. Et pourtant, certaines...

— Eh là, compagnon ! dit l'anspessade. Tout doux. J'occupais la place avant toi !

Ils la tirèrent chacun de leur côté et Cathy commença à se sentir mal à l'aise, d'autant qu'ils étaient encouragés par leur clan. Elle protesta, disant que sa mère l'attendait et qu'elle risquait de la perdre dans la foule ; ils se la disputèrent avec plus de force. Lorsqu'elle voulut appeler à l'aide ils rabattirent sa capuche pour étouffer ses cris. Étant parvenue à se libérer, elle aperçut un homme qui déguerpissait et le pauvre anspessade plié en deux, ses mains sur son ventre. Un homme qu'elle ne connaissait pas la prit par la main pour la conduire à l'écart à travers la foule des militaires goguenards.

— Que faisiez-vous au milieu de ces soudards ? dit-il. Vous étiez en danger et vous paraissiez l'ignorer.

Elle protesta qu'elle n'avait rien fait de répréhensible et qu'elle n'était pas la seule femme ou fille dans la foule.

— Il n'empêche ! Si je n'étais pas intervenu...

— Pardonnez-moi, j'ai oublié de vous remercier, monsieur...

— Frédéric Perrot. Je suis le fils du gouverneur.

Cathy le trouvait assez quelconque : un visage un peu fort, avec des traits assez austères pour son âge – il paraissait avoir celui de Cathy –, une cravate de faille à gros grain de façon hollandaise et une tenue élégante bien que sans recherche. En entendant son titre, dont il semblait très fier, elle se demanda s'il ne serait pas bon de faire une révérence, mais son regard se porta soudain sur la foule : elle venait de songer que sa mère devait la chercher et confia son inquiétude à son sauveur.

— Nous allons la chercher ensemble, dit-il. Comment vous nommez-vous ?

— Catherine Chapdeuil. A Lachine, où je demeure, on m'appelle Cathy pour me distinguer de ma mère qui porte le même prénom.

Elle se dressa sur ses talons, montra un endroit de la foule où se tenait immobile une grande femme aux cheveux grisonnants.

— Où étais-tu passée ? demanda Catherine. J'étais inquiète.

Cathy conta sa mésaventure, présenta son « sauveur » qui fit bouffer son jabot, et dit :

— Comment pourrais-je vous remercier, monsieur Perrot ?

Il semblait embarrassé de son exploit comme si on le lui eût attribué par erreur. Il ne paraissait pas être de nature à mourir en duel pour défendre la vertu d'une dame.

– C'est peu de chose, dit-il. N'importe quel autre gentil-homme en eût fait autant.

Il se proposa pour les ramener à leur canot mais Cathe-rine refusa poliment : il était trop tard pour rentrer à Lachine ; elles demanderaient asile à Saint-Sulpice. Il décida de leur faire un brin de conduite et Catherine parut ennuyée : ce garçon à l'air emprunté ne lui plaisait guère. Qu'il fût le fils du gouverneur n'arrangeait rien : Perrot était un trafiquant éhonté ; son intendant, Patoulet, son prête-nom, La Fresnaye, avaient une réputation détestable. Ceux qui avaient vécu sous la sage et honnête administration de M. de Maisonneuve regrettaient son départ, mais il était mort et les temps avaient changé : Montréal était devenu un vaste poste de traite et une ville de garnison ; on n'y voyait plus que des vêtements de peau et des uniformes.

Au moment de prendre congé, devant la porte de Saint-Sulpice, Frédéric Perrot dit timidement :

– Puis-je espérer avoir le plaisir et l'honneur de vous revoir, mademoiselle Cathy ?

– Nous demeurons dans la maison de M. Cavelier, à Lachine, dit Cathy. Vous y serez toujours le bienvenu.

Une lettre de Laurent, datée du 30 janvier 1679, au fort Conti, sur le lac Ontario, vint apporter à Lachine des nou-velles surprenantes.

Après les bordées de Sainte-Catherine, l'hiver s'était ins-tallé avec ses poudreries et ses grands gels, ce qui n'empê-chait pas les hommes de travailler d'arrache-pied à la construction du navire que M. Cavelier comptait lancer, avec quelques autres, sur les Grands Lacs, au temps des cha-leurs.

Ce navire, M. Cavelier avait décidé de l'appeler le « Grif-fon », mais Laurent était d'avis qu'il aurait dû se nommer la « Chimère ». Cette grande carcasse de baleine avait failli être incendiée par les Indiens qui avaient envahi le chantier, croyant qu'un monstre allait surgir. Il jaugerait cinquante tonneaux et serait armé de cinq pièces de canons. Laurent ajoutait : « *Je vous écris d'une cabane bousillée de mousse et de bran de scie. Nous faisons de belles flambées mais elles ne chauffent que le temps. En levant la tête j'aperçois par mon*

435

fenestron, à une portée de fauconneau, les charpentiers qui s'affairent sur le chantier... »

M. Cavelier ne laissait pas de l'inquiéter. Il avait cessé de croire à la mer Vermeille et de se prendre pour un nouveau Christophe Colomb. La découverte, par le père Marquette et Louis Jolliet, du Mississippi, lui avait porté un coup terrible ; il se consolait en se disant qu'il serait le premier à descendre ce fleuve. Cette déception lui avait gâté le caractère mais cet espoir lui redonnait le goût de la vie. Il ne tenait pas en place : on le croyait aux Illinois ? Il était à Cataracoui ! On l'imaginait à Québec ? Il était à Niagara ! On disait de lui qu'il avait « perdu la tramontane ».

C'était bien le premier cheval que l'on voyait à « Saint-Sulpice » de Lachine. C'était un de ces boulonnais plus aptes à charroyer la marée qu'à la promenade d'agrément. Son apparition causa la panique chez les Indiens et la surprise chez les colons. Il surgit de la forêt comme une bête de légende, renâcla lorsqu'il vit les petits « sauvages » lui détaler sous les naseaux.

— Vous ! s'exclama Cathy. Et à cheval !

Frédéric Perrot inclina la tête en ôtant son chapeau, mais sans descendre de sa selle, comme s'il était conscient de sa majesté et désirât que Cathy en jouît. Elle ne s'en privait pas au point d'en demeurer muette. Elle releva sa jupe et se précipita vers la demeure pour annoncer la nouvelle. Frédéric mit pied à terre, attacha le bridon à une branche de coudrier et se découvrit.

— Mon père m'a chargé d'une course dans la contrée, dit-il. Je n'ai pas voulu passer sans venir vous saluer.

— C'est bien aimable à vous, dit Catherine. Entrez donc !

Il ne se fit pas prier. « Cette cravate de faille qu'il est toujours en train de faire bouffer... se dit Catherine. Il doit dormir avec ! » Il feignit de ne pas remarquer le fauteuil d'osier qu'on lui désignait (« celui de M. Cavelier », avait dit Catherine), et resta debout pour faire craquer ses jolies bottes de cuir à l'espagnole.

— Ainsi donc, dit-il avec une expression un peu méprisante, c'est ici la demeure de M. Cavelier de La Salle ?

Dans l'entourage du gouverneur de Montréal on n'aimait

guère Cavelier. Perrot était l'ennemi juré de M. de Frontenac, lequel tenait le découvreur en haute estime.

Frédéric consentit à s'asseoir et accepta même un pichet de cidre dont il avala une gorgée du bout des lèvres. Il parlait d'abondance, avec la faconde des timides, puis observa un silence embarrassé, croisant et décroissant ses jambes, frappant ses bottes à petits coups de cravache, comme pour s'encourager à trouver des sujets de conversation. Catherine le laissa s'empêtrer dans son silence.

– Lorsque vous êtes arrivé, dit-elle, nous allions aux sucres, ma fille et moi. S'il vous plaît de nous suivre...

Ils pénétrèrent ensemble dans l'érablière où le soleil jouait à travers les profondeurs cendreuses avec des fumées odorantes. Catherine avait demandé qu'on laissât en bois debout une petite forêt d'un millier d'arbres qui suffisaient à la consommation de Lachine.

Cathy et Frédéric l'avaient précédée. Lorsqu'ils croisaient des attelages de traîneaux, elle saluait d'un geste. Quand il fallut sauter un ruisseau, elle tendit la main à Frédéric pour lui éviter de mouiller ses bottes. Le soleil faisait naître des nids de lumière dorée aux fourches des branches, lissait les troncs, donnait l'éclat de l'or au liquide qui s'écoulait des incisions, par un chalumeau, jusqu'au récipient qui la recueillait.

Elle tendit à Frédéric une écuelle à moitié pleine de sève fraîche et sirupeuse; il but, fit la grimace. Cathy but à la même écuelle, passa une langue gourmande sur ses lèvres et lui fit signe de la suivre. La forêt était pleine de cris joyeux. On s'affairait autour des arbres et des cabanes à sucre où, dans de grands chaudrons, cuisait une eau grise. L'odeur de la fumée imprégnait l'air comme celle d'un four de pâtissier; on marchait à travers la futaie comme dans un péché de gourmandise.

– Le temps des sucres... dit-elle, les yeux clos.

Il y avait dans ces simples mots un écho des printemps clairs, de l'air tiédi autour des dernières neiges, des débâcles tumultueuses du Saint-Laurent, des appels de corneilles et de gelinottes qui remontaient du sud : toute la liberté du printemps. Frédéric frémissait en songeant que les lèvres de Cathy devaient être encore sucrées, que l'odeur et le goût de ce nectar devaient imprégner ses cheveux et sa peau. Le printemps n'avait jamais eu pour lui cette douceur un peu sauvage; d'ordinaire, à Montréal, il était mêlé à l'odeur des peaux qui arrivaient par pirogues et traîneaux des Ottawas et baignaient les hangars de la ville où, un registre à la main, il en faisait le compte. Le printemps de Nouvelle-France, c'était aussi cette sève ruisselante, les fumées, cette fatigue heureuse sur le visage des colons, cette joie des enfants.

Cathy prit Frédéric par la main comme s'ils se connaissaient de longue date et l'entraîna à travers l'érablière. Ils s'arrêtaient à toutes les cabanes, goûtaient à tous les chaudrons la *tire* caramélisée qui poissait les doigts et les lèvres et que Cathy obtenait en projetant des gouttes brûlantes dans la neige. Frédéric s'en barbouillait les lèvres, comme ces petits Indiens qui bourdonnaient autour des feux.

Cathy le présentait à tous, avec une pointe de vanité.

– M. Frédéric Perrot, le fils du gouverneur...

Il semblait s'amuser comme un enfant, refusant même de s'inquiéter pour ses bottes; en revanche il rit jaune et faillit se fâcher lorsque Cathy aspergea par maladresse de quelques gouttes de sirop la cravate de dentelle.

Ils trouvèrent sous une épinette un rond d'herbe jaune où ils s'assirent.

– Vous ne pouvez savoir, ma chère Cathy, dit-il, combien je suis heureux d'être ici avec vous. Puis-je vous l'avouer? Je remercie du fond du cœur ces militaires qui allaient vous rudoyer, l'automne dernier. Sans eux, je ne vous aurais pas rencontrée.

Il se laissa aller contre le tronc, les yeux clos, les mains croisées derrière la nuque. Il lui sembla soudain que la terre se mettait à se balancer comme un navire par belle brise.

– Cathy, dit-il d'une voix pâteuse, je reviendrai vous voir si vous le permettez.

– Oui, dit-elle, aussi souvent que vous le voudrez.

– J'ai souvent pensé à vous cet hiver. Il me tardait que le printemps revienne.

Il embrassa la main de Cathy et tenta de se lever. La forêt se mit à tanguer; il chancela; Cathy s'inquiéta; il répondit:

– Ce n'est rien. Un léger malaise. Sans doute cette odeur qui m'incommode.

Ils s'en retournèrent à pas lents pour retrouver Catherine qui était restée assez loin en arrière. Appuyé à l'épaule de sa compagne, il sentait des sueurs froides lui humecter les tempes. Lorsque Cathy voulut lui essuyer le visage avec son mouchoir, il la repoussa avec un mouvement et des paroles de mauvaise humeur :

— Cessez! Vous voyez bien que je suis malade! Prenons un chemin détourné. Je ne tiens pas à me montrer ainsi.

Ils regagnèrent « Saint-Sulpice » par une piste indienne. Sitôt arrivé, il refusa d'entrer, monta à cheval et leva la main en guise de salut.

— Au revoir, monsieur Frédéric, cria Cathy. Vous reviendrez, n'est-ce pas? Bientôt?

Il ne répondit rien et elle se demanda, la mort dans l'âme, ce qu'elle avait bien pu faire, quelle maladresse, pour le mécontenter. Elle regarda le gros cheval partir d'un trot lourd, s'éloigner sous les couverts comme un fantôme, disparaître à la corne d'un bois. Frédéric s'arrêta pour vomir, sans descendre de sa selle, le sucre, le soleil, la fumée, le printemps dont il s'était gavé.

Cela faisait plusieurs semaines que « Saint-Sulpice » avait eu la visite de Frédéric Perrot et, malgré l'inquiétude qui avait suivi son départ, Cathy persistait à ne voir de lui que le côté avantageux de sa personne, celui qui éclairait le souvenir de cette journée d'automne, à Montréal, où ils s'étaient rencontrés pour la première fois.

— Es-tu aveugle? lui disait sa mère. Ce garçon ne veut pas qu'on s'attache à lui. Je suis persuadée qu'il ressemble à son père.

Cathy n'avait pas encore appris à mesurer ses sentiments. Pour elle, Frédéric personnifiait la bonté, le courage, l'intelligence, et elle ne lui ménageait pas son admiration, après sa gratitude.

— Quand tu le regardes, disait Catherine, on a l'impression que tu vois apparaître le petit Jésus.

C'était presque vrai.

— Mon Dieu... gémit Catherine, que vous est-il arrivé? Avez-vous été malade?

Elle garda les mains jointes sous le menton, tandis que Robert Cavelier s'installait dans son fauteuil d'osier au coin de la cheminée, jambes allongées, bras ballants de chaque côté du siège, pipe aux lèvres. Catherine poursuivit :

— Vous n'avez que la peau sur les os ! Et cette mine... Si vous continuez ainsi, vous...

Il hurla :

— Assez de jérémiades. J'ai maigri, soit ! J'ai mauvaise mine, j'en conviens ! Mais je me porte comme un charme !

Catherine laissa retomber ses mains sur son devantier. Il glissa vers elle un regard humble.

— Pardonnez-moi, dit-il, je ne voulais pas vous blesser. Vous savez que je ne suis pas un mauvais homme.

— Je le sais, dit-elle. Vous avez de nouveaux ennuis, à ce qu'on dit ?

Cavelier éclata de rire.

— Les ennuis ? Ma chère, ils s'amoncellent, ils se bousculent ! Chaque matin, en me levant, je me demande quelle nouvelle catastrophe va fondre sur moi.

Il ajouta d'un air sombre, comme en confidence :

— J'ai perdu un navire.

— Le « Griffon » ?

— Dieu merci, non ! Une barque qui amenait à fort Conti une cargaison de matériel : cordages, agrès, outillages... Tout cela englouti au milieu de l'Ontario par une tempête. Des centaines de livres perdues ! Pour comble, je trouve en arrivant à Montréal mes bâtiments, mon matériel, mon « pelu » saisis par mes créanciers !

Il partit d'un rire grinçant avant d'ajouter :

— S'ils croient m'abattre, ils se trompent ! Je lutterai jusqu'à mon dernier souffle contre les jésuites qui me reprochent l'amitié de M. de Frontenac, contre les sulpiciens qui dénoncent mes rapports avec les récollets que j'ai invités à venir évangéliser les « sauvages », contre les notables qui me jalousent pour les faveurs que M. de Colbert, enfin ! a décidé de me témoigner, contre les marchands qui envient les privilèges de traite qui me sont consentis ! J'ai à me battre sur tous les fronts, pratiquement seul, mais je tiendrai et je vaincrai !

Il n'était sûr de rien ni de personne et voyait des traquenards partout. Cette barque avait-elle réellement disparu dans une tempête ou avait-elle été subtilisée par l'équipage ? Ses créanciers avaient vraiment pris peur en apprenant cette nouvelle ou avaient-ils réagi à l'instigation des « robes noires » ?

— Comment le saurais-je ? dit-il dans un soupir. Il faudrait que je fusse partout à la fois mais je ne suis qu'un homme et ma résistance a des limites.

— C'est vrai que vous n'êtes qu'un homme, dit Catherine, mais avec des ambitions de surhomme. C'est vous-même qui condamnez vos entreprises en les laissant dépasser vos possibilités.

M. Cavelier fit claquer ses mains sur les accoudoirs de son fauteuil qui poussa un gémissement.

— Ne dites pas cela, Catherine ! s'écria-t-il. Pas vous ! Si vous ne croyez pas en moi, qui donc y croira ? Frontenac ? Il est battu en brèche à Versailles par le père Le Tellier, ce jésuite de malheur, et il est douteux qu'il puisse se maintenir longtemps en Nouvelle-France.

— J'ai confiance en vous, mais vous allez un peu vite en besogne. Vous bousculez les pourpoints des notables, vous leur marchez sur les pieds sans vous excuser. Vos projets sont si ambitieux qu'ils annulent tous les autres. Comment vous aiderait-on ? Comment vous aimerait-on ? Les jésuites disent que vous êtes un fou dangereux !

Il éclata de rire.

— Ils ne me pardonnent pas, dit-il, mes bons rapports avec Frontenac. Ils rêvaient de faire de ce pays un nouveau Paraguay, de devenir les souverains d'une nation de moutons ! S'ils me prennent pour un fou dangereux, c'est qu'ils me craignent.

Il ajouta à voix basse :

— Vous, Catherine, croyez-vous que je sois fou ?

— Non, Robert, mais vos projets m'effraient.

— Ils n'ont pourtant rien d'utopique. Je crains moins les difficultés naturelles que la malignité des hommes.

Il tendit les mains vers le feu, ajouta :

— Si je parvenais à vous convaincre, ce serait le signe que j'ai raison. Vous êtes sévère dans vos jugements mais honnête et sincère. Que je puisse armer trois navires, des brigantins de soixante tonneaux, avec un équipage d'une cinquantaine d'hommes bien décidés, et je donne un empire à la France. Me croyez-vous ?

Elle fit effort sur elle-même pour murmurer :

— Je vous crois.

— Bien. Alors sachez qu'il me faut un navire pour le lac Ontario ; il reliera le fort Frontenac au fort Conti, sur le Niagara. Il m'en faut un autre sur l'Érié car les chutes interdisent la navigation entre ces deux lacs. Il m'en faut un troisième pour passer sur le lac des Hurons puis sur le lac Michigan. Rien ne s'oppose à ce projet. Ce serait la porte ouverte vers le fleuve Colbert. C'est le nom que j'ai donné au Mississippi, le Mescacébé des Indiens. Les terres que je découvrirai porteront le nom de Louisiane, en hommage à notre roi. Trois navires pour acquérir un immense empire, est-ce trop demander ? M'approuvez-vous ?

— Je vous approuve.

— Sans enthousiasme !

— Comment vous procurerez-vous tous ces navires, et ces équipages ? Vos ennemis ne vous laisseront pas mener à bien vos ambitions. Ils disent que ce « Griffon » n'est qu'une chimère. Les jésuites...

— Mon « Griffon » volera au-dessus de ces corbeaux !

Elle se laissa tomber sur le banc, les mains sur son visage, et murmura :

— J'ai peur, Robert. Peur qu'il vous arrive malheur.

Il tressaillit, regarda avec tendresse cette femme qu'il eût aimé avoir comme mère. Il prit les mains un peu sèches dans les siennes. Elle poursuivit en le regardant fixement :

— Oui, Robert, j'ai peur ! Peur pour vous, pour Laurent, pour tous ces jeunes gens auxquels vous avez communiqué votre ardeur et votre foi.

Il éclata de rire.

— Allons ! dit-il, ne craignez rien. L'adversité décuple ma ténacité et mon courage. C'est ma seule maîtresse et je ne pourrais réussir sans elle. Je déteste les routes droites et plates, les voyages sans imprévu, les haltes préparées. Et puis, dans cette croisade que j'ai entreprise, c'est bien à moi de porter la croix !

Catherine lui prépara un solide repas, avec les plats

442

simples qu'il aimait : une énorme omelette au jambon d'ours, une langue d'orignal fumée, de petites noix fort dures et des pommes d'hiver. Il vida un pichet de cidre, en réclama un second, bourra sa pipe et étendit ses longues jambes vers le feu.

— J'aimerais parler à Cathy, dit-il. Où est-elle ?

Elle était chez les Indiens, à Lachine, avec Christine.

— Ses rapports avec cet avorton de Frédéric Perrot me déplaisent. Il est laid, stupide, et il est le fils de mon pire adversaire. J'ai appris la nouvelle récemment.

— Frédéric est venu à Lachine à plusieurs reprises et sous différents prétextes imaginaires. Il croit avoir des droits sur Cathy parce qu'il l'a tirée d'un mauvais pas. Je ne l'aime guère moi non plus, mais pour Cathy c'est un prince de légende, une sorte de saint Georges en sucre qui vient la voir à cheval !

— Je parlerai à votre fille.

— N'en faites rien. Un jour elle se détournera de lui. D'ailleurs je veille.

— Alors faites bonne garde ! Il me déplairait de voir ce bourdon se vautrer sur ce lis. Je crains qu'il n'ait d'autre ambition que d'abuser d'elle sans espérer l'épouser. Sa famille s'y opposerait, en raison de la différence des conditions.

Il ajouta en lissant ses moustaches normandes :

— Dès que j'en aurai le loisir, je lui trouverai un bon parti. Elle mérite d'être heureuse et je veux qu'elle le soit.

— Je doute, soupira Catherine, qu'elle accepte un bonheur prévu et préparé par quelqu'un, fût-ce par vous.

— Le bonheur s'apprend. Je le lui apprendrai au besoin.

— A quoi bon ? Cela viendra en son temps si cela doit venir. Dieu en décidera.

Sur les instances de son fils, Perrot avait consenti à installer un poste de traite sur une île dont il venait d'obtenir la concession, au confluent du Saint-Laurent et de l'Ottawa. C'était un coin de terre peuplé d'oiseaux et de sauvagine, un espace de forêt et de marécage détaché des immensités des pays d'En Haut. Frédéric prenait prétexte de l'installation de ce poste pour passer par Lachine qui se trouvait sur son chemin.

443

Cathy cherchait l'annonce de son passage dans le vent du matin.

Elle avançait, pieds nus, sur les battures glissantes, tournée vers Montréal, et attendait le signe qui lui annoncerait l'arrivée de Frédéric. « Si je l'aime vraiment et s'il m'aime, se disait-elle, je devinerai sa venue, et nous parviendrons à communiquer malgré le temps et la distance. » La morsure de l'eau fraîche la laissait indifférente ; elle fixait la ligne incandescente du fleuve à l'endroit où les eaux bleues s'effrangent dans des flocons de chaleur. Le bain des petits « sauvages » faisait sous les ormes une fête d'eau et de lumière. Ils l'appelaient de loin, fiers d'exhiber leur nudité devant cette grande fille ; elle faisait mine de ne pas les voir, de ne pas les entendre crier son nom et celui de Frédéric. Parfois un religieux de Saint-Sulpice surprenait leurs ébats innocents et d'autres qui l'étaient moins, les morigénait et ramassait pour son repas les poissons qu'ils avaient négligemment jetés sur la berge.

Ce matin-là était le plus beau du printemps tout neuf. Des fumées montaient sur les lointains de Kanawakae et de Laprairie ; les croupes qui tourmentaient l'arrière-pays étageaient dans un air net de brume de délicates dentelures de forêts.

Cathy était debout sur la batture quand elle vit, le cœur serré, surgir un canot. Ce n'était pas Frédéric mais Irénée ; il paraissait préoccupé.

— Il faut que je te parle, dit-il. C'est important.

Ils s'installèrent sous les basses branches d'un orme. Il était rouge et transpirait abondamment.

— C'est de Frédéric Perrot que je veux t'entretenir, dit-il. Tu dois renoncer à lui.

Elle garda le silence.

— Tu ne dis rien ?

— Je n'ai rien à dire, sinon que je refuse. Pour quelles raisons devrais-je me séparer de lui ?

— Les raisons ne manquent pas. Je connais bien cette famille. Perrot n'acceptera jamais que son fils t'épouse. C'est le plus riche négociant de la colonie, avec des revenus qui dépassent cinquante mille livres par an. Ce pourrait être déjà une raison suffisante. Frédéric ne pourra leur tenir tête : il est trop faible.

— S'il en était ainsi, ce serait la preuve qu'il ne tient pas à moi. Je suis persuadée du contraire.

— Dans cette affaire, Frédéric ne compte pas. Il écoutera son père et tu ne le verras plus.

— Tu raisonnes comme s'il ne tenait pas à moi. Il a parfois des manières brutales, un comportement capricieux, mais cela ne veut rien dire. Ce n'est pas une différence de fortune qui le fera renoncer à moi et il saura résister à la volonté de son père.

— Il y a plus grave, ajouta Irénée. Perrot est l'adversaire irréconciliable de Cavelier, dont tu habites la maison. N'as-tu pas remarqué que Frédéric fait la grimace quand on parle de ce fou?

— Cela non plus ne le fera pas renoncer à son choix.

Irénée garda un moment le silence avant de lâcher d'une voix altérée :

— Je sais que je vais te faire beaucoup de peine, petite sœur, mais je te dois la vérité : Frédéric est fiancé.

Elle dit d'une voix âpre :

— Je ne te crois pas. Tu mens comme un jésuite!

— Hélas non! Je puis même te dire son nom : Odile de Champigny. Elle a seize ans. C'est une fille bien née, jolie, coquette, ambitieuse.

— Mensonge! cria-t-elle. Mensonge!

Elle avait beau se révolter, le coup avait porté et elle ne faisait que dissimuler sa fierté blessée sous des propos auxquels elle ne croyait pas. Irénée se demanda, en lui prenant les mains, s'il préférait cette fausse colère à un chagrin sans fard.

— Frédéric... dit Catherine.

Cathy releva brusquement la tête de l'oreiller; elle était allongée là depuis des heures, cachant ses larmes.

— Eh bien, quoi, Frédéric?

— Il est là. Il voudrait te voir.

— Dis-lui que je suis malade, que j'ai... que j'ai la picote [1] et que je suis contagieuse.

Cathy enfouit de nouveau sa tête sous l'oreiller. Sa mère l'entendit crier d'une voix étouffée :

1. La variole.

— Dis-lui que je ne veux plus le voir, jamais!

Catherine referma doucement la porte, s'avança vers Frédéric qui venait de descendre de cheval.

— Ma fille est malade, dit-elle, et vous savez pourquoi. Cessez de la tourmenter. Ne revenez pas.

Le visage de Frédéric s'empourpra, blêmit.

— Je ne comprends pas, bredouilla-t-il. Qu'est-il arrivé?

— Vous le savez mieux que personne.

— Je vous jure que je ne sais rien!

Il chancela, s'appuya de l'épaule au chambranle, s'essuya le front avec son mouchoir. Catherine se demanda si elle ne s'était pas trompée, et Irénée et Cavelier avec elle : peut-être ce garçon était-il vraiment amoureux. Elle chercha quelques paroles propres à le consoler mais il s'éloignait d'un pas hésitant, comme pris de boisson, et s'y essaya à deux fois avant d'enfourcher sa monture. Elle le regarda partir, les épaules voûtées, hésiter sur la direction qu'il allait faire prendre à son boulonnais, puis elle rentra, ferma la porte, s'y appuya à plein dos.

Les sanglots étouffés de Cathy lui parvenaient. Elle en voulait à Irénée de s'arroger le droit de régler leur destinée, comme il l'avait fait pour Laurent et Thérèse. Il était ainsi fait qu'il fallait qu'il tranchât sans pitié dans la chair vive, qu'il crevât des poches de larmes; il s'acharnait à défendre contre eux-mêmes les êtres qu'il aimait, en vertu des sentiments chrétiens qui l'animaient. Pour quel résultat? Thérèse était morte de phtisie dans sa cellule glaciale de l'hôtel-Dieu; Laurent avait fini par épouser, sans amour, une Iroquoise. La belle victoire, au nom de la morale chrétienne! Irénée n'en avait cure : il avait agi selon des principes qui rachetaient d'avance ses erreurs. N'avait-il pas, une fois de plus, avec sa brutalité et sa maladresse coutumières, séparé deux êtres qui eussent pu être heureux ensemble?

Catherine n'éprouvait pour Frédéric que méfiance et antipathie, mais elle n'aurait jamais fait barrage à leurs intentions s'il s'était avéré que leur passion fût sincère et réciproque. Sans doute Irénée avait-il dit vrai quant aux fiançailles de Frédéric avec cette demoiselle Odile de Champigny, mais qu'est-ce qui l'avait poussé à révéler cet événement à sa sœur, sans le moindre ménagement?

Catherine rouvrit doucement la porte de la chambre, s'assit au bord du lit, respira une odeur de fièvre.

— C'est fini, dit-elle. Il est parti sans protester, sans chercher à savoir pourquoi tu le repousses. Il faut l'oublier, ma Cathy. Sois courageuse.

Cathy portait en elle, comme l'image d'un enfant mort-né, le souvenir de Frédéric : il lui pesait et lui faisait mal, mais elle aimait cette gêne, cette souffrance et redoutait par-dessus tout l'oubli, ou alors il eût fallu qu'elle s'endormît d'un long sommeil et ne s'éveillât que lavée de son passé.

Elle n'avait pas revu Frédéric depuis trois mois et sentait se resserrer autour d'elle un réseau de convoitise. Un jour prochain elle se laisserait prendre par un de ces gars de la colonie qui souhaitaient « faire chaudière » avec elle, mais elle faisait mine de les ignorer et sa mère ne lui en parlait qu'à mots couverts :

— Louis Jolicœur va acheter une concession aux messieurs de Saint-Sulpice. C'est un garçon honnête et travailleur. Un beau parti.

Ou encore :

— Le père de Blaise Truffeau m'a demandé de tes nouvelles ce matin. Blaise vient d'avoir vingt ans. S'il tarde trop à prendre épouse ses parents vont payer l'amende.

Cathy écoutait d'une oreille distraite. Louis, Blaise, elle les croisait sans les voir ; elle ne participait plus aux veillées, ne chantait ni ne dansait. « Elle est quasiment comme une veuve », disaient les bonnes femmes.

Cavelier aurait aimé lui trouver un époux parmi les officiers du régiment de Carignan-Salières auxquels, une fois démobilisés, le gouverneur général attribuait des concessions, mais il était trop pris par ses navettes entre le fort Frontenac et le fort Conti, sur le Niagara où s'achevait la construction du « Griffon ».

Un jour de fenaison dans les basses prairies du Saint-Laurent, Catherine vint rejoindre sa fille. Cathy se reposait en lisière d'un boqueteau d'ormes, derrière un bouquet de prêles touffues. Elles grignotèrent une galette de blé d'Inde et burent de l'eau fraîche.

— Que penses-tu de Barthélemy Audouin ? demanda Catherine.

447

– Que veux-tu que j'en pense?

C'était un de ces anciens officiers de M. de Salières qui avaient fait leurs premières armes avec M. de Turenne dans les Flandres, contre les Espagnols. Il venait de s'installer près de Lachine où il avait bâti une demeure de bois-rond sur les trente arpents de concession cédés par Charles Lemoyne, avec permission d'édifier un moulin. C'était un beau garçon, timide avec les filles mais entreprenant et volontaire.

– Il m'a parlé ce matin, ajouta Catherine. Il te voudrait pour femme. Qu'est-ce que je dois lui répondre?

– Qu'il attende! M. de Colbert va sûrement envoyer bientôt un autre « bateau de fiancées ». Ce sera bien le diable s'il n'en trouve pas une à sa convenance.

– Tu ne peux pas rester fille indéfiniment! Frédéric, c'est du passé, et Barthélemy saura te rendre heureuse. Il voudrait te rencontrer dimanche, au sortir de la messe. Accepte et, s'il te déplaît, nous n'en parlerons plus.

Elles repartaient pour « Saint-Sulpice », l'office terminé, lorsque Catherine demanda à Cathy:

– As-tu vu ton soupirant?

– Nous venons de nous quitter.

– Il te plaît?

Cathy haussa les épaules sans répondre.

– L'as-tu découragé?

– Non.

– A-t-il parlé de t'épouser?

– Oui.

– Qu'as-tu répondu?

– Que ça demandait réflexion.

– Vous avez prévu de vous revoir?

– Oui: ce soir, au bal.

Une onde de plaisir parcourut Catherine: si Cathy acceptait ce rendez-vous, c'est que tous les espoirs étaient permis.

– Il faudra te faire belle. Je vais demander à Christine de repasser le col en point d'Angleterre que Laurent t'a offert. Tu mettras ton « nuage » de laine rouge et le corsage de linette que Latour m'a offert jadis. Je vais aussi...

– Laisse! dit Cathy. A quoi bon?

Barthélemy fit danser Cathy durant presque toute la soirée. On ne voyait qu'eux et c'était déjà comme des fiançailles. Elle se tenait un peu raide et sévère, mais Barthélemy avait de la grâce et de la jovialité pour deux. En la raccompagnant il lui demanda humblement la permission de lui prendre un baiser et Cathy lui tendit une joue glacée et lui souhaita le bonsoir du bout des lèvres. Quand il se fut éloigné, elle marcha longuement dans l'érablière; l'air était moite; la forêt soufflait son haleine fauve avec la sourde rumeur des animaux et des végétaux en amour. Elle essaya de penser à Frédéric mais ne parvenait pas à retrouver ses traits et le son de sa voix. Elle reverrait Barthélemy; elle accepterait d'être sa femme.

Cathy venait à peine de chausser ses sandales lorsque sa mère poussa la porte de sa chambre.

— Frédéric... dit-elle. Il est là. Il voudrait te parler.

Cathy sentit en elle un élan de plaisir puis un mouvement de lassitude.

— Demande-lui d'attendre, dit-elle d'un air résigné.

— Prends garde, dit Catherine. Dieu sait ce qu'il risque d'inventer pour se justifier.

— S'il ment, je le saurai, mais tu n'as rien à redouter : j'ai cessé de l'aimer.

Elle le reçut du haut des marches menant à la galerie. Elle lui dit :

— Je ne vous aime plus, Frédéric. A quoi bon insister? Vous êtes fiancé; je le suis moi-même. Votre visite est inutile. Adieu!

Il paraissait désemparé.

— Si vous saviez comme je suis malheureux, dit-il d'un air pitoyable, vous auriez pitié de moi.

Il devait l'être vraiment car il négligea de faire bouffer sa cravate de dentelle.

— Je ne vous crois pas, dit-elle.

Il secoua la tête d'un air profondément dépité. Ses yeux s'arrêtèrent sur les pieds nus de Cathy; il avait envie, soudain, de les prendre entre ses mains, de les couvrir de baisers, de dormir avec leur fraîcheur au creux de ses reins. Ses yeux se brouillèrent ; il dit d'une voix qu'il essaya de rendre naturelle :

— J'ignore ce qu'on a pu vous raconter, mais je sais qu'on vous a menti.

— Allez-vous prétendre que vous n'êtes pas fiancé à Mlle de Champigny ?

Il protesta avec véhémence : c'était une rumeur sans fondement.

— Je n'aime personne d'autre que vous, dit-il, et je veux vous épouser.

Elle descendit lentement, une à une, les trois marches qui la séparaient de lui.

— Ce que vous affirmez est grave, dit-elle. Êtes-vous prêt à jurer que vous dites la vérité ?

— Je vous le jure ! s'écria-t-il.

Elle lui prit la main et, par la galerie, le fit entrer dans la salle. Catherine, qui coupait du lard pour la soupe, faillit lâcher son couteau en les voyant devant elle, la main dans la main.

— Frédéric est prêt à m'épouser, dit Cathy. Il est sincère. Il vient de me le jurer.

— Oui, dit Frédéric d'un ton pénétré, je le jure devant Dieu, je...

— Je ne vous en demande pas tant, dit Catherine. Il y a ce que vous désirez et ce que vos parents décident, et ils n'accepteront jamais cette mésalliance. Seriez-vous prêt à tout abandonner pour Cathy : vos parents, votre fortune ? Car ils vous chasseront sûrement.

— Oui, dit-il, j'y suis décidé.

— Alors quand vous aurez annoncé votre décision à votre famille, revenez et nous parlerons. Je désire par-dessus tout le bonheur de ma fille, et je me dresserai contre vous si je sens que vous l'entraînez dans une aventure. Elle vous acceptera, même si vous revenez pauvre comme un Indien. Êtes-vous d'accord, mon petit monsieur ?

Le « petit monsieur » parut troubler Frédéric ; il se mordit les lèvres, baissa la tête, esquissa un recul.

— Attendez ! dit Cathy. Mère, cette épreuve que tu infliges à Frédéric est humiliante. Il n'y aura pas de marché entre nous.

Frédéric l'enveloppa d'un regard chargé de reconnaissance.

– Mon père est en voyage à Québec et sur la rivière Saguenay. Dès son retour je lui parlerai.

En le raccompagnant elle lui avoua qu'elle avait rencontré Barthélemy Audouin, qu'elle avait dansé avec lui et qu'il voulait l'épouser; elle devait lui donner sa réponse ce jour même. Si Frédéric n'était pas venu, c'eût été chose faite. Il parut troublé et ajouta précipitamment :

– Il faut que je parte. La Fresnaye m'attend avec nos Indiens. Nous descendons en canot jusqu'à notre comptoir de l'île Perrot. Suivez-moi : nous passerons au retour par Lachine pour vous déposer.

Cavelier n'était plus le même homme : sa taille semblait s'être redressée, ses joues s'être remplies et le sourire était revenu sur ses lèvres. Le « Griffon » était presque achevé et il ne déparerait pas le port de La Rochelle; il n'y manquait que la figure de proue, mais un jeune imagier était en train de la sculpter. Les Tsonontouans de la nation iroquoise passaient des journées autour du chantier; depuis que Cavelier leur avait fait distribuer des babioles, ils avaient accepté la construction du fort et renoncé à contrarier la réalisation du navire. Leurs femmes étaient belles et peu farouches et les hommes blancs s'en amusaient. De quoi les « sauvages » se seraient-ils plaints ? On achetait leur gibier, leurs poissons, leur blé d'Inde que l'on payait avec des gourdes d'eau de feu.

Tonty, qu'on appelait aussi Main-de-Fer à cause du crochet qui remplaçait une main perdue dans une bataille, en Sicile, était arrivé, écrivait Laurent, avec cinq pièces d'artillerie destinées à armer le brigantin. Les canonniers avaient fait péter des gargousses pour saluer l'événement.

Les messieurs de la Compagnie de Jésus, les « robes noires », ne décoléraient pas contre ce mécréant de Cavelier qui les méprisait et s'apprêtait à leur ôter la gloire de conquérir des âmes à l'Église.

« Si les Indiens restent tranquilles, écrivait Laurent, nous pourrons appareiller au début de septembre. »

Il écrivait dans le même temps à Irénée, le priant de renoncer à faire courir le bruit que Cavelier était un fou et

451

qu'il fallait se garder de lui accorder le moindre crédit. Il ne lui connaissait qu'un défaut : manque de diplomatie dans ses rapports avec ses adversaires. Laurent ajoutait qu'il n'écrirait plus avant que le « Griffon » eût mis à la voile sur le lac des Ériés et touché Michilimakinac, au nord du lac des Hurons, pour prendre livraison d'un chargement de « pelu ». Il ajoutait en post-scriptum : « *Dis à Christine et aux enfants que je pense à eux et que je compte leur faire tenir quelque argent d'ici peu...* »

Le canot glissa comme sur de la soie. Cathy n'était jamais allée aussi loin sur le fleuve et se disait qu'elle aurait aimé aller plus loin encore, jusqu'au pays des Sioux et aux immenses prairies où des hordes de bisons courent comme le vent.

— Quand nous verrons un grand arbre foudroyé à l'avant d'une langue de terre, dit Frédéric, c'est que nous serons arrivés.

Il se laissa couler plus profond au creux du canot, sur le tapis de vieilles nippes où il était étendu près de Cathy. La chaleur de ce début de juillet pesait sur le fleuve immobile, d'un bleu intense, tournant au violet à l'horizon où l'orage menaçant tordait comme des draps des nuages lourdement plissés. La chasse d'un brochet ridait la surface, précédé de fuites furtives; on voyait parfois le museau sombre d'un « maskinongué » émerger, avaler une goulée d'air et replonger lourdement; des carpes se vautraient paresseusement sur les hauts-fonds herbeux, à l'ombre des bouquets de trembles et d'épinettes d'un bleu de brume.

Les Indiens pagayaient avec ardeur; leur nudité n'avait rien de choquant dans le cadre du fleuve, des berges envahies par les verdures luxuriantes, où les vignes sauvages grimpant aux arbres laissaient pendre des coulées le long des troncs. Un orignal majestueux venait parfois tremper ses garrots dans la joncaille et boire à longs traits, ses bois immenses couchés sur son encolure. Le pays sauvage et doux faisait alterner prairies et forêts.

— N'est-ce pas l'arbre dont vous m'avez parlé? demanda Cathy.

Elle désignait un épicéa décharné, un géant des vieux

âges fendu par la foudre, sur lequel dansaient des vols de corneilles.

Le canot toucha terre dans une baie d'une fraîcheur paradisiaque, cernée d'épinettes dévorées par la vigne sauvage. Des couleuvres en train de se chauffer au soleil s'enfuirent à leur approche. Un curieux personnage vint à leur rencontre : une sorte d'épouvantail noir de barbe, au ventre lourd pendant sur le ceinturon, aux biceps ornés de tatouages indiens aux formes géométriques.

– Salut! grogna-t-il.

Il bâilla de surprise en voyant Cathy et se retourna pour lancer un coup de sifflet. Aussitôt apparurent, sortant d'une cabane, une Indienne aux grosses mamelles suivie d'une meute de petits « bois-brûlés » maigres comme des loups.

– C'est Talmont, dit La Fresnaye, le responsable de ce poste. Une brute, mais qui connaît tous les dialectes indiens.

Frédéric conduisit Cathy jusqu'au hangar qui se signalait à distance par des odeurs de peaux fraîches; des Ottawas avaient laissé, quelques jours auparavant, des fourrures d'été que La Fresnaye jugea de qualité douteuse.

– Imbécile! s'écria La Fresnaye, ces peaux ne valent rien.

– Elles ne sont pas fameuses, reconnut Talmont, mais j'ai dû accepter de les prendre pour que les Ottawas reviennent au printemps prochain avec du « pelu » d'hiver de meilleure qualité.

– Tu as conservé les plus belles pour toi, comme d'habitude ?

Talmont haussa les épaules avec un sourire de mépris. La Fresnaye ajouta :

– Tu finiras sur un banc de galère ou au bout d'une corde, bandit!

– Alors je t'y retrouverai!

Talmont décrocha son mousquet pendu à un arbre, jeta sur sa tête une tuque mitée, proféra quelques mots en dialecte algonquin à l'intention de sa « squaw » et enveloppa Cathy d'un regard provocant.

– Où vas-tu? demanda Frédéric.

– Dans la forêt. Votre odeur m'incommode!

Il s'éloigna en laissant derrière lui un remugle de pouillerie. Frédéric s'approcha de La Fresnaye et lui proposa son aide pour charger les peaux.

– Non, dit le commis. Va plutôt montrer la forêt à la demoiselle.

Ils suivirent, main dans la main, comme au temps des sucres, une piste qui plongeait dans une solitude radieuse. Le vrombissement des maringouins, les appels des engoulevents tapis dans les buissons, le roucoulement d'une tourterelle, peuplaient le silence. Un petit lac arracha à Cathy un cri de plaisir : c'était un miroir d'eau verte d'une parfaite pureté, orné en son milieu d'un îlot touffu.

Frédéric paraissait préoccupé ; il prenait la main de Cathy, l'abandonnait pour la taille, par brusques élans. Ils s'assirent dans l'ombre délicate d'un frêne ; Frédéric défit sa cravate et enleva sa vareuse ; il soupira d'aise, les yeux mi-clos.

– Allongez-vous près de moi, dit-il. Nous avons tout notre temps. Il fait bon. Nous sommes seuls. C'est merveilleux ! J'aime être seul avec vous, comme si nous étions mariés.

– Nous ne le sommes pas.

– Nous le serons bientôt.

– J'aimerais vous croire, mais j'en doute. L'autorité de votre père se respire jusque sur vos vêtements.

Frédéric fit le fanfaron. Il n'obéissait que pour des choses sans importance ; il devrait l'enfermer pour l'empêcher de revoir Cathy !

Le ton sonnait si faux que Cathy ne put se défendre d'un mouvement d'angoisse. Si l'amour de Frédéric, ses promesses, n'étaient que mensonges ? Elle se releva brusquement et dit à voix basse :

– Il faut partir à présent. J'ai hâte de rentrer.

Il la rattrapa par le poignet, la fit basculer contre lui, respira sur sa nuque une odeur qui rappelait celle des fraises sauvages. Il haletait :

– Restez, je vous en prie. Encore un peu. Laissez-moi vous embrasser.

Elle serra les dents, tenta de se dégager, lui jeta :

– Vous ne m'aimez pas, Frédéric, ou alors il faudra me le prouver et revenir me voir « pauvre comme un Indien », comme dit ma mère.

Il bougonna :

– Prouver... C'est toujours à moi de prouver ! Et vous, quelles preuves me donnez-vous de votre amour ? Vous me refusez même le droit de vous embrasser, de vous toucher! Comment pourrais-je renoncer à ma famille et à ma fortune si je ne suis pas sûr de vos sentiments?

« Il parle comme un marchand! se dit Cathy. Il traite un marché et me propose un contrat. » Elle lui vit un visage si maussade qu'elle se demanda comment elle avait pu lui trouver le moindre agrément : détaillé sans complaisance, il criait sa vérité et chaque trait était un aveu. D'ailleurs il ne songeait même plus à camoufler ses trappes.

— Voilà, dit-il, des semaines que je crève d'envie de vous posséder. Vous êtes là, seule avec moi, et vous faites la fière! Pourquoi avez-vous accepté de me suivre? Êtes-vous sotte ou futée?

Il fouilla de son gros nez les épaules de Cathy, tandis que ses mains fiévreuses remontaient sous les jupes. En cherchant à l'écarter elle aperçut une ombre qui bougeait à travers les arbres et il lui sembla entendre une voix qui ne pouvait être un cri de bête.

— J'ai dit debout! insista la voix.

Cathy poussa un cri en reconnaissant Talmont. Frédéric relâcha son étreinte et sursauta en voyant le mousquet du trappeur pointé vers eux.

— Vous n'avez pas honte? dit le « sauvage ». Faire l'amour sous le nez d'un pauvre homme qui n'a pas eu de femme blanche depuis des années, c'est de la provocation!

— On ne faisait pas l'amour et on ne t'a pas appelé! protesta Frédéric. Tu ne m'impressionnes pas avec ta vieille pétoire. Fiche le camp!

— Je suis ici chez moi, gamin, faut pas l'oublier. Cette forêt où vous vous cachez est à moi! Cette herbe où vous vous vautrez est à moi. C'est comme si vous faisiez l'amour dans mon lit!

— C'est bon, dit Frédéric. Nous te la laissons, « ta » forêt.

— Tu pars. Pas elle. Allons, décampe si tu ne veux pas recevoir du plomb dans le ventre!

— Ça te coûtera cher, brigand!

Talmont se mit à rire et secoua la tête, sa tuque sur les yeux.

— Ça ne me vaudra pas un coup de fouet, pas un jour de prison, pas une remontrance. J'en sais trop long sur la

455

contrebande à laquelle ton père se livre avec les « sauvages ».
Si je parlais, ce serait la corde pour le bon monsieur Perrot et
la ruine pour son excellent fils.

— C'est bon, grommela Frédéric, tu es le plus fort.

Cathy les écoutait avec un sentiment grandissant
d'angoisse. La lâcheté de Frédéric lui arracha un cri :

— Vous n'allez pas m'abandonner ?

— Que voulez-vous que je fasse ? Je n'ai rien pour me
défendre et il tirerait sans hésitation si je tentais de lui
résister.

— Tu me connais bien, gamin ! approuva Talmont. Alors
tu décampes. J'ai à causer avec mademoiselle. Si tu te
retournes, gare à toi !

A peine avait-il achevé, les ongles de Cathy lui labou-
raient le visage ; il recula avec un juron, braqua son mousquet sur Cathy qui s'enfuyait sur la pente. Frédéric lui cria
de ne pas tirer, mais il était trop tard. La balle se perdit dans
les frondaisons. Talmont prit à son tour ses jambes à son
cou ; malgré son obésité naissante et le mousquet dont il ne
s'était pas séparé, il courait avec une surprenante vélocité,
sautant par-dessus les rochers et les ronciers. Cathy
commençait à sentir la panique l'envahir ; pour se rassurer,
elle se disait que la brute ne perdrait pas de temps à recharger son arme. Elle se dirigeait au jugé mais sans trop de
peine, retrouvait certains détails, la piste qu'ils avaient suivie
pour arriver jusqu'au lac. Quant à Frédéric, il avait disparu.

Par des trouées de verdure elle apercevait déjà la surface
incandescente du fleuve et le toit du hangar ; elle se
retourna, ne vit pas Talmont et songea qu'il avait dû prendre
une autre direction afin de lui couper la route. Avant de
reprendre sa course, elle arracha une écorce de bouleau
qu'elle roula en cornet comme elle le voyait faire aux petits
Indiens, puis, le portant à ses lèvres, elle appela au secours.
La montagne répercuta son appel que La Fresnaye et les
Indiens avaient dû entendre. Elle bondit de plus belle, jupes
aux genoux.

Parvenue à peu de distance du poste, elle vit soudain la
silhouette massive du « sauvage » en travers de son chemin.

— Pas un mot ! dit-il. Pas un geste ! Jette ce porte-voix !

Il finit de recharger son arme avant de s'avancer vers

Cathy, les bras écartés comme un lutteur méditant une prise. Rien n'aurait pu empêcher Cathy de crier. Talmont se jeta sur elle; ils roulèrent dans l'herbe, luttèrent, lui embarrassé de son mousquet, elle faisant de vains efforts pour écarter de sa bouche la main qui la bâillonnait. Bientôt, à bout de force, elle cessa de résister. Talmont pesait sur elle de tout son poids, si bien qu'elle ne pouvait plus faire le moindre mouvement. La vue de ce visage crispé, baigné de sueur et de sang, l'haleine écœurante, décuplait sa peur. Elle sentit contre sa gorge le froid du canon et se sentit comme plongée dans un puits, avec une charge de pierre répandue sur elle. Tout se brouilla; elle devina que la brute lui arrachait ses vêtements et la pénétrait avec un râle sourd.

En rouvrant les yeux, elle constata que le visage de Talmont était toujours contre le sien, mais inerte. Elle hurla, parvint à se libérer du corps qui l'oppressait. Elle rabattit ses jupes, contempla d'un regard de stupéfaction Frédéric, La Fresnaye, la grosse « squaw » et un Indien qui tenait encore au poing un coutelas de chasse rouge de sang. Ils la regardèrent sans un mot, sans un geste, se lever et descendre vers l'embarcadère d'une allure chancelante. Elle trébucha contre une racine à quelques pas de la berge, s'engagea lentement dans le fleuve et se laissa glisser dans le courant.

Elle retrouva ses esprits au fond du canot, entre des ballots de fourrures qui dégageaient une odeur musquée. Elle ne sentait ni douleur ni fatigue, simplement une sorte de vide. La rougeur du couchant teignait de cuivre les reins de l'Indien qui pagayait devant elle; les ombres des épinettes défilaient sur la rive, contre le ciel incendié; le crépuscule commençait à tempérer la chaleur de ce jour d'été qui avait accablé la terre et brûlé le sang des bêtes et des hommes. Elle songea que sa mère devait l'attendre, debout sur l'avancée de la batture, l'œil rivé sur le lointain du fleuve, enveloppée du manteau de laine qu'elle jetait sur ses épaules quand tombait la brunante.

Cathy se redressa sur ses coudes et s'appuya aux ballots de fourrure. Elle reconnaissait ces arbres, ces fumées épanouies dans le ciel. Au loin, sur la berge, sa mère agitait sa main.

7

DES VOILES SUR L'ONTARIO

Dans une lettre datée de septembre 1679 et partie de la mission de Saint-François-Xavier, sur la baie des Puants, Laurent racontait que le « Griffon » avait mis à la voile sur l'Érié avec trente-deux personnes à son bord, parmi lesquelles les pères récollets Hennepin, Ribourde et Membré. Il avait pénétré dans une petite mer que Cavelier avait nommée lac Saint-Claire, avant de passer dans le lac Huron et de prendre la direction de l'île de Michilimakinac où était sise la mission des jésuites de Saint-Ignace.

En cours de route, le brigantin avait essuyé une tempête; les pères, à genoux sur le pont, avaient tant récité de prières et chanté de *miserere* qu'un vent de suroît avait soufflé, qui avait permis de cingler à mâts et à cordes jusqu'à l'escale.

« *Nous ne fîmes là qu'une brève halte*, écrivait Laurent, *l'accueil des pères jésuites étant à notre égard aussi abrupt que les falaises qui bordent le lac...Une surprise désagréable attendait M. Cavelier...* ».

Il avait reconnu un groupe de commis envoyés quelques mois plus tôt trafiquer aux Illinois; ils avouèrent qu'ils n'avaient pas accompli leur mission, persuadés que le « Griffon » coulerait dans le premier mille de sa navigation. Pour se faire pardonner ils indiquèrent au découvreur une importante réserve de peaux de bisons rassemblée sur la baie des Puants, dans les hangars de la mission Saint-François-Xavier. Le « Griffon » s'y dirigea à pleine voiles; les commis n'avaient pas menti : on y trouva une charge de douze mille livres de peaux.

461

« *Pour ne rien vous cacher*, poursuivait Laurent, *j'ai quelque inquiétude : notre équipage n'est pas sûr et je ne partage pas la confiance de M. Cavelier pour le capitaine Béliveau, homme de corde s'il en est. Cela sent la mutinerie... Nos hommes dansent la bourrée avec les Indiennes de la mission, en attendant l'ordre d'appareiller, mais il me semble voir dans leur regard briller l'acier des lames...* »

A chacune de ses visites à Lachine, Irénée ressentait un serrement de cœur. Cathy n'était plus la même, ni la mère ni rien dans la demeure; la lumière ne chantait plus aux murs; les flammes de l'âtre avaient des pétillements tristes; la grande salle n'avait plus sa porte ouverte et nul ne venait plus veiller.

Il s'efforçait de faire que sa présence apportât un souffle d'air pur à cette atmosphère confinée. Il avait toujours quelque histoire plus ou moins vraisemblable à relater : une Indienne d'un village voisin avait été surprise à allaiter des chiots; un « sagamo » de la montagne était doué d'une mémoire si prodigieuse qu'il pouvait réciter une page de la Bible par cœur après l'avoir entendue à deux ou trois reprises... Catherine, Cathy, Christine souriaient d'un air contraint.

De temps à autre il éclatait :

— Vous ne pouvez rester ainsi à vous morfondre! Réveillez-vous! Personne ne vous jettera la pierre. Qui pourrait deviner ce qui s'est réellement passé? Cathy a renoncé à Barthélemy Audouin? La belle affaire! On l'a jugée coquette et capricieuse? C'est oublié!

Cathy parlait de honte comme si ce sentiment la recouvrait d'une écorce, ce qui mettait un comble à l'irritation du frère.

— La honte? Elle n'est pas pour toi mais pour ce brigand, ce lâche de Frédéric Perrot! Tu es bien vengée : son épouse ne lui laisse aucune liberté. Elle le soupçonne et l'étouffe.

— Ne me parle plus de lui, soupirait Cathy.

— Tu as raison : n'en parlons plus. Connais-tu la dernière de M. de Frontenac?

Les gens de la colonie étaient friands d'anecdotes, vraies ou fausses, se rapportant à ses démêlés avec les jésuites. Ses traits d'esprit, acérés, impitoyables, réjouissaient les adversaires des « robes noires ». Cathy écoutait distraitement, souriait du bout des lèvres.

– Bien... soupirait Irénée. Je vais me retirer.

Il s'éloignait par le sentier indien qui coupe à travers la forêt en direction de sa mission de La Montagne. Il réapparaîtrait quelques jours plus tard; il ne restait jamais une semaine sans se rendre dans sa famille.

Il s'était mis dans l'idée, afin d'arracher sa sœur à cette demeure qui sentait le malheur, de la faire admettre chez les hospitalières de Montréal, puis, Cathy ayant regimbé, il avait cru de son devoir de lui trouver une place de domestique dans une bonne maison, afin d'assurer sa subsistance et de la délivrer de ses obsessions.

Le « Griffon » bondissait sur les vagues du Michigan, dans la gloire dorée de septembre, avec Laurent à son bord. Il avait quitté la baie des Puants dans une salve de gargousses. Cavelier était resté longtemps sur la berge à suivre du regard le navire chargé de douze mille livres de peaux qui allaient désintéresser une partie de ses créanciers et donner à réfléchir à ses ennemis. Il se reposerait en attendant le retour de son navire.

A peine la mission s'était-elle effacée sur l'horizon du lac, Laurent avait senti l'inquiétude se resserrer sur lui : il n'aimait pas les sourires sournois du capitaine Béliveau, les conciliabules des hommes d'équipage, qui cessaient lorsqu'ils le voyaient surgir. Il tenait au « Griffon » comme à un être cher : il l'avait vu naître, s'édifier au milieu des pires dangers, jeter le défi de ses vergues aux horizons inconnus.

Laurent passait une partie de son temps sur le banc de quart, près de Béliveau, afin de l'observer. Il était resté la première nuit sur le pont, enveloppé d'une couverte, avec dans sa ceinture deux pistolets chargés. Les paroles de Cavelier lui revenaient à la mémoire :

– Prends bien garde! rien ne dit que ce Béliveau, en qui j'avais confiance, ne va pas nous trahir et s'entendre avec nos concurrents. Tu es le seul homme à bord en qui j'aie toute confiance.

Cavelier lui avait donné un de ses pistolets et une lettre

pour M. de Frontenac. Au matin du troisième jour, lorsque le timonier annonça que l'île de Michilimakinac était en vue, il tombait une pluie tiède qui sentait l'automne.

— Nous allons relâcher, dit Béliveau.

— Ce n'est pas prévu, protesta Laurent. Il n'y a aucune raison de mouiller ici.

— J'ai deux raisons, et qui sont sans appel : le gouvernail manque de franchise et le timon branle dans le manche. Si une nouvelle tempête survenait...

Laurent se précipita à la timonerie, constata que la barre répondait parfaitement à la manœuvre.

— Vous avez cherché à m'abuser, dit-il. Commandez à l'équipage de poursuivre la route en suivant les consignes.

— Les ordres, c'est moi qui les donne. Contente-toi de veiller sur le chargement. Ça, c'est ton affaire.

— J'y veillerai, comptez-y, et le premier qui s'en approchera de trop près, je lui ferai sauter la cervelle. Combien de temps comptez-vous relâcher ?

— Une journée, peut-être deux.

— Deux jours pour réparer un gouvernail qui fonctionne parfaitement, alors que le temps presse ! Avez-vous oublié que la consigne est de retourner à Chicago dès que possible ?

— Je n'ai pas l'intention de moisir ici. Tu descends à terre avec nous ?

— Non. Je reste pour surveiller le chargement.

Le capitaine s'approcha du plat-bord en faisant craquer ses bottes, regarda s'avancer droit devant une falaise dont la cime disparaissait dans le brouillard.

— Dommage... dit-il. Tu es jeune, courageux et même téméraire.

— Que voulez-vous dire ?

Béliveau lissa ses moustaches de mousquetaire, aux pointes effilées.

— Tu t'es jeté dans la gueule du loup en embarquant sur ce navire. Je connais des gens du bord qui n'hésiteraient pas à te loger une balle dans la tête, mais moi je répugne à de tels procédés. Je préfère te proposer la vie sauve et une prime de cinq cents livres pour prix de ton silence. Il ne faut pas que ce chargement et ce navire arrivent au fort Conti. Les raisons ne manquent pas, et elles sont de taille. Les jésuites tenaient naguère Cavelier pour un pitre; aujourd'hui pour un homme dangereux. S'il arrivait à descendre le Mississippi, il donnerait aux récollets un immense empire à évangéliser au détriment des sulpiciens et des « robes noires ». De plus, nos marchands craignent que le « Griffon » leur rafle le « pelu » sous le nez. Les peaux de bison entreposées dans ces cales iront dans leurs magasins.

Il tendit le doigt vers un personnage qui s'agitait sur un appontement, dans un cercle de religieux.

— Tu vois ce jeune monsieur avec une belle cravate ? C'est Frédéric Perrot, le fils du gouverneur de Montréal.

— J'ai beaucoup entendu parler de lui, dit Laurent, mais pour des raisons bien particulières.

Il ajouta :

— Le « Griffon » ? Qu'allez-vous en faire ?

— L'envoyer par le fond.

Béliveau ajouta en posant une main sur l'épaule de Laurent qui s'écarta :

— Réfléchis! Moi, j'en ai tout mon saoul des colères, des caprices, des exigences de Cavelier. Si tu acceptes, ta fortune est faite et tu n'auras plus à plier l'échine comme un esclave. Je présume que tu vas crier à la trahison.

— On ne parle pas de crotte à un homme qui s'y est fourré jusqu'au cou. Mon silence n'est pas à vendre. Vous pouvez à la rigueur me le voler en me faisant disparaître avec ce navire, mais je ne vais pas me laisser faire comme un mouton.

Avant que Béliveau ait pu esquisser un geste, Laurent lui arrachait les deux pistolets qui flanquaient sa ceinture et montra les siens.

— Deux et deux font quatre! dit-il. Avec cet arsenal, je peux voir venir.

Il appuya le canon de l'un des pistolets sur la poitrine de Béliveau et lui ordonna de le suivre.

— Nous allons rester au milieu du pont, dit-il. Vous debout et moi assis sur le couvercle de l'écoutille. Vous allez commander de faire demi-tour. Ne laissez rien paraître de votre embarras si vous ne voulez pas vous faire moucher.

Le capitaine eut un mince sourire.

— Gagné! dit-il. Mais mon tour est pour bientôt.

— J'accepte la partie, mais je vous préviens que je suis mauvais perdant. Donnez les ordres!

Il y eut à bord un moment de confusion. L'homme qui s'apprêtait à jeter le câble d'amarrage s'interrompit dans son élan. Le capitaine hurla :

— Vous êtes sourds, tas d'abrutis? J'ai dit : cap à l'est.

Le second accourut alors que le navire virait de bord. Il demanda ce qui se passait et pourquoi on changeait de cap.

— Il se passe, dit Béliveau, que j'ai changé d'avis.

Le second considéra le capitaine d'un air ébahi et parut s'intéresser à sa ceinture vide. Il s'éloigna à reculons, distribua quelques ordres sans quitter de l'œil la scène curieuse qui se déroulait au milieu du pont.

— Le moment est venu de jouer serré, dit Béliveau. Le second se doute de quelque mauvais coup. C'est pas le moment de t'endormir.

— Je n'ai pas sommeil.

— Il faudra bien que tu t'endormes tôt ou tard.

— Eh bien, nous dormirons ensemble.

On entendait monter de la rive des clameurs de surprise et de colère. Une cloche sonna dans le village de la mission.

— Qu'avez-vous à rire? dit Laurent.

— Je pense à Frédéric Perrot et aux « robes noires ». Ils doivent en faire, une tête!

— Ils ne sont pas au bout de leurs surprises.

De rudes foucades faisaient bondir le « Griffon » dans la direction de l'est, à travers le détroit qui séparait les lacs Michigan et Huron. Une pluie fine et insistante tombait d'un ciel bouché.

— Nous donnons dans le brouillard, dit le capitaine. Pas fameux pour toi, mon gars, à moins de nous tenir enlacés comme des amoureux.

— Où serions-nous le plus en sécurité, vous et moi? Dans votre cabine ou sur le château arrière?

— J'opte pour la cabine. Au moins nous serons à l'abri et nous pourrons nous faire servir une soupe de pemmican.

— Bonne idée, mais attendons d'être dans le brouillard. De toute manière, je n'ai ni froid ni faim.

— Nous pourrions faire une partie d'hombre...

— Ce serait avec plaisir, mais je tiens à garder mes mains libres.

Le second revint tournicoter autour des deux hommes dont l'attitude ne laissait pas de l'intriguer. Il alla parlementer avec des matelots qui se dispersèrent sur le pont avec des airs mystérieux. Laurent ne les quittait pas de l'œil en se disant qu'il jouait une partie perdue d'avance et qu'il ne pouvait rien espérer d'autre que de retarder le moment où il devrait se battre à mort. Et pourquoi ? Pour sauver un chargement de peaux de bisons! Il reprit courage en estimant qu'il défendrait surtout son honneur; il s'accrochait à cette idée et luttait contre le doute et la raison.

Il entendit grelotter la cloche de brume. Le vent effilochait des blancheurs cotonneuses à travers les agrès. Pour repérer les battures et les hauts-fonds, la vigie suiffait la sonde et la faisait tournoyer.

— Tonnerre de Dieu! jura Béliveau, ce foutu vent risque de nous drosser sur la côte.

Le sourire narquois qu'il affichait avait disparu et il étirait nerveusement la pointe de ses moustaches. Il aperçut un matelot perché sur une vergue de misaine où il n'avait rien à faire, d'autant qu'il portait à la ceinture quelque chose qui ressemblait à la crosse d'un pistolet. Le sourire s'épanouit de nouveau sur ses lèvres, nuancé de compassion.

— Cesse de jouer les matamores pour quelques peaux de bison! dit-il. Tu as montré que tu es honnête, fidèle et courageux. Alors je te débarque et tu nous fiches la paix. Accepte, tête de bois, ou tu es foutu!

— Ne bougez pas! dit Laurent. Je suis allé trop loin pour reculer et d'ailleurs je n'en ai pas envie. Je me sens bien dans ma peau et je ne la changerais pas pour la vôtre.

— Alors tu es mort. J'aurai tout fait pour te sauver la mise.

Il fit un geste vers la vergue d'où jaillit un éclair rouge. Laurent chancela, porta la main à sa tête sans quitter du regard Béliveau qui lui dit :

— Je t'avais prévenu, sacrée tête de mule!

Laurent sortit un pistolet de sa ceinture, visa, tira. Atteint en pleine poitrine, à deux pas, Béliveau s'écroula, eut quelques sursauts et se détendit. Des ombres jaillirent en hurlant de la brume.

467

Barthélemy Audouin attendit les premières neiges pour épouser une « fille du roi », arrivée récemment du vieux pays. Par déférence envers Cathy et sa mère, il fit les choses avec discrétion, mais sans pouvoir empêcher les cloches de sonner, la marmaille indienne de s'ébattre autour de l'église, les traîneaux de faire retentir leurs sonnailles.

Tout Lachine, excepté Catherine et Cathy, était de la fête. Le prêtre distribua aux Indiens des médailles et du pain bénit. Lemoyne arriva dans un canot orné de dorures; l'ancien coureur des bois que Laurent avait admiré avait fait fortune : il possédait la seigneurie de Longueuil et une partie de Lachine rachetée à Cavelier; le titre de procureur du roi lui faisait une auréole.

Lorsque le cortège nuptial passa devant « Saint-Sulpice », les tête se tournèrent vers la maison qu'on apercevait à travers les érables, même celle de la mariée, sur laquelle se lisait un air de défi. Quand le crin-crin du violon se fut éloigné, Catherine laissa retomber le rideau de la fenêtre.

— Voilà, dit-elle en s'appuyant du front au mur, où nous en sommes arrivées : on ne nous adresse plus la parole, on ne nous invite nulle part, on nous fuit. Cette maison est devenue un lieu maudit, habité par des lépreuses.

— Je suis certaine, dit Cathy, qu'ils savent ce qui m'est arrivé à l'île Perrot.

— Ils le savent et brodent à loisir. Il me semble les entendre. Quelle aubaine pour les veillées! On en parlera encore dans deux ou trois générations, et on en rajoutera. Tu ne seras plus la victime d'une brute mais la complice d'une scène de débauche. Ce ne sera plus un homme qui t'aura violée, mais une escouade!

— Mère!

— Pardonne-moi : la colère m'égare.

Cathy se laissa tomber sur un escabeau, près de Christine qui s'adonnait à son passe-temps favori : la broderie. L'Indienne sourit tristement.

— Ma sœur, dit-elle, pas pleurer.

Catherine s'assit de l'autre côté de la table et dit en torturant ses mains :

— Je crains que nous ne soyons pas faites, toi et moi, pour des bonheurs paisibles. D'où nous vient cette fatalité qui nous pousse dans la tempête comme s'il n'y avait pas d'autre voie pour nous?

Un jour qu'elle contait à M. Cavelier son existence en Acadie, dans l'ombre de Latour, de Jeanne, de « Jacqueline », il lui avait dit :

– Vous ressemblez à ce pays où tout est excessif. Vous avez vécu au rythme de saisons inhumaines, mais vous vous accrochez à la vie et vous ne renoncez jamais! C'est ce que j'aime en vous.

A travers la table, les longues mains sèches de Catherine rejoignirent celles de sa fille. Elle lui dit :

– Dès le printemps nous quitterons cette demeure et ce village pour aller vivre à Québec ou à Montréal.

– Non, dit Cathy. Je partirai seule. Toi, tu dois rester. Je sais combien tu tiens à cette maison et avec quelle impatience tu y attends M. Cavelier. Ma décision était prise bien avant que je rencontre Frédéric et Barthélemy.

Catherine sursauta : Cathy prononçait ces noms pour la première fois depuis des semaines, signe qu'elle avait décidé de se battre contre ses souvenirs et qu'elle était certaine de les balayer. Elle aimait cette autorité lorsqu'elle avait dit : « Ma décision est prise. »

– Soit, dit-elle. Je resterai, et Christine avec moi si elle le souhaite. Il faut bien que quelqu'un veille sur cette demeure.

– Un jour, dit Cathy, je reviendrai vivre avec toi.

– Il ne faudra pas trop tarder. Je suis une vieille femme.

Elle avait, pour prononcer ces mots, un air de jeunesse qui les démentait.

Laurent se demandait d'où pouvait venir ce martèlement sourd qui résonnait à ses tempes; il avait l'impression qu'un régiment avait pénétré dans les cales du « Griffon » pour les mettre à sac. Il tendit l'oreille afin de déterminer pourquoi ces pas faisaient un bruit d'averse.

Il se trouvait dans une sentine fort sombre, qui sentait le bois d'épinette. On lui avait entouré la tête d'un pansement; un filet de sang partait du cuir chevelu éraflé par la balle et coulait jusqu'à l'œil droit que le blessé avait du mal à tenir ouvert. Sa tête et ses mains prisonnières des fers lui faisaient

469

mal. Il dut faire effort pour se souvenir des événements qu'il avait traversés : avait-il ou non tué Béliveau ? Il parvint à se remémorer l'expression douloureuse d'un visage, le sang qui giclait d'une poitrine.

De toute évidence, cette rumeur de pas venait de la cale au « pelu » que l'on était en train de soulager de son précieux chargement. Le judas s'ouvrit sur un visage mal éclairé par une lanterne et se referma aussitôt. Le navire devait être amarré à un appontement car, par intermittence, un choc sourd ébranlait la coque. Il cria et le judas se rouvrit ; Laurent eut le temps de distinguer une grosse paire de moustaches et des dents de mulet.

— Tu peux gueuler tant que tu voudras, dit le geôlier. On ne risque pas de t'entendre avec le raffut qu'ils font sur le pont.

— J'ai soif, dit Laurent.

Il avait surtout envie de voir à qui il avait affaire. Cette moustache ne lui disait rien.

— Tu boiras tout ton soûl dans un moment, dit le geôlier.

Cette ironie n'était pas du goût du prisonnier ; il songea à ses pistolets et il vit quatre éclairs fusiller la paire de moustaches. La réponse du bonhomme ne lui laissait guère de doute sur le sort qu'on lui destinait. Le « pelu » débarqué, on attendrait la nuit pour conduire le brigantin à plusieurs encablures du rivage avec une bonne charge de poudre dans la coque. Cela ferait un beau feu d'artifice, puis le gouffre se refermerait sur le « Griffon », sur les espoirs de M. Cavelier, et cette affaire demeurerait une énigme.

Laurent s'allongea sur le bat-flanc, sa joue fiévreuse contre le bois ; il s'efforça de songer à Lachine, à Catherine qui devait avoir reçu sa dernière lettre, à Cathy qui avait peut-être épousé un colon, à Irénée qu'il n'avait peut-être pas aimé comme il l'aurait dû, à Christine et à leurs deux enfants dont sa mémoire n'arrivait pas à retrouver les traits. Il aurait aimé ranimer en lui ce qui restait de foi mais se refusait à n'invoquer Dieu que dans les mauvaises passes de la vie ; ses lèvres formèrent sans conviction les premières phrases d'une prière qu'il avait entendue maintes fois dans les missions. En revanche, une question le harcelait : pourquoi allait-il mourir ? Pour Cavelier qui l'aurait vite remplacé et oublié, pour un navire dont il n'était pas même responsable, pour des peaux de bisons...

Il éclata de rire. Le judas se rouvrit :

— Qu'est-ce qui t'arrive ? dit le geôlier. Tu deviens fou ?

— C'est la fièvre. Avec une pipe et un peu d'eau je monterai sans regret au paradis et tu seras le dernier chrétien que je verrai sur cette terre. Allons, montre-toi généreux!

— Ouais... dit l'homme. Attends une minute. Faut que je demande la permission.

Lorsqu'il reparut, portant un broc et une pipe, Laurent lui dit :

— Je ne te connais pas. Comment t'appelles-tu ?

— Poinsot, de Trois-Rivières. M. Perrot est mon patron.

Laurent but avidement une eau saumâtre, alluma au briquet la pipe que le geôlier avait bourrée pour lui. Poinsot était un petit homme aux épaules fuyantes, vêtu d'un pourpoint de velours bleu et d'un pantalon à la rhingrave tombant sur des bottes à canons.

— Triste image à emporter là-haut... soupira le prisonnier. Tu me laisses l'eau, la pipe et le briquet. Béliveau, est-ce que je l'ai tué ?

— Rectifié recta! La balle en plein cœur.

— Ça fait une crapule de moins. Quand aura-t-on fini de décharger la cargaison ?

— Dans deux heures environ, à la nuit. Tu es pressé d'en finir avec la vie ?

Poinsot montra ses dents de mulet, jaunies par le tabac.

— J'ai ce qui me faut pour prendre patience, dit Laurent en montrant la pipe, mais ce serait mieux si tu m'enlevais mes fers.

— Tant que tu y es, tu voudrais pas prendre un bain et faire une promenade ?

— Ça serait pas pour me déplaire.

— En fait de promenade, on t'en réserve une cette nuit.

Laurent se dit qu'il n'aurait pas de secours ni le moindre sentiment de compassion à tirer de cette larve. Il se tourna vers la cloison, appuya sa joue sur le bois frais, se reprit à songer à son père et à la mort. La fumée de sa pipe lui donnait des images de bonheur. Ces deux heures d'avant la nuit, il les passa comme dans un puits où il serait descendu degré par degré, avec au fond un rendez-vous avec la mort.

471

Laurent devina, au balancement profond du navire, qu'on venait de mettre à la voile et qu'on se séparait de l'appontement de Michilimakinac; un air plus frais coulait du fenestron placé au-dessus du bat-flanc. Le navire gagnait le large. Laurent entendit gémir la carène et des ordres claquer sur le pont. Il essaya vainement de rallumer sa pipe.

— Prépare-toi à mourir, dit Poinsot en ramassant le broc, la pipe et le briquet.

Il était accompagné d'un homme en chapeau et en manteau, qui tenait un pistolet pointé vers le prisonnier.

— Puis-je vous demander une dernière faveur? dit Laurent. Déliez-moi les mains et les pieds et conduisez-moi sur le pont. Vous ne pouvez refuser à un chrétien la grâce de prier en regardant les étoiles du bon Dieu.

— Pas de chance! dit l'homme au pistolet. Il fait noir comme dans le cul d'un nègre.

— On peut pas lui refuser ça, dit Poinsot. Montre tes fers, mais gare : on t'a à l'œil.

Le bruit de la clé éveilla chez Laurent une terrible soif de vivre. Il regarda ses mains ankylosées, les frotta contre sa veste avec une expression de joie douloureuse; il sentait à des picotements que le sang recommençait à circuler. Les trois hommes parvinrent sur le pont alors que des matelots descendaient dans les cales des barils qui ne devaient pas contenir du rhum des isles.

— Dommage de faire sauter le « Griffon »! dit-il. Quand je songe au mal que M. Cavelier s'est donné pour le construire...

Dans la lueur de la lanterne il examina le pont où traînaient des débris, puis il s'approcha du bastingage.

— T'éloigne pas, dit l'homme au pistolet.

Laurent s'agenouilla près d'une seille pleine d'eau et se mit en devoir de prier ou de faire semblant, mais son attention se fixait malgré lui sur le seau de bois qui reflétait la lumière de la lanterne. Il repéra la position de l'anse et supputa le temps qu'il lui faudrait pour la saisir et soulever le seau : deux secondes environ; plus de temps qu'il n'en faudrait à l'homme pour faire feu. Il se sentait pris d'un vertige et ses genoux se mirent à trembler.

– Finie, la prière! dit l'homme au pistolet. Nous redescendons.

– L'émotion donne soif, dit Laurent en montrant la seille.

– Bois, mais c'est ta dernière volonté.

Laurent souleva la seille d'une main tremblante, y but quelques gorgées et, au lieu de la reposer, en envoya le contenu en direction de l'homme au pistolet qui tenta en vain, en jurant, de faire péter l'amorce. Le prisonnier se rua vers le bastingage et sauta dans le lac.

– Nom de Dieu! hurla Poinsot. Des lanternes! Des mousquets! Vite!

Peine perdue : la nuit était un gouffre sans fond et les balles que l'on tira au jugé se perdirent dans l'eau. L'impression de se trouver suspendu entre deux abîmes insondables paralysait Laurent autant que la fraîcheur de l'eau, mais le sentiment d'avoir recouvré la liberté et d'échapper à la mort lui détendait les muscles et le gonflait de force. Ses chances de se tirer de ce mauvais pas étaient minimes, mais au moins avait-il choisi la manière d'échapper au destin. Il ôta ses mitasses qui le gênaient pour nager et regarda autour de lui.

Du « Griffon » il ne distinguait qu'une muraille sombre sur la crête de laquelle dansait un chapelet de lumignons. Il nagea vers l'avant, s'accrocha à l'étrave et eut tout loisir d'observer l'un des flancs du navire; il vit les hommes descendre rapidement par l'échelle de corde, leur lanterne entre les dents, jusqu'à la barque amarrée à la poupe. Ils devaient avoir allumé les mèches et s'apprêtaient à déguerpir avant que le « Griffon » n'explosât. Il vit la barque contourner la poupe, remonter le flanc bâbord, puis il se porta sur le flanc opposé et arriva au gouvernail comme la barque tournait à la proue.

– Éloignons-nous vite! lança une voix. Souquez, les gars! Souquez ferme!

La barque ne fut bientôt qu'une petite tache de lumière qui s'estompait insensiblement.

La première idée qui vint à Laurent fut de profiter de l'échelle de corde que les matelots n'avaient pas pris le temps de ramener, pour monter à bord et tenter d'éteindre les mèches. A peine s'y était-il engagé, il songea à la stupidité de risquer sa vie une nouvelle fois pour sauver ce navire. La charge menaçait à tout instant d'exploser. Il s'éloigna de toute la force de ses bras pour gagner le large.

Après que la gerbe de feu eut illuminé la nuit et balayé les nuages bas de lueurs sauvages, il revint vers le lieu où avait sombré l'épave, s'agrippa à quelques toises de plat-bord et nagea vers l'endroit où il avait vu la barque se diriger, mais l'obscurité totale qui régnait sur le lac et ses abords fit qu'il s'égara et se retrouva dans un monde sans repère. Allongé sur le plat-bord, il s'endormit.

Un choc à la tempe éveilla Laurent. Il aperçut une boule de plumes noires qui sautillait près de lui. Au cri qu'il poussa la corneille s'envola. Il était allongé sur une batture enrobée de terre craquelée, à l'avant d'une jonchère où bourdonnaient des nuées de maringouins. Une épaisse forêt dressait sa muraille au fond des prairies riveraines étoilées de colchiques. L'« été des sauvages », l'arrière-saison lumineuse, baignait la rive, rayonnait sur les lignes sinueuses de la montagne. La surface du lac se prolongeait sans une ride jusqu'à une petite île où se regroupaient des vols de grues en partance pour la Floride.

Un hoquet de rage souleva Laurent, face à l'étendue vide du lac, en songeant que le « Griffon » dormait dans l'abîme. Cavelier ne se relèverait pas de ce désastre; sa fortune, ses projets venaient de sombrer avec le navire. Laurent se dit que sa vie et celle de son maître n'avaient plus de sens. Reprendre ses courses? Il n'en avait plus le courage. Retrouver les routes de la contrebande lui paraissait au-dessus de ses forces. Aller vivre à Lachine ou à Montréal et attendre ses subsistances de la terre et des saisons? Il n'en avait jamais eu le goût. Il s'allongea à plat ventre sur la batture, cognant de ses poings la roche dure.

La fatigue le replongea dans un sommeil tumultueux d'où la faim le tira, ce qui lui donna à la fois le sentiment d'être encore fortement attaché à la vie et la force de se lever pour se mettre en quête de nourriture. Il trouva de la subsistance de sauvages : bluets, tripe de roche, passe-pierre...

Il prit la direction du nord, marchant d'un pied ferme malgré ses fatigues de la nuit et sa blessure à la tête qui le tourmentait, inquiet de savoir s'il se trouvait dans une île ou sur une péninsule. Arrivé au sommet d'une butte de terre, il inspecta l'horizon et constata qu'il n'était pas, comme il l'avait craint, sur l'île Bois-Blanc mais sur un promontoire séparant le lac Supérieur de celui des Hurons, à l'est, pensait-il, de Michilimakinac et de la mission de Saint-Ignace. Il balança un moment entre deux perspectives : retourner à Saint-Ignace où il risquait de tomber entre les mains des hommes de Perrot, et la mission des jésuites de Sault-Sainte-Marie, située plus au nord. Il opta pour cette dernière destination.

Vers la fin de l'après-midi, il tomba sur un cabanage ottawa ; il y passa la nuit et, le matin, se remit en route alors que le soleil commençait à se dégager des brumes du lac. Il aperçut au milieu de la journée, à environ une lieue, l'île Bois-Blanc recouverte d'une carapace végétale et, une heure plus tard, le rocher dominant la mission.

Des pêcheurs ottawas regardèrent passer avec curiosité cet homme sans mitasses qui sortait de la forêt en titubant, le visage fermé. Ils le suivirent en s'interrogeant à voix basse. Laurent se retournait de temps à autre et constatait que leur nombre ne faisait que croître ; ils étaient une trentaine lorsque apparurent les palissades de la mission.

Accompagné de cette escorte, Laurent fit chez les « robes noires » une entrée remarquée. Le père supérieur était un vieil homme très sec, au regard glacé, au nez pincé, qu'il trouva en train de fustiger un jeune Ottawa surpris à piller des épis de blé d'Inde. Laurent déclina son identité et raconta son odyssée. Le visage du vieillard s'assombrit. Quand Laurent eut terminé, il hocha la tête d'un air dubitatif, grommela :

– Un voilier, le « Griffon », dites-vous, chargé de peaux de bisons... Frédéric Perrot... Je ne vois pas de quoi vous parlez. Êtes-vous certain de n'avoir pas rêvé ?

Laurent montra la plaie qu'il portait à la tête.

– Certes, convint le supérieur. Un mauvais coup peut faire perdre le bon sens. Le délire de la fièvre a pu vous inspirer cette aventure. Je vais vous conduire au frère infirmier.

475

Laurent protesta : il avait aperçu Frédéric Perrot! Il avait tué le capitaine Béliveau! Il avait vu sombrer le « Griffon »! Il n'avait rien inventé...

– Calmez-vous, mon fils, dit le supérieur. Vous avez besoin d'une bonne alimentation et de repos.

– Je n'ai pas rêvé, mon père! hurla Laurent. Je ne suis pas fou. Je finirai bien par vous prouver ma bonne foi et faire éclater la vérité.

Il inspecta le hangar; il était vide mais on y respirait une odeur caractéristique : celle des peaux de bisons. Il lança d'un air de triomphe :

– Cette odeur, mon père, je la reconnaîtrais entre mille : c'est celle des bœufs sauvages.

– C'est vrai, mon fils. Nous en recevons fréquemment du pays des Sioux. C'est une odeur tenace.

Laurent plaqua ses mains contre son visage que la fièvre empourprait et se mit à grelotter. Le supérieur s'avança pour le soutenir et lui dit :

– Pourquoi vous obstiner dans vos erreurs? La fièvre vous fait tenir des propos insensés. Suivez-moi. Nous ne vous ferons aucun mal.

Laurent parut ne pas entendre. Il gémissait :

– J'irai à Montréal, je rencontrerai M. de Frontenac, je lui expliquerai pourquoi on a tenté de me faire disparaître avec le « Griffon », je lui révélerai vos machinations et celles de Perrot. M. Cavelier vous traînera en justice!

Le supérieur lui tapa familièrement sur l'épaule.

– Vous perdriez votre temps, dit-il. Personne ne vous croirait.

Laurent resta une quinzaine de jours à Saint-Ignace. Il ne souffrait plus, sa fièvre avait disparu, mais il se sentait envahi par une grande faiblesse et marchait avec peine; pourtant, à la mi-octobre, il annonça son départ au père supérieur qui lui dit :

– Mon fils, c'est la dernière des imprudences. Vous ne feriez pas une lieue dans la forêt et vous ne pourriez pagayer plus d'un quart de mille. D'ailleurs, regardez ce qui nous arrive...

Il tendit le bras vers le nord : une nuée couleur d'ardoise roulait au-dessus des forêts.

— La neige sera là dans quelques heures, dit-il, et le lac commence à prendre sur ses bordages. Vous êtes condamné à rester à la mission au moins jusqu'à ce que la rivière soit hivernante et la glace assez épaisse pour soutenir le poids d'un traîneau.

Laurent dut attendre jusqu'à Noël. Malgré les soins qu'on lui témoignait il ne parvenait pas à retrouver le bon équilibre qui avait été le sien. Il avait renoncé à découvrir la moindre preuve et le moindre témoignage; il semblait qu'une tornade eût balayé tout ce qui eût pu lui servir à démontrer sa bonne foi.

Passé Noël, il tira sa révérence au supérieur, gagna en traîneau, avec des Indiens qui se rendaient à Montréal, le village de Lachine où il fit halte chez sa mère.

Quelque temps après, au terme d'un long et dangereux voyage, il arrivait à Québec pour y rencontrer le gouverneur. M. de Frontenac l'écouta avec attention, hochant parfois la tête, le visage grave.

— Je ne puis douter de votre parole, dit-il. Tous les détails concordent avec ce que je savais déjà. Il y aurait dans votre témoignage de quoi faire pendre cette vieille canaille de Perrot avec son fils et chasser hors de la colonie toutes ces « robes noires ». L'ennui, c'est l'absence de preuves... Qu'en dites-vous, Le Barrois?

Le secrétaire haussa les épaules et dit :

— Je pense, monseigneur, que les jésuites sont des gens rusés. Ils sont allés jusqu'à faire courir le bruit que votre interlocuteur est un fou dangereux. J'ai la certitude qu'il n'en est rien.

Laurent repartit, désespéré, pour le fort Frontenac où il passa le reste de l'hiver. Au début de mars il vit surgir un groupe de Blancs titubant sur la piste boueuse, hâves et hirsutes. Un cri lui échappa lorsqu'il se trouva en présence de M. Cavelier de La Salle. Ils tombèrent dans les bras l'un de l'autre.

— Pour le « Griffon », dit Cavelier d'une voix brisée, je sais. Raconte-moi ce qui t'est arrivé à toi.

Laurent lui fit le récit de son aventure et conclut en disant :

— Vous, au moins, vous me croyez?

— Comment pourrais-je ne pas te croire ?

— Et maintenant, qu'allez-vous faire ?

— Repartir, mais les mains vides, comme un simple coureur des bois. Si le gouverneur général a toujours confiance en moi, je réussirai. Pour m'abattre définitivement il faudrait me tuer. C'est sans doute ce que mes adversaires se proposent de faire, mais auparavant j'aurai donné un empire à mon pays.

8

LES EAUX DANGEREUSES

Tout le temps que dura le dîner, Mme de Mouchy parut la proie d'une nervosité inhabituelle; à diverses reprises elle heurta son verre avec sa bague, laissa tomber son couteau dans son assiette et répandit le contenu de la saucière sur la table. A chaque maladresse M. de Mouchy sursautait et disait :

— Qu'avez-vous, ma bonne? Vous me surprenez!

— Ce n'est rien, Bénigne. Cette chaleur, sans doute...

— Je n'ai pas chaud, moi. La soirée est douce. Cathy, la chaleur vous incommoderait-elle vous aussi?

— Non, monsieur. Pas le moins du monde.

— Vous voyez, ma bonne! Purgez-vous ou prenez une tasse de tilleul avant de vous coucher. Vous n'avez pas bonne mine.

Mme de Mouchy s'assura que Cathy venait de retourner à l'office pour se pencher vers son époux et lui dire dans un souffle :

— Pourquoi me donnez-vous tort devant cette fille? Chercheriez-vous à me faire passer pour une sotte ou une originale?

Le notaire essuya ses moustaches et glissa un coin de sa serviette sous sa cravate défaite.

— Qu'allez-vous chercher là, ma bonne? Vos vapeurs vous font déparler. Dites-moi plutôt le fond de votre pensée. Quelque chose vous contrarie? Qu'est-ce donc?

— Cela concerne notre servante. Cette petite m'inquiète. Vous ne semblez pas avoir remarqué sa façon de s'habiller

481

depuis peu : ces bandes de chenille mauve, ces bonnets de fantaisie, ces escarpins à boucle dorée qu'elle prend pour aller aux emplettes... Évidemment cela vous a échappé. Vous ne remarquez jamais rien, sorti de votre cabinet!

— Ma foi, c'est vrai, Philippine. J'ai d'autres soucis en tête. Tous ces détails d'habillement...

— Ils ont plus d'importance que vous ne le pensez. Je n'aurais jamais dû accepter que Cathy ne se vête pas de noir des pieds à la tête. Ce fut le début des relâchements. Je crains qu'elle ne finisse comme Judith Rigaud [1] si nous n'y mettons le holà! Mais il y a plus grave...

— Diantre! Vous m'effrayez!

— J'ai surpris ce matin, à la cathédrale, un manège singulier. Cathy était à ma droite, comme d'habitude, au bord de l'allée. De l'autre côté, juste à notre hauteur, près d'un pilier, se tenait debout un lieutenant de l'infanterie béarnaise qui paraissait fort intéressé par notre servante et lui adressait des œillades dont je rougis de me souvenir. En fait, mon ami, ils ne se quittaient pas des yeux. A la fin de l'office, comme nous nous retirions, il nous suivit et glissa à l'oreille de Cathy quelques mots qui parurent la troubler.

Mme de Mouchy s'interrompit en voyant Cathy reparaître, portant le dessert; elle se détourna avec une expression de dégoût lorsque les bras de la servante, nus jusqu'au coude où moussait une coquetterie de dentelle de Hollande, la frôlèrent; elle s'éventa nerveusement avec sa serviette, heurta une carafe. Le tabellion sursauta.

— Allons, ma bonne, dit-il quand Cathy se fut de nouveau retirée, ne vous donnez pas en spectacle. Vous m'aviez annoncé une grave révélation. Ne me faites pas languir plus longtemps.

— N'êtes-vous pas satisfait? s'écria-t-elle. N'y a-t-il pas de quoi vous indigner?

M. de Mouchy promenait son grand nez au-dessus de son assiette avec un air gourmand.

— Il semble évident, dit son épouse, que la qualité de ce dessert ait plus d'importance que la conduite de votre servante!

1. Femme de Montréal, trois fois mariée, dont les mœurs scandalisaient les âmes bien-pensantes.

– Vous exagérez! protesta le notaire. La vertu de cette fille serait-elle en danger parce que ce muguet de lieutenant lui a adressé quelques mots, peut-être en toute innocence? Vous menez d'ailleurs autour d'elle une garde si vigilante qu'il lui serait impossible de faire le moindre écart.

– Vous êtes trop indulgent avec elle! Cette fille est trop jeune et trop jolie pour ne pas penser à la bagatelle. Nous aurions dû refuser de la prendre à notre service lorsque le supérieur de Saint-Sulpice nous l'a proposée. Dieu merci, Montréal ne manque pas de laiderons et de saintes filles.

Elle marqua une pause avant de lâcher :

– Nous devrions la renvoyer avant que le pire n'arrive.

M. de Mouchy parut s'étrangler.

– Vous n'y pensez pas! Vous mécontenteriez le frère Irénée et le supérieur Dollier de Casson, alors que cette fille nous donne entière satisfaction. C'est bien vous de croire au pire avant que le moindre motif vous y incite. Cathy est jeune et gracieuse? Et alors? Elle nous change agréablement des vieilles filles rances qui l'ont précédée.

– Soit! dit Mme de Mouchy d'un air renfrogné, puisque vous faites fi de mes soupçons, je me tais, mais prenez garde! A se montrer trop indulgent dans ce domaine, on gagne plus aisément l'opprobre que l'honneur.

Son service terminé, Cathy monta à sa chambre du premier étage, sous les combles de la vaste demeure qu'habitait le tabellion. Elle ouvrit la fenêtre sur la nuit tiède de juin en prenant soin de souffler la chandelle. Une odeur d'herbe mûre montait des prairies bordant le fleuve. Cathy s'appuya sur la barre d'appui et respira longuement, les yeux mi-clos, cette odeur qui lui rappelait les soirées de Lachine. Elle espérait sans trop y croire qu'*il* serait là et elle le redoutait. La ruelle baignée de lune paraissait déserte; un rossignol chantait dans un tremble du verger de l'hôtel-Dieu; les cloches de la cathédrale sonnèrent neuf heures; d'un cabaret situé au bas de la pente un groupe de militaires sortit en chantant. Dans la lumière d'une lanterne Cathy aperçut un chapeau à large bord, un manteau négligemment jeté sur l'épaule et elle songea à son petit lieutenant.

Il avait dû passer la soirée à l'attendre. Sous des prétextes divers elle montait jusqu'à sa chambre, s'approchait de la fenêtre, l'observait. Il faisait les cent pas de l'autre côté de l'artère, un petit livre sous le bras, son épée soulevant son manteau derrière lui. Il avait deviné sa présence, avait traversé la voie mais elle avait disparu.

La ruelle semblait déserte. La longue attente qu'il avait subie avait dû, songeait-elle, avoir raison de sa patience. Elle ne pouvait espérer qu'il passerait la nuit à contempler sa fenêtre. D'ailleurs ses allées et venues n'échapperaient pas à Mme de Mouchy qui n'hésiterait pas à lui demander raison de sa présence.

Cathy s'apprêtait à refermer ses volets quand elle vit un homme se détacher du taillis de coudriers qui faisait face à l'étude. Elle le reconnut sans peine. Toute la journée les paroles qu'il avait murmurées à la sortie de la messe lui avaient bourdonné aux oreilles : « Pardonnez mon audace... Il faut que je vous parle... Je me nomme... » Le regard acéré de Mme de Mouchy avait interrompu le monologue et les remous de la foule sur le parvis les avaient séparés. Cathy gardait le souvenir d'un visage mince et brun, aux yeux sombres, d'un tortillon de cravate passé dans la boutonnière d'une veste bleu turquin que drapait un léger manteau d'écarlatine ; elle se souvenait aussi d'une discrète odeur de benjoin.

Il lui parlait mais elle ne comprenait pas, en raison de la distance qui les séparait, la moitié des mots qu'il prononçait à voix basse, pour ne pas donner l'éveil. Elle crut comprendre qu'il lui demandait son nom ; elle lâcha :

— Cathy Chapdeuil, de Lachine. Et vous ?

Elle ne saisit pas le murmure qui montait jusqu'à elle, le fit répéter, comprit, Louis Amalaota, songea qu'il devait être espagnol ou italien et en fut troublée.

— Partez maintenant, dit-elle. On pourrait nous surprendre.

— Déjà ? Quand vous reverrai-je ?

— Je l'ignore.

— Demain ?

— Peut-être. Bonsoir !

Le lieutenant Amalaota disparut à reculons. Durant quelques instants Cathy se dit qu'elle avait dû rêver. Elle s'apprêtait à fermer ses volets quand la porte de sa chambre s'ouvrit brusquement. Vêtue d'une robe flottante sans ceinture, le chandelier à la main, l'œil étincelant, Mme de Mouchy apparut à Cathy comme une image de la justice immanente. Elle se précipita vers la fenêtre, se pencha, fouilla le vide de la nuit.

— A qui parliez-vous ?

— Je disais ma prière comme tous les soirs.

— La fenêtre ouverte !

— Est-ce interdit ?

— Certes non, mais je vous préviens : j'ai l'œil sur vous. Que la scène de ce matin ne se renouvelle pas, sinon nous serons contraints de nous séparer de vous. Que vous a dit ce lieutenant ? Vous a-t-il donné rendez-vous ?

— Je n'ai rien entendu de ce qu'il me disait.

— Cela vaut mieux ! Fermez cette fenêtre et éteignez cette chandelle. J'ai horreur du gaspillage.

La porte claqua sèchement, laissant dans la soupente une odeur de pommade et de chair rance. Cathy s'assit au bord du lit, désemparée, les poings entre ses cuisses ; elle se demanda si elle n'avait pas rêvé, si ce lieutenant Amalaota avait une existence réelle ; il prenait corps davantage lorsqu'elle y pensait, l'après-midi précédent, alors qu'elle cousait les galons d'une chasuble destinée à M. Dollier de Casson ; elle était assise au fond du jardin d'où l'on apercevait la nappe incandescente du Saint-Laurent que montaient ou descendaient des soldats en goguette ; un merveilleux sentiment de liberté l'animait quand son regard se portait, au-delà des moulins à vent, vers les lacs, les prairies, la forêt et vers Lachine d'où montaient des nuées orageuses. La voix aigre de Mme de Mouchy l'avait fait sursauter :

— Cessez de rêver, mon enfant, c'est dangereux, à votre âge.

Tout près de là, M. de Mouchy disputait une morne partie de tric-trac avec un officier de police puis un greffier auquel avait succédé un capitaine du régiment de Carignan-Salières qui avait confié ses intérêts au tabellion. Les visiteurs bourdonnaient autour d'un verre de cidre et de la table de jeu avant de prendre congé.

Isolée par son ouvrage, Cathy recréait par la pensée la silhouette sortie de la nuit; elle lui ajoutait un air de noblesse et de chevalerie. L'envie de le revoir, de lui parler, grandissait en elle avec la même intensité que le dégoût que lui inspirait sa situation d'esclave consentante. Cette chasuble était un linceul, et c'est elle qui le cousait.

Le lendemain, au lever, son premier souci fut de courir à la fenêtre. La rue était vide; elle en éprouva une déception qui ne la quitta pas de la journée. Elle envisageait le pire : le régiment avait quitté Montréal pour aller se battre contre les Iroquois et elle ne reverrait pas le petit lieutenant. Plusieurs fois dans la journée, elle poussait jusqu'à la fenêtre du salon et son cœur se serrait. Au soir tombant elle faillit demander à Mme de Mouchy la permission d'aller respirer le frais, en fait autant pour tâcher de rencontrer le lieutenant que pour échapper à une surveillance vétilleuse et à un petit univers dont elle se sentait plus que jamais prisonnière.

Elle passa une semaine à l'attendre. Un soir elle le vit de nouveau assis sous le coudrier; il était visible seulement par les deux boucles de ses chaussures, mais elle ne pouvait se tromper : c'était bien lui.

– J'ai pensé à vous toute cette semaine, dit-il.

– Pourquoi n'êtes-vous pas venu?

– Nous faisions l'exercice dans l'île Sainte-Hélène. Nous en sommes revenus il y a une heure à peine. Ma première visite a été pour vous. Où pourrais-je vous rencontrer?

– Je ne sais pas. C'est difficile. On me surveille.

– Si vous êtes prisonnière, je puis vous délivrer!

Il ne croyait pas si bien dire, mais il était sans doute loin d'imaginer à quel degré de sujétion elle était soumise. Il ajouta :

– J'aimerais vous faire passer un billet. Savez-vous lire?

– Oui.

Il ramassa un caillou qu'il roula dans une feuille de papier, le lança vers Cathy qui le fit disparaître dans sa manche.

– Partez vite! souffla-t-elle. Revenez demain!

Le lieutenant Amalaota avait à peine disparu dans la nuit que l'effigie de la vertu armée d'un chandelier s'encadrait dans la porte. Cathy joignit ses mains sous le menton et murmura :

— ... et Jésus, le fruit de vos entrailles, est béni...

— Ma fille, soupira Mme de Mouchy, tempérez votre zèle et fermez cette fenêtre. Vous faites entrer les moustiques, les soirées sont fraîches et l'on a vite fait d'attraper un mal de poitrine. Si vous tombiez malade, vous nous mettriez dans l'embarras. Bonsoir, ma fille!

Le billet était bref mais d'une belle écriture. La signature la laissa confondue : M. Louis Amalaota était devenu M. Louis-Armand de La Hontan. Elle étouffa un fou rire et lut le billet :

« *Souffrez, mademoiselle Cathy, que ces quelques mots vous expriment ce que ma voix a été impuissante à vous dire. A peine vous ai-je vue, mon cœur s'est mis à battre plus fort. A peine ai-je senti votre regard posé sur moi, j'ai compris que j'étais votre prisonnier. Mais que vos rigueurs me soient douces...* »

Cela tenait du roman, mais Cathy se sentit inondée de bien-être. Cette lettre effaçait l'odeur funèbre de la cire, le froid des grandes pièces, l'ennui des jours et la solitude des nuits, les regards soupçonneux de Mme de Mouchy, l'équivoque bienveillance de M. de Mouchy. Elle relut trois fois le billet et le répéta par cœur avant de souffler la chandelle; elle le dissimula sous son oreiller et s'endormit avec les mots de Louis-Armand sur les lèvres et aux narines la légère odeur de benjoin qui les imprégnait.

M. de Mouchy se resservit de porc frais. Ses lèvres grasses, humectées de sauce et de salive, se détendirent d'un sourire satisfait.

— Bénigne, murmura Mme de Mouchy, vous m'inquiétez.

— Pardonnez-moi, ma bonne, mais je suis victime de mon appétit, et cette viande est délectable.

Elle haussa les épaules.

— Cela m'est indifférent, dit-elle. Vous pouvez bien manger autant qu'il vous plaira. C'est de Cathy dont je veux vous parler. N'avez-vous remarqué aucun changement en elle ces temps-ci?

— Eh bien, non! Avec la meilleure volonté du monde...

— Décidément vous n'avez d'yeux que pour les choses de la table et d'oreilles que pour vos clients. Je trouve qu'elle a la mine réjouie, une démarche plus légère. Si je vous disais, mon ami : ce matin, je l'ai surprise à chanter en étendant le linge dans le jardin!

– Vraiment ? Et que chantait-elle ?

– Sans doute une de ces romances que les « bateaux de fiancées » amènent du vieux pays avec d'autres maladies. Comment et par qui a-t-elle appris ces insanités ? Par votre clerc ? Par notre jardinier, notre cocher, notre cuisinière ? Bénigne, je crains que cette fille ne fasse entrer le péché sous notre toit. Le Seigneur nous l'a confiée et je ne voudrais pas qu'elle perde son âme dans notre demeure. Je sens qu'elle est sur une mauvaise pente. Mieux vaut la renvoyer avant qu'il n'arrive le pire.

– Aurait-elle revu ce lieutenant ? Dans sa chambre ?

Mme de Mouchy rougit, s'écria :

– A Dieu ne plaise! Je la surveille de trop près.

– Peut-être lui fait-il tenir des billets doux ?

– J'ai fouillé sa chambre et n'ai rien trouvé.

– Puis-je vous faire une suggestion, Philippine ? dit-il avec un sourire narquois. Montez donc la garde une nuit complète devant la maison. Ainsi vous en aurez le cœur net.

– C'est impossible, vous le savez bien! Le train de cette maison m'épuise et, la nuit venue, je tombe de sommeil. Ce serait plutôt à vous de jouer les sentinelles.

– Nous aviserons... grogna M. de Mouchy. Après tout, rien ne presse.

Mme de Mouchy songea avec amertume que le relâchement moral qu'elle avait constaté chez son époux se confirmait. Il abordait le péché par son côté le plus bénin, la gourmandise, mais qui aurait pu dire où il s'arrêterait ? Il avait pour cette fille des faiblesses qui frisaient la complaisance. Elle avait surpris, dans les regards dont il l'accompagnait durant son service de table, certaine lueur qui devait plus à la concupiscence qu'à la sévérité requise.

Il se tenait devant elle et elle songeait, comme la veille en le voyant s'éloigner dans la nuit, qu'il n'avait peut-être pas la moindre réalité. Elle avait besoin qu'il lui parlât, qu'il la frôlât, qu'il lui manifestât sa présence de quelque manière que ce fût; elle en avait un tel besoin qu'elle se sentit fondre de bonheur quand il porta sa main à ses lèvres.

Elle lui indiqua une pierre plate servant de banc, appuyée contre le mur extérieur du jardin, en bordure d'une friche où, certains jours, les enfants de Montréal jouaient aux trappeurs.

— C'est une folle imprudence que d'être ici avec vous, dit-elle.

— Le regrettez-vous?

Elle allait ajouter qu'elle braverait bien d'autres dangers pour le retrouver mais jugea que ce serait lui donner une occasion de se montrer vaniteux.

— Je sais le danger que je vous fais courir, dit-il. Cela ne fait que donner plus de prix à votre présence.

— Vous savez cela?

— ... et bien d'autres choses sur vous, mais rien qui puisse me décourager. Tenez, par exemple...

— Non! dit-elle. Parlez-moi plutôt de vous. J'ignore qui vous êtes vraiment.

Il se découvrit, posa son chapeau sur son pourpoint et dit d'un air faussement cérémonieux:

— Baron Louis-Armand de La Hontan, lieutenant des armées de Sa Majesté outre-mer, natif du Pays basque, pour vous servir. Premières armes dans le régiment de Bourbon, sans gloire, je dois le dire, mais la gloire des armes peut être une passion des plus funestes. En novembre de l'année passée j'ai débarqué à Québec avec des renforts de gardes de la Marine que le gouverneur général a obtenus pour faire la guerre à l'Iroquois.

— Vous allez donc partir?

— Certes, bien que je ne sois pas un foudre de guerre. Personne ne m'a demandé mon avis. Pourtant, lorsque ce sera nécessaire, je saurai me conduire avec honneur, mais sans excès de zèle. Euripide a fort bien parlé de ce genre de comportement. Il disait... hum...

— Que disait Euripide?

— C'est sans importance. Je ne m'en souviens plus.

— Qu'importe! dit-elle. Continuez à parler. J'aime entendre votre voix autrement que comme un murmure sous ma fenêtre.

Il fit claquer dans sa main le petit livre dont il semblait ne jamais se séparer.

489

– Auriez-vous l'intention de me lire des poèmes? dit-elle.

– C'est de la prose : les *Essais* de Montaigne. Je ne craindrais pas l'emprisonnement si j'étais certain qu'on me laisse ce livre. Il a réponse à tout.

– Redouteriez-vous que cette idylle vous vaille la prison?

– Qui sait? Imaginez que votre maître ou son valet surgisse. Il m'ordonne de me retirer. Je sors mon épée. Nous nous battons. Il tombe. On m'enferme et on me pend!

– Taisez-vous! Cela n'arrivera pas.

– Qu'en savez-vous? Que ferais-je pour lutter contre l'idée de la mort si je n'avais pas ce livre?

– Vous penseriez à moi. A moins que vous ne me maudissiez d'avoir été la cause de votre infortune.

– Vous maudire? Vous qui m'avez redonné le goût de vivre?

– Moi?

– Oui, vous! Je dépérissais dans cette ville au point de souhaiter partir me battre dès que possible. Mon village du Béarn est plus animé que Montréal et l'on n'a point sur les talons des âmes charitables pour épier vos faits et gestes. Avant de vous rencontrer, j'étais sur le point d'aller chez les filles. Et puis, un jour, je vous ai rencontrée à la chapelle. J'ai pensé en vous voyant vêtue de noir que, plutôt que d'un parent, vous deviez porter à l'avance le deuil de votre jeunesse.

– J'ai dû renoncer aux vêtements de couleur. Ma maîtresse l'exigeait.

– Alors je vous ai suivie et j'ai compris en vous regardant que ce n'était pas un pur hasard qui vous avait placée sur mon chemin ce dimanche-là...

Cathy se renversa en arrière, la nuque collée à la pierre, les yeux mi-clos sur la belle nuit d'été qui chantait de tous ses grillons.

– Parlez, je vous en prie. Parlez encore. Ce dimanche-là...

Louis-Armand lui prit les mains pour les porter à ses lèvres et les garda contre sa joue.

– Ce dimanche-là, poursuivit-il, je l'attendais sans m'en rendre compte. Avant vous ma vie était vide. Un de vos regards a suffi à la combler.

Il rit doucement.

– Pourquoi riez-vous? dit-elle.

– Parce que je donne malgré moi dans la mièvrerie, comme s'il n'était pas suffisant que nous soyons ensemble. Peut-être vaudrait-il mieux que je me taise.

– Taisez-vous si vous le jugez bon. L'important est que vous soyez là, mais il va falloir que je vous quitte.

– Déjà? Cette demeure est une prison pour vous, n'est-ce pas?

– Elle ne l'est plus. Vous en avez ouvert la porte. J'avais perdu tout espoir. Sans vous, je me serais endormie pour toujours, et même votre voix ne serait pas parvenue à m'éveiller. Peut-être vous dirai-je un jour pourquoi j'en suis venue à accepter cette condition.

– Je sais, dit-il. Je vous répète que je sais beaucoup de choses sur vous. Il se nommait Frédéric...

Trois nuits de suite, Louis-Armand fut présent au rendez-vous. Au mépris de toute prudence, Cathy se rendait au fond du jardin, ouvrait la barrière donnant sur les prés et la friche. Les nuits lourdes annonçaient des orages; certains soirs, à fleur d'horizon, au-delà du Saint-Laurent plombé de clartés blafardes, on voyait monter des murs de ténèbres lézardés d'éclairs; le crépuscule n'apportait qu'une fraîcheur relative.

Ils restaient assis sur la pierre chaude, silencieux, ou se promenaient sous le couvert des taillis de noisetiers où nul ne pouvait les apercevoir; ils s'avançaient jusqu'au bord du chemin qui descendait en pente légère vers la berge où se balançaient des barques et de petits brigantins. Cet espace de terre et d'eau à l'infini devant eux, dans la limpidité de la nuit, leur donnait des idées de liberté.

– Tu ne peux rester chez ces gens, disait-il. Un jour tu finirais par leur ressembler et ils te tueraient à petit feu. Ils se méfient de l'amour parce qu'ils ne l'ont jamais rencontré. Ils redoutent la jeunesse parce qu'ils n'ont pas su profiter de la leur. On raconte qu'ils n'ont jamais partagé le même lit pour éviter la tentation du péché, comme l'ancien gouverneur général, d'Ailleboust, qui n'a jamais commis avec son épouse l'œuvre de chair. Quoi qu'il en soit, reste vigilante.

Il ajouta d'une voix brisée:

– Cathy, je vais partir bientôt.

– Quand ?

– D'ici deux ou trois jours. Ma feuille de route vient de me parvenir. Si je ne revenais pas il faudrait m'oublier et quitter cette demeure. Tu n'auras aucune peine à te placer dans une autre maison.

– Si tu ne reviens pas, peu importe que je sois ici ou ailleurs !

– Il m'importe beaucoup à moi ! Parce que je tiens à toi et que je me refuse à l'idée de te voir gaspiller ta jeunesse.

Il chercha ses lèvres, leur trouva un goût de larmes.

– Je ne parviens pas à savoir ce qui te retient chez ces geôliers ! Quel mystère...

– Il n'y a pas de mystère ! dit-elle précipitamment. J'ai trouvé dans cette demeure le repos de l'âme et la sécurité. Avant que tu viennes vers moi, je ne désirais rien d'autre. D'ailleurs mes maîtres sont moins détestables que tu le dis. Un peu ridicules, sans doute. Ils sont enfermés dans leur vertu comme dans une forteresse et ceux qui vivent dans leur entourage se transforment en soldats. Pour eux, aimer hors de leur milieu, c'est déserter. Peut-être aurais-je songé à les quitter mais, si tu ne revenais pas, ce serait une idée absurde.

– Je reviendrai, je te le promets, mais, avant de partir, je te dois une vérité qui va te blesser. Cathy, jamais je ne t'épouserai, à moins d'un changement profond de ma nature ou que tu ne changes toi-même. Dans ce dernier cas, ce serait le signe d'une emprise sur moi. Alors je te haïrais autant que je t'aurais aimée auparavant.

La main de Cathy chercha la sienne.

– Ne complique pas tes sentiments, dit-elle. Moi j'ai simplement envie d'être avec toi le plus longtemps possible.

Il se leva pour faire quelques pas et dit soudain :

– Tu ne me demandes pas pourquoi je ne puis t'épouser ?

– Pourquoi ? dit-elle d'une voix en apparence indifférente.

– Je doute qu'il existe une femme que je sois capable d'aimer deux ans de suite sans avoir envie de la brutaliser et de la jeter hors de mon lit. Les poètes, les romanciers, parlent avec complaisance des « liens de l'amour » ; cela me fait froid dans le dos. Au collège de Bayonne, alors que je

492

lisais les livres de poèmes que m'envoyait mon parrain, M. de Guiche, je tombais à tous coups sur ces maudits « liens ». Depuis, je me méfie. Je veux demeurer aussi libre que les gaves de mon pays. Si j'avais eu l'honnêteté de te prévenir dès le début de mon caractère indépendant, peut-être ne serions-nous pas ici ce soir.

— Le regretterais-tu ?

— J'aimerais le regretter.

— Alors c'est que tu tiens à moi.

— Sans doute. Mais tu te bats en moi contre mon goût pour la liberté. Dès que je t'ai quittée je souhaite qu'elle triomphe et dès que je te retrouve c'est le contraire.

Cathy se détacha de lui.

— Ainsi, dit-elle d'un ton sévère, dès que tu seras parti je ne serai plus qu'un mauvais souvenir ?

— Il se peut que, certains jours, tu triomphes.

Cathy se détourna, reprit à pas rapide le chemin qui ramenait au jardin du notaire. Louis-Armand eut tôt fait de la rattraper.

— Je t'ai prévenue, dit-il, que j'allais te faire avec ma vérité un cadeau terrible. Quand je suis près de toi je perds le goût du mensonge. Aurais-tu préféré que je te dissimule mes véritables sentiments ? Ne m'aimes-tu pas assez pour accepter ma confession ?

— Ta brutalité me déconcerte. Tu aurais pu y mettre des formes. Ta sincérité risque de tout briser entre nous. Comment pourrais-je t'attendre si je sais que tu m'as oubliée ?

Elle posa ses mains à plat sur le pourpoint, joua avec les aiguillettes, chercha son regard à travers la nuit. Elle dit d'une voix grave :

— C'est notre dernière nuit. Promets de ne pas revenir avant ton départ.

— C'est promis.

Elle songeait : « Si, malgré sa promesse, il cherche à me revoir, ce sera un signe : il me préférera à sa liberté. »

Après avoir soufflé la bougie, Cathy ferma ses volets. La rue était déserte; seul le bruit montant du cabaret proche troublait le silence. « Il ne viendra pas, songea-t-elle. Il est trop fier pour s'avouer vaincu. » Elle allait se retirer quand elle aperçut une ombre au pied de la maison, sous le panonceau du notaire. Elle se retint de manifester sa présence : Louis-Armand se tenait d'ordinaire sous le bouquet de coudriers, de l'autre côté de la ruelle. En observant mieux le personnage elle constata que ce n'était pas lui mais un homme en train d'allumer sa pipe; il fit quelques pas prudents jusqu'au milieu de la ruelle et se campa devant la fenêtre de Cathy; la crosse d'un pistolet brillait dans sa ceinture; il se balança sur ses talons avant de disparaître dans le taillis alors qu'une patrouille s'engageait dans la voie; dès qu'elle se fut éloignée il reprit sa faction.

« Ce bonhomme-là doit me surveiller, se dit-elle. Mais depuis quand ? » Depuis ce soir, à ce qu'il semblait, sinon, la nuit passée, il les aurait surpris et en aurait informé Mme de Mouchy. Elle soupira d'aise en s'appuyant au montant de la fenêtre, heureuse de savoir que Louis-Armand avait échappé à un danger, mais pleine d'amertume en songeant que, désormais, cette demeure, ainsi que le lui avait dit le petit lieutenant, serait pour elle une prison. Un espoir la soutenait : un jour viendrait où elle prendrait pleinement conscience de cette vérité et où elle chercherait à s'évader. Sinon elle serait perdue à tout jamais.

Louis-Armand ne vint pas le lendemain ni le jour suivant.

La ville s'éveilla un matin dans le tonnerre des fanfares et des gargousses que faisaient péter les canons de la citadelle. Des étendards à fleurs de lys palpitaient dans la brise du Saint-Laurent. M. de La Barre, le gouverneur général, venait d'arriver. Les huit cents hommes de troupe consignés l'attendaient dans la cour de la citadelle où il monta en clopinant, s'arrêtant tous les dix pas pour souffler et observer, appuyé sur sa canne, quelques instants de pause. Ses quatre-vingts ans lui pesaient.

La table du déjeuner à peine desservie, Mme de Mouchy dit à Cathy :

— Mon époux et moi allons jusqu'au port pour assister à l'embarquement des troupes pour le fort Frontenac sous la direction du gouverneur. Vous veillerez sur la maison en notre absence.

Cathy obéit, la mort dans l'âme, mais, lorsqu'elle entendit, une heure plus tard, les chants de la troupe mêlés aux fanfares, qu'elle aperçut au loin, derrière le taillis de noisetiers, danser les plumails des officiers et scintiller les armes, elle bondit à travers le jardin, se retrouva au bord du chemin qui menait au port alors que la dernière compagnie venait de passer, laissant derrière elle un sillage d'enfants qui riaient en se bousculant. Elle parvint à distinguer dans le mouvement des uniformes la silhouette de Louis-Armand mais renonça à pousser plus avant et rentra tête basse.

Louis-Armand parti, Cathy s'enfonça de nouveau dans le morne univers dont elle venait d'émerger. Elle tentait de s'accrocher au souvenir du lieutenant mais il avait trop vite traversé son existence pour qu'elle pût espérer le garder longtemps vivace en elle. Les jours, les semaines, les mois d'un été lourd passaient, creusés de vertigineuses journées de chaleur. Chaque jour ou presque on distinguait, montant sur l'horizon, des colonnes de fumée qui, la nuit, s'effaçaient pour faire place à de gigantesques incendies dont l'odeur flottait sur la ville.

Un matin de la fin août, M. de Mouchy reçut la visite d'un lieutenant se disant envoyé par un parent de Trois-Rivières qui avait des intérêts dans l'étude du notaire et que sa santé contraignait à garder la chambre. Il resta assis sur le bord du fauteuil, plus attentif à lorgner vers la porte de l'office où Cathy allait et venait, qu'aux explications du tabellion.

M. de Mouchy referma le dossier et dit :

— Avez-vous bien saisi ou faut-il que je reprenne ?

— Pardonnez-moi, dit le lieutenant en s'épongeant le front, mais cette chaleur m'incommode.

Il se cramponna aux accoudoirs du fauteuil, la tête sur son épaule, bredouillant :

— La fièvre... Les séquelles d'une fièvre contractée au fort Frontenac. Et cette chaleur m'incommode.

M. de Mouchy appela Cathy, lui demanda d'apporter un verre d'eau et un linge humide. Le lieutenant but plusieurs gorgées, se laissa tamponner le front et soupira :

— De l'air, je vous prie...

M. de Mouchy se leva pour ouvrir les fenêtres. Quand il

revint à son bureau, Cathy semblait elle aussi sur le point de perdre connaissance.

— Cela va beaucoup mieux, dit le lieutenant. Avec votre permission, je vais prendre congé.

A peine s'était-il retiré, Cathy bondit jusqu'à sa chambre et s'y enferma. Elle tira de la poche de son devantier la lettre que le militaire y avait glissée : elle était de Louis-Armand.

« *Cathy*, disait la lettre, *j'espère que tu ne liras jamais ce billet : ce serait la preuve que tu as trouvé la force de quitter cette maison et ces gens odieux, mais, si tu es demeurée fidèle à ce temple de la Vertu, j'espère que tu t'en évaderas au plus vite... Je m'étais juré de ne pas t'écrire, mais je n'ai pas pu tenir ma promesse. Cette lettre est de ma part une faiblesse que je me pardonne difficilement : elle contribue à resserrer un de ces " liens " dont je me méfie...* »

Louis-Armand n'avait pas eu à se battre, les Iroquois ne l'ayant pas attendu. C'était une chance inespérée, les trois quarts des hommes étant malades des fièvres. La maladie l'avait épargné, mais on n'était pas au terme de la campagne. M. de La Barre était entre la vie et la mort. On ignorait combien de temps l'armée allait faire le pied de grue. Après avoir évoqué les tractations avec les « sauvages » et les Anglais de la Nouvelle-York, Louis-Armand poursuivait avec véhémence :

« *Vivement que cette campagne lamentable s'achève, que nous quittions ces déserts et que je te revoie! J'en sens en moi l'impérieuse nécessité. C'est comme un feu qui me brûle...* »

Cathy acheva la lettre la tête bourdonnante et les joues avivées par l'émotion. Elle se dit que, Louis-Armand de retour, elle ne pourrait plus vivre dans cette demeure avec la constante tentation du bonheur à portée de la main. Elle décida de demander conseil à son frère Irénée. Au moment de franchir le seuil elle se heurta à Mme de Mouchy qui lui dit :

— Par exemple! Vous sortez? Et où allez-vous, je vous prie?

— Chercher des nouvelles de ma famille auprès de mon frère Irénée.

— M'auriez-vous demandé la permission ou l'aurais-je oublié?

– Non, madame, et je m'en excuse, mais il est urgent que je le voie.

– Pour quelle raison ?

– C'est une affaire *personnelle*, madame.

– Voyez la cachottière ! Si vous quittez cette demeure, il sera inutile de vous y présenter de nouveau. Eh bien, partez !

Cathy ne se fit pas répéter deux fois l'injonction. Elle se retourna au bout de quelques pas, prise d'un vertige : c'était la première fois, depuis qu'elle était au service de ses maîtres, qu'elle se trouvait seule dans Montréal. Seule avec un poids de secrets.

Irénée interrompit la leçon de catéchisme qu'il faisait aux petits Indiens et s'avança vers sa sœur, le sourcil froncé.

– Toi ici ! dit-il. Et seule. Qu'est-il arrivé ?

– J'ai besoin de tes conseils et de ton aide. Je ne puis demeurer plus longtemps chez ces gens. Ils m'exaspèrent.

– Cela fait plus d'un an que tu es à leur service, et brusquement... Tu ne t'es jamais plainte auparavant. Tes maîtres sont satisfaits de ton service et tu veux les quitter ! Pourquoi ?

Elle chercha vainement sur les traits ascétiques de son frère une expression de tendresse et d'inquiétude. L'habitude des Indiens l'avait durci. Comment pourrait-il la comprendre ?

– Il y a quelques semaines, dit-elle d'une voix contractée, j'ai fait la connaissance d'un lieutenant : le baron Louis-Armand de La Hontan. Je l'aime et il partage mes sentiments. Depuis, cette maison est pour moi un enfer.

– La Hontan ! s'écria Irénée. Tu ne pouvais faire un plus mauvais choix. C'est le pire mécréant que la terre ait porté. Ses frasques, ses extravagances sont connues de toute la ville. On dit qu'il arbore une tabatière portant le dessin d'une femme nue ! Il lit des livres mis à l'index ! Il brave la religion et la morale !

– Ce sont des calomnies ! s'écria Cathy. Comment peux-tu le juger sans le connaître ?

– Je ne le connais que trop ! Au cours d'une soirée chez le major Zacharie Dupuis, il a scandalisé l'assistance en soutenant que les mœurs et les croyances des « sauvages » avaient du bon et que les religieux devraient s'en inspirer! Il a osé dire cela et d'autres incongruités que la décence m'interdit de rapporter. M. Dollier de Casson, notre supérieur, s'est battu contre lui comme saint Michel affrontant le démon. Il a eu du mal à le terrasser car ce démon-là se pare des fausses séductions de l'intelligence et de l'éloquence.

Il ajouta à voix basse :

— Tes maîtres sont-ils au courant de vos rapports?

— Non.

— Dieu soit loué! Tout n'est pas perdu. Retourne d'où tu viens et présente cette fugue comme un caprice. Je veillerai à ce qu'on te pardonne

— Je ne retournerai pas chez les Mouchy. J'exècre ces gens. J'ai l'impression de vivre dans un cimetière et, jeune comme je suis, je me refuse de passer le restant de mes jours avec des fantômes.

— Je te trouve bien sévère. Ces gens sont la vertu et la foi incarnées. Ce pays a besoin d'être défendu par ces bons chrétiens contre les aventuriers, coureurs des bois et trafiquants d'alcool qui pullulent et portent atteinte aux bonnes mœurs. Comment cette colonie aurait-elle pu se maintenir sans ces soldats de la Vertu et de la Foi? Tu leur dois le respect.

Il prit les mains de Cathy entre les siennes, qui étaient glacées.

— Soit, dit-il, tu es en âge de te marier et je ne saurais m'y opposer. Tu souhaites mon aide? Alors je trouverai un homme digne de toi, dont tu n'auras pas à rougir. Ce La Hontan aurait fait un époux exécrable. Prions ensemble pour demander à la sainte Providence de nous inspirer un choix honorable.

Elle répondit sèchement :

— Je ne suis pas en état de prier. Il y a trop de rancune dans mon cœur.

— Promets-moi au moins de lutter contre cette passion avilissante.

— Je ne puis rien te promettre. Comment pourrais-je me battre contre une personne qui n'a pas fait preuve envers moi de malfaisance?

M. de Mouchy pardonna sans peine à Cathy; Mme de Mouchy y mit plus de réticence. La solitude, dans les jours qui suivirent sa fugue, pesa sur Cathy plus lourdement que jamais jusqu'à ce jour où, succédant à la pluie, une risée de soleil annonça l'été des « sauvages ».

Une nuit, elle entendit sous sa fenêtre un son étrange, semblable à l'appel tendre et fluet du crapaud. Elle se leva, marcha pieds nus jusqu'à la fenêtre. Louis-Armand se tenait assis sous les noisetiers. Il s'avança jusqu'au milieu de la ruelle et s'inclina.

Il tenait à la main une petite flûte indienne.

Fort Crèvecœur : hiver 1680-81.
Michilimakinac : automne 1682.

Un cri retentit dans la nuit glacée :
– Tonty! Henri Tonty! Où es-tu?
Il fit naître autour de Laurent une onde de terreur. Cavelier, allongé sur son lit, cloué par la fièvre, appelait dans son
délire son compagnon de route, un bel aventurier, le chevalier Henri de Tonty qu'il comptait retrouver à cette étape
sur la route du Mississippi. Tonty était absent.
Laurent porta machinalement la main à son pistolet,
l'abandonna, se leva, la tête lourde, les jambes molles. Le feu
du bivouac n'était plus qu'un œil de braise qui rougeoyait à
travers l'ombre du « tipi » d'écorce. Il y jeta quelques tiges de
blé d'Inde pour faire un peu de lumière.
– Le maître, dit Nica, malade...
Ce n'était qu'une forte fièvre conjuguée avec une grosse
fatigue. Le visage du découvreur brillait dans l'ombre,
enduit de sueur. Il appela de nouveau son cher Tonty, puis
des propos incompréhensibles jaillirent de ses lèvres. Il
ouvrit les yeux, fouilla la pénombre d'un regard égaré qui
s'arrêta sur la silhouette de Laurent.
– Tonty! dit-il. C'est toi.
– Non. C'est moi, Laurent. Nous ne tarderons pas à
retrouver Tonty.
Cavelier hocha la tête et réclama à boire. Laurent écarta
le rideau de lianes, décrocha la gourde pendue devant
l'entrée. La nuit, pure et glacée, était chargée de la puanteur
des cadavres que des troupes de loups venaient flairer avec
des hurlements, l'échine basse, l'œil en feu. Le fort Crève-

cœur... Ce qui restait de ce poste avancé en pays illinois, c'était cet amas de rondins noircis par le feu, en bordure du fleuve gelé, ces structures de cabanes pillées par les Iroquois, ces marmites de terre pleines d'ossements humains à demi rongés, ces têtes scalpées auxquelles les oiseaux de proie avaient arraché les yeux, et ce monceau de cadavres mutilés. De Tonty et des Blancs qui l'escortaient, aucune trace, sinon une énigmatique inscription au charbon sur une planche : « *Nous sommes tous sauvages* » et une date illisible.

— Tonty est vivant, je le sais, je le sens! gémit Cavelier. C'est un homme indestructible, un héros! En ce moment il est en train de m'attendre. Nous finirons bien par le retrouver. Sans lui, sans toi, je ne suis rien.

— Essayez de dormir. Nica et moi faisons bonne garde. J'ai posté des sentinelles aux alentours du fort.

Laurent jeta un rondin sur le feu. Dans le fond du « tipi » des hommes dormaient en ronflant. Laurent sortit sa pipe de sa poche, tira du fond de sa blague quelques parcelles de tabac mélangées à des barbes de blé d'Inde; une odeur âcre et lourde envahit le « tipi » et l'espoir revint l'habiter : « Un homme qui a une pipe, du tabac et un bon feu n'est pas un homme perdu. »

Quelle puissance possédait Cavelier pour qu'il fît face avec une telle obstination à la pire adversité? Tout se liguait contre lui : les hommes et les éléments. Dieu peut-être aussi. Il faisait le gros dos, fonçait contre l'obstacle, se battait, ressortait du combat écorché vif, prenait de nouvelles forces pour de nouveaux engagements. Il traversait des déserts, négociait avec des tribus hostiles; il se lançait sur des fleuves monstrueux, s'enfonçait dans des forêts sans limite. Il était fasciné par le Sud : son but et son rêve. C'est vers ce Sud mythique que vont tous ces fleuves : Wisconsin, Ohio, Illinois... L'un d'eux le conduirait au Mississippi pour son rendez-vous avec l'Océan.

Sa pipe éteinte, Laurent sentit la solitude et la peur se resserrer autour de lui. Que le jour paraisse! Que cessent ces hurlements de loups, ces frôlements et ces râles autour du « tipi »! Depuis qu'il avait quitté le fort Frontenac avec Cavelier, c'était pour Laurent la même vie d'errance, de fuites, de gîtes de hasard, de nourritures ignobles. Tout autre que

Cavelier aurait eu le sentiment, en retrouvant dans la neige sanglante des Illinois ce poste dévasté, d'être au cœur de l'enfer; il y voyait comme la promesse du Purgatoire. Lorsque le jour se lèverait, il serait le premier debout; il se débarbouillerait d'une poignée de neige et demanderait à Nica de le raser. Il y avait en lui un peu de l'héroïsme des saints.

Cavelier essuya son visage tailladé par le mauvais couteau ébréché de Nica et dit à Laurent :
— Eh bien, quoi? Qu'as-tu à me regarder?
— Cette nuit vous étiez en proie à la fièvre, et ce matin...
— Il n'y a pas de miracle! J'ai appris à commander à mon corps comme à mes hommes. Si la fièvre doit être ma compagne, mieux vaut que ce soit la nuit : elle m'épuise mais elle me quitte dès que je le lui ordonne. Allons, sonne le rassemblement! Toi, Nica, vérifie le chargement des canots!
Montés sur des patins à glace, les canots d'écorce glissèrent le long du fleuve Illinois. A peine avait-on quitté le fort Crèvecœur, le soleil fit courir une lumière éblouissante sur la plaine; les hommes cessèrent quelques instants de haler pour boire cette première chaleur. A la moindre forme suspecte le convoi s'arrêtait; ce n'étaient que des corbeaux ou des loups s'acharnant sur quelque charogne, ou un bœuf sauvage qui s'enfuyait à travers la dentelure violette d'un bois de trembles.
De temps en temps Cavelier faisait arrêter la caravane, mettait sa main en porte-voix et criait :
— Tonty! Où es-tu, Tonty?
Les hommes échangeaient des regards en se demandant s'il n'avait pas perdu la tramontane. Comme si Tonty, ce chevalier d'aventure, allait surgir, le sourire aux lèvres, son moignon de bras droit battant, avec son crochet de fer à l'extrémité, comme une aile mutilée. Le pays était trop démesuré, la solitude trop profonde pour rien restituer de ce qu'ils avaient volé.
Lorsque le crépuscule se fut couché comme une faux sanglante sur l'horizon de la prairie, Laurent donna l'alerte : il venait d'apercevoir un groupe d'Indiens immobiles sur la

502

berge. Il les interpella sans obtenir la moindre réaction. Cavelier décida d'aller à leurs devants. Lorsqu'il arriva à quelques pas, des détails atroces s'inscrivirent dans la lumière rasante du couchant : c'étaient des cadavres d'Indiens, guerriers, femmes, enfants, que les Iroquois avaient empalés. Là, comme au fort Crèvecœur, aucune trace de Tonty et de ses compagnons.

La petite troupe trouva refuge, non loin de là, dans une île de l'Illinois prise par les glaces sous lesquelles on entendait gronder le fleuve prisonnier. Les hommes profitèrent de ce qui restait de jour pour rafistoler leurs mocassins éculés; sur ce chemin de glace une paire tenait à peine une journée; certains marchaient les pieds entortillés dans des peaux.

Le lendemain, le paysage s'élargit encore. Cavelier décida que l'on suivrait la rive. Le soir, sous un ciel couleur d'ardoise, alors qu'il tombait une neige épaisse et molle, on perçut, dans la direction du couchant, le grondement d'un autre fleuve qui paraissait charrier des montagnes de glace.

– Le Mississippi! cria Cavelier. Le fleuve Colbert!

On l'atteignit le jour suivant. Il était animé d'un prodigieux charroi de glaces partant à la dérive, se heurtant, se chevauchant dans une rumeur de tonnerre. On explora les alentours sans trouver trace du convoi de Tonty. Le soir, devant la première flambée, Cavelier se dit, le cœur ulcéré, que l'on n'irait pas plus loin sans avoir retrouvé le chevalier; on remonterait le fleuve Illinois jusqu'au fort Saint-Louis-des-Miamis, sur le lac Michigan, d'où l'on gagnerait Michilimakinac, avec l'espoir de recueillir des nouvelles en cours de route.

– Si près du but, faire marche arrière... soupira Laurent. D'ici une quinzaine les eaux du Mississippi seront libres et nous ne serons plus là!

Les hommes partageaient cet avis. Cavelier pouvait-il sacrifier une année, alors que l'on en était à la troisième tentative et que l'on n'avait jamais été aussi près de toucher au but? Quelques années auparavant, Jolliet et le père Marquette avaient descendu ce fleuve jusqu'au territoire des Arkansas mais avaient rebroussé chemin dans la crainte de tomber aux mains des Espagnols ou de certaines tribus anthropophages. On pouvait aller plus loin ; on avait de bons mousquets pour se défendre.

— Non ! dit Cavelier d'un air buté. Je descendrai ce fleuve avec Henri de Tonty ou jamais !

Des hommes parlèrent de renoncer, d'abandonner ce projet ; il les menaça de son pistolet en criant :

— Vous êtes payés pour obéir ! Si j'entends encore parler de désertion, par Dieu, je fais un nouveau massacre !

— Calmez-vous, dit Laurent. Personne n'a l'intention de vous trahir.

Le lendemain, sur les eaux vertes d'avril, on remontait vers le nord. Lorsqu'on arriva en vue de Michilimakinac, Cavelier aperçut un homme debout sur la berge et qui paraissait les attendre. C'était, enfin, le chevalier de Tonty ; il leva son bras valide et envoya au ciel une décharge de pistolet en guise de salut.

— Vous, enfin, Cavelier !

— Vous, Tonty ! Qu'étiez-vous devenu ? Je vous ai cherché jusqu'aux Illinois, jusqu'aux Miamis !

— Nous avons dû prendre la poudre d'escampette lorsque les Iroquois nous ont assaillis. Ils avaient fait un pacte avec nos alliés illinois pour quelques barillets d'eau de feu. Nous nous sommes retrouvés seuls. Il faut exterminer ces Iroquois avant qu'ils ne nous réservent le même sort.

— Plus tard ! Nous devons parer au plus pressé et reprendre notre expédition. Cela vous tente toujours ?

— Plus que jamais, tonnerre ! Demandez-moi de descendre à la nage, malgré ma manche vide, ce foutu Mississippi, et je me jette à l'eau !

Il ajouta, l'air sombre :

— Cette fois, ce sera du sérieux. Il nous faudra une vingtaine de compagnons et autant d'Indiens. Des hommes dont on soit sûr. Mais est-on jamais sûr de rien dans ce pays de « sauvages » ? Ceux auxquels je pense se feraient tuer pour vous : si personne ne se livre à la surenchère pour qu'ils vous tuent !

Laurent promenait son regard sur le paysage qui entourait la mission et le fort : la grande forêt, la falaise plongeant dans les eaux resplendissantes du lac... Il se souvenait de ce jour où le « Griffon » avait plongé dans les bas-fonds, sa coque éventrée. Une haine récurrente lui mit le feu aux joues.

Cavelier ne s'attarda guère chez les « robes noires » : il en avait assez de leurs paraboles narquoises, de leur condescendance ironique, de leurs encouragements fallacieux ; il faisait la sourde oreille en rongeant son frein. Un matin de juillet il remercia le père Allouez de son hospitalité et partit avec Tonty pour le fort Saint-Louis-des-Miamis, à l'extrême sud du lac Michigan, protégé d'une attaque iroquoise par l'alliance conclue par Cavelier, lors de son dernier passage, avec les Abénakis et les Mohicans de la Nouvelle-York, transfuges des « Anglisses ».

Avant ce nouveau départ, Laurent aurait souhaité pousser jusqu'à Lachine pour embrasser sa mère, sa sœur, son épouse et ses deux enfants dont il était sans nouvelles depuis plus d'un an, mais Cavelier lui avait interdit ce qu'il avait appelé un « luxe de militaire ».

– Les permissions, dit-il, ce sera pour une autre fois. Si nous réussissons, non seulement tu pourras passer le temps que tu voudras dans ta famille mais tu me suivras en France où je compte me rendre pour déposer cette conquête aux pieds de Sa Majesté. Nous ne devons pas compromettre cette nouvelle tentative. Jamais nous n'avons connu une telle misère ! Nous n'avons même pas un charpentier pour construire quelques canots, et pourtant j'ai la certitude que, d'ici quelques mois, nous tremperons nos pieds dans la mer Vermeille !

Le départ eut lieu le 1er janvier de l'année 1682.

Les canots glissèrent de nouveau sur l'Illinois pris par les glaces ; ils étaient attelés à des hommes, des Indiens surtout. On trouva des villages dépeuplés par les chasses d'hiver ou la menace des Iroquois. Cavelier avançait, les dents serrées ; il allait de Jacques Bourbon d'Autray, fils du procureur de Québec, au chirurgien Jean Michel, du jeune de Boisrondet au père Zénobé Membré, le boute-en-train de la colonne, comme s'il cherchait en leur compagnie à tromper ses inquiétudes.

Le trajet pour atteindre l'embouchure de l'Illinois parut à Laurent plus long que l'hiver précédent : il attendait avec une impatience décuplée le moment de lancer ses canots sur le grand fleuve.

Partis en éclaireurs, les Indiens abénakis revinrent avec une nouvelle affligeante : le Mississippi n'était qu'une étendue de glace; il faudrait attendre avant de pouvoir mettre les embarcations à l'eau.

Des hommes partirent pour la chasse. Environ une quinzaine plus tard, le temps mollit et le ciel se couvrit de nuages de pluie; on entendit tonner les glaces rompues et l'on vit des geysers d'eau libre jaillir du ventre du fleuve.

Trois jours plus tard les canots bondissaient à travers remous et tourbillons. Les glaces avaient fait place à des îlots errants arrachés par le dégel aux rives incertaines. On naviguait sur un fleuve de boue rougeâtre, au cœur d'une saison qui n'était plus l'hiver et pas encore le printemps. Le jour, des moiteurs fétides montaient par bouffées des rivages pourris; la nuit, des souffles glacés galopaient sur la plaine. A peine avait-on quitté la neige des Illinois, on devinait les effluves du printemps. Au bivouac, la forêt semblait attirer les hommes; l'un d'eux s'y engagea imprudemment et s'y perdit; on le recueillit plusieurs jours plus tard, alors qu'il descendait au fil de l'eau, cramponné à un tronc d'arbre, à demi mort d'épuisement.

Aux eaux tumultueuses du Mississippi étaient venues se mêler celles du Missouri, puis de l'Ohio, la « Belle Rivière ». En quelques jours, l'été avait succédé au printemps; des arbres géants, d'essence inconnue, se dressaient sur les berges; l'approche de la caravane dispersait des nuées d'oiseaux multicolores dont on retrouvait les plumages sur la tête des Indiens chicachas rencontrés à plusieurs reprises et qui accueillirent avec une surprise amicale ces chevaliers du fleuve.

Par l'intermédiaire des Abénakis, des Mohicans et des Chawanons de l'expédition, le père Membré enseignait à ces populations qu'il n'est qu'un seul « Manitou », celui des Blancs, et il leur distribuait des croix d'étain.

Les clairières donnaient des idées de paradis terrestre : daims et chevreuils gambadaient dans le soleil; des fumées de pollen flottaient sur les lointains bleuâtres, comme une brume; dès que s'ouvrait l'immense perspective d'une plaine, on voyait galoper des troupeaux de bœufs sauvages dont les sabots faisaient un bruit d'orage.

Environ la mi-mars, Cavelier, par une chaleur lourde, repéra une vaste clairière sur la rive ouest du fleuve et décida d'y dresser un camp. A peine les femmes avaient-elles commencé à préparer la « sagamite », une sentinelle donna l'alerte.

– Des tambours... dit Tonty. Peut-être ceux de ces tribus belliqueuses dont nous ont parlé les Chicachas.

– Peut-être l'orage... dit Cavelier.

– Un orage ne ferait pas ce bruit continu, dit Laurent. Cela ne présage rien de bon. Ce sont sûrement des Indiens arkansas.

Il écrasa sur son bras un moustique gorgé de sang et proposa que l'on installât le camp dans un endroit plus rassurant.

– Non, dit Cavelier. Les hommes sont fourbus. D'ailleurs je refuse de battre en retraite devant des « sauvages ». Nous irons à leurs devants.

Il se drapa du manteau d'écarlatine qu'il portait dans certaines occasions où il devait paraître en majesté et se munit du calumet empanaché de plumes. Il fit signe à Laurent, à Tonty et à quelques Blancs de le suivre avec leurs armes mais d'attendre son ordre pour s'en servir si la situation se compliquait. Minime et Boisrondet resteraient pour dresser le camp et veiller sur le chargement.

La petite troupe s'enfonça dans l'ombre verte de la forêt, constellée d'une floraison paradisiaque. La rumeur des tambours, répercutée par la voûte végétale, devenait obsédante. On aperçut enfin les palissades d'un village installé au milieu d'une clairière. A peine s'y était-on engagé, les tambours cessaient leur tintamarre et il sembla que le pouls de la forêt se fût arrêté. Les visiteurs virent apparaître au sommet des palissades quelques têtes emplumées. Cavelier montra son calumet et, peu après, un vieillard vêtu de blanc s'avança vers lui, tendant aussi un calumet. Les Blancs abaissèrent leurs mousquets.

Dans la nuit qui suivit, Laurent s'éveilla en sursaut. Il avait dormi comme une pierre. Au lieu de la voûte d'arbres qui lui servait communément de ciel de lit, il avait au-dessus de sa tête la double couverture de jonc d'un « tipi »; au lieu du silence de la forêt, les tambours et les flûtes d'une fête se déchaînaient dans la nuit. Il suffoquait : on avait allumé au centre du « tipi », pour le protéger des piqûres des moustiques, un feu d'écorces vertes qui donnait une boucane d'une féroce âcreté. Il glissa un coup d'œil à l'extérieur : le chef des Arkansas dansait autour du bûcher le ballet rituel du calumet; en face de lui, assis sur une natte violemment colorée, Cavelier somnolait

Au moment où il allait franchir le seuil, Laurent sentit une main posée sur son épaule; un rire perlé éclata contre son oreille et des seins aigus s'imprimèrent à ses reins. La main l'obligea à reculer et à reprendre sa place. Ses bras se refermèrent sur une forme souple et chaude qui se creusa sous lui avec un grognement de plaisir.

Ces quelques jours passés au village des Arkansas furent pour Laurent des vacances trop brèves. Le père Zénobé Membré avait planté solennellement la croix et l'on avait accompagné la cérémonie d'un festin; un autre festin suivit le pacte d'amitié entre le « sachem » des Indiens et le grand chef des Blancs; c'est par un troisième et dernier festin qu'avait été célébré le départ de la caravane. Les femmes se poussaient du coude en gloussant et envoyaient au visage des Français des brindilles pour les inviter une dernière fois à l'amour.

On retrouva sans plaisir le fleuve énorme, écrasé entre des immensités de prairies et de forêts avec parfois, dans le lointain, des lignes bleues de montagnes sous un ciel fleuri des mille nuages du printemps.

— Si le roi de France, si les adversaires que nous comptons à la Cour pouvaient voir ces pays... murmurait Cavelier, tous nos problèmes seraient résolus. Des navires de colons viendraient peupler ces terres fertiles. Le vieux pays trouverait de quoi faire croître et multiplier les surgeons de la race.

Le pays se transforma en désert : plus un village à l'horizon; de rares gibiers... Le blé d'Inde et la réserve de viande boucanée étant épuisés, on tua des reptiles au goût écœurant. On approchait du territoire des Taensas. Un matin les deux guides arkansas précédant la caravane firent signe à Cavelier qu'il fallait s'arrêter. L'un d'eux prit un calumet et s'enfonça, accompagné de la colonne, dans la forêt en direction d'un village. Dans un décor de mûriers et d'arbres en fleurs s'étalait un petit lac bien rond, pareil à un bassin, autour duquel, rangées en bon ordre, se dressaient des cases couvertes de jonc et correctement bousillées d'argile. Hommes et femmes étaient de proportions si harmonieuses que le père récollet parla des Grecs et se sentit le cœur plein d'indulgence.

Cavelier donna l'ordre de départ pour le lendemain; il craignait que la liberté de ces « sauvages » et la beauté de leurs femmes ne fussent préjudiciables à ses hommes.

Passé le dimanche des Rameaux, l'expédition entra dans le pays des Natchez, ennemis des Taensas, puis dans celui des Koroas. Les mêmes tambours accueillaient les visiteurs que l'on fêtait comme des êtres surnaturels. N'étaient les nuées d'insectes et la chaleur qui accablait les voyageurs, cette expédition eût été une partie de plaisir. Les milles se déroulaient, les jours passaient sans que surgissent les rives de l'océan. Les hommes commençaient à murmurer : ce voyage durait trop longtemps et l'on allait trop loin, sans savoir où. Que valaient les alliances que l'on laissait en arrière ? N'allait-on pas trouver, au retour, toutes ces tribus dressées contre soi ?

Chaque soir, Laurent retardait le plus possible son sommeil, malgré sa fatigue. En vain cherchait-il à déceler une faille dans le comportement de Cavelier; il semblait assumer seul l'angoisse des lendemains, l'incertitude de cette équipée, le danger que recelaient les rives enfouies sous les plumets dorés des cannes, des marécages et des bras morts d'où pouvaient surgir des centaines de « sauvages »...

On parlait d'« eau salée » aux Koroas; ils montraient les dix doigts de leurs mains et traçaient un signe d'un bord à l'autre du ciel. Dix jours... Laurent sentait son cœur se serrer et se livrer en lui une sourde bataille contre ses appréhensions.

Un soir, debout à l'avant de son canot, Cavelier fit de grands gestes : le fleuve se partageait en trois branches divisant des îles couvertes d'une végétation luxuriante et d'échassiers au plumage éclatant.

On installa le campement dans une de ces îles, au milieu

de marécages hantés par des serpents, des grenouilles et des crapauds géants, sous une lune rouge émergée des brouillards fétides. Personne ne put dormir cette nuit-là ; les Indiens en passèrent une partie à danser et à copuler avec les femmes du convoi ; les Français fumaient interminablement pour meubler leur insomnie et se préserver des insectes.

Pris d'une mauvaise fièvre, Laurent ne pouvait tenir en place ; il avait erré jusqu'à la berge du fleuve mais il avait, au retour, manqué s'enliser et se perdre ; le tabac lui donnait des idées folles : il avait à la fois envie de rire et de pleurer, envie de serrer les Indiens contre lui et de les détruire. Il finit par sombrer dans un épais sommeil traversé par les mille bruits de la sylve. A travers ombres et brumes il lui sembla voir s'avancer vers lui une grande fille nue, fière et sauvage, qui lui tendait la main ; il reculait mais une force invincible le poussait vers ses seins un peu lourds, son ventre lisse et fauve. Elle ressemblait à Thérèse, la « Petite Pousse d'Atoca » qui s'était fanée dans sa cellule de l'hôtel-Dieu. Il finit par se confondre avec cette ombre de chair. Le matin venu il eut l'impression d'avoir embrassé dans une même étreinte l'amour et l'aventure.

Cavelier monta dans un canot et s'engagea dans le chenal de droite, confiant celui de gauche à Bourbon d'Autray, tandis que le chevalier de Tonty s'embarquait sur celui du centre.

Laurent suivit Cavelier qui, possédé lui aussi par la fièvre, se tenait debout à l'avant au risque de tomber dans le fleuve ; il adressait à Laurent des sourires crispés et cinglait d'âpres reproches les Indiens qui ne pagayaient pas assez vite à son gré. Il voulait être le premier à voir l'océan.

Après des jours de navigation, les rives fangeuses où le vent creusait des remous dans les taillis de cannes s'écartèrent ; des vagues clapotèrent contre les coques ; le vent apportait un goût de sel sur les lèvres : la mer était proche. Lorsque Cavelier aperçut, droit devant, l'espace infini d'eau libre et bleue, de vent sans entrave, quand il eut respiré l'air salin chargé d'embruns, il ôta son chapeau, le posa sur sa poitrine et se mit à genoux pour une action de grâces. Laurent l'imita, puis le père Membré, puis Jean Bardon qui se trouvaient dans le même canot.

Les trois embarcations se rejoignirent, à quelques jours de leur séparation, sur une langue de terre, face au grand large. Cavelier fit abattre deux cyprès que les hommes écorcèrent, équarrirent et dolèrent avec entrain. Du premier ils firent un simple pieu, pour marquer l'occupation de ces terres au nom du roi; le second, pour les vouer à Dieu, fut une croix.

– Maintenant, dit-il, nous allons nous vêtir le plus dignement possible pour marquer la solennité de cette journée. Cette terre a bien voulu de nous. Rendons-lui la politesse en nous montrant à notre avantage. Je ne veux pas voir un bouton manquant, une chemise sans cravate, un chapeau sans plumes. A Dieu qui nous observe, au roi de France à qui nous donnons cet empire, offrons le spectacle de gens civilisés.

Une heure plus tard, vêtus d'habits rafistolés, mousquet à l'épaule et pistolets dans la ceinture, leurs chapeaux empanachés de plumes multicolores empruntées aux Indiens, ils entouraient la croix et la stèle. La chaleur, sur cette grève dénudée, était étouffante malgré la brise du large, et les hommes chancelaient.

Cavelier réclama le silence et déclara :

– Au nom du très haut et très puissant Prince invincible et victorieux, Louis le Grand, par la grâce de Dieu roi de France et de Navarre, quatorzième de ce nom, ce neuvième jour d'avril 1682, en vertu du décret de Sa Majesté...

A l'abri du feutre à large bord, le regard de Laurent se porta vers le large. Il avait connu les vagues des Grands Lacs, leur douceur et leur colère, mais rien n'était comparable à cette immensité violette balayée de souffles sauvages, à cette profondeur vertigineuse de l'horizon d'où montaient des nuages roses, à ce grondement d'orages engloutis.

Cavelier poursuivait :

– ... J'ai pris possession de ce pays de Louisiane, des mers, ports, villes, villages, mines, minéraux, pêches, ruisseaux et rivières dans l'étendue de ladite Louisiane, depuis l'embouchure de la grande rivière Saint-Louis, connue aussi sous les noms d'Ohio, Olighisipou et Chikagoua, et ceci avec le consentement des Chawanons, Chicachas et autres nations...

Les vagues aux mouvements lents et majestueux, les abîmes entrevus dans leurs plis, la rumeur profonde qui en

montait comme un cantique dans une cathédrale, fasci-
naient les hommes. La voix puissante de Cavelier se perdait
dans ce tumulte, renaissait, laissait dans l'esprit de Laurent
des mots qui flottaient comme ces lisérés d'écume vite
engloutis par les ressacs. Il n'entendit de la péroraison que
quelques mots égarés dans le vent :

– ... premiers Européens... rivière Colbert... droits de Sa
Majesté... consentement des nations...

Le chevalier de Tonty avait des larmes aux yeux. Il fit, en
brûlant de la poudre, s'éparpiller des nuées de grues
blanches et de spatules roses. La voix du père Membré
s'éleva, entonnant le *Te deum*, l'*Exaudiat* et le *Domine sal-
vum fac regem*. Les hommes avaient besoin de ce bruit et de
ces chants pour donner corps à leur émotion et la dominer.

Cavelier cria par trois fois en brandissant son chapeau :
« Vive le roi ! » Les hommes reprirent ce cri et on eût dit que
toute une armée clamait son enthousiasme pour saluer une
victoire.

Le notaire, Mᵉ Jacques de la Métairie, fit circuler un rou-
leau de parchemin que chacun signa. En le voyant chanceler Laurent se précipita pour le soutenir et décréta :

– La fièvre... Nous en crèverons tous si nous nous attar-
dons.

Il ne restait pour ainsi dire plus de vivres. Grelottant de
fièvre, de fatigue et de peur, les voyageurs entreprirent de
remonter le fleuve. Entre les taillis de cannes se glissaient
des Indiens quinapisas mangeurs d'hommes, dont les flèches
plongeaient autour des embarcations. Le soir venu, ils atta-
quèrent le bivouac mais se retirèrent avec des pertes terribles. Le lendemain, les voyageurs tombèrent sur un de
leurs villages ; il était désert ; en s'enfuyant, les « sauvages »
avaient abandonné des réserves de viande boucanée dont les
hommes se régalèrent.

– Savez-vous, dit Jean Michel en examinant un os, que
nous venons de manger de la chair humaine ?

Certains soirs, Cavelier se mettait à délirer : il instaurait
une trinité dont Dieu, le roi et lui-même étaient les pairs et
qui était appelée à régir l'univers ; il parlait de la Chine et du
« Griffon » ; tout un passé de rêves et de folies remontait en
lui avec d'épouvantables nausées. Parfois, lorsque Laurent

512

s'approchait, prononçait les noms de Lachine, de Catherine, de Cathy, il voyait se dessiner des vagues à forme humaine; il avait l'impression que la réalité de cette aventure se désagrégeait au fur et à mesure qu'elle prenait corps et qu'un jour, de cette belle conquête, il ne resterait que quelques noms et le souvenir d'une longue misère.

— Il va falloir pousser sur les pagaies à en crever, dit Tonty. Nous devons arriver en septembre à Michilimakinac. Après, nous aurions trop de difficultés en raison du mauvais temps.

— Cela fait huit cents lieues de navigation! dit Laurent. Et nous ne sommes pas certains que les tribus que nous allons rencontrer nous fassent des sourires.

La navigation se faisait avec une lenteur obsédante. Des Indiens désertèrent; il fallut abandonner des canots et du matériel; Cavelier était toujours perdu dans les nuages de la fièvre, et c'est Tonty qui avait pris le commandement du convoi.

Alors que Cavelier était allongé sur un matelas de peaux, dans le canot de tête, il aperçut la grande falaise de Michilimakinac qui se dressait sur l'horizon de la forêt et ce spectacle, soudain, parut lui donner un regain de vie.

Il fit appeler Laurent alors qu'il venait de se coucher dans les draps des missionnaires.

— Dans moins d'un an, dit-il, je serai à Versailles et je présenterai mon cadeau au roi. Je veux que tu me suives...

Montréal : hiver 1682-1683.

C'était un jeu sans joie, épuisant et dangereux. Cathy regrettait de s'y être engagée, mais une pensée la soutenait et l'attristait à la fois : il tirait à sa fin.

Elle avait pris sa décision dès l'instant où elle avait aperçu, debout au milieu de la ruelle, Louis-Armand en train de brandir sa petite flûte indienne; elle avait refermé vivement la fenêtre et s'était fait violence pour ne pas l'épier à travers les contrevents; quand elle s'y était risquée, elle avait constaté qu'il n'avait pas bougé.

Le même manège se renouvela le lendemain et chaque soir durant une semaine, mais il restait de moins en moins longtemps. Le septième jour, un dimanche, elle l'aperçut lors de la messe à l'intention des troupes de M. de La Barre, retour du pays des Iroquois. Elle fit mine de ne pas le voir; ce soir-là il ne se montra pas; les autres soirs non plus.

Mme de Mouchy la gourmandait. M. de Mouchy l'interrogeait :

– Voyons, Cathy, qu'est-ce qui vous préoccupe ? Seriez-vous souffrante ? Vous savez l'affection que je vous porte : celle d'un père. Pourquoi ne pas vous confier à moi ?

Elle répliquait par des banalités; il insistait. Le jour où il voulut la prendre sur ses genoux, elle regimba. Il devint pâle comme un cierge et promit de ne pas recommencer.

Il tombait sur la ville une de ces averses légères traversées de rayons de soleil qui faisaient flamber sur les collines des masses d'érables portés au rouge. En dépit de la douceur du temps, Cathy grelottait. Pourquoi, se disait-elle, renoncer à voir Louis-Armand ? Il n'était pas homme à se prêter à ce jeu de sentiments : il renoncerait à elle ou ferait un esclandre.

Un matin du début d'octobre elle entendit un tonnerre de canons et de fanfare. La garnison quittait Montréal. Le cœur serré, elle imagina les uniformes chatoyants, les buffleteries éblouissantes, les larges chapeaux à plumes multicolores; elle se dit que Louis-Armand devait la chercher des yeux dans la foule des colons, compter les minutes qui le séparaient du départ, espérer jusqu'à la dernière seconde qu'il la verrait paraître. Il ne lui déplaisait pas d'imaginer la souffrance de Louis-Armand, mais elle était impuissante à lutter contre sa propre détresse.

Alors qu'elle séchait ses larmes, la voix aigre de Mme de Mouchy la fit sursauter :

– Ma pauvre petite... Je comptais vous apprendre à maîtriser les faiblesses et les entraînements de votre nature, mais j'ai échoué. Hélas! J'aurais tant aimé vous considérer comme cette enfant que je n'ai pas voulu, vous aider à racheter vos souillures, vous armer contre les tentations... Et vous pleurez parce qu'un séducteur vous abandonne! Vous devriez remercier le Seigneur. Votre chagrin est un signe de lâcheté!

Cathy borda soigneusement la pelisse qui couvrait les genoux de Mme de Mouchy et lui tendit son manchon de petit-gris. Une voix âpre sortit du bonnet de fourrure, avec un nuage de vapeur :

– Vous feriez bien de vous coucher tôt et de dormir. Je n'aime pas cette mine pâlotte et ces yeux battus.

M. de Mouchy fit claquer son fouet et l'attelage des chiens arracha le traîneau à la neige dans un concert d'aboiements et de sonnailles.

– Surtout n'oubliez pas de chauffer nos lits! lança Mme de Mouchy.

Cathy rentra précipitamment, souffla la lanterne, secoua sa tuque recouverte de cristaux scintillants. Il arrivait à ses maîtres de quitter la maison pour une veillée chez le gouverneur ou chez quelque notable en lui laissant la garde de la maison, mais ce soir, dans cette vaste bâtisse cernée par le

515

silence de la nuit de neige, elle se sentait comme seule à bord d'un vaisseau fantôme. Pour se donner une impression de liberté elle parcourut la maison un chandelier à la main. Sa promenade terminée, elle rejoignit à l'office le reste des domestiques, dîna en leur compagnie puis s'apprêta à chauffer le lit de ses maîtres et à regagner sa chambre.

Alors qu'elle s'engageait dans le vestibule elle entendit un choc contre la fenêtre donnant sur le jardin et une voix étouffée qui murmurait son nom. Elle ouvrit avec précaution la porte du jardin sur une bouffée d'air glacé, mais faillit la refermer aussitôt en voyant surgir de l'ombre Louis-Armand. Suffoquée par la surprise, elle parvint à lui demander :

— Que fais-tu ici ? Je te croyais parti pour Québec avec ta garnison !

Il s'ébroua, secoua sa cape rouge et son feutre aux plumes flétries par la neige et dit :

— Comme tout est étrange !

— Qu'est-ce qui te paraît étrange ?

— D'avoir simplement à frapper à une vitre pour te voir paraître, alors que, durant des jours, j'ai attendu sous tes fenêtres que tu daignes te montrer.

— Tu ne peux rester, dit-elle. Mes maîtres sont partis mais les domestiques sont encore là. Pourquoi n'es-tu pas parti pour Québec avec ton régiment ?

— Une partie est restée à Montréal. Tu n'imaginais tout de même pas que je renoncerais à toi sans connaître les raisons de tes réticences ? N'as-tu pas reçu ma lettre ?

— Je l'ai reçue.

— Il y a quelques mois j'aurais rougi de ridicule à nourrir de tels sentiments, que je tenais pour une faiblesse. Dire que je me suis laissé aller à te confier mes secrets ! En d'autres temps j'eusse préféré être dégradé et jeté aux fers. Le plus singulier, c'est que je ne regrette rien.

Il ajouta d'une voix sévère :

— Pourquoi as-tu refusé de me revoir à mon retour ?

— Je voulais savoir si tu étais capable de démolir les murs d'une prison pour me délivrer.

Il eut un petit rire ironique.

— ... et tu m'as tendu un piège où je suis tombé comme un

nigaud ! Il est vrai que l'absence de tes maîtres m'a encouragé à te faire cette visite. J'ai appris ce matin qu'ils devaient se rendre à cette soirée chez le gouverneur. Alors je n'ai pu résister à la tentation. Quoi qu'il en soit, un jour ou l'autre j'aurais fait un esclandre.

Il la prit dans ses bras, étouffant ses paroles dans sa nuque.

— Ne restons pas ici ! dit-il. Montons dans ta chambre.

— Non ! dit Cathy.

— Pourquoi ?

— Je crains que tu m'aimes moins... après.

— Si je t'aimais moins, ce serait déjà beaucoup.

— Viens, dit-elle. Fais doucement.

Elle chercha sa main à travers l'ombre et la serra de toutes ses forces. L'unique chandelle qu'elle avait laissé brûler au fond de la chambre luttait avec la clarté blafarde venant de la fenêtre qui donnait sur des immensités de neige. Elle frémit en songeant qu'elle avait omis de fermer les volets et qu'on pourrait s'étonner de cette lumière à cette heure avancée de la nuit. A force d'attendre les sonnailles et les aboiements des chiens de traîneau qui annonceraient le retour de ses maîtres, elle en avait plein la tête. Elle se leva, jeta son manteau sur ses épaules nues et s'apprêta à fermer les volets lorsque la voix de Louis-Armand, qui venait de se lever à son tour, murmura à son oreille :

— Non ! Attends un peu...

Il écarta le manteau et elle sentit son corps fiévreux se coller au sien, tandis qu'une bouche brûlante fouillait sa nuque. La pureté glacée de la nuit la baignait d'une eau de printemps. La neige avait cessé de tomber ; l'air était d'une immobilité de pierre et la ville paraissait morte ; seuls les hurlements des bandes de loups sur les pentes du mont Royal donnaient la dimension du paysage – elle les imaginait pareils à ces désirs qu'elle avait libérés et dont le souvenir lui chauffait le cœur.

Elle ferma les volets, repoussa Louis-Armand.

— Maintenant, dit-elle, laisse-moi. Il doit être fort tard.

— Cathy, dit-il, j'ai peur. Peur de moi, de ma solitude, de mon désœuvrement. Je me connais. Je rongerai mon frein un jour ou deux après notre séparation et puis, qu'adviendrat-il ? Serai-je maître de mes décisions ? Ne serai-je pas repris par mes vieux démons : les femmes, l'alcool, le jeu... Si je faisais semblant de t'aimer, si je me jouais de toi, tout serait simple, mais je t'aime et tout se complique.

Il ajouta, sa bouche contre celle de Cathy :

— Je t'en conjure : quitte cette maison !

— J'ai failli m'y décider cet automne, mais mon frère Laurent est venu me rendre visite pour me porter des nouvelles de ma mère qui vieillit tristement, à Lachine. Il s'apprêtait à partir pour la France avec M. Cavelier de La Salle et m'a proposé de m'emmener. J'étais sur le point d'accepter, mais je répugnais à laisser ma mère seule à Lachine et à me séparer définitivement de toi.

— Ce qui était possible alors ne l'est donc plus aujourd'hui ? N'es-tu pas sûre de toi et de moi ? Prends garde ! Tu m'as donné trop de preuves d'attachement pour que je tolère une nouvelle dérobade.

Elle frémit des pieds à la tête et répondit :

— Tu es désormais mon seigneur et maître. Je ferai ce que tu voudras.

C'était une ancienne demeure de coureur des bois, à demi enfouie dans la terre de la colline, à un quart de lieue des premiers quartiers de Montréal. Un sentier capricieux y passait, par où circulaient de temps à autre de pacifiques familles indiennes qui se rendaient de la mission iroquoise de La Montagne à la ville.

Lorsque Louis-Armand l'avait visitée par une journée de janvier où régnait un froid très vif, il l'avait trouvée dans un piteux état : ses abords étaient encombrés de tout un attirail de pièges, trappes, collets, débris de raquettes et de toboganne, planches sur lesquelles étaient encore clouées des peaux, débris divers dont pas un Ottawa n'aurait voulu... Le cadavre du vieux trappeur était encore dans le hangar dont on avait bloqué la porte avec des pierres et de la neige gelée pour éviter que les loups ne viennent découdre la peau de bison dans laquelle on l'avait enfermé en attendant le dégel pour l'enterrer.

Ce n'était pas une fameuse affaire : l'eau pissait du toit pourri et le bousillage des murs de rondins était à refaire.

Louis-Armand s'attela à la tâche et, en quelques jours, il avait redonné une apparence décente à ce taudis. Cathy s'y trouverait, sinon au large, du moins à l'aise.

Bien qu'il eût pris soin de la prévenir, il redoutait sa réaction et craignait qu'elle refusât de vivre dans cette solitude, comme une fille entretenue. Après avoir jeté son tablier à la figure de Mme de Mouchy, elle avait inspecté sa nouvelle résidence en compagnie de Louis-Armand et s'était déclarée satisfaite. Elle s'emplit les yeux du spectacle des prairies brûlées par l'hiver, du fleuve, de l'horizon des collines.

— Est-ce que tu te plairas ici ? lui dit-il.

— Je m'y plairai si tu vis avec moi, répondit-elle.

— Si c'était en mon pouvoir, je n'en repartirais pas.

Dans la fièvre du printemps ils procédèrent à leur installation définitive. Attentifs aux signes annonciateurs des premières chaleurs, ils guettaient le retour des migrateurs. Les premiers vols de canards et d'oies sauvages traversèrent des ciels brouillés de nuages porteurs de pluie, que le vent faisait rouler sur la forêt. Au début de mars une cendre verte saupoudra les érables et le temps mollit encore. Louis-Armand en profita pour creuser une tombe destinée au vieux solitaire et l'y enterra.

Ils s'éveillaient dans la clarté crayeuse des matins, commençaient une journée comme on commence une vie, s'attachant à donner à leur présence le plus de liberté possible, à dépouiller leurs rapports de toute contrainte. S'il arrivait qu'il restât une journée entière absent pour des raisons de service, elle ne lui posait aucune question et ne lui faisait aucun reproche, le plaisir de le voir effaçant le souvenir de ses inquiétudes. Sûrs qu'ils étaient de se retrouver, l'absence leur était légère.

Louis-Armand occupait le plus clair du temps qu'il passait dans la cabane à raconter à Cathy les événements de Montréal : le nouveau gouverneur, M. de Callières, allait fortifier la ville et employait des équipes de bûcherons et de charpentiers à construire un rempart; M. Dollier de Casson, supérieur de Saint-Sulpice, avait refusé la communion à une dame dont la tenue troublait l'austérité de l'office; pour avoir joué de l'argent au jeu du lansquenet, trois sous-officiers avaient été mis aux arrêts; l'évêque avait voué une guerre sans pitié, au temps de Carnaval, aux masques et aux travestis...

— Les messieurs de Saint-Sulpice se conduisent en tyrans! disait Louis-Armand. Le goupillon d'une main, le fouet de l'autre, ils font du zèle. Lorsque je croise un de ces moines dans la rue et que je le surprends à me toiser, l'envie me prend de lui passer mon épée à travers le corps. Je suis devenu leur bête noire et il ne se passe pas de jour qu'on ne me rapporte quelque menace à mon égard. N'était la protection dont m'honore le nouveau gouverneur, je serais excommunié!

Au comble de l'irritation, il s'asseyait sur une souche placée près de la porte pour couper le bois et griffonnait sur son genou une lettre à l'intention d'un vieil oncle huguenot de La Rochelle. Quand il s'était vidé de toute son amertume, son visage rayonnait de soulagement. Il tirait de sa poche son Montaigne, un Pétrone habillé de cuir rouge ou un tome de Plutarque. Il caressait le livre en s'avançant vers la forêt, y disparaissait pour une heure ou deux. L'heure du repas venue, Cathy partait à sa recherche et le trouvait assis au pied d'un arbre, le nez dans son livre, absent au monde.

Parfois ils s'aimaient au hasard de leurs promenades, dans les profondeurs des futaies constellées de capsules blanches de trembles que le vent faisait neiger sur eux. Il avait parfois des idées saugrenues, comme de demander à Cathy de se dévêtir et de se laisser admirer et désirer. Pétrone n'était pas étranger à ces lubies.

Un matin d'avril, Cathy vit arriver Louis-Armand hors de lui alors qu'elle distribuait du grain à la volaille. Il brandissait son Pétrone et les imprécations s'étouffaient dans sa gorge.

— Regarde! criait-il. Regarde ce qu'ils ont fait!

Il montra le livre lacéré, les pages arrachées, puis il s'assit en s'épongeant le front et respira profondément avant de relater l'événement à Cathy.

Un sulpicien s'était introduit en son absence dans sa chambre en donnant à son logeur un prétexte fallacieux; il l'avait fouillée de fond en comble avec un zèle d'inquisiteur, dans l'intention de découvrir des instruments de messes noires ou quelque preuve de commerce avec le démon; il n'avait découvert que la tabatière ornée d'une femme nue qu'il avait écrasée sous son talon, et le Pétrone qu'il avait mis en pièces.

— Qui a pu se rendre coupable de cette ignominie? demanda Cathy.

— Si je le savais... Mon logeur ne le connaît pas, mais je le retrouverai. Il a déclaré en partant : « Dites à votre locataire qu'il s'agit d'un avertissement! »

Cathy ne put réprimer un frisson; elle savait ce que cela signifiait : c'était elle, l'objet du scandale, que les messieurs de Saint-Sulpice visaient à travers lui; ils n'en resteraient pas là; ils frapperaient plus fort, ils piétineraient leur amour comme la tabatière, ils chercheraient à le détruire.

Elle s'étonnait de n'avoir pas reçu la visite d'Irénée; elle le vit arriver un jour où, par chance, Louis-Armand était absent, une expédition au fort de Chambly, à la frontière du pays iroquois, l'ayant mobilisé.

Irénée employa toutes les ressources de la foi pour la convaincre de se soustraire volontairement aux œuvres du démon si elle ne voulait pas risquer de compromettre sa vie éternelle. Il déploya devant elle l'attirail de son théâtre pour Indiens, fit appel aux grands mots, aux images les plus terrifiantes, comme s'il s'adressait à une communiante. Cathy resta insensible.

— Cette mauvaise passion est condamnée! s'écria-t-il. Dans peu de temps ce libertin aura quitté la Nouvelle-France où il n'a pas sa place. Nous y veillerons.

— Alors je le suivrai.

— Sotte! Il ne voudra plus de toi!

— Il m'aime.

— S'il t'aimait vraiment il t'aurait épousée. Te l'a-t-il seulement proposé?

Cathy secoua la tête.

— Je m'en doutais! Il t'abandonnera sans l'ombre d'un scrupule ou d'un regret dès que tu auras cessé de lui plaire, dès qu'il devra quitter ce pays.

— S'il doit partir, qu'il parte. Moi, je ne regrette rien.

Irénée resta confondu d'une telle assurance; il s'était dit qu'il la briserait et elle ne s'inclinait même pas. Que Cathy

521

commît le péché l'attristait, mais il gardait l'espoir de pouvoir intercéder pour qu'elle obtînt le pardon de ses fautes. Qu'elle pût se complaire dans cette vie coupable le troublait profondément. Il leva les bras au ciel et s'écria d'une voix poignante :

— Ce sera ma croix que d'être obligé de me dresser contre ma propre sœur comme je l'ai fait pour mon frère Laurent. Vous êtes tous deux possédés par la même obstination. En gagnant Thérèse à Dieu j'ai failli perdre l'affection de mon frère. Aujourd'hui c'est toi que je dois affronter, au risque de perdre ton affection. Que Dieu m'inspire la force et la conviction nécessaires pour t'arracher au démon!

Il tendit vers Cathy ses mains aux doigts brûlés dans les pipes iroquoises; elle s'en détourna et demanda si leur mère était au courant de la vie qu'elle menait depuis qu'elle avait quitté le domicile des Mouchy.

— Elle est au courant, dit-il. C'est moi qui l'ai informée de ta conduite, mais elle t'aime trop pour t'en tenir rigueur. Elle a toujours fait preuve envers toi d'une faiblesse coupable.

Il ajouta :

— Ce qui surtout me navre, c'est que toute la ville est au courant de ta conduite et parle de toi comme d'une fille perdue. On va jusqu'à te comparer à cette femme de mauvaise vie, cette Judith Rigaud qui reçoit des militaires dans sa demeure.

— Cela m'est égal, dit-elle.

Elle ne pouvait se cacher en revanche qu'elle souffrait de l'absence de sa mère. Catherine ne quittait plus Lachine en raison de son âge, comme si la mort était déjà à sa porte et qu'elle l'acceptât. Elles échangeaient des lettres pour se rassurer mutuellement, parler de la pluie et du beau temps, sans se révéler l'essentiel de leur existence et de leurs préoccupations.

Irénée parcourut d'un regard triste la cabane vétuste, le toit de foin de mer où avaient poussé des graminées sauvages; il repoussa du pied le chien que Louis-Armand avait offert à Cathy avant son départ pour le fort Chambly. Il soupira :

— Adieu, Cathy! Un jour, j'en ai la certitude, tu me supplieras de te pardonner, mais peut-être sera-t-il trop tard. Tu n'es encore qu'au seuil de l'enfer. Réfléchis!

— Et toi, dit-elle d'un ton âpre, va-t'en et ne reviens plus!

A une semaine environ de la visite d'Irénée, Cathy fut réveillée par des chocs qui ébranlaient l'air en direction de Montréal. Bûcherons et charpentiers embauchés par le gouverneur s'étaient mis à la construction des remparts; la limpidité de l'air, le vent qui soufflait du fleuve lui permettaient d'entendre leurs appels et leurs chansons. Elle en éprouva de la joie puis de la tristesse à la pensée que cette muraille de rondins allait renforcer son isolement.

Un matin elle vit s'avancer sur la piste des Indiens, portant une cruche à la main, un colosse barbu dont la chemise s'ouvrait par une profonde échancrure sur une toison épaisse dans laquelle s'accrochaient des copeaux. Il demanda en ôtant son bonnet où il pourrait trouver de l'eau. Cathy le précéda jusqu'à la source située derrière la cabane. Tandis qu'il remplissait son récipient, le charpentier lui dit :

— Cathy Chapdeuil, c'est bien toi?

— C'est moi. Vous me connaissez?

— Tout Montréal semble te connaître. J'étais à la messe, dimanche matin. Au cours de son sermon, le curé n'y est pas allé de main morte en parlant de toi : « Fille perdue... Suppôt de Satan... Fille à libertin... » Cet enfroqué a ajouté que les garces de ton espèce devraient être clouées au pilori avant de tomber dans les flammes éternelles, et *tutti quanti*! Fallait voir la gueule des bigotes! Le feu leur sortait des yeux!

Cathy chancela, s'assit au bord de la source.

— Êtes-vous certain, dit-elle, que c'est moi qui étais en cause?

— Il vous a pas nommée, bien sûr, mais tout le monde vous a reconnue, tant cet hypocrite a donné de détails sur vous.

Il tendit la main à Cathy pour l'aider à se relever.

— Vous tracassez pas, allez! Dans la vie on n'a que le plaisir qu'on se donne.

Il en vint à des consolations plus concrètes. Lorsque Cathy tenta de s'y soustraire et voulut retourner à sa

523

demeure pour s'y barricader, il lui fit barrage, bras écartés. Elle le bouscula, parvint avant lui dans la cabane, en ressortit avec le pistolet que lui avait laissé Louis-Armand. Le charpentier se mit à rire jaune.

— Si on peut plus rigoler... dit-il avant de tourner les talons.

Cathy demeura cloîtrée le reste de la journée, le pistolet à portée de la main ; elle dédaigna de se préparer un repas et ne sortit qu'à la nuit. Le regard perdu dans l'immensité de la vallée, elle guetta quelque signe qui pût lui laisser croire que Louis-Armand pensait à elle. Sur la rive opposée, prairies et forêts alternaient jusqu'à se fondre dans un moutonnement incertain sous les brumes de l'est, au-dessus du village et du fort de Chambly où Louis-Armand était campé avec ses hommes. Ce poste n'était qu'à six lieues ; elle se dit qu'elle pourrait s'y rendre à pied le lendemain, en partant à l'aube, puis elle réfléchit et songea que cet enfantillage risquait de mécontenter Louis-Armand.

Le lendemain, tôt dans la matinée, elle se rendit à la ville en évitant le chantier des remparts, pour faire les emplettes nécessaires en farine, en poisson et en salaisons. Son bissac sur l'épaule, elle gagna le comptoir le plus proche ; la marchande la toisa : elle n'avait rien de ce que la cliente demandait. On lui fit la même réponse au deuxième comptoir puis à tous ceux auxquels elle se présenta. La mort dans l'âme, elle s'éloigna sans un mot. Ce n'est que dans le campement d'Algonquins proche de son domicile qu'elle put se procurer les produits qui lui manquaient.

Le lendemain une estafette lui remit une lettre de Louis-Armand lui annonçant son prochain retour. C'était un simple billet mais il suffit à redonner courage et confiance à Cathy. Elle s'arma du pistolet et partit avec son chien chasser dans la forêt ; elle en ramena quelques tourterelles et un écureuil volant. Elle retournait d'un pas alerte vers sa cabane lorsqu'elle aperçut, du sommet d'un monticule, une colonne de fumée montant entre la forêt et les remparts. Elle poussa un cri, courut à s'en rompre le cou et, arrivée près de la source, se heurta au charpentier qui puisait à pleines seilles dans le bassin.

— Ta cabane, dit-il, elle est foutue. Ce qu'on fait ou rien...

Il n'y avait en effet plus rien à faire. La toiture venait de s'effondrer dans une gerbe d'étincelles. Le poulailler et le clapier n'étaient qu'un tas de cendres. Quelques gars aux manches retroussées contemplaient le sinistre en lâchant des « bédame! » navrés.

— Dès qu'on a aperçu la fumée, expliqua le charpentier, on a couru, mais c'était déjà trop tard. Ta bicoque a brûlé comme une meule de foin. Tu as dû laisser des braises dans la cheminée.

— Sûrement... dit Cathy, les dents serrées. Des braises...

Elle n'eut aucune peine à comprendre que cet incendie n'était pas le fait d'une imprudence de sa part, d'autant que le foyer était éteint depuis le matin. En chercher les responsables serait inutile. Il lui sembla entendre la voix aigre d'Irénée : « La main de Dieu... » Mais Dieu pouvait-il être aussi cruel et aussi lâche?

Suivie du chien qui gémissait, elle fit le tour des décombres qui achevaient de se consumer; les montants du lit étaient encore apparents; une langue de flamme les avala.

Assise sur la souche, son chien à ses pieds, elle contempla d'un regard morne les fumerolles qui montaient encore du tas de débris noircis. Elle s'efforçait de ne penser à rien, surtout pas au bonheur qu'elle avait connu dans cette humble cassine de coureur des bois.

Dans la dernière clarté de la brunante, elle vit une lanterne sourde monter jusqu'à elle. C'était le charpentier. Il lui dit avec une grosse timidité dans la voix :

— Tiens, petite, mange cette écuelle de soupe et ce morceau d'omelette. Il n'est pas bon d'avoir faim et chagrin en même temps. Si tu décides de coucher à la belle étoile, te voilà une couverte. Tu me la rendras quand on se reverra. Tu sais où me trouver. Si tu as besoin d'autre chose, dis-le.

— Merci, dit Cathy. Je n'ai besoin de rien.

Il ajouta avant de la quitter :

— Il est venu une foule de curieux. Des gars et des femmes qui rigolaient. Nous les avons chassés à coups de pied au cul. Bonne nuit, petite, et fais excuses pour l'autre jour. J'ai pas de femme, tu comprends, et pas assez de sous pour aller chez Judith, comme le contremaître.

525

Elle suivit de l'œil la lanterne qui se balançait dans la nuit sur le chemin des Indiens. Alors qu'elle avait disparu depuis un moment, elle gardait imprimée à sa rétine la petite étoile rouge.

Non sans réticences, l'aubergiste consentit à héberger Cathy et Louis-Armand; il expliqua qu'il avait été frappé d'une amende, récemment, pour trafic d'alcool et qu'il risquait gros si, par-dessus le marché, il se mettait à dos les messieurs de Saint-Sulpice en hébergeant une « fille perdue ». La riposte violente de Louis-Armand et quelques pièces jetées sur le comptoir rabattirent son caquet. La promesse par Cathy de l'aider dans son commerce acheva de le convaincre.

La chambre était d'une affligeante pauvreté mais ils la jugèrent suffisante, le temps de trouver un autre refuge. Cathy dit en s'asseyant sur le bord du lit :

– Pourquoi t'opposes-tu à ce que je revienne chez ma mère, à Lachine ? Ma présence ici risque de nuire à ta carrière.

Il éclata de rire, montra ses galons tout neufs de capitaine.

– La preuve que tu te fais des idées! dit-il. Je ne veux plus que nous passions pour des pestiférés et j'ai besoin de toi. Plus que ta mère qui semble fort bien s'accommoder de ton absence.

Le ton péremptoire choqua Cathy mais elle n'en montra rien. Elle songea à la réflexion d'Irénée, qui l'avait ulcérée : pourquoi ne parlait-il pas de l'épouser ? Le mot devait lui faire peur, autant que la chose, et elle se gardait bien de le prononcer devant lui pour ne pas susciter une querelle qui eût risqué de dégénérer en règlement de comptes. Elle se promit néanmoins de se montrer vigilante : elle avait trop donné d'elle-même dans cette aventure sentimentale pour accepter de sombrer dans de nouvelles épreuves qu'elle se sentait impuissante à affronter.

Ils se retrouvaient presque chaque soir. Louis-Armand lui donnait lecture des notes qu'il avait prises chez les « sauvages » et qu'il se proposait de faire publier dès son retour en France.

– Pas si « sauvages » qu'on veut bien l'affirmer, disait-il.

526

Leur intelligence égale la nôtre et ils ont une âme, contrairement à ce qu'on pensait au temps de Christophe Colomb et de la conquête espagnole. Je me suis fait des amis parmi eux. Il faut que nos compatriotes soient informés.

— As-tu décidé de la date de ton retour ?

Il répondit d'un ton très détaché :

— Le plus tôt sera le mieux. Des affaires de famille me réclament impérativement. Si l'on refuse de me voir quitter la Nouvelle-France, je crois que je me ferai « sauvage », que je vivrai en « enfant perdu ».

Elle constata avec amertume qu'il l'excluait de ses projets. Il disposait d'elle à sa convenance, comme d'un meuble devenu encombrant. Elle se disait que l'amour qu'elle lui vouait était fait surtout de dévouement et risquait de passer pour de la servitude. Elle lui donnait tout ; il prenait tout, mais elle devait admettre qu'elle en était aussi heureuse que lui. La fragilité de leur liaison lui paraissait de plus en plus évidente ; le jour où il dédaignerait le don qu'elle lui faisait, il serait à jamais perdu pour elle.

Aux premiers jours de l'automne, les hommes commencèrent à monter aux Ottawas par pleins canots, et Montréal s'était peu à peu dépeuplé. Des nuages ridés comme des peaux d'Indiennes s'accumulaient sur l'horizon ; de grands voiliers de migrateurs cinglaient vers la Louisiane avec les premières pluies.

Un jour, Cathy et Louis-Armand s'assirent au bord d'une batture où les pluviers avaient laissé des empreintes en forme d'étoiles. Un canot de Trois-Rivières remontait le courant, avec à bord deux trappeurs qui allaient suivre les chemins de traite et vivre les mois d'hiver parmi les « sauvages », dans l'âcre fumée des « tipis » ou le froid des grands espaces de neige.

— L'an prochain, dit-il, si la France ne veut pas de moi, je prendrai le même chemin qu'eux. J'ai hâte de m'ensauvager comme ton père Denis et ton frère Laurent. La civilisation me colle à la peau comme une vieille crasse. J'en ai assez de ne voir que des officiers, des notaires, des fonctionnaires, des marchands ! Je veux voir des hommes différents, des hommes vrais, entendre d'autres langues. Je veux passer un hiver complet chez les Ottawas ou les Cris.

Il laissa son regard plonger dans le ciel tumultueux.

– Ainsi tu choisirais de me quitter ? dit-elle. Tout un hiver ? Tu renoncerais à me voir pour le plaisir de regarder vivre ces Indiens qui te passionnent plus que moi.

Il ne répondit pas ; il semblait absent, à mille lieues de là, les yeux perdus dans le mouvement lourd des nuages qui montaient du sud par vagues pressées, gorgés de pluie. Sans doute n'avait-il pas entendu.

Chaque saison leur proposait de nouveaux plaisirs.

Ils fêtèrent ensemble Noël dans la solitude de leur chambre, tandis qu'au-dehors tintaient les sonnailles joyeuses des traîneaux et que les abois des chiens huskies donnaient à la nuit un goût de sauvagerie. Elle eût aimé assister à la messe de minuit dans l'humble chapelle de l'hôtel-Dieu, mais il s'y opposa et elle n'osa insister.

Les derniers jours de la longue permission qu'il avait obtenue furent pénibles. La pluie qui détrempait la terre des chemins rendait toute sortie difficile ; on enfonçait jusqu'aux genoux dans une boue épaisse. Ils restaient confinés dans leur chambre, lui à lire, à écrire, à fumer ; elle à tailler dans un bois tendre, comme il le lui avait appris, des statuettes d'Indiens qu'elle irait vendre à la belle saison. Il dessinait les modèles qu'elle sculptait et décorait avec goût.

Souvent sujet à des accès de colère, il décrochait son manteau de pluie, chaussait de vieilles bottes et partait rejoindre dans les cabarets quelques officiers avec lesquels il entretenait de bonnes relations. Il rentrait tard dans la nuit, la bourse le plus souvent vide, parfois ivre ; à la moindre observation de Cathy il se cabrait. Un soir où il avait bu plus que de raison, il éclata avant même qu'elle eût proféré le moindre reproche, criant qu'il était libre et n'avait pas de comptes à lui rendre.

– Libre ! Libre ! Libre, entends-tu ? Je ne t'épouserai pas, tu le sais. Tu t'imagines venir à bout de ma résolution, m'envelopper dans ta toile comme une araignée, me paralyser ! Ta soumission apparente n'est qu'une manœuvre destinée à m'investir. A supposer que tu arrives à tes fins, ce serait une opération déplorable. Je te rendrais si malheureuse que tu ne tarderais pas à le regretter.

528

Il écrasa la chandelle d'un coup de poing, se laissa tomber comme une pierre sur le lit et se mit à ronfler. Il s'éveilla un moment plus tard, alors que Cathy rassemblait ses hardes en ravalant ses larmes. Il se leva en chancelant.

– Que fais-tu ? dit-il.

– Tu le vois : je te quitte.

– Oublie ce que je t'ai dit. Je n'en pensais pas un mot.

L'eau dont il s'aspergea le visage acheva de le dégriser. D'un geste furieux il balaya la table couverte de vêtements.

– Je te répète que je regrette ce que j'ai dit. Reste !

– Tu en as trop dit. Mieux vaut nous séparer puisque, de toute manière, nous ne pourrons jamais vivre comme mari et femme.

Il s'agenouilla, l'aida à ramasser ses affaires.

– Si tu pars maintenant, si tu me laisses seul au milieu de cette boue, de ces gens, je déserterai, je descendrai jusqu'aux Virgines ou j'embarquerai sur un navire de pirates. Quoi qu'il en soit, je serai un homme perdu.

– Tu n'as plus rien à m'offrir et je ne t'aime plus. Laisse-moi partir.

Il se releva lentement, tenant entre ses mains le bonnet en point d'Angleterre qu'il lui avait offert l'été précédent. Il le regarda longuement, comme fasciné, et dit simplement :

– Ce n'est pas possible. Pas possible.

Il avait l'air soudain très malheureux. Elle se sentait quant à elle d'autant plus courageuse et décidée qu'elle devinait en lui cette soudaine faiblesse : une revanche dont elle savoura l'amertume.

– Attends jusqu'à demain, dit-il. Nous y verrons plus clair. D'ailleurs il est trop tard. Où irais-tu, en pleine nuit, par ce temps de chien ?

– Soit ! soupira-t-elle. Mais dis-toi bien que ma décision est irrévocable.

Il ouvrit la fenêtre, écarta les volets. Une odeur de cimetière flottait sur Montréal ; au loin, le début de débâcle du Saint-Laurent faisait comme une rumeur d'orage.

– Comme tout est difficile... dit-il.

– Non, dit-elle. Rien n'a jamais été aussi simple.

Le lendemain elle avait renoncé à mettre son projet à exécution et ils ne parlèrent de rien. De même les jours suivants. Il continuait à lire, à écrire, à pétuner, elle à tailler et peindre ses figurines. Ils s'installaient dans leur dilemme en évitant une confrontation qui les eût contraints à un choix déchirant.

Une semaine était passée lorsque Louis-Armand reçut un ordre de mission du nouveau gouverneur général : M. Denonville, appelé à remplacer le sénile et incapable de La Barre; il arrivait du vieux pays accompagné d'une escorte de cinq cents dragons et faisait étalage de ses projets : pousser vers l'ouest pour y fonder des forts, des postes et des missions; reprendre par la force les comptoirs que les Anglais occupaient sur la baie d'Hudson; lancer une campagne militaire de grande ampleur contre les Iroquois... La ville retentissait de fanfares, de bruits de bottes et de sabots; on n'y voyait que vareuses rouges et bonnets de feutre à pointe retombante. L'ambiance était à l'héroïsme.

— Tu dois être content, dit Cathy. Ta permission terminée, tu vas partir vers l'ouest.

— S'il ne tenait qu'à moi, je resterais.

— Ce n'est pas ce que tu disais il y a quelques jours.

— J'en conviens. J'ai réfléchi. Je ne pourrais pas vivre sans toi. Si je pars, il faut que ce soit avec la certitude de te retrouver.

— Demain tu auras changé d'avis. Je suis lasse d'être jouée aux dés : un jour perdue, un autre gagnée...

Il l'étreignit, chercha des lèvres les espaces de chair tendre et odorante, entre l'épaule et la nuque, murmurant des paroles qui semblaient s'accrocher à ses cheveux :

— Je ne sais pas t'aimer comme je le devrais, mais j'en ai sincèrement le désir. Tu mérites d'être heureuse et je souhaite que tu le sois, mais je crains que ce ne puisse être avec moi. J'en suis tellement conscient que, parfois, l'envie me prend de me tuer...

Louis-Armand, comme Laurent jadis, s'embarqua avec Du Luth sur le fleuve libre des dernières glaces. Cathy lui prépara son paquetage dans la lumière grise du petit matin. Il paraissait heureux et chantonnait en se rasant. Il ramènerait un cadeau pour elle.

— Quel cadeau ?

— Ce sera une surprise.

Debout à l'arrière du canot, il resta longtemps à la regarder et à la saluer avec son chapeau. Elle resta sur la rive après que le dernier canot eut disparu puis s'enferma dans sa chambre jusqu'à midi, alors que l'aubergiste la réclamait pour le service. Pour elle, tout était réglé, mais elle devait se faire violence pour passer aux actes. Elle vendit à un comptoir ses figurines que les soldats achèteraient pour les emporter en France. Lorsqu'elle se décida à annoncer son départ, l'aubergiste se fâcha vertement : le moment était mal choisi ; avec le printemps, les affaires allaient reprendre.

— Lorsque le capitaine La Hontan reviendra, dit-elle, vous lui raconterez que je suis partie vous ne savez où et qu'il ne cherche pas à me revoir.

Le soir même, dans un canot indien, elle débarquait avec ses bagages à Lachine.

Elle avait l'impression d'être partie la veille tant les changements qu'elle observait étaient peu sensibles. Cavelier désertait de plus en plus souvent et de plus en plus longtemps son domicile de « Saint-Sulpice » ; Catherine avait pris quelques rides et sa démarche s'était alourdie ; il n'y avait plus dans le regard de Christine qu'une expression de fatalisme ; les deux fils qu'elle avait eus de Laurent qui les connaissait à peine, Denis et Jacques, travaillaient aux remparts de Montréal. « Saint-Sulpice » était devenu un asile de veuves.

Cathy redoutait d'expliquer son retour à sa mère ; Catherine lui épargna cette peine et manifesta plus de joie que de surprise. Cathy s'installa dans sa chambre comme si elle l'avait quittée quelques jours avant, en retrouva avec délices l'odeur et la lumière tamisée par les arbres. Elle passa la première nuit à se battre contre une absence et des regrets. Au réveil, des bruits familiers la rassurèrent : chocs secs des cognées dans la forêt voisine, cris des laboureurs dans les terres lourdes du printemps, tintons de la cloche de la mission, ruissellement de l'eau qui cascadait dans l'abreuvoir, caquètement de la volaille... Elle retrouva spontanément ses habitudes et s'y plongea avec une délectation morose. Au dîner, alors qu'elle taillait des lamelles de lard fumé, Catherine lui demanda si elle comptait rester longtemps.

531

— Je l'ignore. Pour toujours si tu veux de moi.

Elle grignota un morceau de lard et sentit renaître le goût d'un passé qu'elle croyait oublié.

— Que sais-tu de ma vie durant ces derniers temps ? dit-elle.

— Tout, soupira Catherine, et j'en ai souffert plus que tu ne peux l'imaginer. Maintenant il faut oublier. Il t'a abandonnée ?

— Non. C'est moi qui suis partie.

Catherine ne put cacher une expression de surprise.

— Tu ne l'aimais plus ?

— Je l'aimais encore, mais lui ne savait pas m'aimer. Il n'aime que lui. Il me mettait constamment en balance avec sa chère liberté.

— Je craignais tant qu'il t'arrive malheur par sa faute que j'ai failli à plusieurs reprises venir te chercher. M'aurais-tu suivie ?

— Je ne crois pas. Je l'aimais trop.

— Crois-tu qu'il viendra te chercher ici ?

— Sans doute, mais je refuserai de le suivre.

Elle remarqua le sourire dubitatif de sa mère.

— Tu ne me crois pas ?

— Non, ma fille. Tu l'aimes encore. On ne tue pas aussi facilement le passé.

Elle ajouta joyeusement :

— Allons, à table ! La soupe va froidir.

« Il doit être de retour, songeait Cathy. Il a dû appeler du fond de l'escalier. Il commence à monter. L'aubergiste lui dit que je suis partie. Surpris, il demande la clé, entre, fouille partout sans trouver le moindre signe, la moindre lettre. Il est comme fou. Il m'appelle et personne ne répond... »

Catherine se pencha au-dessus du larmier et dit du haut de l'échelle :

— Passe-moi une planche. Celle-ci. Non, celle-là.

« ... Il est comme fou et il continue à m'appeler. Dans la salle d'auberge, les buveurs lèvent la tête et rient. Il redescend comme un tourbillon, dit au patron : "Tu es sûr qu'elle ne t'a pas laissé de message, qu'elle n'a pas dit où elle allait ? Tâche de te souvenir !" "Parole ! capitaine. Elle a

532

juste dit que vous cherchiez pas à la revoir. ” Il sort. Il ne sait où porter ses pas. Il cherche dans tout Montréal, passe devant la demeure du notaire, s'éloigne sans oser frapper à la porte... »

— Eh bien, Cathy! tu es dans la lune? Aide-moi à réparer cette toiture. Les pointes, s'il te plaît!

« ... Il vient de retourner à l'auberge. Il tourne dans la chambre, s'assied sur le lit, s'y allonge, embrasse l'oreiller où je posais ma tête, y enfouit son visage. Il pleure. Il ne faut pas pleurer! Non! »

— Cathy! Qu'est-ce qui ne va pas?

— Ce n'est rien, mère.

— Pourquoi as-tu crié?

— Je ne me souviens pas d'avoir crié.

Catherine descendit de l'échelle, prit sa fille par la main et l'entraîna vers le banc, en face du fleuve. L'ombre était douce; le vent soufflait de la colline ses odeurs de printemps.

— Un jour, dit Catherine, M. Cavelier m'a parlé de toi. C'était peu après ta rupture avec Frédéric Perrot. Il avait l'intention de te trouver un époux digne de toi. Je lui ai répondu qu'il perdait son temps, que tu étais, comme moi, de la race de ceux que Dieu voue aux épreuves. Mais un jour vient où le cours des épreuves observe un répit. Pour toi ce moment semble arrivé. Il faut te replier sur toi-même, reprendre des forces pour le cas où de nouvelles épreuves t'attendraient.

— J'en suis incapable, mère. Il faut que je retourne à Montréal, que je retrouve Louis-Armand. Je préfère la souffrance au regret d'un bonheur que j'aurais laissé passer.

— Rien de bon ne peut te venir de lui. Tu lui as déjà trop sacrifié de toi-même.

— Je sais qu'il m'attend et qu'il souffre de mon absence. Il faut que je le rejoigne. Après, je reviendrai.

— Si tu pars, tu ne reviendras pas. Tu seras perdue. Je t'en empêcherai.

— Tu ne le pourras pas.

Catherine parvint à garder sa fille quelques jours de plus. La vie, pour Cathy, parut s'arrêter; elle tournait sans fin autour de la maison, le regard absent, les mains nouées sur son devantier; elle s'abstint de souper et Christine lui porta sa nourriture sur le banc où elle était assise; elle embrassa la main de Cathy et lui dit :

— Tu as mal, petite maîtresse. J'ai eu mal moi aussi, souvent, parce que Laurent ne m'aime plus et qu'il m'a oubliée. Aujourd'hui je suis comme une pierre. Tu seras bientôt comme moi.

Cathy refusa de manger. Dès que la nuit fut tombée elle prépara un léger bagage. Le matin, sans un mot, sans un regard en arrière, elle prenait la route de Montréal.

— Ah, te revoilà! s'écria l'aubergiste. D'où viens-tu?

— Où est le capitaine La Hontan?

— Est-ce que je sais? Parti... revenu... reparti... Aux dernières nouvelles il vient de repartir avec Du Luth pour les Ottawas. Ce matin je crois bien. Il y avait une vingtaine de canots sur le fleuve et un fort détachement de soldats.

— Il n'a pas dit quand il reviendra?

— Probablement pas avant des mois. Tu auras le temps de faire des petites figurines en bois en l'attendant. A moins que tu veuilles reprendre du service...

Cathy repartit après une nuit passée à l'auberge. Elle marcha très vite en direction de l'ouest, comme si elle se croyait capable de rejoindre le convoi. Elle espérait que le premier portage ralentirait leur allure, aux rapides de Lachine. Elle se reprochait de n'être pas partie la veille, mais elle était si lasse qu'elle n'aurait pu faire une lieue de plus. Elle arriva, exténuée, dans les parages de Lachine, non loin de la maison de « Saint-Sulpice », s'y rendit tout droit.

— Il est venu, dit Catherine. L'expédition a cabané près du village. Ce matin, au moment de partir, il a insisté pour retarder le départ d'une journée. Du Luth a refusé et ils se sont querellés. Il y a quatre ou cinq heures qu'ils sont repartis.

— Je vais tâcher de les rattraper. Ils camperont sûrement à l'île Perrot.

— Tu es folle! C'est trop dangereux. Reste!

Elle ne voulut rien entendre. Au village algonquin elle trouva un canot et deux jeunes Indiens qui acceptèrent de l'accompagner moyennant une récompense. Ils quittèrent Lachine alors que le soleil déclinait, campèrent dans les

534

brumes glacées du fleuve, au fond d'une crique, et repartirent d'un train d'enfer alors que le soleil n'était pas encore levé.

Le fleuve, sur des milles, était désespérément vide. Passé l'île Perrot, il se séparait en deux bras semés de rapides et saupoudrés de petites îles très vertes. Ils prirent au jugé le bras de droite. Le soir venu, l'Indien qui pagayait en tête aperçut un groupe de Blancs en train de tirer des canots sur la berge en vue d'un portage. Ils s'arrêtèrent de haler, prévinrent Du Luth et le capitaine qui se portèrent sur la grève. Dès que Louis-Armand reconnut Cathy, il s'avança dans l'eau jusqu'aux genoux, l'aida à descendre en la prenant dans ses bras.

— Toi, ici! s'exclama-t-il. Toi! Tu es folle!

Du Luth, homme au visage long et glabre, aux épais cheveux blancs, s'approcha, demanda à Cathy qui elle était et ce qu'elle faisait dans ces parages.

— Ainsi, dit-il en riant, tu as fait tout ce trajet pour retrouver cet énergumène! Tu es aussi folle que ton frère Laurent. Folle à lier!

Il ajouta d'un ton sévère :

— N'allez pas croire tous deux que nous allons perdre une journée pour vous permettre de roucouler. Un parti d'Iroquois est signalé non loin d'ici et nous devons arriver très vite au fort Frontenac pour nous mettre à l'abri. Je vous laisse une heure.

Il se détourna, jeta autour de lui, à l'intention des pagayeurs, quelques mots tranchants en sauvageois. Louis-Armand et Cathy, main dans la main, s'éloignèrent sous le couvert des trembles et s'assirent dans un creux de terrain d'où un porc-épic s'enfuit à leur approche. Louis-Armand prit le visage de Cathy entre ses mains pour l'embrasser; elle se détourna.

— Ne me regarde pas! dit-elle. Je suis laide. Cette nuit à la belle étoile, cette course sur le fleuve...

— Tu n'as jamais été aussi belle. Laisse-moi te regarder. J'aurai du mal à t'oublier, mais je ne le souhaite pas. J'avais besoin de cette image de toi.

— Tu ne reviendras pas? Tu ne chercheras pas à me revoir?

— Jamais! Si je m'écoutais, je t'emmènerais avec moi, mais ce serait une absurdité et je ne veux pas que tu souffres davantage par ma faute. Je t'ai déjà fait suffisamment de mal.

— Peu m'importe de souffrir si c'est à tes côtés, par toi et pour toi! Je t'attendrai. Je t'appellerai avec tant de force que tu finiras bien par m'entendre et par me revenir.

— Non, Cathy. En ce moment j'ai envie de te faire des promesses mais, en même temps, je sais qu'il me serait impossible de les tenir. Nous allons nous séparer définitivement. Ne pleure pas. Je ne vaux pas une seule de tes larmes. Tout ce que l'on a pu te dire de moi n'est que trop vrai : je suis instable, égoïste, cupide, libertin... J'aurais aimé vivre avec toi mais je n'en suis pas capable. Tu sais que la moindre chaîne m'est odieuse et que rien ne m'est plus cher que la liberté. Gardons intacts nos souvenirs. Je ne retrouverai jamais le bonheur que j'ai connu avec toi.

On entendait au loin les appels gutturaux des Indiens sur le chemin du portage. A travers ses larmes, par-dessus l'épaule de Louis-Armand, Cathy voyait se déployer un espace de ciel traversé d'un troupeau de petits nuages roses.

— Il ne faut pas faire attendre Du Luth, dit-elle. Pars vite et ne te retourne pas, sinon je serais capable de courir après toi. Et ça, je ne le veux pas.

Leurs mains étreignirent leurs visages comme pour en prendre une empreinte susceptible de résister au temps d'une vie. Il dit simplement en se levant :

— Adieu, Cathy. Adieu, mon amour.

— Adieu, dit-elle.

Elle s'imposa de garder les yeux fermés et la tête enfouie entre ses genoux. Elle ne se releva pour partir que lorsque lui parvinrent les appels, à flanc de colline, des derniers porteurs.

9
UN VILLAGE CRUCIFIÉ

Avant de quitter la France, accompagné de Laurent, pour retourner au Canada, Cavelier de La Salle, la main sur le bastingage, avait déclaré :

— Cette fois-ci, je périrai ou je réussirai.

Il était mort, un été d'il y avait deux ans, massacré avec quelques-uns de ses hommes, dans cette Louisiane qu'il avait donnée au roi.

Chaque fois, au cours de cette dernière expédition, que Laurent voyait paraître celui qui, par grâce royale, était devenu vice-roi de Louisiane et des pays circonvoisins, ces mots semblaient se dessiner au-dessus de son chapeau comme une devise inscrite sur un étendard : « Je réussirai ou je périrai ».

Nul n'aurait pu dire alors si Cavelier réussirait ou s'il périrait. Le découvreur s'enfermait dans ses décisions et laissait le hasard à la porte. Cette attitude était constante depuis qu'en contemplant les lointains de l'Ouest, un matin, sur le fleuve, il avait dit à Laurent son intention de pousser jusqu'à la Chine.

Il se disait que, pour réaliser ce projet grandiose, il lui faudrait d'abord dompter le Mississippi, ce fleuve géant qui allait des Grands Lacs au golfe du Mexique. Une entreprise surhumaine. En descendre le cours ne signifiait pas grand-chose, mais en remontant on se trouvait semblait-il sur un autre fleuve : il avait changé de lit, de climat ; les peuples qui habitaient ses rives étaient accueillants à l'aller, hostiles au retour ; on était comblé des fruits du paradis ou l'on mourait de faim.

A un homme ordinaire il eût fallu plusieurs vies pour arracher son mystère à ce géant. Cavelier n'était pas un homme ordinaire. C'est pourquoi Laurent, malgré l'aigreur de son caractère, ses idées déconcertantes, la discipline féroce qu'il exigeait, lui était demeuré fidèle. A un tel homme il fallait un tel fleuve : ils se colletaient depuis des années, avec des successions de victoires et d'échecs, jusqu'à ce jour de mai où Laurent l'avait découvert, le crâne fracassé par un des siens, las de ses exigences et de ses injustices. Laurent se disait qu'il aimerait vivre assez longtemps pour savoir qui, de l'homme ou du fleuve, l'emporterait. Le duel était inégal ; de toute manière, rongé comme il l'était par les excès qu'il imposait à son corps, Cavelier n'aurait pas survécu à cette troisième expédition et n'aurait pas réalisé un rêve irréalisable.

Quelque temps avant de mourir, le vice-roi avait dit à Laurent :

— Ce pays me tue à petit feu. Je sais que je n'y ferai pas de vieux os, mais je souhaite que ce soit le plus tard possible. Il sera ma tombe et je n'en veux pas d'autre. Pourquoi, Laurent ? Pourquoi ne puis-je me déprendre de ce pays et de ce fleuve ? Ce n'est pas mon pays et ce fleuve m'était inconnu il y a quelques années. Mon pays est vert, paisible, aimable, sans surprise. Pourquoi suis-je venu me perdre ici ?

— Guérissez d'abord, lui avait répondu Laurent. Vous vous poserez ces questions quand vous serez rétabli.

La fièvre ne parvenait pas à l'abattre. Il poussait toujours plus avant, faisait graver sur des arbres d'espèces inconnues des croix et des lys de France ; il annexait des immensités de territoire au pays des Chinanoas, des Cenis, des Biscatongues. Partout où il passait, porté sur une civière, tombaient des illusions ou naissaient des espoirs.

A Nica qui lui demandait comment était ce Versailles dont on parlait comme d'une des merveilles du monde, Laurent répondait :

— C'est un enchantement ! Tu ne peux rien rêver de plus vaste et de plus beau. Tout ruisselle d'or et de lumière. Le roi nous a reçus peu avant notre départ. Son cabinet était illuminé comme en plein jour. Notre souverain a tendu à M. Cavelier ses lettres patentes en lui disant : « Allez, mon-

sieur, et donnez à votre roi ce nouvel empire qu'il attend ! »
Qui m'aurait dit alors que nous rencontrerions autant d'obstacles, que tant de nos compagnons tomberaient, victimes du
climat et des sauvages ? Là-bas, tout paraissait simple. Et
maintenant, Nica, maintenant...

Il montrait le vice-roi grelottant de fièvre sur un lit de fortune, ses vêtements déchirés, souillés de boue, ses mocassins
rafistolés avec des nerfs de bison.

C'était quelques semaines avant la mort de Cavelier, la
tête fracassée d'un coup de mousquet par un mutin de son
expédition : un nommé Duhault. Laurent avait découvert le
cadavre que des oiseaux de proie commençaient à dépecer.
On lui avait tout volé : son argent, ses vêtements, ses rêves,
sa vie.

Laurent remonta seul vers les Grands Lacs et Montréal. Il
savait où aller pour finir ses jours, la grande aventure ayant
sombré dans les marais fétides du Sud. Il avait amassé assez
d'argent pour se retirer à Lachine et vivre près de sa mère et
de Christine, sur son domaine en fronteau de deux ou trois
lieues sur le fleuve. La mort de Cavelier avait sonné le glas
de ses rêves et de ses ambitions. Il n'était plus désormais
qu'un « habitant ».

La nouvelle mariée passa si près d'elle que Christine ne put se retenir de glisser sa main sous le voile. Elle le regarda flotter à la surface des vêtements du dimanche.

— Crois-tu qu'elle sera heureuse? dit-elle à Laurent.

— Elle le sera, répondit-il, à condition d'accepter de vivre séparée de son mari des mois durant, de s'échiner pour un gain dérisoire, de vivre dans la crainte des Indiens. Elle devra se montrer satisfaite si son mari ne l'abandonne pas pour aller s'ensauvager dans un village des Ottawas.

La main de Christine se posa sur celle de Laurent qui lui tenait le bras. Laurent n'osait la regarder en face : ces yeux sombres, ce visage qui, malgré les années, avait gardé une netteté de galet, l'incitaient à juger son comportement. Il n'était pas très fier de lui, bien que son retour rachetât ses fautes.

Il dit avec effort :

— Eh oui! Tu l'as deviné. C'est à toi que je pensais. Cela fait combien de temps que je ne suis pas revenu?

— C'est sans importance. Je savais que tu reviendrais.

Elle avait gardé sa voix grave, qui donnait du velours à la moindre syllabe.

— J'ai du mal à te comprendre. Je reste des années absent, sans presque donner de nouvelles, et tu m'accueilles comme si je rentrais de quelques semaines de campagne. Pas une question! Pas un reproche! Tu trouves naturel que je reprenne ma place auprès de toi!

Elle le regarda comme s'il avait proféré une absurdité.

— Ma vie t'appartient! dit-elle. Si tu le souhaites, tu peux repartir demain et je ne t'en tiendrai pas rigueur.

La soumission légendaire des femmes indiennes... Il releva le bord de son chapeau, cueillit à la volée un brin d'herbe qu'il planta dans ses moustaches. Le cortège s'était éloigné en direction du bal en plein air. Le violon se mit à grincer sur l'aire de terre battue; les premiers couples prirent leur envol, comme soulevés par le vent descendu des hautes forêts rouges et vertes, attiédi par le dernier soleil de l'automne, la dernière chaleur de l'été des « sauvages ». Laurent respira profondément, les yeux mi-clos.

Lorsqu'il était revenu à Lachine, quelques jours auparavant, il ignorait ce que ses fils étaient devenus. Il aurait pu, au cours de ses pérégrinations, les croiser sans les reconnaître. Il ignorait même leur âge.

— Dans nos tribus, dit Christine, c'est aux femmes à élever les enfants. Les hommes n'ont pas à s'en préoccuper, sauf lorsqu'ils sont en âge de devenir des guerriers. Ils se mettent en colère simplement quand leur « squaw » ne fait pas son travail de mère.

— Pardonne-moi. J'oublie parfois que tu n'es pas de la même race que moi.

Ils s'assirent un instant sur un pan d'herbe reverdie par les pluies, suivirent de l'œil un vol triangulaire d'oies sauvages qui descendaient vers la Louisiane et la Floride. C'était le temps des grandes migrations. La neige s'avançait à pas de loup sur les immensités des pays d'En Haut. On voyait glisser dans le Saint-Laurent des nuées d'anguilles que l'on pêchait de nuit, à la lumière des torches. Les dernières chaleurs faisaient sourdre un flux de désir dans le sang des orignaux que l'on entendait réer dans les clairières perdues, leurs gros yeux noisette mouillés de larmes.

— Cet hiver que je vais passer loin de toi, dit Laurent, sera le dernier, je te le promets. Je profiterai de cette mission que Denonville m'a confiée pour ramener des peaux. Ensuite nous nous occuperons de notre concession de la rivière des Prairies. Si Denis et Jacques veulent se joindre à nous, ils seront les bienvenus.

Christine avança vers le front de Laurent une main frémissante, écarta la mèche de cheveux roux qui dissimulait une vieille cicatrice, se pencha pour y poser les lèvres et recula, effrayée de son audace.

— Viens! dit-il en se levant. Allons rejoindre la noce.

Il lui prit la main pour l'entraîner vers le bal qui battait son plein.

— Vous voilà enfin! s'exclama Catherine. Où étiez-vous passés?

Elle se tenait assise sur un banc, au bord de l'aire, le buste bien droit, ses cheveux blancs bien lissés sous le bonnet dont les volants battaient comme de petites ailes sur ses épaules. Cathy, assise à ses pieds, leur sourit.

— Voyez les amoureux! dit-elle. Ils ne regardent même pas où ils mettent les pieds. Mère, ils sont en train de piétiner le fond de ta robe.

Elle les regarda se lancer sur l'aire, se mettre à danser avec une application un peu gauche, d'un air empreint de gravité. Laurent fit danser Cathy, puis sa mère, puis de nouveau Christine: ils accordaient leurs évolutions à la musique avec plus de légèreté, et il semblait que le vent, comme pour les autres danseurs, les fît tournoyer comme il le ferait sous peu des feuilles d'érables, et qu'ils continueraient à danser ainsi durant des heures, des jours, des mois, avec cette grâce un peu compassée des vieux amants qui cherchent à retrouver la vigueur de leur jeunesse.

Laurent resta une semaine seulement à Lachine. Il se pliait malaisément à un rythme de vie dont il était, depuis des années, déshabitué. Il lui semblait faire l'apprentissage difficile du métier de colon; il se faisait mal à la monotonie de la vie quotidienne, au lit de feuilles, aux repas qui semblaient obéir à un rite, mais, somme toute, il abordait cet ultime versant de son existence, entre ces trois femmes qu'il aimait et qui se montraient attentives, sans éprouver trop de regret des années passées.

Chaque matin il quittait « Saint-Sulpice » avec les bûcherons loués par Catherine, pour la parcelle de terre laissée en bois-debout dans les collines dominant son domaine de la rivière des Prairies. Sa mère se conduisait comme un colon, après qu'elle eut hérité de Cavelier la maison et le petit domaine qui l'entourait; elle s'attachait à sa nouvelle condition avec compétence et autorité.

544

La forêt était le domaine de Laurent : il connaissait toutes les espèces de végétaux qu'elle abritait, mais il n'avait eu que rarement à l'attaquer, la cognée à la main. La satisfaction qu'il retirait de ces confrontations quotidiennes lui faisait accepter la fatigue qui, le soir, au retour, dans la pirogue, lui brisait les reins.

Les engagés des parages travaillaient avec moins d'ardeur et de conviction depuis qu'ils avaient appris que les Iroquois des Cinq Cantons s'apprêtaient à passer à l'offensive. La forêt devenait un espace de mystère et de danger. Ils partaient à l'ouvrage, le mousquet à l'épaule. Les alertes étaient fréquentes : à Lachine, trois fois en un mois le tocsin avait sonné et les colons avaient dû se replier en hâte sur le village, mal protégé par de dérisoires barrières de *piquets*. C'était la même terreur latente qui s'était abattue sur la région de Montréal quelque trente ans plus tôt. Si l'offensive se produisait, comment pourrait-on l'endiguer ? Ce que Dollard des Ormeaux et ses compagnons avaient tenté et réussi, au prix d'un sacrifice collectif, qui oserait le réitérer ? Les brutalités et les maladresses du nouveau gouverneur général, Denonville, n'arrangeaient rien, au contraire.

Sur les chantiers de coupe, dans les champs, les colons se relayaient pour monter la garde et effectuer des rondes.

Un jour que Laurent, son mousquet en bandoulière, arpentait le sentier tracé autour de la concession, il tomba soudain en arrêt à quelques toises d'un taillis de coudriers dont les feuilles venaient de bouger sans raison apparente. Il reprit sa progression comme si de rien n'était, se rapprocha le plus près possible du taillis, son mousquet au poing, et le dépassa, l'œil et l'oreille aux aguets.

Il n'eut que le temps de se retourner et de faire feu. Avec un hurlement, le sternum fracassé, un Iroquois vint s'écrouler à ses pieds, un « tomahawk » à la main. C'était un jeune guerrier beau comme un dieu. La balle avait tranché le lourd collier de « pourcelines » anglaises qui avait dispersé ses grains dans l'herbe autour de lui. Il respirait encore lorsque Laurent l'acheva en lui ouvrant la gorge.

Le marquis colonel de Denonville avait pourtant bien débuté dans sa mission.

Lorsque le vieux gouverneur général, M. de La Barre, honni de tous, avait quitté son poste de Québec en levant une canne menaçante en guise d'adieu, et que l'on avait vu débarquer le contingent de dragons venu de France, on s'était dit que les événements allaient prendre une tournure rassurante. Denonville était un militaire, un homme de plans et de cartes; il voyait la Nouvelle-France comme un prolongement des champs de bataille de l'Europe et se préparait à une guerre véritable : il installait des garnisons, bâtissait des forts aux points stratégiques et s'imaginait avoir établi des frontières inamovibles à la « sauvagerie ».

Le marquis-colonel piqua une grosse colère le jour où le gouverneur de la Nouvelle-York, Dougan, lui dit : « Vous êtes pour votre colonie de Nouvelle-France un ennemi pire que moi. Vous avez bien commencé, mais vous finirez mal. Il vous manque de connaître ce pays... »

Le genre de critiques que Denonville digérait mal... Il considéra dès lors qu'il lui faudrait affronter deux ennemis : l'Iroquois et l'Anglais. Il s'agissait en fait d'un seul ennemi, les Iroquois étant considérés par Thomas Dougan comme des sujets de Sa Majesté britannique.

Le roi de France ayant besoin de rameurs pour ses galères, Denonville décida de lui en fournir. Il invita les chefs des Cinq Cantons iroquois à se rendre à une grande palabre au fort Fontenac, sous le prétexte de négocier une alliance. Il les fit prisonniers et les envoya en France, les fers aux pieds. Dans le même temps, il rassembla ses troupes au bord de l'Ontario pour la suprême offensive. Deux mille soldats précédés de fifres, de tambours et d'étendards s'enfoncèrent dans la forêt, vers le territoire des Tsonontsouans. Denonville rêvait d'un ultime affrontement : il ne put que ravager des villages abandonnés.

La voix aigre de Dougan le poursuivait : « Vous finirez mal! » L'ennemi allait se regrouper et passer à l'offensive; des milliers de guerriers armés de mousquets de fabrication anglaise et hollandaise s'apprêtaient à fondre sur les principales villes de la Nouvelle-France.

Devant la gravité de cette menace, il songea à négocier une fois de plus une paix véritable. Il envoya un des religieux de Montréal, le père Lamberville, chez les Iroquois, en les invitant à participer à une nouvelle palabre, à Montréal. Les « sauvages » chargèrent dans leurs canots les fourrures précieuses, les colliers, les calumets et leurs « squaws » les plus aguichantes, pour témoigner au « sachem » des Blancs leur bonne foi.

Les négociations s'annonçaient favorablement lorsque le chef des Hurons christianisés de Michilimakinac, le vénérable « sagamo » Kondiarok, qu'on appelait aussi le Rat, ennemi juré des Iroquois, décida que cette palabre ne pouvait avoir lieu. Il posta ses guerriers sur le passage des canots et fit un massacre. A l'un des prisonniers qu'il avait épargnés il confia, avant de le libérer : « Ce sont les visages pâles qui nous ont poussés à tuer nos frères iroquois. »

Dans tous les villages des Cinq Cantons les Indiens se livraient à des danses guerrières autour des feux, dans le grondement des tambours, et se barbouillaient le visage et le corps de noir et de rouge.

Denonville sentit l'angoisse lui glacer le sang. Tandis que Saint-Castin, un farouche rebelle passé au service des « sauvages », jetait des Abénakis contre les villages anglais du Massachusetts, qu'un intrépide marin, Lemoyne d'Iberville, chassait les Anglais de leurs postes de la baie d'Hudson, les Iroquois s'infiltraient dans les forêts en direction des établissements français du Saint-Laurent, sur le sentier de la guerre.

Sur les champs de bataille d'Europe, à la tête de ses dragons, le colonel de Denonville n'avait jamais ressenti ce sentiment de désarroi. La prescience d'un désastre imminent l'obsédait; le moindre son de cloche le mettait dans les transes; lorsque les enfants criaient « à l'Iroquois! » dans la rue pour effrayer les ursulines, il blémissait. Pour se donner le change il accumulait des notes sur la vie et les mœurs des Iroquois; il écouta notamment avec attention le rapport du capitaine La Hontan, retour du fort de Saint-Louis-des-Miamis, du coureur des bois Laurent Chapdeuil qui avait vécu longtemps chez les Onontagués et qui avait pour compagne la sœur du chef Ganoa. « Quand on veut se débarrasser des guêpes, il faut écraser leur essaim », lui disait La Hontan. « Frappez vite et fort », lui recommandait Laurent Chapdeuil. Denonville faisait mine de prendre ces

547

conseils en considération, mais il allait d'abandon en abandon. Les Iroquois menaçaient le fort Niagara ? Il l'abandonna. Puis ce fut celui de Détroit. « Vous auriez pu noter sur votre carnet, lui dit un jour Laurent, qu'on ne doit jamais montrer la moindre faiblesse en face d'un Iroquois, sinon il en profitera. »

Comme on lui annonçait de nouvelles infiltrations ennemies sur la rive sud du Saint-Laurent, non loin de Montréal et de Lachine, Denonville décida de se rendre sur place. Il séjourna dans le manoir du gouverneur, M. de Callières ; il dormait mal, s'éveillant au milieu de la nuit avec des sueurs froides, et refaisant le même calcul absurde : « Combien faudrait-il de navires pour rapatrier tous les colons de Nouvelle-France ? »

Un matin, alors qu'il dictait du courrier à son secrétaire, M. de Callières vint lui rendre visite. Il se présenta sans cérémonie, blême, les traits tirés, sans perruque ni chapeau, les bottes maculées de boue. Il lança d'une voix brisée :

— J'ai de mauvaises nouvelles à vous annoncer, monseigneur ! Il vient de se produire un désastre sans précédent. La nuit passée, à Lachine...

— Parole! constata le vieux Davenne. C'est un vrai temps à Iroquois!

Il ne pouvait oublier ce jour d'automne, un peu plus de vingt ans auparavant, où une bande d'Iroquois avait attaqué des colons dans les parages. Leur nom était marqué dans sa mémoire : Godé... Noël... Saint-Père... Les « sauvages » avaient emporté leurs têtes en guise de trophée. C'était le même temps qu'aujourd'hui.

Il resta un moment, les yeux fermés dans l'odeur du tabac, face à la fenêtre ouverte qui soufflait sur son visage ridé comme celui d'un vieil Indien l'haleine froide de la nuit. Il rouvrit les yeux, parcourut du regard le groupe des habitants venus veiller chez lui autour de quelques pichets de cidre doux. Il y avait là les femmes de « Saint-Sulpice », Plantier et quelques autres voisins.

— Arrête donc de raconter des histoires! lui cria son épouse. Tu radotes. Y reviendront plus, les « sauvages ». Y se méfient de nos forts et de nos camps volants. Tu sais bien, vieille ganache, qu'y s'attaque jamais aux forts!

Plantier, un petit Saintongeais râblé, était de l'avis de Davenne :

— Y préfèrent s'attaquer aux villages, ces fumiers! T'as raison, Davenne : ce soir, ça pue l'Iroquois. J'ai le nez pour ça.

— Cessez, vous deux! gronda Catherine. Si vous continuez, nous ne pourrons pas dormir de la nuit.

— C'est bon, grogna Davenne. N'empêche que...

549

Le bruit du rouet animé par Mme Davenne reprit avec insistance, couvert bientôt par celui de l'averse de grêle qui tambourinait sur les bardeaux. Catherine se planta devant la fenêtre, suivie par les enfants de la maison.

– La grêle! criaient-ils. Venez donc voir!

L'air s'imprégna d'une fraîcheur délicieuse. Au loin roulait un autre tambour: celui de l'orage qui tournait au-dessus de la plaine, entre La Chesnaie et Caughnawaga.

– Va y avoir une foutue tempête sur le fleuve! observa Davenne. C'est pas le moment d'aller taquiner l'anguille, hein, Plantier?

Il se leva pesamment pour cracher dans la cendre, alla s'asseoir près d'un autre colon, Olivier, qui battait la carte avec Plantier. Il lui dit à l'oreille:

– T'entends les chiens? Y sont nerveux ce soir, et c'est pas à cause des loups. Crois-tu pas, toi, que c'est un temps à Iroquois?

– Ferme donc ton bec, vieux fou! répondit Olivier.

Les enfants, qui s'étaient jetés dehors, revenaient avec des poignées de grêlons gros comme des œufs de pluvier qu'ils se fourraient dans la bouche. Ils en glissèrent dans le dos de Christine, d'autres dans la poche de Catherine, en barbouillèrent le visage de Cathy qui protesta et menaça de les gifler.

– Avez-vous fini, satanés drôles! s'écria Mme Davenne.

– Il est temps de partir, dit la femme d'Olivier. Les enfants sont fichtrement énervés.

– C'est comme les chiens... murmura Davenne.

Les hommes achevèrent leur partie de cartes. Christine alluma au foyer les lanternes pour éclairer le chemin de « Saint-Sulpice ».

– Manque un homme chez vous, dit Davenne en tapant le fourneau de sa pipe sur le bord de la table. Des nuits comme celle-ci, trois femmes seules dans cette grande baraque...

– Sacripant! s'écria sa femme. Tu voudrais ben leur tenir compagnie, pas vrai?

– Faudrait pas trop me prier. Quoique, un vieux bonhomme comme moi serait pas bon à grand-chose, surtout pour la bagatelle.

– Ne craignez rien pour nous, dit Catherine. Nous avons un bon mousquet.

Elle montra, plantée à côté de la porte, la vieille pétoire de Denis qui, à « Saint-Sulpice », était à la fois une présence et une protection.

La porte s'ouvrit sur un vent de glace. Le fleuve et l'orage joignaient leur grondement. La grêle ayant cessé de tomber, on distinguait une étendue blanche comme une neige de printemps. Une grosse pluie lui succéda.

Avant qu'elle eût franchi le seuil, Davenne dit à voix basse à Catherine :

– Y a quelque chose de pas franc dans l'air. Barricadez-vous et restez sur le qui-vive. On sait jamais avec ces maudits « sauvages ». C'est pas l'orage qui pourrait les arrêter.

– Merci de vos conseils, père Davenne. Nous nous tiendrons sur le pied de guerre. C'est promis.

Malgré le ton désinvolte de ses propos, Catherine ne put réprimer un frisson qui intrigua Cathy.

– Qu'as-tu ? dit-elle. C'est cette vieille baderne qui t'a fait peur ?

– Non, dit Catherine, c'est le froid. Cette nuit tu viendras coucher avec moi. Nous nous tiendrons chaud.

Le village était retombé dans le silence. L'orage n'était plus qu'un murmure lointain. Bientôt la pluie se remit à tomber, avec une sorte de furie. Un chien aboya d'une voix plaintive; un autre lui répondit, puis un autre encore, et le concert gagna toutes les demeures des alentours.

Alors que le sommeil commençait à engourdir Cathy, elle sursauta : une main venait, à travers l'ombre, de lui frôler l'épaule. Elle faillit crier.

– Ne crains rien, lui dit Christine. C'est moi. J'ai froid et j'ai peur. Laissez-moi me coucher près de vous.

Cathy lui fit une place entre elle et sa mère. Le lit était un peu juste pour elles trois, mais il leur arrivait parfois, en temps de grande froidure, de le partager, serrées l'une contre l'autre sous le gros édredon. Christine prit la main de Cathy et la serra.

– Si Laurent était là, dit-elle, je serais plus rassurée. Ce vieux fou de Davenne, avec ses sornettes...

Laurent était parti le matin même pour rejoindre le marquis de Vaudreuil, nommé depuis peu gouverneur de Montréal. Avant de partir il avait dit à Christine : « A mon retour nous irons en inspection sur notre concession de la rivière des Prairies et nous choisirons l'emplacement de notre maison. Avant la fin de l'année nous serons mari et femme. »

Elles veillèrent à tour de rôle, attentives aux moindres bruits qui se mêlaient à la rumeur de la pluie. Le chien avait aboyé de nouveau puis s'était tu dans un gémissement lamentable. « Ce ne sera pas pour cette nuit », songeait Catherine.

Elle commençait à sentir l'engourdissement du sommeil quand son sang se glaça : un cri atroce venait de traverser la nuit, accompagné de toute une gerbe d'appels stridents qui semblaient venir du village. Quelques instants plus tard un choc retentissant ébranlait la demeure. Il semblait que l'on essayât d'enfoncer la porte à coups de hache.

Elles sautèrent du lit d'un seul mouvement. Les coups redoublaient de vigueur, accompagnés de vociférations et de chocs violents contre les fenêtres et la porte du rez-de-chaussée.

— Les Iroquois! cria Cathy. Ce sont eux. Davenne avait raison.

— Ne vous affolez pas! dit Catherine. J'ai pensé à tout. Suivez-moi!

Elles jetèrent leur manteau de pluie sur leurs épaules. Catherine prit le mousquet et Christine la lanterne.

— Le grenier! dit Catherine.

Elles y accédèrent par la trappe et peinèrent pour retirer la lourde échelle. Elles venaient tout juste de refermer la trappe quand elles entendirent les volets et la porte du bas qui volaient en éclats. La grande salle devait être pleine d'Iroquois qui hurlaient en renversant les meubles.

— J'ai laissé, dit Catherine, une bonbonne d'eau de vie bien en évidence sur la table. C'est ce qu'ils verront en premier. Pendant qu'ils seront occupés à boire, nous leur fausserons compagnie.

Elle ouvrit la fenêtre du grenier donnant sur le potager. La nuit était traversée de lueurs d'incendies allumés dans les mulons de foin ou les granges des fermes éloignées.

— Nous descendrons par là, dit-elle. Aidez-moi à faire glisser l'échelle.

Elles réussirent non sans mal à la plaquer contre le mur.

— Christine, dit Catherine, souffle la lanterne.

Christine s'exécuta et descendit la dernière. Dans l'ombre balayée par des lueurs fauves elles furent témoins d'un spectacle hallucinant : la demeure des Olivier commençait à brûler; des coups de feu partaient du côté des Davenne où le vieux avait dû se préparer à l'attaque; autour des demeures des Piquot, des Lefebvre, des Martin et des Plantier, c'était le même grouillement de démons, le même concert de hurlements, de fusillades et de cris de femmes.

— Ne restons pas là, dit Catherine. Nous allons essayer de gagner l'érablière où nous serons en sécurité.

Elles traversèrent le potager, sautèrent une haie et observèrent les parages. Leurs yeux s'habituant à l'ombre, elles purent distinguer l'espace de prairies fangeuses qu'elles devraient traverser. Elles allaient s'y engager lorsque Christine leur dit :

— Baissez-vous!

Une volée d'Indiens passa en trombe à quelques pas en brandissant des torches, leurs crânes rasés et leurs colliers brillant dans la lumière. Certains avaient les épaules couvertes de peaux, d'autres allaient nus.

— Des Onontagués! dit Christine. Des guerriers de mon peuple.

Quand ils se furent éloignés, elles traversèrent la prairie au pas de course. Arrivées devant la haie qui la limitait avant les premiers érables, elles virent surgir un nouveau groupe de « sauvages ».

— Christine, dit Catherine, fais-leur comprendre que nous sommes armées et que je tirerai sur eux s'ils nous menacent.

Christine s'exécuta. Les Iroquois s'arrêtèrent, interloqués.

— Dis-leur que nous sommes des amis, qu'ils nous laissent passer.

Dès que Christine eut lancé cet ordre les Iroquois s'écartèrent.

— Nous avons réussi une fois, dit Christine, mais sûrement pas deux. Ne les quittez pas des yeux et gardez-les en joue. Je vais m'éloigner en courant vers le village. Ils se jetteront à ma poursuite et vous en profiterez pour gagner l'érablière.

— Je refuse! dit Catherine. Nous serons sauvées toutes les trois ensemble ou nous mourrons.

— Pardonnez-moi, maîtresse! Je vais vous désobéir pour la première fois de ma vie. Dieu vous garde!

— Reste! supplia Cathy.

Christine s'éloigna de quelques pas à reculons puis se mit à courir à travers la prairie. Les Iroquois se précipitèrent derrière elle avec des hurlements. Ils ne tardèrent pas à la rattraper, l'empoignèrent et l'entraînèrent vers le village où presque toutes les maisons étaient la proie des flammes.

— Fuyons! dit Cathy. Il est inutile de rester là.

Elles purent gagner sans encombre l'érablière où elles trouvèrent quelques habitants qui avaient réussi à s'échapper et restaient tapis dans les buissons. L'un d'eux expliqua que les Indiens étaient près d'un millier mais n'avaient que très peu d'armes à feu. Un autre colon raconta qu'ils avaient pillé et incendié toutes les habitations.

— Nous étions environ quatre cents, à Lachine et dans les environs. Combien serons-nous quand les « sauvages » se seront retirés? Ils massacrent tous ceux qui leur tombent entre les mains.

— A quoi ont servi tous ces forts bâtis autour de Montréal, ce régiment de dragons qu'on nous a envoyé de France? protestait une femme. Les militaires, on ne les voit que lorsqu'il n'y a pas de danger ou qu'il est passé!

Un grand vieillard qui tenait son mousquet d'une main et sa pipe de l'autre s'écria :

— Paix! Écoutez-moi. On a mieux à faire qu'à se lamenter. Allons nous mettre à l'abri dans le fort le plus proche. Quand ces « sauvages » en auront fini, ils fouilleront les alentours et ils nous trouveront sûrement. Partons avant que le jour se lève. Suivez-moi!

Si elle en jugeait par l'affreux spectacle qui s'offrait à elle, Christine ne pouvait nourrir aucun espoir de se tirer de ce mauvais pas. Elle s'était promis de ne penser qu'à Laurent et à ses enfants jusqu'à l'heure de sa mort, mais elle se disait en portant les yeux autour d'elle que, lorsqu'on est descendu au cœur de l'enfer, les affections terrestres ne sont que vanité. C'était bien l'enfer qui s'ouvrait devant elle.

Ivres d'eau-de-vie et de carnage, les Iroquois chancelaient autour d'elle en poussant des hurlements et des éclats de rire. Tout ce qui vivait encore, hommes et animaux, excitait leur soif de sang. Comme si l'incendie qui dévorait les demeures, les bâtiments de ferme, les récoltes ne suffisaient pas, ils avaient allumé un énorme bûcher au milieu de la place, devant la chapelle. Christine arriva alors que les « sauvages » étaient en train de clouer des prisonniers aux arbres avec leurs couteaux; elle reconnut le père Davenne qui eut la force de lui demander où étaient ses maîtresses; elle répondit qu'elles étaient sauves; Davenne lui cria :

– Dieu te garde!

Elle répondit :

– Qu'il vous ait en son paradis!

Elle n'eut pas le courage de regarder mourir le vieil homme que l'on dépouillait de ses vêtements, mais elle entendit sa voix qui chantait une complainte du vieux pays où il était question d'herbe tendre et de pommiers en fleur.

Les « sauvages » attachèrent Christine à un arbre par la ceinture, à côté de plusieurs Hurons et Algonquins christianisés qui vivaient en marge du village, auxquels leurs tortionnaires réservaient un traitement particulier. De temps en temps un Iroquois pris de boisson leur piquait le ventre avec son couteau ou promenait un brandon sur leur peau.

Christine songea soudain à la lampe qu'elle avait accrochée à un ardillon de sa ceinture. Dans les allées et venues frénétiques des « sauvages » qui passaient devant elle en amenant de nouveaux prisonniers, hommes, femmes et enfants, vers le bûcher, au milieu de cette fête de feu et de sang éclaboussée de hurlements, de rires noirs, de chants de mort, personne ne prit garde au geste qu'elle fit pour décrocher sa lampe. Avec précaution, pour ne pas éveiller l'attention, elle frappa l'une des parois de verre jusqu'à la faire éclater, puis, le cœur battant, elle s'ouvrit les veines des deux poignets et se laissa glisser contre le tronc en dissimulant ses mains dans sa jupe. Une impression de bien-être succéda à la douleur. Désormais tout ce qui se passait autour d'elle lui était étranger, sinon indifférent; elle se sentait délivrée d'un cauchemar : l'obsession de sa propre torture. Il ne lui restait qu'à espérer mourir très vite. Les yeux clos, elle s'efforça de fixer le reste de conscience qui vivait encore en elle sur ses proches, avec le sentiment qu'elle allait les retrouver au terme de cette nuit infernale et reprendre avec eux une nouvelle existence.

Elle regarda sans frémir le spectacle atroce qui se déroulait sous ses yeux : cette grosse femme enceinte à qui l'on avait arraché son fruit pour le jeter au feu, cette autre femme empalée sur un pieu et qui râlait avec de temps à autre des sursauts violents, ces hommes allongés à terre que l'on émasculait ou que l'on écorchait vifs pour les jeter encore vivants sur un lit de braise... Tout cela se passait loin d'elle ; c'étaient des vagues d'images apportées par des rêves ou des souvenirs ; plus rien de ces atrocités ne la concernait, et pourtant, lorsqu'elle aperçut un enfant demi-nu, un petit Blanc de trois ou quatre ans qui se lamentait, elle l'appela et lui tendit les bras ; l'enfant s'avança vers ces mains sanglantes, s'y abandonna, y oublia sa peine et sa peur. Elle l'appelait Laurent, Jacques, Denis... Sous ses mains gluantes elle sentait la chevelure bouclée et, contre son ventre, à travers l'étoffe, l'haleine chaude du petit. Autour du lieu du supplice elle ne distinguait rien d'autre qu'un ballet de fantômes dont les mouvements se fondaient dans une brume de nuit et de sang.

Une main lui secoua l'épaule ; une voix lui demanda si elle n'était pas la sœur du chef onontagué Ganoa. Elle fit signe que oui.

— Ton frère est là, dit la voix. Il te cherche.

— Qu'il vienne vite... bredouilla Christine.

Ganoa apparut quelques minutes plus tard. Ses traits crispés par la frénésie du massacre se détendirent lorsqu'il aperçut Christine ; elle paraissait somnoler, comme l'enfant – son fils peut-être, songea-t-il – qui était étendu à ses pieds et serrait ses jambes entre ses bras. Il appela sa sœur par son nom iroquois, puis par son nom français, en lui secouant l'épaule : elle ne répondit pas. Ganoa arracha l'enfant à la morte, le prit dans ses bras et l'emporta dans la nuit vers les canots.

10

LE MIRACLE DES ROIS

Lachine-Montréal : automne 1689.

On avait installé, entre le canot et la batture, une passerelle pour le nouveau gouverneur général de la Nouvelle-France, monseigneur Louis de Buade, comte de Palluau et de Frontenac. Il la balaya d'un coup de botte rageur et, appuyé sur sa canne, sauta sur la batture boueuse. Son secrétaire, Le Barrois, ne put retenir un cri d'inquiétude.

— Alors, Barrois, dit le gouverneur, vous vous décidez ou faut-il que je vous porte sur mes épaules ?

Il prit les devants, repoussa le Huron vêtu d'une livrée de laquais qui tendait un parapluie au-dessus de sa tête et partit seul sous la pluie fine, s'arrêtant tous les dix pas pour lever le nez et respirer l'air imprégné d'une odeur de cendre froide. Le Barrois le rejoignit en courant, essuyant avec son mouchoir son visage mouillé.

— Ainsi, dit Frontenac, c'est là que se trouvait le village de Lachine. Quelle désolation ! Lorsque Cavelier m'en parlait, on eût dit qu'il vantait les merveilles de la Terre promise. Et aujourd'hui, Barrois, aujourd'hui...

— Avec le village de La Chesnaie, situé de l'autre côté du fleuve, dit Le Barrois, ce sont quatre cents habitants qui ont disparu. On dit qu'il y eut deux cents tués, une centaine de prisonniers, peut-être davantage. On ne sait ce que sont devenus la plupart des autres survivants. Les Iroquois ont agi avec une telle sauvagerie qu'on a tout lieu de croire...

— Ne me rebattez pas les oreilles avec ces Iroquois! grinça la voix de crécelle de Frontenac. Ils n'ont été que les exécuteurs des Anglais : Dougan et Davos notamment. Les vrais coupables, ce sont eux, et il faudra bien qu'ils paient pour leurs forfaits! Ces « sauvages » nous préfèrent aux Anglais. Ils les détestent mais leur obéissent. Si les produits de nos manufactures étaient moins chers et de meilleure qualité, si nous payions les fourrures au même tarif que les postes d'Albany et de Schenectady, nous verrions les Cinq Cantons iroquois venir nous proposer leur soumission et leurs services.

Frontenac se retourna vers sa suite et s'écria :

– Callières, Vaudreuil, Subercase! Qu'attendez-vous? Je ne veux pas m'attarder ici, vous le savez. Ce spectacle m'afflige et j'en suis déjà tout retourné.

Il ajouta :

– Quel est ce bruit?

Des coups sourds et réguliers venaient à lui à travers la forêt.

– Je l'ignore, dit Le Barrois.

– Ce sont peut-être, dit Frontenac d'un ton ironique, quelques Iroquois qui dressent un arc de triomphe pour commémorer leur exploit!

Il égrena un rire aigu qui se termina par une toux sèche de vieillard et repartit à pas pressés, d'une allure de sauterelle, son grand nez pointé en avant, ses petits yeux vifs parcourant le théâtre des atrocités. Après un instant de répit, le bruit avait repris, comme si le cœur du village se reprenait à battre sous la cendre. Callières envoya à la découverte le Huron déguisé en laquais.

– Ce sont des habitants, monseigneur, dit-il à son retour. Nous sommes sur le domaine de M. Cavelier : « Saint-Sulpice ». Le village est plus loin.

– Des habitants! grinça Frontenac. Que diable font-ils dans ce désert? Allons les voir de plus près.

Après une brève marche à travers la forêt toute suintante de pluie, ils arrivèrent devant une ruine de vastes dimensions dans laquelle des gens s'activaient. Un homme aux cheveux roux, juché sur le toit, fixait quelques éléments de charpente; deux autres travaillaient de l'herminette et de la scie sur des troncs écorcés. Deux femmes leur tenaient compagnie : l'une d'elles paraissait âgée et se tenait assise dans un fauteuil devant la demeure; l'autre, plus jeune, revenait de la fontaine en portant deux seilles suspendues à un cerceau de bois qui encerclait sa taille.

— Ces gens sont fous! s'exclama Frontenac. Ils s'installent de nouveau comme si c'était un simple incendie qui aurait consumé leur habitation. Ils oublient que cette île est encore exposée et que les Indiens risquent de revenir à la charge. Et comment pourront-ils subsister, si loin de Montréal?

L'escorte du gouverneur, constituée d'un détachement de dragons en armes, s'avança jusqu'au chantier. Le bruit des outils s'arrêta; les travailleurs se tenaient immobiles, leur outil à la main, et regardaient s'avancer vers eux l'étrange cortège.

M. de Frontenac s'approcha de la demeure, leva sa canne vers le toit et s'écria :

— Eh toi, là-haut! Oui, toi, le rouquin, que fais-tu?

— Vous le voyez, monseigneur, nous rebâtissons notre demeure.

— Il me semble t'avoir vu quelque part! N'était-ce pas dans mon cabinet, juste avant ma destitution et mon retour en France, il y a sept ans? Tu étais, je crois, en compagnie de M. Cavelier de La Salle. Tu te nommes...

— Laurent Chapdeuil.

— Chapdeuil! C'est donc toi! Eh bien, qu'attends-tu pour descendre, animal?

Laurent descendit précipitamment par l'échelle, s'inclina.

— Votre visite, monseigneur, est pour nous une joie et un honneur, et je...

— Tous ces gens, qui sont-ils?

— Cette femme qui arrive avec des seilles est ma sœur, Cathy. Ces deux jeunes hommes sont mes enfants : Denis et Jacques.

— Des « bois-brûlés », mais ils sont beaux et robustes. Où est leur mère?

— Elle est morte dans le massacre. C'était la sœur du chef des Onontagués : Ganoa. J'ai retrouvé son corps sur la place du village. Nous l'avons enterrée près de notre demeure.

— Et cette vieille femme, là, dans le fauteuil? Pourquoi ne se lève-t-elle pas pour me saluer?

— Elle est impotente et elle n'a plus sa raison, monseigneur. Elle a réussi à échapper aux Iroquois avec ma sœur, en les tenant en respect avec son mousquet. Elle n'est plus qu'un corps sans âme. Elle a soixante-treize ans. C'est ma mère.

– C'est d'elle dont Cavelier disait qu'elle était son havre de grâce et qu'elle ressemblait à ce pays?

– C'est d'elle, monseigneur, et cette demeure était jadis celle de M. Cavelier.

– Y a-t-il quelqu'un d'autre ici?

– Mon frère Irénée et un habitant de Lachine qui a perdu sa femme et ses trois enfants : Barthélemy Audouin. Ils sont à l'intérieur. Je vais les appeler.

Le gouverneur vit avec surprise émerger des décombres, noirs comme des charbonniers, un sulpicien et un robuste gaillard qui portait un madrier.

– Toute la famille est réunie? demanda Frontenac.

– Toute la famille, monseigneur. Il ne manque que mon épouse, Christine.

Brusquement Frontenac éclata :

– Tu n'imagines tout de même pas que je vais tolérer votre présence dans cet endroit! Mon garçon, j'ai l'âge de ta mère et je ne crains pas les Iroquois, mais je considérerais comme une folie de m'exposer ainsi à leurs attaques.

– Nous avons des armes, monseigneur!

– Des armes! Entendez-vous, Callières? Ils ont des armes! Tous les habitants de Lachine avaient des armes et les Iroquois les ont massacrés, tous ou presque.

Il pointa sa canne vers Laurent qui eut un mouvement de recul.

– Nous avons tout perdu, monseigneur, dit Laurent. Il ne nous reste que cette ruine et quelques arpents de terre. Laissez-les-nous, je vous prie.

– Mais ce village, cette terre sont maudits et condamnés! glapit le gouverneur. Je veux que personne ne s'y installe avant que nous ayons fait la paix avec les Iroquois ou que nous les ayons exterminés. Lachine est un cimetière et le restera longtemps encore.

– Monseigneur... dit Callières.

Il tira le gouverneur par la manche et lui glissa quelques mots à l'oreille. Frontenac, penaud, se retourna vers Laurent et lui dit d'une voix soudain radoucie :

– Excuse-moi de m'être emporté à mon habitude, dit-il. Mon premier souci est de garder à ce pays des gaillards dans ton genre. Nous en avons bien besoin. Lorsque mon prédécesseur, Denonville, a quitté ce pays qu'il aimait, certes, mais qu'il ne savait pas défendre, il m'a demandé de veiller comme un père sur chaque citoyen. Je regrette qu'il ne se soit pas lui-même inspiré de cette idée généreuse, mais je crois qu'il avait raison.

Il gratta de la pointe de sa canne la terre mélangée à de la cendre et poursuivit :

– Toi et ta famille vous allez vous installer à Montréal. Si je vous vois remettre les pieds sur cette terre, je vous expédie en Louisiane ! Je me charge de vous trouver du travail. Où est l'époux de ta sœur Cathy ?

– Elle n'est pas mariée, dit Laurent.

Frontenac faillit s'étrangler de colère. Il appela Cathy, fit voltiger autour d'elle avec une habileté de bretteur chevronné la pointe de sa canne puis parla sur un ton acerbe des égoïstes qui sacrifient la prospérité de la Nouvelle-France à leur tranquillité en refusant de fonder une famille.

– Tu parais d'excellente santé, dit-il, et tu n'as rien d'un laideron. Quel âge as-tu ?

– Bientôt trente ans, monseigneur.

– Alors il faut te décider. Si tu n'es pas mariée d'ici un an, je te renvoie au vieux pays ou je fais de toi une nonne. Je veux que tu nous fasses au moins trois enfants ! Je serai parrain du premier.

Il se tourna vers Laurent.

– Quant à toi, j'ai besoin de tes services. Tu es un homme de bon sens et d'expérience, tu connais bien le pays. Et tes fils ?

– Courir les bois, c'est ce qu'ils savent faire de mieux.

– Ils les courront à mon service. Mais, au lieu de chasser le castor ou le foutreau, c'est de la peau d'Iroquois et d'Anglais qu'ils me rapporteront.

Son regard fit le tour du cercle qui s'était formé autour de lui. Il dirigeait la pointe de sa canne tantôt vers l'un, tantôt vers l'autre comme par jeu : Irénée rejoindrait la mission de La Montagne ; Cathy tiendrait un comptoir d'épices à Montréal ; Laurent et ses deux fils seraient des prochaines expéditions en pays iroquois et dans les colonies anglaises...

563

– Quand partons-nous ? demanda Laurent.

Frontenac fronça les sourcils.

– Dans les jours qui viennent. Je ne veux pas que vous restiez une journée de plus dans ces ruines. Vous pouvez faire votre baluchon pour repartir avec nous.

– Monseigneur, dit Cathy, accepteriez-vous d'approcher ma mère, de lui parler, de la toucher ?

Frontenac lui pinça la joue. Il dit en souriant :

– Le « miracle des rois »... Je ne suis pas roi, mon enfant, et je ne te promets rien. Mais je vais essayer.

Il s'approcha à pas lents de Catherine, pour ne pas l'effrayer. Immobile dans son fauteuil, elle le fixait d'un regard dépourvu de toute expression. Il se pencha vers ce visage impassible, lui glissa à l'oreille quelques mots que personne n'entendit. Il dit en se relevant :

– Autant jeter une pierre au fond d'un puits. Cette pauvre femme est *absente*.

Il mit un genou à terre, prit la longue main pâle posée sur l'accoudoir et la porta à ses lèvres.

– Adieu, madame, dit-il en se retirant.

– Elle a souri, dit Cathy.

Frontenac s'assit dans son fauteuil, les oreilles bourdon-nantes de fatigue.

– Relisez, Barrois, dit-il.

Le secrétaire relut la lettre que le gouverneur général adressait à M. de Seignelay, ministre du roi de France :

– « *Ces dernières années, la plus grande partie des soldats et un nombre considérable d'habitants ont disparu dans des entreprises mal préparées...* »

Frontenac songeait au malheureux Denonville ; il l'avait rencontré à Montréal à son retour, effondré, homme de chiffon imbibé de larmes.

– « *... mal préparées, poursuivit Le Barrois, et qui ont amené la ruine de la colonie dans laquelle j'ai trouvé les Iroquois faisant une dévastation et des cruautés inouïes, sans résistance et à la vue des forts et des troupes...* »

– Ajoutez, gronda Frontenac : « *La faiblesse de mon prédécesseur a donné à penser aux Iroquois que tout leur était permis.* » Et puis non, n'ajoutez rien. Denonville est suffisamment puni sans l'accabler encore de reproches. Poursuivez !

– « ... *Les habitants étaient découragés. Le peu de confiance qu'ils avaient en leurs chefs avait découragé leur bonne volonté. Les " sauvages " amis, témoins de notre faiblesse, étaient prêts à se joindre à nos ennemis...* »

C'était là l'image d'un sombre passé. En ce début d'année l'espoir renaissait.

Trois corps francs composés de troupes régulières et auxiliaires – milices et « sauvages » alliés – étaient partis entre le début de janvier et les premiers jours de mars en direction des colonies anglaises. Frontenac connaissait de nouveau des sommeils paisibles et des digestions faciles. Il était sûr de son affaire : ces trois colonnes reviendraient au temps des chaleurs avec des bulletins de victoire. En Europe, la guerre avait de nouveau éclaté entre la France et l'Angleterre, ce qui servait les plans du gouverneur général. C'est sur les Anglais qu'il se vengerait des atrocités commises par les Iroquois.

– C'est bien, Barrois! Allez vous reposer et soyez ici demain à l'aube. Nous aurons de l'ouvrage.

Il resta un moment seul à regarder vaciller la flamme des chandelles. Il songeait que le Canada, lorsque, pour la deuxième fois, après son retour en grâce, il avait débarqué à Québec, était à l'image de cette vieille femme de Lachine, Catherine Chapdeuil : sans âme, sans vie apparente, prêt à tous les abandons. Maintenant il commençait à renaître, de même que la vieille femme de Lachine qu'il avait revue quelques jours avant, à Montréal, au cours d'une réception d'ambassadeurs iroquois : elle restait muette, ses yeux exprimaient une terreur sourde devant ces guerriers, mais elle bougeait, ses yeux s'animaient et l'on n'avait plus l'impression, en la touchant, d'effleurer une statue. A diverses reprises on l'avait même vue sourire.

Une troupe d'environ quatre cents hommes, divisée en trois colonnes, avait pris la route du sud à travers le terrible hiver.

La première colonne, conduite par Lemoyne d'Iberville, était composée de coureurs des bois encadrant des contingents d'indigènes. Partie de Montréal, elle remonta la rivière Richelieu, traversa sur la glace le lac Champlain et se dirigea vers la Nouvelle-York à marches forcées. Le dégel la surprit avant qu'elle ait pu atteindre la rivière Hudson, mais, lorsqu'elle apparut, les hommes hurlèrent de joie. A peine avaient-ils commencé la descente, une épaisse poudrerie leur faisait perdre leur chemin. Ils rencontrèrent une autre rivière, la Mohock, qu'ils descendirent jusqu'à Schenectady, un village de quatre-vingts familles de colons anglais dont les « sauvages » firent un massacre.

La deuxième colonne, commandée par Pierre de Bécancour, se composait de cinquante hommes des milices canadiennes et d'un détachement d'indigènes placé sous l'autorité du plus célèbre capitaine des « sauvages » de la colonie : Saint-Castin. Quatre mois après le départ de Québec, épuisée de fatigue et de faim mais toujours brûlante d'ardeur, elle franchit les collines du Maine, atteignit la rivière Kennebec et fonça sur Gasco où les Abénakis de Saint-Castin massacrèrent une trentaine de personnes. Le 23 juin elle était de retour, traînant derrière elle une caravane de prisonniers dont le commandant du fort Loyal, un nommé Davis.

— Mon cher Davis, dit le gouverneur général, croyez que je suis navré de ces massacres aussi inhumains qu'inutiles, mais vous savez qu'il est difficile de retenir les Indiens quand l'heure de la curée est venue. Je regrette de ne pouvoir vous faire libérer, mais je vous assure que vous serez traité avec la plus grande courtoisie.

Laurent partit avec la troisième colonne : celle qui s'en fut un matin glacé de janvier de Trois-Rivières, sous le commandement du prince des coureurs des bois, François Hertel, accompagné de ses trois fils et seulement d'une cinquantaine d'hommes dont la moitié étaient des Indiens, en direction du Connecticut. Dans les immensités neigeuses, cette lente procession de fourmis était hallucinante. Ils marchèrent durant une centaine de lieues, se nourrissant de farine de blé d'Inde et de quelques tailles de lard, trop heureux quand un cerf ou un orignal passait à portée de leurs armes. Le fort anglais de Salmon Falls, à la fin du mois de mars, ne tint pas longtemps face à ces démons; ils le saccagèrent, l'incendièrent et laissèrent une cinquantaine de cadavres sous les ruines. La réaction des Anglais ne se fit pas attendre : de Piscataway une troupe de deux cents soldats se dirigea vers les Français.

– Qu'allons-nous faire ? demanda Laurent. Battre en retraite ?

Hertel ôta sa pipe de sa bouche et répondit du ton calme qui lui était familier :

– Tu as vu quelque fois des Hertel renoncer à se battre ? Et contre des Anglais encore ? Nous allons en faire de la chair à pâté !

Il rassembla ses hommes, se porta au-devant des Anglais, les bouscula, les dispersa si bien qu'on ne les vit plus paraître. Aux premières chaleurs la troupe reprit le chemin du Saint-Laurent sans une seule perte.

Frontenac se leva, contourna sa table de travail et vint s'appuyer à l'épaule de Laurent qui le dépassait de la tête.

– Qu'est-ce qu'on raconte à ton sujet, mon garçon ? dit-il. Tu es écœuré par ce que tu as vu ? Cet incendie, ce massacre, ces tortures... Je t'accorde que c'est un spectacle affligeant. Je connais Hertel : il n'a pas dû lever le petit doigt, à Salmon Falls, pour empêcher ces atrocités. Je parierais même qu'il y a pris du plaisir. Et pourtant je suis persuadé qu'il a eu raison de laisser ses « sauvages » se donner du bon temps. La pitié est un luxe que nous ne pouvons nous permettre. Elle passerait pour de la faiblesse auprès de nos amis « sauvages ». Nous vivons une époque terrible et nous ne sommes pas au bout de nos épreuves. Le temps viendra où nous n'aurons plus à employer ces méthodes auxquelles je répugne.

Il ajouta :

– On dit que tes fils se sont vaillamment comportés. Confie-les-moi. J'en ferai de bons soldats et des hommes qui te seront utiles sur ton domaine, la paix revenue.

– Aurez-vous encore besoin de mes services, monseigneur ?

– Oui, mon garçon, durant quelque temps encore, mais je t'en dirai davantage au retour du chevalier d'O que j'ai envoyé en mission chez les Iroquois pour leur offrir la paix. Il est parti à la place du capitaine Louis-Armand de La Hontan, qui a décliné cet honneur pour raison de santé.

– La Hontan serait donc à Montréal ? s'étonna Laurent.

– Il y est. Tu le connais donc, ce libertin ?

567

– J'ai beaucoup entendu parler de lui... dit Laurent.

Le capitaine Louis-Armand de La Hontan était à Montréal depuis un mois à peine, retour de l'Ouest, et déjà il n'était bruit dans la ville que de ses prouesses : découverte d'une rivière « belle comme la Loire », séjour chez des peuples inconnus, dans des paysages étranges... Il était revenu avec une moisson de souvenirs dont il comptait faire un livre. Il tranchait de l'Iroquois et du Mississippi avec une telle apparence d'autorité qu'il surprenait les plus intrépides coureurs des bois. On le voyait souvent dans le cabinet du gouverneur général, à Québec, et ce dernier, lorsqu'il allait à Montréal, ne manquait jamais de le convier à sa table. Ils étaient nés tous deux dans la montagne du Pays basque ; lorsqu'ils se retrouvaient, la pièce vibrait de leurs jurons tonitruants.

Dès que La Hontan eut appris que Cathy se trouvait à Montréal, il n'eut de cesse de la retrouver. Elle lui avait laissé comme un goût d'eau fraîche qui triomphait de toutes les âcretés de l'existence. Il se demandait sans arrêt pourquoi il ne l'avait pas épousée ; une absence prolongée lui avait montré qu'il avait eu tort : Cathy lui avait terriblement manqué.

Il revêtit son uniforme, ses dentelles de col, de manchettes, fit astiquer par son ordonnance ses boutons, ses aiguillettes et le fourreau de son épée car il voulait paraître à son avantage. Il avait appris qu'elle tenait un comptoir d'épices avec en annexe un petit négoce de fourrures. Il lui fut aisé de le repérer.

Il attendit qu'elle fût seule pour entrer dans la boutique qu'elle tenait avec un personnage dont Louis-Armand ignorait l'existence et que, dès qu'il apparut, elle lui présenta comme son époux : Barthélemy Audouin. C'est alors que l'absurdité de sa démarche lui apparut. Qu'espérait-il ? Il eut le sentiment ridicule que le regard de Cathy le dépouillait de ses dentelles, de son velours, de ses dorures et qu'il se trouvait soudain nu devant elle et son mari. Il comprit qu'elle était à jamais perdue pour lui et en conçut une telle amertume qu'il faillit rebrousser chemin sans un mot d'adieu.

Elle posa la question qu'il se posait lui-même :

— Pourquoi es-tu revenu?

Il faillit lui révéler qu'il avait pensé à elle chaque jour, presque chaque heure, durant les mois interminables passés dans l'Ouest. Pouvait-elle lui reprocher d'avoir désiré la voir une dernière fois avant son départ?

— Je vais retourner en France, dit-il. Des affaires de famille... Avant de partir, je voulais...

Il s'interrompit, parcourut du regard le décor triste et sombre de la boutique, caressa les peaux vertes de castor suspendues à une poutre et ajouta :

— Pardonne-moi d'être revenu. Adieu, Cathy! Je ne t'oublierai pas.

Elle ne dit pas un mot pour le retenir; ses traits ne révélèrent aucune surprise, aucune affliction. La main sur la poignée de la porte, il ajouta :

— Avant que je franchisse cette porte, dis-moi si tu es heureuse.

Elle répondit, avec un mouvement d'épaules, comme si cette question était saugrenue :

— Oui, bien sûr, je suis heureuse.

Il n'eut pas de peine à deviner qu'elle en était au point où la sécurité tient lieu de bonheur.

Lorsqu'il se fut éloigné, Cathy, prise d'un vertige, se maintint debout en s'accrochant au bord du comptoir. Elle se mit, machinalement, à ranger des articles : ils lui paraissaient plus pesants que d'ordinaire; elle s'attendait pourtant à cette visite, mais elle avait raison de la redouter.

Laurent, quelques jours avant, lui avait dit :

— J'ai vu ton ancien amoureux rôder dans les parages. Tu vas sûrement le voir rappliquer. Refuse de le recevoir. S'il insiste, abstiens-toi de prêter l'oreille à ses belles paroles. C'est un imposteur!

Imposteur... Cathy avait tourné et retourné le mot dans sa tête. Elle connaissait la réputation que l'on faisait à Louis-Armand, mais elle savait aussi que, dès qu'il se trouvait en sa présence, ses masques et ses oripeaux de séducteur tombaient d'eux-mêmes et qu'il devenait un personnage affectueux et sincère.

— Nous aurons encore à combattre et à souffrir, avait dit Frontenac.

La fin de l'année avait pourtant fait naître de grands espoirs. Le bruit des exploits réalisés par les expéditions punitives avait retenti dans le monde indien. « Onontio » avait vaincu l'Anglais! « Onontio » avait prouvé que les Français savaient se battre! Les Ottawas, qui n'attendaient que l'occasion de fondre sur la colonie, revenaient peu à peu vers les postes de traite et les comptoirs de Montréal, entraînant avec eux des Cris, des Nipissings, des Renards... Plus de cent canots débarquèrent au milieu des cris d'allégresse de la population, à la foire aux fourrures de Montréal.

« Onontio » Frontenac voulut être présent à cette fête. Il arriva dans une gloire de pourpre et de lys, empanaché comme un pacha d'Égypte; il convia à un grand banquet cinq cents « sauvages » pour manger du bœuf et du chien. On dansa dans les vapeurs de l'eau-de-vie et les fumées du tabac. De temps à autre le gouverneur général émergeait du demi-sommeil dans lequel il sombrait pour entonner une chanson célébrant la gloire des chasseurs de fourrure et des hommes de guerre.

Le lendemain, la tête lourde et le cœur léger, il repartait pour Québec.

Prévost, qui commandait la ville en son absence, lui fit adresser un courrier : une escadre anglaise venait de mouiller devant Québec.

11

LA GRANDE PALABRE

Montréal : automne 1690.

La sécurité, l'existence paisible, la routine quotidienne enlevaient au temps de sa densité. Les jours paraissaient flotter sur un courant lisse, continu, irrésistible, entre des berges dont les reliefs, à force d'être semblables, finissaient par disparaître. Cathy avait lâché le gouvernail et faisait confiance au courant; elle acceptait qu'il l'entraînât vers un estuaire dont elle savait d'avance qu'il l'engloutirait avec tous ses souvenirs à fond de cale.

Les dernières paroles du capitaine La Hontan, pour anodines qu'elles fussent, avaient réveillé en elle des élans de bonheur qui avaient avorté. Elle le maudissait d'être revenu, de lui avoir fait prendre la mesure d'une existence grise et sans surprise. « Dis-moi que tu es heureuse... » Que lui importait qu'elle le fût ou non ? Il savait qu'elle était perdue pour lui, que cette ultime démarche se heurterait à la barrière de la fidélité conjugale. Il aurait ri sous cape si elle avait prononcé ces derniers mots, lui, le libertin; il aurait imaginé Cathy dans le rôle de l'épouse résignée au lit douillet du quotidien qui fait la chair molle et le regard terne. Il ne pouvait deviner qu'elle était consciente de son état, qu'elle gardait en elle une part de révolte pour le cas où la « fidélité conjugale » deviendrait trop pesante.

Révolte contre qui ? Révolte contre quoi ? Barthélemy ne lui donnait guère l'occasion de l'exercer; ce brave garçon, pétri d'une grosse pâte d'affection, mesurait ses pas dans la vie à ceux de son épouse à laquelle il vouait une sorte de vénération; il l'aimait et se satisfaisait de la voir vivre avec

573

les trois enfants qu'elle lui avait donnés : deux garçons et une fille qui faisaient plaisir à regarder. L'aisance relative du couple colorait la grisaille des jours, mais cette grisaille persistait et ce n'était pas Barthélemy, malgré ses regards imprégnés de tendresse, qui aurait pu la dissiper. Cathy était trop secrète et lui trop transparent. Elle avait trop à donner d'elle, et lui seulement de la petite monnaie. Elle restait accrochée à son passé, à ses amours tumultueuses, et lui, du jour où il l'avait épousée en se souvenant de leur brève idylle d'avant Louis-Armand, il avait oublié son épouse et ses enfants, disparus dans le grand carnage de Lachine. Leur existence s'était ordonnée de part et d'autre d'une frontière invisible que les apparences aimables du quotidien estompaient mais qui n'en subsistait pas moins.

Les orages, c'est de l'extérieur qu'ils venaient.

Sur la fin du siècle, la colonie s'acheminait vers la paix par les rudes sentiers de la guerre. A Montréal on avait connu la disette et la terreur iroquoise. On voyait fréquemment des troupes défiler dans le matin gris des berges, soldats et miliciens en route vers les lointaines forêts du Sud pour faire front aux Iroquois et aux Anglais. Ils partaient une chanson aux lèvres et revenaient tête basse, vêtements en lambeaux, mocassins éculés, presque toujours victorieux, mais de victoires qui finissaient par miner leur âme et leur chair, car tout était constamment à reprendre. Des héros tombaient au cœur des immensités inhumaines et d'autres venaient prendre leur place. Ces tombes semées à travers la forêt faisaient reculer les bornes de la « sauvagerie », mais au prix du sang.

Frontenac se battait comme un vieux lion. Il gardait ses distances avec le pouvoir spirituel, le provoquait à l'occasion comme lorsqu'il fit jouer *le Tartuffe* de Molière à Québec, à la barbe des jésuites. Il aimait braver les bigots et y apportait tant de finesse et d'intelligence que ses rivaux se tournaient en ridicule à vouloir lui tenir tête.

Pour rien au monde il ne se serait laissé distraire de son but suprême : mener une guerre incessante contre l'Iroquois et l'Anglais, donner la paix à la Nouvelle-France.

A demi infirme à soixante-quinze ans, il n'avait pas

renoncé à suivre une expédition qu'il jugeait décisive. Laurent l'avait vu à plusieurs reprises, porté dans une sorte de palanquin par de solides Hurons, s'enfoncer dans les forêts limitant la rivière Oswego, fondre à la tête de ses hommes sur les villages onontagués, les ravager de fond en comble, détruire leurs récoltes, menacer les Cinq Cantons, ébranler de ses tonnerres et de ses foudres des peuplades hostiles. Il l'avait vu recevoir les envoyés des tribus onéïoutes venus mendier la paix et, assis sur un trône rustique recouvert de somptueuses fourrures, tendre le calumet aux chefs rouges et leur parler comme un père à ses enfants indociles. Il l'avait vu aussi, certains soirs, après une marche épuisante à travers les marécages d'où montaient des brumes fétides de chaleur avec des tourbillons de maringouins et de brûlots, allongé comme mort sur une paillasse, le col entrouvert sur un cou tendineux de vautour, les sueurs de la fièvre baignant son visage, donnant, comme Cavelier jadis, l'impression de ne survivre qu'à force de volonté, de prolonger son rôle de conquérant jusqu'à ce qu'il soit terrassé par une vague de folie ou par une ambition qui n'était plus de son âge.

Il était revenu à Québec perclus de douleurs comme après une bastonnade, miné par la fièvre mais faisant des efforts inouïs pour créer l'illusion que ce n'était qu'une mauvaise passe. En sautant du canot il avait tendu l'oreille et avait frappé le sol de sa canne, surpris et indigné que l'on ne fît pas péter la poudre de salut et carillonner les cloches en son honneur. La mine stupéfaite et contrite de Callières et de Vaudreuil lui avait fait comprendre qu'il devenait sourd, lui qui aimait tant les bruits du monde.

Il se souvenait de ce matin d'octobre de l'année passée où les navigateurs anglais de Phipps avaient décidé de lever l'ancre sans avoir pu investir la ville et y débarquer ; il n'avait entendu qu'à travers du coton le tumulte des canonnades. Il avait alors songé à cette vieille femme de Lachine, la veuve du héros de Long-Sault, qui paraissait isolée du monde et enfermée dans une éternité de silence et de mutisme sous son casque de cheveux blancs.

M. Le Barrois secoua le bras du gouverneur général.
– Monseigneur ! dit-il. Monseigneur, réveillez-vous !

Frontenac ouvrit les yeux, essuya avec la dentelle de ses manchettes la chassie qui les humectait, et dit avec sa brutalité coutumière :

— Que me veut-on encore ? Ne puis-je reposer en paix ?

— Laurent Chapdeuil vient d'arriver. Vous avez accepté de lui donner audience.

— Je m'étais encore endormi, bougonna le gouverneur. Quelle pitié !

Il observa Laurent d'un regard dépourvu d'aménité.

— Approche, mon garçon ! Plus près. Parle net et fort. Que veux-tu ?

— Me retirer, monseigneur. J'ai participé à toutes les expéditions, à toutes les batailles, moi et mes fils, Denis et Jacques. Vous m'avez promis une concession. Je viens vous rappeler votre parole.

— Non ! Pas encore. Rassure-toi : je prendrai les dispositions nécessaires pour qu'à ma mort tu deviennes libre. Tant que je vivrai je veux que tous ceux qui se sont distingués à mes côtés restent présents.

— Mais, monseigneur...

— J'ai dit !

Un coup de canne ébranla le parquet. Laurent, mortifié, se disposait à se retirer lorsque le gouverneur le héla.

— Rassure-toi, mon garçon, dit-il. Tu n'auras pas longtemps à attendre. Vois-tu, j'aime les gens de ton espèce. Ils me consolent de la papelardise des Jésuites, de la flagornerie des courtisans, de l'imbécillité des ministres du vieux pays, qui n'ont rien compris à notre situation ! C'est toi et ceux qui te ressemblent qui avez fait ce que le Canada est aujourd'hui : une belle colonie. Les autres n'ont songé qu'à gagner quelques âmes à leur paradis ou à garnir leur bourse. Approche ! Je ne vais pas te mordre ! Je n'ai plus de dents.

Sa main sèche s'accrocha au bras de Laurent, le pétrit.

— Si je me souviens bien, c'était ta mère, cette vieille femme aux cheveux blancs qui a perdu la raison et la parole à la suite du massacre de Lachine ? Qu'est-elle devenue ? J'aimerais la revoir.

— C'est impossible, monseigneur. Elle s'est éteinte doucement, il y a un mois. Elle a paru quelque temps surmonter son état et souhaiter revivre. Un matin on l'a assise dans son fauteuil, comme d'ordinaire, sous un arbre où elle aimait demeurer. Elle a souri, a fermé les yeux, s'est endormie et ne s'est pas réveillée.

La mâchoire de Frontenac se contracta, sa bouche grimaça comme s'il venait d'avaler une gorgée de fiel, puis il secoua tristement la tête et repoussa Laurent.

– Va, dit-il. Va, mon garçon. Je regrette pour ta mère : c'était une femme courageuse et tous l'aimaient.

La paix une fois signée par la France et l'Angleterre, il n'y eut plus, entre Québec et la Nouvelle-York, que d'anodines querelles portant sur les échanges de prisonniers. La guerre contre les Cinq Cantons de la Confédération iroquoise était achevée et l'on songeait à organiser à Montréal une grande palabre pour consolider une paix qui ne soit plus un simple répit.

Cette grandiose rencontre, le gouverneur général l'avait préparée de longue date. A force de recevoir des délégations de Nipissings, de Hurons, d'Algonquins et d'Iroquois dans son cabinet, l'air sentait la boucane. Le vieux chef huron Kondiarok, le Rat comme on l'appelait, promu capitaine, promenait ses tenues extravagantes, mi-indiennes, mi-européennes, dans la Maison Militaire où il avait ses entrées et dans le « château » Saint-Louis. Il ne restait pas une journée sans rendre visite à son ami le « Grand Onontio » ; ils étaient devenus inséparables ; leurs entretiens duraient des heures et Frontenac en sortait animé d'une singulière exaltation. Kondiarok passait pour une sorte de souverain chez les Indiens de la Nouvelle-France ; de quelque nation qu'ils fussent, tous le respectaient pour son bon sens, son intelligence aiguë, son entregent, ainsi que pour sa taille hors de la normale, sa maigreur ascétique, sa noblesse naturelle ; il était si vieux qu'il ne se trouvait plus personne pour mettre en doute sa prétention à être « le plus vieil homme de la terre ». Invité à la table du gouverneur, il étonnait les convives par la promptitude et la lucidité de ses reparties. Frontenac partait d'un de ses rires grinçants lorsque le vieux « sagamo » clouait le bec par une parabole irréfutable à quelque jésuite raisonneur ou à quelque officier imbu de ses exploits. La paix indienne se ferait avec son concours ou ne se ferait pas.

Un matin d'hiver un officier d'ordonnance partit au galop de son cheval pour prier Mgr de Saint-Vallier de se rendre d'urgence au château Saint-Louis où le gouverneur venait d'être victime d'un malaise.

Lorsque le prélat majeur pénétra dans la chambre où les braseros entretenaient une chaleur suffocante, le gouverneur avait repris ses esprits et sa pugnacité, dont son médecin faisait les frais. Il se dressa sur sa couche en voyant arriver le visiteur.

– Mon vieil ami! s'écria-t-il. Je vous attendais avec impatience. Cette vieille bête de médicastre essaie de me convaincre que j'ai encore des années à vivre et à lui assurer une rente. Comme s'il était mieux informé que moi de ma santé! Approchez, je vous prie. Vous savez que je suis dur d'oreille. Au moment de quitter ce monde un souci me tourmente, entre autres : dira-t-on de moi que je suis un mauvais chrétien pour avoir cherché chicane aux Jésuites pour de misérables histoires de prérogatives et de commerce d'eau-de-vie avec les « sauvages » ?

– Je ne crois pas mentir en disant que vous fûtes un bon chrétien, bien qu'un peu négligent dans la pratique de la foi. L'Église vous estime et le peuple vous aime. Le peuple aime toujours ceux qui lui apportent la chose la plus précieuse au monde : la paix.

Le visage de Frontenac se contracta sous l'empire de l'émotion. Il tendit sa main sèche à l'évêque.

– Pardonnez-moi, monseigneur, mais je ne vous entends et ne vous vois qu'avec peine. Avant de passer l'arme à gauche je voulais vous dire... vous dire que j'ai aimé avec passion ce pays et ces gens, le petit peuple des habitants surtout. Je leur ai tout sacrifié : ma fortune, ma santé et même, j'en conviens, mon honneur. Il me reste... il me reste à leur offrir ma vie.

Il chuchota sa confession à l'oreille du prélat puis il eut quelques sursauts, comme d'une marionnette détraquée, suivis de râles caverneux. Son corps se crispa, se détendit et ses traits se relâchèrent dans une sorte de grâce.

L'assistance se mit à genoux, imitant Mgr de Saint-Vallier qui venait d'entamer la prière des morts.

Irénée eut un mouvement de surprise en entrant dans la boutique de Barthélemy Audouin. Il arrivait de sa mission de La Montagne avec un froc bien propre qui le changeait de la souquenille qu'on lui connaissait ordinairement, et ses joues étaient encore rouges de sa promenade.

— Comment! s'exclama-t-il, vous n'allez pas assister à l'arrivée des « sauvages »? Tout Montréal sera là et vous restez derrière votre comptoir à attendre une clientèle qui ne viendra pas? C'est fête aujourd'hui!

— Les enfants y sont partis avec Laurent, dit Barthélemy. Ils se feront une joie de nous raconter ce qui les a intéressés.

Irénée haussa les épaules, regarda d'un air de commisération un peu ironique ce brave homme de négociant attaché à sa boutique comme une moule à son rocher.

— Gros nigaud! dit-il. Tu ne vois pas que Cathy meurt d'envie de les rejoindre? Reste si tu veux. Cathy, je t'emmène!

— C'est bon, bougonna Barthélemy. Passez devant. Je fermerai la boutique.

— Non, dit Cathy. Je t'attendrai.

Montréal grouillait de monde dans le terrible été qui accablait le pays. Des habitants étaient venus par familles entières des lointaines concessions; les auberges étaient pleines, et la plupart des visiteurs devaient camper sous des huttes d'écorces et de branches que la moindre tornade eût balayées comme fétus.

Les Indiens débarquaient par pleins canots : Iroquois, Hurons, Algonquins, mais aussi des délégués de peuplades connues seulement de quelques coureurs des bois; ils s'installaient le long du fleuve, dressaient leurs « tipis » ou retournaient leurs embarcations pour s'y abriter; ils déballaient leur « pelu », leurs gosses, leurs nattes avec des gestes lents et compassés.

Petit-Claude, le fils aîné de Cathy et de Barthélemy, un garçon un peu lourd, aux gestes brusques, tendit son petit doigt pour désigner des « sauvages » coiffés de têtes de bœuf sauvage dont la peau leur recouvrait les épaules.

— Ce sont des Illinois, dit Laurent.

— Montre! Montre! s'écria la petite Catherine, sa sœur jumelle.

Laurent la prit dans ses bras et la fillette, s'abritant les yeux du soleil derrière ses mains poisseuses de sucre d'érable, regarda bouche bée les « sauvages » qui se dirigeaient vers eux, la pagaie d'une main, leur sachet de tabac de l'autre.

— Ne crains rien, dit Laurent. Ils sont gentils.

— Et ceux-là? demanda Simon, leur frère puîné.

Il montrait le canot qui s'insinuait dans la flottille amarrée au ponton. Un jeune chef en descendit d'une allure majestueuse; il rejeta dans son dos les pans de sa robe de castor, découvrant un large pectoral de cuivre; ce qui surprenait le plus dans cet accoutrement, c'était la touffe de cheveux teints en rouge, qui rappelaient une crête de coq.

— C'est un jeune « sagamo » algonquin, dit Laurent. Je le connais : un fameux guerrier. Les Iroquois le craignent.

— J'ai peur... gémit Catherine en s'abritant le visage dans l'épaule de son oncle.

Le groupe d'Algonquins venait d'entamer un conciliabule à quelques pas de là. Laurent s'approcha, les salua dans leur langue et les questionna sur leur voyage. Il apprit qu'une maladie s'était déclarée dans leur tribu; beaucoup étaient morts d'une fièvre maligne que leurs sorciers, malgré les sueries qu'ils leur faisaient subir, ne pouvaient vaincre. Ils annoncèrent tristement à Laurent que le « capitaine » Kondiarok lui-même était atteint et supportait mal cette maladie en raison de son âge.

Laurent abandonna Catherine à sa mère qui venait d'arriver en compagnie de Barthélemy et d'Irénée.

– Où vas-tu ? demanda Irénée.

– Prévenir le gouverneur. Si Kondiarok mourait, cela compromettrait cette palabre. Il faut envoyer au-devant du vieux chef un canot confortable et un médecin.

Kondiarok était mal en point. Il rassura cependant le gouverneur général, M. de Callières, qui avait remplacé Frontenac, et qui était venu l'attendre sur l'appontement.

– Le « capitaine » Kondiarok, dit Callières en s'inclinant, sera satisfait : tous les peuples des forêts, des lacs et des rivières ont répondu à son appel. Que mon frère regarde! Il peut être fier.

Il montrait d'un geste large l'étendue de la rive, couverte d'une multitude bariolée de tentes de peau, d'écorces, de branchages où fourmillaient des « sauvages » nus ou demi-nus.

Kondiarok traversa d'un pas chancelant, appuyé à son bâton de cérémonie, la foule des Indiens qui s'inclinaient sur son passage, touchaient avec révérence sa veste de capitaine de marine, ses bas violets, les dentelles qui bouffaient autour de ses genoux maigres.

– Mon « père » Frontenac serait heureux, dit-il simplement. Mon frère « Onontio » croit-il qu'il nous voit du haut du ciel ?

– Il est parmi nous, mais nous ne pouvons le voir, dit Callières. Son esprit se réjouit de savoir que nos frères indiens vont enterrer la hache de guerre.

Les trente-huit ambassadeurs représentant les quinze cents « sauvages » réunis à Montréal attendaient dans la salle du conseil du château Saint-Louis. Il y avait là des Iroquois des Cinq Cantons : Onontagués, Onnéïouts, Agniez, Goyogouins, Tsonontsouans, mais aussi des Algonquins, des Hurons, des Illinois, des Miamis, des Ottawas, des Nipissings, des Outagamis, des Micmacs, des Abénakis, des Sioux, des Chippewas... Aux diverses façons de disposer les fourrures et les plumes, les colliers de perles et de métal, de mêler des « pourcelines » à leur chevelure, on pouvait les identifier et prendre conscience de l'extraordinaire diversité des peuples qui plantaient leurs « totems » et dressaient leurs « wigwams » de l'Acadie aux grandes prairies de l'Ouest, et cela donnait le vertige.

Durant près d'une semaine on discourut, on parlementa, on se querella en se reprochant d'anciens forfaits, comme d'avoir dévoré un castor sans avoir laissé sur place la queue ainsi que le voulait la coutume, d'avoir chassé sur le territoire des voisins, d'avoir volé une femme, d'avoir détruit des cabanes de rats musqués...

Dressé sur ses jambes de héron, le « capitaine » Kondiarok ramenait la sérénité dans l'aréopage; il parlait par paraboles, selon son habitude, d'une voix brisée par la maladie. On faisait silence pour l'écouter rendre sa justice. Par moments le vieux sage donnait l'impression d'être au seuil de l'agonie : sa voix devenait inaudible, ses paupières s'affaissaient sur un regard terne, ses genoux fléchissaient et il faisait signe qu'on lui amenât un fauteuil, mais, comme mû par un ressort mystérieux, il remontait aux sources de la vie.

Les chefs prirent tour à tour la parole dans leur langue. Nicolas Perrot et son fils Frédéric, Laurent Chapdeuil, le père jésuite Bruyas, servaient de truchements. A la fin de cette semaine de palabres on fixa la date de la grande assemblée solennelle qui scellerait la paix : elle aurait lieu le lendemain.

Ce jour-là, chez Barthélemy Audouin on mit une rallonge à la table; on déploya une nappe immaculée sur laquelle Cathy disposa un imposant couvert de fête. Elle prit plaisir à indiquer la place des convives – il y avait si longtemps que toute la famille n'avait pas été réunie...

Laissant à Jeanne, une jeune Algonquine du séminaire qui lui servait de servante en certaines occasions, le soin de préparer la soupe, Cathy alla s'asseoir pour se reposer sur le banc placé devant la porte de la demeure qui dominait la boutique. Les yeux clos, les membres alourdis de fatigue, elle écouta les cloches qui sonnaient au-dessus de la ville; elle les imaginait suspendues en grappes sur la robe somptueuse de l'automne comme des bijoux de cristal. Elle devait remonter loin dans sa mémoire pour retrouver une émotion

582

aussi intense; elle revivait des moments oubliés, revêtait les vieilles robes, cadeau de Latour au fort Saint-Jean, que sa mère avait conservées dans une malle et qui avaient gardé leur odeur du temps où Catherine la berçait en lui chantant les comptines et les berceuses du vieux pays, qui parlaient de seigneurs et de bergères dans les campagnes de ce Périgord qu'elle ne verrait jamais. Une voix, parfois, s'évadait de cette brume : celle de son père, rude et franche comme lui, mais elle n'était pas certaine que ce fût celle de Denis. Elle l'imaginait à partir du souvenir de cet homme aux cheveux roux, de ce demi-sauvage qui avait quitté la maison, un matin d'avril, avec une poignée de compagnons, pour ne plus revenir. Tout s'ordonnait curieusement autour de cette absence : le départ pour Lachine, l'installation dans la grande demeure de « Saint-Sulpice », et la sarabande de ces êtres de fumée, Frédéric Perrot, Louis-Armand de La Hontan, qui s'étaient éloignés d'elle en lui laissant le goût d'un bonheur impossible et de désirs inassouvis... Ce goût de bonheur, ces désirs déçus avaient cessé de la troubler; elle les avait enfouis au fond d'elle-même comme les robes de Catherine ou les livres de Gautier de Costes dans leur coffre.

La rumeur de la ville faisait écho au carillon des cloches. Sur la crête du mont Royal, la croix que M. de Maisonneuve avait plantée au-dessus de sa chère Ville-Marie sanctifiait cette fête de l'espérance. Cathy joignit ses mains sur son devantier; elle avait envie de prier pour que cessent à jamais les guerres, les massacres, les tortures, les incendies, pour que la forêt fît une alliance éternelle avec la colonie. Elle eut comme un trait de foudre la vision d'une aube de paix, ample et radieuse, pareille à ces matins de printemps qu'elle voyait se lever sur le fleuve au saut du lit.

Elle tressaillit lorsqu'une main se posa sur son épaule.

– Laurent! dit-elle. Que veux-tu?

Une impression de tristesse profonde se marquait sur ses traits. Ceux qui l'accompagnaient, Barthélemy, Irénée, Denis et Jacques, paraissaient tout aussi affectés.

– Kondiarok... dit Laurent. On vient de le conduire à l'hôtel-Dieu. Il s'est effondré après avoir fait jurer aux Français et aux Indiens de signer la paix. Le médecin du gouverneur dit qu'il n'a plus que quelques heures à vivre.

– Je l'ai vu passer quand on le transportait, dit Denis. Il était raide comme une lance. On aurait dit un squelette.

– Tout sera donc à refaire ? dit Cathy.

– Non, dit Irénée. Tout est fait et rien ne se défera.

Il avait vu, entre les mains de Callières, un document étrange : le traité provisoire de paix. Sous le texte rédigé par la plume élégante de M. Le Barrois, les députés « sauvages » avaient tracé des dessins bizarres : un calumet, une araignée, un ours, un lièvre... Pour aboutir à ce morceau de parchemin, que de batailles, que de tueries inutiles!

– Nous pouvons passer à table, dit Barthélemy.

Irénée récita le bénédicité et traça une croix sur le pain. Il y eut un lourd silence. Les convives se tenaient immobiles et silencieux autour de la grosse soupière de faïence venue du vieux pays, les poings lourds des hommes posés devant eux comme des pierres. On eût dit qu'ils s'attardaient aux derniers mots de la prière, qu'ils s'attachaient à eux par des fils tenaces.

Barthélemy le premier rompit le silence.

– Ce fauteuil vide au bout de la table, dit-il, c'est pour qui ? Nous attendons quelqu'un ?

– Nous n'attendons personne, dit Cathy. C'est celui de notre mère.

L'orage couvait depuis le matin sur la plaine lorsque la foule de Montréal, Français et Indiens mêlés, reflua vers la chapelle de l'hôtel-Dieu où devait être exposé le corps de Kondiarok.

Laurent, le repas de famille terminé, y conduisit la maisonnée. Il voulait que chacun pût se souvenir du moment où la mort d'un chef vénéré avait scellé la paix. Portant sur ses épaules la petite Catherine, il s'infiltra, suivi des siens, jusqu'aux abords de la porte monumentale ouvrant sur la cour de l'hôtel-Dieu. Un silence tendu écrasait la foule engourdie par la chaleur et l'émotion. Lorsque sonna le glas, des Indiens se mirent à gémir et des femmes à pleurer.

– Place! Place! cria la voix d'un lieutenant qui précédait un singulier cortège.

Un murmure parcourut la foule lorsque arriva un détachement d'une soixantaine de soldats en grande tenue, précédés d'un sergent en veste blanche qui tenait à la main une pique imposante. Le cortège était suivi de guerriers hurons au visage peint en noir, vêtus de somptueuses peaux de castors et portant un mousquet sur le bras. Venait ensuite Mgr de Saint-Vallier ayant à ses côtés M. Dollier de Casson, supérieur de Saint-Sulpice, et le père de Carheil, un jésuite brisé par l'âge et l'affliction, que Kondiarok, à qui il avait révélé la foi chrétienne, tenait en haute estime. Tout le clergé de Montréal fermait le cortège funèbre.

L'arrivée du corps fit sensation.

Le vieux chef était allongé sur un lit de parade recouvert d'une ample étoffe pourpre retombant à larges plis. Porté par six chefs de guerre choisis parmi les six nations, le vieux « sachem » des Hurons tanguait au-dessus des têtes. On ne voyait de lui que son visage encadré de cheveux blancs, son nez en bec d'aigle, très effilé, ses mains qui paraissaient cramponnées au chapeau de martre posé sur son ventre. Les Indiens tombaient à genoux sur son passage, tendaient les mains vers lui, jetaient sur le lit funèbre leurs colliers de « wampums » ou de « pourcelines ». Il fallut chasser une femme huronne portant un enfant dans son dos, qui s'accrochait au drap au risque de faire basculer le cadavre.

Derrière le catafalque, l'air austère, venaient M. de Callières, M. de Vaudreuil, gouverneur de Montréal, des commandants d'armes figés dans leur robe de parade, des officiers mêlés à des chefs « sauvages ».

Dans la lourde chaleur d'août, des éclairs sabraient les nuages violets qui montaient du sud avec le vent chaud qui brassait les chênes et les ormes. Les forêts feutraient les pentes d'une pâte verdâtre où la brume légère faisait jouer des reflets.

– Il faut rentrer, dit Barthélemy. L'orage menace.

Personne, autour de lui, ne parut l'entendre. On suivait la foule muette et recueillie. La gravité du glas s'accordait avec la rumeur du tonnerre qui roulait sur l'horizon de La Prairie avec des sonorités d'orgues.

Toujours perchée sur les robustes épaules de Laurent, la petite Catherine poussa un cri : un éclair venait de fuser au-dessus du mont Royal.

585

– N'aie pas peur, dit Laurent. L'orage est encore loin.

Catherine ne put réprimer un frisson. Elle dominait l'étrange spectacle des chevelures indiennes brunes et huileuses et des tuques canadiennes. Loin devant elle, le vieux chef au nez saillant paraissait somnoler sur son grand lit rouge qui se balançait sur la foule dans un profond et multiple murmure d'*oremus*. Lorsque le cadavre franchit le porche de la chapelle, la foule parut se tasser jusqu'à devenir impénétrable.

– Suivez-moi! dit Laurent. Ne me quittez pas!

Catherine se mit à rire en voyant tous ces gens se ruer vers la chapelle en dansant avec des dandinements de dindons affolés. Elle s'étonnait que personne ne semblât prendre garde à cet orage qui montait avec de lourdes vagues de nuages. Personne sauf elle. Avant que Laurent eût atteint le parvis, elle sentit sur son visage la fraîcheur d'une première goutte.

– Restez derrière moi! criait Laurent. Nous allons essayer d'entrer.

Il ne pouvait progresser que pas à pas, au milieu d'un tumulte sans cesse croissant et qui couvrait la voix de la cloche. Il était parvenu à quelques pas de la chapelle lorsque l'orage éclata avec une violence soudaine du côté du port. Catherine poussa un cri strident et se mit à pleurer.

Elle venait d'apercevoir, dans une lueur aveuglante, une épée de feu qui, jaillissant du ventre d'un nuage, avait fendu par le milieu le tronc d'un chêne géant.

TABLE DES MATIÈRES

Cet ouvrage a été réalisé par la
SOCIÉTÉ NOUVELLE FIRMIN-DIDOT
Mesnil-sur-l'Estrée
pour le compte des Éditions Presses de la Cité
en décembre 1992

Imprimé en France
Dépôt légal : décembre 1992
N° d'édition : 6084 – N° d'impression : 21864